일반인을 위한 약물치료 설명서

약물치료
핸드북

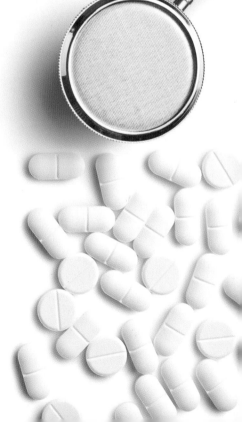

PHARMACOTHERAPY HAND BOOK

가천대학교 약학대학
유 봉 규

군자출판사

약물치료 핸드북 2nd ed.

첫째판 1쇄 인쇄 | 2013년 10월 14일
첫째판 1쇄 발행 | 2013년 10월 21일
둘째판 1쇄 발행 | 2020년 7월 21일
둘째판 1쇄 발행 | 2020년 7월 31일

저　　　자　유봉규
발 행 인　장주연
출 판 기 획　장희성
책 임 편 집　이경은
편집디자인　인지혜
표지디자인　양란희
일 러 스 트　유학영
발 행 처　군자출판사
　　　　　등록 제4-139호(1991.6.24)
　　　　　(10881) 파주출판단지 경기도 파주시 회동길 338(서패동 474-1)
　　　　　Tel. (031)943-1888　　Fax. (031)955-9545
　　　　　홈페이지 | www.koonja.co.kr

ISBN 979-11-5955-570-1

정가 30,000원

저자소개

유봉규

서울대학교 약학대학 졸업(약학박사)

미국 알바니 약학대학 졸업(Doctor of Pharmacy)

한국보건의료인국가시험원 약사시험위원장 역임

한국약학대학교육협의회 약사국시위원장 역임

세계약학연맹(FIP) 지역약국분과 대한민국 대표 역임

건강보험심사평가원 비상근심사위원 역임

대한약국학회 회장 역임

대한약학회 부회장 역임

한국임상약학회 부회장 역임

가천대학교 약학대학 교수

보건복지부 중앙약사심의위원

머리말

이 책은 약물치료에 대해 의료인은 물론 일반인도 쉽게 이해할 수 있게 하기 위해 2013년에 처음 발간되었는데 초판이 나온 지가 벌써 7년이 다 되어갑니다. 그동안 이 책을 읽어주신 독자 분들께 감사드리며 또한 개정판을 낼 수 있게 도와주신 군자출판사에 감사드립니다.

건강하게 살고 싶은 마음과 그렇게 살기 위한 방법에 대한 관심은 우리나라가 선진국으로 진입하면서 더욱 높아지고 있습니다. 이에 따라 인터넷을 비롯한 여러 매체를 통해 다양한 정보가 넘쳐나고 있습니다. 그러나 인터넷 정보 중에는 과장되거나 허위인 것들도 적지 않아 오히려 건강을 해칠 수도 있어 전문가들은 우려하고 있습니다.

건강한 삶은 질병이 없는 상태를 가리킵니다. 그렇다면 질병에 대한 정의를 분명하게 해야 합니다. 그래서 이 책은 각 질병에 대해서 맨 앞에 정의를 명확하게 하였습니다. 약물치료는 그 대상이 질병이기 때문에 질병을 정확히 정의하는 것이 무엇보다 중요합니다. 다음으로 그 질병의 원인, 증상, 진단, 약물치료에 대해 썼습니다. 특히 약물치료에 대해서는 각 질병마다 세계적으로 가장 권위 있는 학술단체의 지침을 기준으로 작성했고 일반인도 쉽게 읽을 수 있도록 전문용어는 꼭 필요한 경우로만 한정하고 가급적 쉬운 말로 풀어서 썼습니다.

초판의 경우에는 책을 포켓북 형태로 하다 보니 글씨 크기가 작아서 읽기가 불편하다는 지적이 많았습니다. 개정판은 이런 불편을 없애기 위해 글씨를 조금 크게 하여 연로하신 분들도 읽는데 불편하지 않도록 하였습니다. 그리고 찾아보기(인덱스) 섹션을 충실히 하여 독자가 궁금해하는 내용을 빨리 찾을 수 있도록 하였습니다

초판이 나온 지 7년이 지나면서 학술단체들의 약물치료지침이 많이 바뀌었습니다. 당연한 일이지만 변경된 지침을 일일이 확인하여 최신지침으로 수정하는데 많은 시간과 노력을 들였습니다. 이 힘든 작업을 도맡아서 해준 가천대학교 약학대학 최선경 연구원에게 감사드립니다. 그리고 인쇄과정에서 오탈자 수정과 그림 편집을 위해 꼼꼼하게 수고해주신 이경은 선생님과 장희성 차장님에게도 감사드립니다.

마지막으로, 남편이 책을 쓴다는 이유로 쓸쓸한 시간을 버텨낸 아내 경숙에게 미안한 마음을 전하면서 이 책을 드립니다.

2020년 7월

Contents

Part 09 감염성 질환

Part 10 신경계 질환

Part 11 안과 질환

Part 12 비뇨기과 질환

약·물·치·료·핸·드·북

Part 01
순환기 질환

고혈압
(Hypertension)

1 개요

1) 정의

고혈압은 30분 이상 흡연하지 않고 커피나 녹차 등 카페인이 함유된 음료를 섭취하지 않은 안정된 상태에서 측정한 혈압을 기준으로, 수축기 혈압이 140mmHg 이상이거나 이완기 혈압이 90mmHg 이상인 경우를 가리킨다.

2) 원인

고혈압 환자의 90% 이상은 특별한 원인 없이 발생하며 특정한 원인 때문에 발생하는 경우는 고혈압 환자의 10% 미만이다. 고혈압을 일으키는 원인질환에는 비만, 당뇨병, 고지혈증, 신장질환, 갑상선기능 항진증, 쿠싱증후군(Cushing's syndrome), 크롬친화세포종(pheochromocytoma, 갈색세포종이라고도 함), 약물로 인한 경우 등이 있다. 크롬친화세포종은 부신수질에 종양이 생겨 혈관을 수축시키는 호르몬이 과잉 생산되는 종양이다.

3) 증상

고혈압은 혈압이 높은 것 이외에 특별한 증상이 나타나지 않지만 치료하지 않고 오랜 시간이 지나면 혈관의 내피세포가 손상되어 여러 가지 합병증이 나타난다. 고혈압의 합병증은 협심증, 부정맥, 심근경색, 심부전 등 심장질환은 물론 다른 기관에서도 나타난다.

4) 진단

고혈압은 혈압을 측정하여 진단한다. 혈압측정 시에는 30분 이상 흡연하지 않고 커피나 녹차 등 카페인이 함유된 음료를 섭취하지 않은 안정된 상태에서 측정해야 한다. 운동을 한 직후나 음수 후 측정한 혈압은 고혈압 진단에 사용되지 않는다. 고혈압은 다른 질환 때문에 나타나는 경우도 있으므로 환자는 물론 가족의 병력도 자세히 청취해야 한다. 특히 당뇨병, 신장질환, 부신질환, 갑상선 질환 등에 의하여 고혈압이 이차적으로 발생되었는지를 확인하기 위하여 여러 가지 검사를 시행한다.

2 고혈압의 분류

고혈압은 아래의 표 1-1과 같이 분류한다. 이 분류법에 의하면 수축기 혈압과 이완기 혈압이 모두 정상범위이어야 정상 혈압이다. 고혈압 환자는 대개 수축기 혈압과 이완기 혈압이 모두 높게 나타나지만 수축기 혈압만 높은 경우가 있다. 이런 경우를 수축기 단독고혈압이라고 하며 노인에게 이런 형태의 고혈압이 흔히 나타나므로 노인성 고혈압이라고도 한다. 수축기 단독고혈압은 동맥경화로 인하여 혈관의 탄력성이 저하되어 있음을 나타낸다.

표 1-1 JNC 8에 의한 혈압의 분류

분류		수축기 혈압(mmHg)		이완기 혈압(mmHg)
정상혈압		<120	and	<80
고혈압 전단계	1기	120–129	or	80–84
	2기	130–139	or	85–89
고혈압	1기	140–159	or	90–99
	2기	≥ 160	or	≥ 100
수축기 단독고혈압		≥ 140	and	< 90

JNC 8=제8차 Joint National Committee

3 고혈압의 약물치료법

고혈압 약물치료 포인트

1. 위험인자가 없고 고혈압 전단계이거나 1기 고혈압인 환자는 1년 정도 생활습관 개선을 실천한 다음에도 여전히 혈압이 정상범위로 내려오지 않으면 의료인과 상의하여 약물치료를 시작한다.

2. 2기 고혈압인 환자는 위험인자가 없더라도 즉시 약물치료를 시작한다.

3. 최근에 개발된 칼슘차단제, renin-angiotensin system에 작용하는 약물은 수명을 연장시키는 효과가 있는 것으로 알려졌으므로 가급적 이 약물로 치료받는다.

4. 합병증이 있는 고혈압 환자는 각각의 경우에 적절한 약물로 치료받는다.

5. 고혈압은 완치되는 질환이 아니지만 약물치료를 잘 받으면 정상적인 생활에 지장이 없다.

고혈압은 복용 중인 약물이나 생활습관 때문에 일시적으로 혈압이 높게 나타날 수 있으므로 모두 약물치료의 대상이 되는 것은 아니다. 따라서 일단 고혈압으로 진단되면 환자에게 고혈압을 일으킬 수 있는 위험인자가 있는지, 고혈압의 정도가 어느 정도인지를 판단한 다음 약물치료 여부를 결정한다(그림 1-1).

고혈압을 일으킬 수 있는 위험인자에는 흡연, 비만, 당뇨병, 고지혈증, 신장질환, 고령, 고혈압 가족력 등이 있다. 이런 위험인자를 가지고 있는 환자가 당뇨병까지 있으면 즉시 약물치료를 시작해야 한다. 그러나 그렇지 않은 경우는 6개월 정도 건전한 생활습관을 실천하도록 노력한 다음 재검사를 실시하여 정상혈압으로 되면 약물치료를 실시하지 않아도 된다. 체중감량, 금연, 금주, 매일 30분 이상 운동하기, 짠 음식 피하기, 신선한 야채 섭취하기 등 건전한 생활습관을 위한 노력을 6개월 이상 실천했는데도 여전히 혈압이 떨어지지 않으면 약물치료를 시작한다. 위험인자가 없고 전고혈압이거나 1기 고혈압 정도로 비교적 가벼운 고혈압 환자는 1년 정도 건전한 생활습관을 실천한 다음 재검사를 실시하여 약물치료 여부를 결정한다. 2기 고혈압에 해당되는 환자는 위험인자가 없더라도 즉시 약물치료를 시작한다.

일단 약물치료를 하기로 결정하면 그림 1-2와 같이 고혈압의 단계 및 합병증 유무에 따라 치료제를 선택한다. 합병증이 없고 초기 고혈압(1기 고혈압)이면 ACEI, ARB, CCB, thiazide, BB계 약물들이 권장된다. 그러나, 어느 정도 진행된 고혈압(2기 고혈압)이면 thiazide 이뇨제, 베타차단제, 칼슘통로차단제, 안지오텐신 전환효소 저해제나 안시오텐신 수용체 차단제 중에서 한 가지를 선택해서 추가하는 병용요법이 사용된다. 병용요법으로 고려되는 조합은 ACEI (또는 ARB)와 CCB, ACEI (또는 ARB)와 thiazide계 이뇨제, CCB와 thiazide계 이뇨제이다.

합병증이 있는 고혈압 환자의 경우에는 각각의 합병증에 따라서 적절한 치료제를 선택해야 하며 자세한 사항은 그림 1-3에 나타내었다. 이 경우 약 1개월 정도 약물치료를 실시한 다음 혈압을 측정했을 때 목표혈압(일반환자: <140/90, 당뇨병 또는 신부전 환자: <130/80)에 도달하지 못할 경우에는 다른 약물을 추가하여 목표혈압을 유지하도록 해야 한다. 고혈압치료에 사용되는 약물의 용법, 용량, 특징적 부작용과 작용기전은 표 1-2, 표 1-3, 표 1-4에 각각 요약되어 있다.

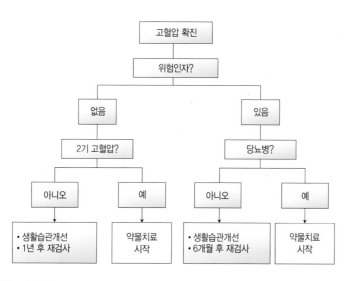

그림 1-1 고혈압의 단계별 약물치료법: 치료여부 결정
위험인자: 흡연, 비만, 당뇨병, 고지혈증, 신장질환, 고령(남자 55세 이상, 여자 65세 이상), 고혈압 가족력

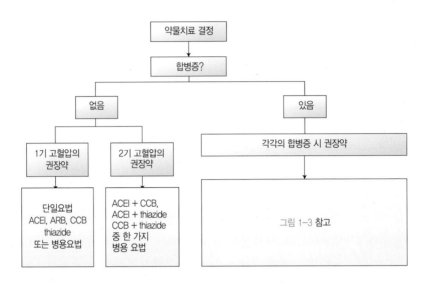

그림 1-2 고혈압의 단계별 약물치료법: 치료제 선택

ACEI=angiotensin converting enzyme inhibitor. ARB=angiotensin receptor blocker. CCB=calcium channel blocker. HCTZ=hydrochlorthiazide.

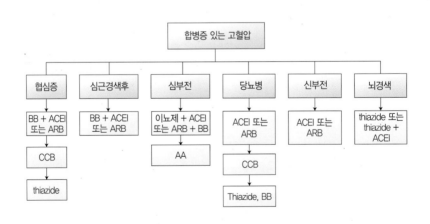

그림 1-3 합병증 있는 고혈압의 약물치료법: 치료제 선택

AA=aldosterone antagonist; ACEI=angiotensin converting enzyme inhibitor. ARB=angiotensin receptor blocker. BB=beta-blocker. CCB=calcium channel blocker.

표 1-2 고혈압 치료에 사용되는 약물의 용법 및 용량

구분	약물명(상품명)	용법 및 용량
베타차단제	acebutolol (쌕트랄®)	200mg을 1일 1–2회 복용
	atenolol (테놀민®)	25–200mg을 1일 1회 복용
	betaxolol (켈론®)	10–40mg을 1일 1회 복용
	bisoprolol (콩코르®)	2.5–10mg을 1일 1회 복용
	carteolol (미케란®)	2.5–10mg을 1일 1회 복용
	carvedilol (딜라트렌®)	12.5–100mg을 1일 2회 복용
	metoprolol (베타록®)	100mg을 1일 1–2회 복용
	nadolol (코가드®)	20mg을 1일 1회 복용으로 시작하여 1주일 간격으로 증량 (1일 최대용량: 240mg)
	propranolol (프라놀®)	40mg을 1일 2회 복용으로 시작하여 약효가 나타날 때까지 서서히 증량(1일 최대용량: 640mg)
이뇨제	hydrochlorthiazide (다이크로짓®)	12.5–25mg을 1일 1회 복용
루프이뇨제	furosemide (라식스®)	40mg을 1일 2회 복용
	torasemide (세토람®)	2.5–5mg을 1일 1회 복용
알도스테론 차단제	spironolactone (알닥톤®)	25–50mg을 1일
안지오텐신전환 효소저해제	alacepril (세타프릴®)	25–50mg을 1일 1–2회 복용
	benazepril (시바쎈®)	10–20mg을 1일 1회 복용
	captopril (카프릴®)	25–50mg을 1일 2회 복용으로 시작하여 약효가 나타날 때까지 2–4주 간격으로 증량(1일 최대용량: 450mg)
	cilazapril (인히베이스®)	1mg을 1일 1회 복용으로 시작하여 2.5–5mg으로 증량
	enalapril (베아텍®)	5–10mg을 1일 1회 복용
	fosinopril (모노프릴®)	10–20mg을 1일 1회 복용
	imidapril (타나트릴®)	5–10mg을 1일 1회 복용
	lisinopril (제스트릴®)	10–20mg을 1일 1회 복용
	moexipril (유니바스크®)	7.5–15mg을 1일 1회 복용
	perindopril (아서틸®)	4–8mg을 1일 1회 복용

안지오텐신전환 효소저해제	ramipril (라미프린®)	2.5–5mg을 1일 1회 복용
	temocapril (에이스콜®)	2–4mg을 1일 1회 복용
	zofenopril (조페닐®)	30–60mg을 1일 1회 복용
안지오텐신 수용체 차단제	candesartan (아타칸®)	8–16mg을 1일 1회 복용
	eprosartan (테베텐®)	600mg을 1일 1회 복용
	irbesartan (아프로벨®)	150–300mg을 1일 1회 복용
	losartan (코자®)	50–100mg을 1일 1회 복용
	olmesartan (올메텍®)	20–40mg을 1일 1회 복용
	telmisartan (프리토®)	20–80mg을 1일 1회 복용
	valsartan (디오반®)	80–320mg을 1일 1회 복용
칼슘차단제	diltiazem (헤르벤®)	30–60mg을 1일 3회 복용
	verapamil (이솝틴®)	40–80mg을 1일 3회 복용
	amlodipine (노바스크®)	5–10mg을 1일 1회 복용
	barnidipine (올데카®)	5–15mg을 1일 1회 복용
	benidipine (코디핀®)	2–4mg을 1일 1회 복용
	cilnidipine (시나롱®)	5–10mg을 1일 1회 복용
	felodipine (스프렌딜®)	5–10mg을 1일 1회 복용
	isradipine (다이나써크®)	5mg을 1일 1회 복용
	lacidipine (박사르®)	2–4mg을 1일 1회 복용
	lercanidipine (자니딥®)	10–20mg을 1일 1회 복용
	manidipine (마디핀®)	5–10mg을 1일 1회 복용
	nicardipine (페르디핀®)	10–20mg을 1일 3회 복용 (서방정의 경우 20–40mg을 1일 2회 복용)
	nifedipine (아달라트®)	10–20mg을 1일 3회 복용 (서방정의 경우 30–60mg을 1일 1회 복용)
	nisoldipine (씨스코®)	10–20mg을 1일 1회 복용

표 1-3 고혈압 치료에 사용되는 약물의 특징적 부작용

구분	약물명	특징적 부작용	주의사항
베타차단제	atenolol 등	서맥, 기관지 좁아짐, 우울증, 성욕감퇴	■ 호흡곤란이 심하면 복용을 중단하고 의료인에게 알릴 것 ■ 과음 또는 발기부전치료제 복용 시 저혈압이 나타날 수 있음
이뇨제	hydrochlorthiazide 등	저칼륨혈증	■ 저칼륨혈증이 나타나면 칼륨보급제를 복용할 것
알도스테론 차단제	spironolactone	고칼륨혈증	■ 고칼륨혈증이 나타나면 복용을 중단할 것
안지오텐신 전환 효소 저해제	captopril 등	마른기침, 고칼륨혈증, 혈관부종, 기형아 출산	■ 임신 중에는 복용하지 말 것 ■ 마른 기침이 심하면 의료인에게 알릴 것(안지오텐신 수용체 차단제로 처방변경) ■ 고칼륨혈증이 나타나면 복용을 중단할 것
안지오텐신 수용체 차단제	losartan 등	고칼륨혈증, 혈관 부종, 기형아 출산	■ 임신 중에는 복용하지 말 것 ■ 고칼륨혈증이 나타나면 복용을 중단할 것
칼슘차단제	amlodipin 등	부종, 어지럼증	■ 과음 또는 발기부전치료제 복용 시 부작용이 증강될 수 있음 ■ 심근세포의 calcium channel을 억제하는 작용이 있는 약물(예: diltiazem, nifedipine, verapamil)을 심부전 환자가 복용할 경우 심부전 증상이 악화될 수 있음 ■ 신부전 환자의 단백뇨를 악화될 수 있으므로 의료인에게 미리 알릴 것

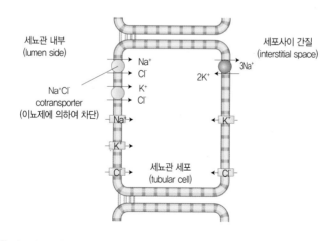

그림 1-4 이뇨제의 작용기전

이뇨제는 Na⁺와 Cl⁻ 등 무기질과 수분이 세뇨관 내부에서 세뇨관 세포로 재흡수 되는 것을 방해하여 소변량을 증가시키고 따라서 말초저항이 감소됨

표 1-4 고혈압 치료제의 작용기전

구분	작용기전
베타차단제	■ 베타수용체와 결합하여 교감신경 흥분을 차단함 1) 비선택성 베타차단제(labetalol, carteolol, carvedilol, nadolol, propranolol, timolol): 　– 기관과 조직에 있는 베타수용체와 결합하여 교감신경 호르몬의 작용을 차단함 　– 심혈관계 이외의 기관에 대한 작용도 많으므로 부작용도 많음 2) 베타–1 선택성 베타차단제(acebutolol, atenolol, betaxolol, bisoprolol, esmolol, metoprolol, nebivolol): 　– 심장, 신장, 대뇌피질 등에 있는 베타–1 수용체에 선택적으로 결합하여 혈압을 내려주는 효과를 나타냄 　– 심장에 작용한 결과: 심장박동수 저하, 심박출량 저하 　– 신장에 작용한 결과: renin 분비를 저하시켜 angiotensin I 및 II의 혈중농도를 낮추어 혈관을 확장시킴 　– 대뇌피질에 작용한 결과: 신체의 전반적 상태가 교감신경에 의한 영향을 덜 받도록 함
이뇨제	■ 신장에 작용하여 소변량을 증가시킴(그림 1-4) 1) hydrochlorthiazide: 　– 원위세뇨관 상피세포의 Na^+/Cl^- cotransporter를 억제하여 Na^+과 Cl^-이 재흡수 되지 않고 소변으로 배설되도록 함 　– 소변 중에 Na^+과 Cl^-이 증가되면 삼투압 평형을 유지하기 위하여 물이 함께 배설되어 소변량이 증가되어 혈액 및 체액의 부피가 줄게 되고 이로 인하여 말초저항이 감소하고 혈압이 저하됨 2) 루프이뇨제(furosemide, torasemide): 　– 헨레고리의 두꺼운 상행각 상피세포에 있는 $Na^+/K^+/2Cl^-$ cotransporter를 억제하여 Na^+, K^+와 Cl^-이 재흡수 되지 않고 소변으로 배설되도록 함 　– 혈압이 저하되는 기전은 hydrochlorthiazide의 경우와 같음 3) 칼륨보존성 이뇨제(triamterene, amiloride): 　– 원위세뇨관 및 집합관(collecting duct) 상피세포에 있는 Na^+ channel을 억제하여 Na^+이 재흡수 되지 않고 소변으로 배설되도록 함 　– 혈압이 저하되는 기전은 hydrochlorthiazide의 경우와 같음
알도스테론 차단제	■ 원위세뇨관 및 집합관(collecting duct) 상피세포에 있는 알도스테론 수용체를 차단하여 Na^+이 재흡수 되지 않고 소변 중으로 배설되도록 함 ■ Na^+이 배설될 때 물도 함께 배설되므로 소변량이 증가함
안지오텐신 전환효소저해제	■ Angiotensin I을 활성이 보다 강력한 angiotension II로 전환시키는 효소를 저해하여 혈관을 확장시킴(그림 1-5)
안지오텐신 수용체 차단제	■ Angiotension II 수용체와 결합하여 angiotension II의 작용을 차단함(그림 1-5)
칼슘차단제	■ Calcium channel을 차단하여 칼슘이 심근세포 및 혈관평활근 속으로 유입되지 못하게 함(그림 1-6) 　– 심근세포에 작용한 결과: 심박출력 저하, 심박출량 저하 　– 혈관평활근에 작용한 결과: 혈관수축 억제, 혈관확장

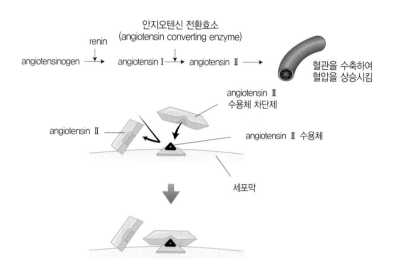

그림 1-5 안지오텐신 전환효소 저해제 및 안제오텐신 수용체 차단제의 작용기전
angiotensin Ⅱ의 생성을 방해하거나 수용체와의 결합을 차단하여 혈관을 확장시킴

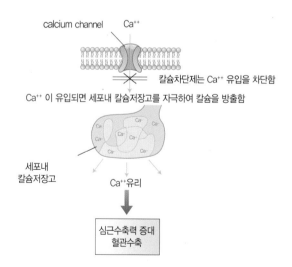

그림 1-6 칼슘차단제의 작용기전
calcium channel을 차단하여 심근수축력저하와 혈관을 확장시킴

심부전
(Heart failure)

1 개요

1) 정의
심부전은 심장기능이 약해져서 신체에서 필요로 하는 충분한 양의 혈액을 심장이 공급하지 못하는 상태를 말한다.

2) 원인
심부전의 직접적인 원인은 (1) 심근의 펌프기능이 약해져서 충분한 양의 혈액을 전신으로 박출해 주지 못하거나 (2) 심실로 충분한 양의 혈액이 유입되지 못하는 것이다. 일반적으로 전자의 경우를 수축기능부전에 의한 심부전, 후자의 경우를 이완기능부전에 의한 심부전이라고 한다. 심장의 수축기능부전으로 심근의 펌프기능부전을 일으키는 원인은 심근경색과 협심증 등 허혈성 심장질환과 고혈압이 대표적이며, 이완기능부전으로 인하여 펌프기능부전을 일으키는 원인은 심장판막증과 좌심실비대증 등이 대표적이다. 심부전 환자에 있어서 수축기능부전과 이완기능부전은 대부분의 경우 둘 다 존재하지만, 발병초기의 상태에서는 수축기능부전으로 인한 심부전이 전체 심부전 환자의 약 2/3를 차지하고 이완기능부전으로 인한 심부전은 전체의 약 1/3을 차지하는 것으로 알려졌다.

3) 증상
심부전 환자가 느끼는 가장 흔한 증상은 호흡곤란이다. 특히 간단한 일상생활이나 가벼운 운동 후에 호흡곤란이나 숨이 차는 증상 또는 앉아 있거나 서있으면 덜하고 오히려 누워 있을 때 더욱 숨이 차는 것이 심부전의 특징적인 증상이다. 그 밖에도 야간에 심해지는 마른기침, 발작성 야간호흡곤란, 심장의 두근거림, 야뇨, 핍뇨, 하반신부종, 체중증가, 상복부와 흉부의 답답함, 전신쇠약감 등 다양한 증상이 나타난다.

4) 진단

심부전 진단에 사용되는 정확한 기준(gold standard)은 없지만 오래전부터 흉부 X-ray 검사와 심전도검사가 이용되어 왔다. 그러나 흉부 X-ray 검사는 심부전이 상당히 진행되어 심장이 비대해진 경우가 아니면 진단에 큰 도움이 되지 않는다. 심전도검사는 부정맥, 허혈성 심질환, 심실비대 및 bundle branch block의 진단에는 유용하지만 심부전의 진단에는 정확성이 낮다.

심장 초음파검사는 심장의 1회 박출부피(stroke volume, SV)와 이완 후 부피(end-diastolic volume, EDV) 및 박출률(ejection fraction, EF)을 측정할 수 있기 때문에 심부전의 진단에 정확성이 높다. 또한 심장 초음파검사는 심근, 판막 및 심낭의 상태도 보여주므로 심근경색과 협심증 등 허혈성 심질환 경력 및 심내막염 경력도 알 수 있다. 이러한 다양한 정보는 진단의 특이성 제고는 물론 치료계획을 세우는 데도 많은 도움을 준다.

EF(%)=100×SV/EDV
정상인의 경우, EF가 약 50-70%이므로 40% 미만일 경우 심부전으로 진단함

2 심부전의 분류

심부전은 오래전부터 뉴욕심장협회(New York Heart Association, NYHA)의 기능적 분류법에 의하여 4단계로 분류되어 왔다. 그러나 이 분류법은 객관적인 지표를 이용하지 않고 환자의 기능적 상태에 의존하는 단점이 있어 최근에는 미국심장학회(American College of Cardiologists)와 미국심장협회(American Heart Association)의 제안에 따른 방법으로 분류되고 있다. 이 방법은 NYHA 분류법에 비하여 환자의 객관

적 상태를 바탕으로 분류하기 때문에 서로 다른 의사가 진단해도 편차가 적은 장점이 있다. NYHA 분류법과 ACC/AHA 분류법은 표 2-1과 표 2-2에 나타내었다.

표 2-1 NYHA 분류

분류	환자의 기능적 상태 (주관적 평가)
I단계	일상적 활동 수행에 불편이 없음
II단계	일상적 활동 수행에 약간 불편이 있음
III단계	일상적 활동 수행에 현저한 불편이 있지만 휴식 시에는 불편이 없음
IV단계	일상적 활동 수행에 항상 불편이 있으며 휴식 시에도 불편이 있음

NYHA=New York Heart Association (뉴욕심장협회)

표 2-2 ACC/AHA 분류

분류	객관적 상태 (객관적 평가)
A단계 (심부전 발생위험이 높음)	심장의 구조적병변(심근경색 경력, 판막병변, 좌심실기능부전)은 없지만 비만, 당뇨병, 고혈압, 고지혈증 등 대사성질환이 있는 환자
B단계(무증상성 심부전)	심장의 구조적병변(심근경색 경력, 판막병변, 좌심실기능부전)은 있지만 심부전의 특징적 증상이 없는 환자
C단계(유증상성 심부전)	심장의 구조적병변(심근경색 경력, 판막병변, 좌심실기능부전)과 심부전의 특징적 증상이 있는 환자
D단계(말기 심부전)	약물요법을 최대용량으로 실시해도 심부전의 특징적 증상이 호전되지 않는 환자

ACC=American College of Cardiologists. AHA=American Heart Association

3 심부전의 약물치료법

심부전 약물치료 포인트

1. 심부전의 약물치료는 ACC/AHA의 4단계 분류에 따라 치료법을 선택한다.

2. A단계 환자는 고혈압, 당뇨병 등 대사성질환을 적극적으로 관리하여 심부전으로 진행되지 않도록 한다.

3. B단계 환자는 renin-angiotensin system에 작용하는 약물이나 베타차단제를 사용하여 심박출률을 향상시키는 치료를 받는다.

4. C단계 환자는 B단계 환자에 준하는 치료를 기본으로 하면서 동시에 증상완화치료도 함께 받는다.

5. D단계 환자에 사용되는 정맥주사용 강심제는 생명유지를 위한 보조약물이다.

심부전의 약물치료법은 현재 ACC/AHA 분류의 4단계에 따라 병기별로 치료법을 선택한다(그림 2-1). A단계와 B단계의 약물치료는 심부전으로 진행되지 않도록 예방하는 것을 목표로 하기 때문에 엄격히 말하자면 심부전의 약물치료라고는 할 수 없다. 심부전의 특징적 증상이 나타나는 병기는 C단계 이후이다. 따라서 심부전의 약물치료는 C단계부터 시작된다.

A단계 환자는 심장의 구조적 병변은 없지만 심부전의 위험인자를 가지고 있는 그룹이기 때문에 심부전이 발병되지 않도록 예방하는 것이 중요하다. 따라서 심부전 위험인자 통제와 생활습관 개선이 가장 중요하다. 약물치료법으로는 고혈압 치료제이면서 심부전 예방효과가 있는 안지오텐신 전환효소 차단제 또는 안지오텐신 수용체 차단제가 사용된다.

B단계 환자는 심장의 구조적 병변이 있지만 심부전의 특징적 증상이 아직 나타나지 않는 초기 심부전 그룹이다. 이 경우는 증상은 없지만 심장에 구조적 병변이 있기 때문에 그에 대한 약물치료를 실시한다. 특히 베타차단제 중 metoprolol, carvedilol, bisoprolol 등은 심장박출률을 향상시켜 주는 작용이 있어 심부전 증상이 나타나지 않도록 예방하는 데 효과가 있다.

C단계는 심장의 구조적 병변이 있을 뿐만 아니라 심부전 특유의 증상이 나타나는 병기이다. 이 단계부터는 가벼운 운동에도 쉽게 숨이 차고 하반신에 부종이 나타나는 등 일상생활에 불편이 있기 때문에 본격적인 약물치료를 실시한다. 이때 약물은 digoxin과 이뇨제가 널리 사용된다. Digoxin은 일일 $250\mu g$ 미만의 낮은 용량으로

사용 시 신경호르몬조절작용이 있기 때문에 심장과 혈관을 보호하는 효과가 있다. 특히 저용량의 digoxin 치료는 심부전 증상 악화를 예방하여 환자의 입원 횟수를 줄일 뿐만 아니라 삶의 질을 향상하는 효과가 있기 때문에 권장되는 약물이다. 이뇨제는 부종치료 및 체중감량 효과가 있어 일상생활에서 숨이 차는 증상개선에 도움을 준다. 비약물요법으로는 삽입심장제세동기(implantable cardiac defibrillator, ICD) 혹은 심장 재동기화 치료(cardiac resynchronization therapy, CRT)가 추천된다.

D단계 환자는 C단계의 약물치료법을 최대용량으로 실시하는데도 불구하고 심부전 증상이 호전되지 않는 말기 심부전 그룹이다. 따라서 이 경우는 증상완화 및 생명유지가 치료 목표이다. 이때 사용되는 약물은 정맥으로 투여되는 강심제로서 dopamine, dobutamine, milrinone 등이 있다. 이들 약제는 점적정맥주사(infusion)로 24시간 동안 지속적으로 투여해야 하는 약물이기 때문에 심장이식을 기다리고 있는 환자나 호스피스 센터에 있는 환자에게 제한적으로 사용된다. 심부전 치료에 사용되는 약물의 용법, 용량, 특징적 부작용 및 작용기전은 표 2-3, 표 2-4, 표 2-5에 각각 요약되어 있다.

병기	심부전 위험인통제[a] 및 생활습관 개선	ACEI 또는 ARB	베타차단제	digoxin, 이뇨제	정맥주사용 강심제 또는 심장보조기구
A 단계	위험인자 통제를 목표로 함				
B 단계	심장 박출률 향상을 목표로 함				
C 단계	심장박출률 향상 및 증상완화를 목표로 함				
D 단계	증상완화 및 생명유지를 목표로 함				

그림 2-1 심부전의 단계별 약물치료법

ACEI=angiotensin converting enzyme inhibitor. ARB=angiotensin receptor blocker.
[a]심부전 위험인자 통제: 금연, 금주를 실천하고 비만환자의 경우 체중감량 및 당뇨병, 고혈압, 고지혈증 등 대사성질환에 대하여 적절한 치료를 받는 것을 의미함

표 2-3 심부전 치료에 사용되는 약물의 용법 및 용량

구분	약물명	용법 및 용량
베타차단제[a]	bisoprolol (콩코르®)	2.5mg, 5mg, 7.5mg, 10mg의 순서로 2주 이상의 간격을 두고 서서히 증량하면서 1일 1회 복용
	carvedilol (딜라트렌®)	3.125mg, 6.25mg, 12.5mg, 25mg의 순서로 2주 이상의 간격을 두고 서서히 증량하면서 1일 2회 복용
	metoprolol (베타록®)	25mg, 50mg, 100mg의 순서로 2주 이상의 간격을 두고 서서히 증량하면서 1일 2회 복용

이뇨제, 루프이뇨제, 알도스테론 차단제, 안지오텐신전환효소저해제, 안지오텐신 수용체 차단제: 고혈압 참조(표 1-2)

염류코르티코이드 길항제	spironolactone (스피락톤®)	25mg을 1일 1회 복용
	eplerenone (인스프라®)	25mg을 1일 1회 복용하다가 50mg까지 증량
강심제	digoxin (디고신®)	500-1,000mcg을 복용하고 6시간 간격으로 500mcg을 복용한 다음 다음 날부터는 250-500mcg을 1일 1회 복용
정맥주사용 강심제[b]	dopamine (도파민®)	2-5mcg/kg/min을 점적정맥주사로 투여하기 시작하여 강심효과를 관찰하면서 5-10mcg/kg/min까지 증량함
	dobutamine (도부트렉스®)	2.5mcg/kg/min을 점적정맥주사로 투여하기 시작하여 강심효과를 관찰하면서 10-20mcg/kg/min까지 증량함
	milrinone (프리마코®)	50mcg/kg을 정맥주사로 10분 이상에 걸쳐 서서히 투여한 다음 강심효과를 관찰하면서 0.375-0.75mcg/kg/min의 속도로 점적정맥주사로 투여함

[a]베타차단제는 용량을 증량하면 심부전 증상이 악화되지만 의지로 극복하면서 증량을 실천해야 함.
[b]정맥주사용 강심제는 심장이식을 기다리고 있는 환자나 호스피스 센터에 있는 환자에게만 제한적으로 사용함

표 2-4 심부전 치료에 사용되는 약물의 특징적 부작용

구분	약물명	특징적 부작용	주의사항
베타차단제	carvedilol 등	서맥, 심부전 증상의 일시적 악화	▪ 2주 이상의 간격으로 서서히 용량을 늘릴 것

이뇨제, 루프 이뇨제, 알도스테론 차단제, 안지오텐신 전환효소 저해제, 안지오텐신 수용체 차단제 : 고혈압 참조(표 1-3)

염류코르티코이드 길항제	spironolactone 등	고칼륨혈증, 저마그네슘혈증, 저나트륨혈증	▪ 정기적으로 혈중 무기질 농도를 모니터할 것
강심제	digoxin	부정맥, 메스꺼움, 설사, 어지럼증	▪ 복용 도중에 다른 회사 제품으로 변경하면 치료효과가 달라질 수 있음 ▪ 부작용이 심하면 의료인에게 알릴 것(해독제가 필요할 수 있음)
정맥주사용 강심제	milrinone 등	심실성 부정맥	▪ 주사투여 중에는 반드시 심전도계를 착용할 것

표 2-5 심부전 치료에 사용되는 약물의 작용기전

구분	작용기전
베타차단제	▪ Bisoprolol, metoprolol: – 베타-1 수용체에 비교적 선택적으로 결합하여 혈압강하, 심장박동수 저하, 심박출량 저하가 나타남 – 혈압을 내려주므로 심장이 수축할 때 심장근육에 부하가 덜해지고 폐울혈이 완화됨 – 심장박동수와 심박출량이 저하되면 이를 극복하기 위하여 심장근육의 근력이 향상됨 ▪ Carvedilol: – 수용체 선택성이 낮음(베타-1, 베타-2, 알파-1 수용체와 결합하여 차단함) – 기타 사항은 bisoprolol과 동일

이뇨제, 루프 이뇨제, 알도스테론 차단제, 안지오텐신 전환효소 저해제, 안지오텐신 수용체 차단제 : 혈압강하로 심장이 수축할 때 심장근육에 부하가 덜해지고 폐울혈을 완화시켜 줌

강심제 (digoxin)	– 심근세포막의 Na⁺/K⁺ ATPase와 결합하여 기능을 저해하므로 심근세포막 안쪽의 Na⁺가 바깥쪽으로 배출되지 못하게 되어 세포막 안쪽과 바깥쪽 사이의 Na⁺ 농도 격차가 작아짐 – 이 격차가 작아지면 Na⁺/Ca⁺⁺ exchanger의 기능이 약화되어 재분극시 Ca⁺⁺이 세포 바깥쪽으로 배출되지 못하고 안쪽에 머물게 됨 – 심근세포 안에 Ca⁺⁺이 많아지면 수축력이 증가하고 맥박 수가 감소함
정맥주사용 강심제	■ Dopamine, dobutamine: – 베타수용체와 결합하여 교감신경 호르몬 작용과 같은 효과로 심장근육의 수축력을 증강시킴 ■ Milrinone: – phosphodiesterase를 억제하여 c-AMP가 분해되는 것을 막고 그 작용을 증강시킴 – c-AMP의 작용이 증강되면 심근세포내 Ca⁺⁺이 바깥쪽으로 배출되지 못하고 안쪽에 머물게 됨 – 심근세포 안에 Ca⁺⁺이 많아지면 심장근육의 수축력이 증강됨

부정맥
(Arrythmia)

1 개요

1) 정의

심장 근육은 동방결절에서 자발적으로 발생되는 전기에 의해서 수축과 이완이 반복되는데 이 전기의 발생이나 전달체계가 불규칙하거나 비정상적으로 되어 심장 박동이 불규칙한 상태를 부정맥이라고 한다.

2) 원인

부정맥을 일으키는 원인은 간접적인 원인과 직접적인 원인으로 나누어지는데, 직접적인 원인은 다시 전기의 발생이상과 전기의 전달체계이상으로 나눈다(표 3-1).

표 3-1 부정맥의 원인		
간접적 원인	심장질환, 폐질환, 자율신경계 이상, 약물 부작용, 전해질이상, 과도한 운동, 커피, 음주, 흡연, 흥분, 수면장애, 고도의 정신적 스트레스 등	
직접적 원인	전기의 발생이상	예: 동방결절 기능부전, 심방세동, 기외수축 등
	전기의 전달체계이상	예: 방실차단, 심근경색, 심장판막질환, 심근증, 약물 부작용 등

3) 증상

부정맥의 증상은 서맥 또는 빈맥으로 나타날 수 있다. 서맥 형태 부정맥은 일반적으로 저혈압으로 인한 피로감, 현기증 등으로 나타나며 빈맥 형태 부정맥은 가슴이 두근거리거나 답답하고, 어지럽고, 숨이 차며 심한 경우 흉통으로 나타난다. 특히 심실빈맥의 경우는 흉통이 심해서 환자가 실신하는 경우도 있으며 즉시 치료하지 않으면 수분 내에 사망할 수도 있다.

4) 진단

부정맥은 의사가 환자의 손목이나 목을 살짝 눌러 맥박을 느끼거나 청진기를 사용하여 심장박동을 들어보고 처음 발견되는 경우도 있다. 그러나 심장에서 전기가 발생되고 전달되는 과정이 맥박이나 청진기로 정확하게 감지되는 것은 아니기 때문에 이런 방법은 모든 형태의 부정맥을 진단할 수는 없다. 따라서 부정맥을 정확하게 진단하기 위해서는 24시간 심전도 검사와 심장초음파 검사 및 전기생리적 검사 등 다양한 검사를 실시해야 된다. 특히 방실회귀성 빈맥의 경우 부정맥이 간헐적으로 나타므로 24시간 심전도검사를 실시하지 않으면 진단하기 어려운 경우가 많다.

2 부정맥의 분류

부정맥은 서맥 형태 부정맥(심박수: 분당 60회 미만)과 빈맥 형태 부정맥(심박수: 분당 100회 이상)으로 대별된다. 서맥 형태 부정맥은 다시 병인에 따라서 동성서맥, 동방결절 기능부전, 방실차단, 각차단 등으로 세분된다. 빈맥 형태 부정맥은 크게 나누어 심실 윗부분에서 발생되는 상심실성 빈맥과 심실에서 발생되는 심실성 빈맥으로 구분된다. 심실성 빈맥은 심장이 너무 빨리 박동하여 심장의 네 개의 방들에 혈액이 충분히 채워지지 않게 되는 상황이다. 심실성 빈맥은 즉각적 치료가 없으면 사망하게 된다. 각각의 부정맥에 대한 특징은 표 3-2에 요약되어 있다.

	표 3-2	부정맥의 분류*
서맥 형태	동성서맥 (sinus bradycardia)	■ 맥박이 매우 느리지만(분당 60회 미만) 전기의 발생 및 전달체계는 정상인 경우임
	동방결절 기능부전 (sick sinus syndrome)	■ 동방결절에서 전기의 발생기능 이상으로 빠른 맥박과 늦은 맥박이 교대되는 경우임 ■ 대개는 서맥으로 나타남
	방실차단 (atrioventricular block)	■ 방실결절에서 전기의 전달체계 이상으로 맥박이 고르지 않음 ■ 증상의 정도에 따라서 1도, 2도 제1형, 2도 제2형, 3도로 세분됨
	각차단 (bundle branch block)	■ 속가지(bundle branch)에서 전기의 전달체계 이상으로 맥박이 느림

		동성 빈맥 (sinus tachycardia)	■ 맥박이 매우 빠르지만(분당 100회 이상) 전기의 발생 및 전달체계는 정상인 경우임
빈맥 형태	상심 실성 빈맥	방실회귀성 빈맥 (atrioventricular reentry tachycardia)	■ 방실결절에서 전기의 전달체계 이상으로 맥박이 빨라짐(평소에는 정상이지만 간헐적으로 나타남) ■ 방실결절을 통하지 않고 직접 심실로 흐르는 비정상적 전기회로의 존재가 원인임
	심실성 빈맥	심실 빈맥 (ventricular tachycardia)	■ 동방결절에서 발생되는 전기 이외에도 심실조직에서 발생되는 별도의 전기자극에 의해 심실이 매우 빠르게 뛰는 경우임 ■ 맥박은 규칙적임
		심실 세동 (ventricular fibrillation)	■ 심실조직에서 발생되는 별도의 전기자극이 극도로 빠르게 발생하는 경우임 ■ 심장이 제대로 수축하지 못하고 가늘게 떨기만 하는 상황이므로 혈액이 박출되지 못해 혈압이 심하게 저하됨 ■ 즉각적으로 치료하지 않으면 사망함

*심방세동은 다음 장에서 별도로 다룸

③ 부정맥의 약물치료법

부정맥 약물치료 포인트

1. 부정맥은 심장에서 전기의 발생기능 또는 전달기능에 이상이 생겨 발생하는
   질환으로 밝혀졌지만 약물치료만으로는 만족할 만한 성과를 기대할 수 없으므로
   스트레스 관리 및 생활습관개선을 적극적으로 실천해야 한다.

2. 부정맥은 약물치료를 실시하지 않아도 되는 경우가 많으며 치료를 실시해야 하는
   경우에도 원인에 따라서 치료법이 다르다.

3. 심실기능이상으로 발생하는 부정맥은 반드시 약물치료를 받는다.

4. 부정맥치료제는 약을 갑자기 끊으면 부정맥이 악화될 수 있으므로 약을 끊고자 할
   때는 반드시 의료인과 상의해야 한다.

5. Digoxin은 부작용이 많은 약물이므로 이상반응이 발생하면 즉시 의료인에게
   알린다.

부정맥의 약물치료법은 정확한 진단을 통하여 어떤 종류의 부정맥인지, 원인은 무엇인지를 확인한 다음 각각의 경우에 따라서 적절한 치료제를 선택한다(표 3-3).

동성서맥은 대부분 특별한 증상이 없으므로 약물치료는 실시하지 않는다. 그러나 저혈압과 현기증이 나타날 정도로 심한 경우에는 인공 심장박동조절기(pacemaker)를 심장에 이식한다. 동방결절 기능부전은 서맥과 빈맥이 교대되는 경우로서 동성서맥의 경우와 마찬가지로 특별한 약물치료를 실시하지 않지만 빈맥이 환자의 일상생활에 불편을 일으키면 맥박을 느리게 할 목적으로 단기간 동안 항부정맥약(amiodarone 등)을 사용한다. 방실차단과 각차단의 경우도 약물치료는 실시하지 않는다. 다만, 심한 저혈압으로 실신되어 병원 응급실에 온 환자에게는 atropine을 주사로 투여하여 심장의 박동수를 증가시키는 약물요법을 실시한다.

동성빈맥은 그 자체로는 약물치료를 실시하지 않는다. 다만 갑상선기능항진증 등 동성빈맥을 일으키는 원인질환이 확인된 경우에는 그에 대한 약물치료를 실시한다.

방실회귀성 빈맥의 증상은 간헐적으로 가슴이 철렁하면서 심장이 심하게 뛰면서 어지럽고, 숨이 차며 가슴 부위에 흉통이 나타나기도 한다. 대개는 수 초 후 저절로 증상이 가라앉기 때문에 약물치료를 실시하지 않아도 되는 경우가 많다. 그러나 횟수가 늘어나고 지속시간이 길어 일상생활이 불편한 정도이면 전극도자절제술(radiofrequncy catheter ablation, RFCA)이나 약물치료를 실시하도록 한다. 전극도자절제술은 방실결절을 통하지 않고 직접 심실로 흐르는 비정상적 전기회로를 정확히 찾아내어 열로 제거하는 시술이다.

심실빈맥과 심실세동은 생명을 위협하는 응급상황이므로 심장 부위 가슴에 전기충격을 가하는 심율동전환(direct current cardioconversion)과 함께 약물치료를 실시한다. 부정맥 치료에 사용되는 약물의 용법, 용량, 특징적 부작용 및 작용기전은 표 3-4, 표 3-5, 표 3-6에 각각 요약되어 있다.

		표 3-3 부정맥의 약물치료법*	
서맥 형태	동성서맥	▪ 약물치료 불필요	
	동방결절 기능부전	▪ 약물치료 불필요 ▪ 빈맥이 나타날 경우에는 항부정맥약을 단기간 동안 제한적으로 사용함 ▪ 심한 저혈압, 현기증, 실신 등 증상이 없으면 치료 불필요 ▪ 증상이 심하면 심장에 인공 심장박동조절기(pacemaker)를 이식함	
	방실차단, 각차단	▪ 약물치료 불필요 ▪ 실신하여 응급실에 입원한 경우에는 atropine을 주사로 투여함 ▪ 저혈압 증상이 심하면 심장에 인공 심장박동조절기(pacemaker)를 이식함	
빈맥 형태	상심 실성 빈맥	동성 빈맥	▪ 약물치료 불필요 ▪ 원인이 확인된 경우에는 원인질환에 대한 약물치료를 실시함
		방실 회귀성 빈맥	▪ 약물치료 불필요한 경우가 많음 ▪ 증상완화: verapamil, adenosine 정맥주사 ▪ 발작예방: verapamil, diltiazem, procainamide 복용 ▪ 비정상적 전기회로를 정확히 찾아 전극도자절제술을 실시함
	심실성 빈맥	심실빈맥, 심실세동	▪ amiodarone, procainamide, lidocaine 또는 베타차단제(propranolol 또는 esmolol) 등이 주사제로 사용됨 ▪ 회복 후에도 지속적인 약물요법을 실시해야 함(amidarone이 널리 사용됨) ▪ 심율동전환도 동시에 실시함

*심방세동은 다음 장에서 별도로 다룸

표 3-4 부정맥 치료에 사용되는 약물의 분류 및 용법, 용량

구분		약물명	용법 및 용량
I군 (나트륨 차단제)	Ia	quinidine, procainamide, disopyramide: 생산중단	
	Ib	lidocaine (리도카인®)	50–120mg을 1–2분간에 걸쳐 서서히 정맥주사한 다음, 1–2mg/min의 속도로 점적정맥주사함
		mexiletine (멕실®)	200mg을 1일 3회 복용
		tocainide	생산중단
	Ic	flecainide (탬보코®)	50–100mg을 1일 2회 복용
		propafenone (리트모뇸®)	150mg을 1일 3회 복용(1일 최대용량: 900mg)

Ⅱ군 (베타차단제)	acebutolol (쌕트랄®)	200mg을 1일 2회 복용
	esmolol (브레비블록®)	500mcg/kg/min을 1분간에 걸쳐 정맥주사하고 50mcg/ kg/min을 4분간에 걸쳐 정맥주사한 다음, 유지용량으로 50-200mcg/kg/min을 점적정맥주사함
	propranolol (프라놀®)	10-30mg을 1일 3회 복용
Ⅲ군 (칼륨차단제)	amiodarone (코다론®)	처음 1-2주일간은 300mg을 1일 2회 복용한 다음, 200mg을 1일 2회 복용
	sotalol (소타론®)	40-80mg을 1일 2회 복용
Ⅳ군 (칼슘차단제)	verapamil (이솝틴®)	40-80mg을 1일 3회 복용
기타 (digoxin)	digoxin (디고신®)	500-1,000mcg을 복용하고 6시간 간격으로 500mcg을 복용한 다음, 250-500mcg을 1일 1회 복용

표 3-5 부정맥 치료에 사용되는 약물의 특징적 부작용*

구분	약물명	특징적 부작용	주의사항
Ⅰ (나트륨 차단제)	mexiletine 등	심실성 부정맥	■ 이 계열의 약물은 심실성 부정맥을 일으킬 수 있으므로 지시된 대로만 제한적으로 사용할 것
Ⅱ (베타차단제)	propranolol 등	서맥, 기관지 좁아짐, 우울증, 성욕감퇴	■ 호흡곤란이나 서맥이 나타나면 복용을 중단하고 의료인에게 알릴 것 ■ 과음 또는 발기부전치료제 복용 시 저혈압이 나타날 수 있음
Ⅲ (칼륨 차단제)	amiodarone	부정맥, 갑상선기능 항진증 또는 저하증, 폐독성, 간독성	■ 심실성 부정맥을 일으킬 수 있으므로 지시된 대로만 사용할 것 ■ 갑상선기능을 정기적으로 검진할 것 ■ 자몽주스를 마시면 이 약의 부작용이 증강됨
Ⅳ (칼슘차단제)	verapamil	부종, 어지럼증	■ 과음 또는 발기부전치료제 복용 시 부작용이 증강될 수 있음
기타	digoxin	부정맥, 메스꺼움, 설사, 어지럼증	■ 복용 도중에 다른 회사 제품으로 변경하면 치료효과가 달라질 수 있음 ■ 메스꺼움, 설사, 어지럼증이 나타나면 의료인에게 알릴 것(해독제가 필요할 수 있음)

* 역설적이지만 모든 부정맥 치료제는 부정맥을 일으킬 수 있음

표 3-6 부정맥 치료제의 작용기전

구분	작용기전
I (나트륨 차단제)	■ Na channel을 차단하여 탈분극 속도를 느리게 함 – 동방결절에서 발생한 전기의 전달속도 저하 – 심장 박동수 감소(빈맥을 정상화)
II (베타차단제)	■ 베타수용체와 결합하여 심장 박동수 저하 ■ 심근세포막 안정화 작용도 있음
III (칼륨차단제)	■ K channel을 차단하여 재분극 속도를 느리게 함 – 활동전위 및 유효불응기 기간을 연장함 ■ 이 계열의 약물들은 나트륨 차단제, 베타차단제 및 칼슘차단제에 해당하는 작용도 약간 있음
IV (칼슘차단제)	■ Ca channel을 차단하여 탈분극 속도를 느리게 함 – 동방결절에서 발생한 전기의 전달속도 저하 – 심장 박동수 감소(빈맥을 정상화)
기타 (digoxin)	■ 심근세포내 Ca^{++} 증가로 인하여 활동전위 기간이 연장됨 – 심장의 수축력이 증가하고 분당 맥박 수가 감소함 ■ 미주신경(제10뇌신경)에 효능적으로 작용하여 탈분극 속도를 느리게 하는 작용도 있음

심방세동
(Atrial fibrillation)

1 개요

1) 정의

심방세동은 동방결절 이외의 장소에서 빠르고 불규칙한 전기자극(이소성 전기자극)이 분당 300회 이상 발생하여 심방이 무질서하고 가늘게 떨고 있는 상태를 가리킨다. 이 경우 심실근육의 수축이 불규칙하게 되어 맥박의 세기도 일정하지 않게 된다.

2) 원인

심방세동의 원인은 고혈압, 심부전, 판막 질환, 갑상선기능 항진증 등 심장에 비정상적인 부하가 가해지기 때문이지만 원인질환 없이 나타나는 경우도 있다. 특히 노인의 경우 심방의 전기발생기능이 조화를 잃어 심방세동이 나타나는 경우가 많다.

3) 증상

심방세동은 발작성인 경우와 만성인 경우에 따라 증상이 다르게 나타난다(표 4-1). 발작성 심방세동의 경우에는 갑자기 가슴이 두근거리고 답답함을 느끼지만 일정시간 후에는 증상이 사라지는 것이 특징이다. 심한 경우에는 어지럽고 숨이 차는 증상이 나타날 수도 있다.

만성 심방세동의 경우에는 증상을 느끼지 못하는 경우가 많다. 대신 가벼운 일상생활에도 쉽게 피로감과 현기증을 느끼는 경우가 많다. 심방세동의 증상으로 어지럽고 숨이 차는 것은 심방의 수축이 불완전하여 심방에 있는 혈액이 심실로 원활히 내려오지 않아 심박출량이 감소하기 때문이다.

심실로 내려오지 못하고 심방에서 맴도는 혈액은 응고되어 혈전으로 변하기 쉽다. 심방에서 응고된 혈전은 심실을 거쳐 관상동맥이나 뇌혈관으로 이동될 수 있다. 혈전이 관상동맥으로 가서 관상동맥을 막으면 심근경색을, 뇌혈관으로 가서 뇌혈관을 막으면 뇌경색(뇌졸중, 중풍)을 일으킬 수 있다.

표 4-1 심방세동의 증상

분류	증상
발작성 심방세동	■ 가슴이 두근거리고 답답한 증상이 발작적으로 나타남 ■ 숨이 참 ■ 48시간 이내에 증상이 사라짐
만성 심방세동	■ 쉽게 피로를 느낌 ■ 현기증

4) 진단

만성 심방세동은 심전도 검사만으로도 진단할 수 있다. 그러나 발작성 심방세동은 심방세동이 예기치 않은 시간에 나타났다가 사라지기 때문에 진단하기가 어려운 경우도 있다. 이 경우에는 환자의 병력을 자세히 청취하고 혈액검사, 신장기능검사, 갑상선기능검사, 흉부 X-ray 검사, 운동부하검사, 심장 초음파검사, 경식도 초음파검사(trans-esophageal echocardiography, TEE), 홀터 모니터검사(Holter monitoring) 등 여러 가지 검사를 실시한다.

경식도 초음파검사는 통상적인 심장 초음파검사로는 알아낼 수 없는 심장질환의 경우, 식도 안으로 작은 탐촉자(probe)를 넣어 심장의 뒤쪽까지 자세히 검사할 수 있는 검사방법이다. 홀터 모니터검사는 24시간 또는 48시간 연속적으로 심전도를 기록하기 때문에 예기치 않게 나타났다가 사라지는 발작성 심방세동의 진단에 유용하게 사용된다.

2 심방세동의 약물치료법

심방세동 약물치료 포인트

1. 심방세동은 발작성인 경우와 만성인 경우가 있는데 만성인 경우는 의사와 상의하여 곧바로 약물치료를 받아야한다.

2. 만성 심방세동은 환자가 이 질환에 적응되었기 때문에 자각증상이 심하지 않고 일상생활에도 불편이 없는 경우가 많지만 심방에 혈전이 생기면 심근경색이나 뇌졸중을 일으킬 수 있으므로 반드시 약물치료를 받는다.

3. 약물요법은 리듬조절법과 박동조절법 중 한 가지 방법을 선택하여 실시하고 고혈압이나 당뇨병 등 대사성질환이 있는 환자는 어느 방법을 선택하든지 warfarin을 병용한다.

4. Warfarin은 치료역이 매우 좁은 약물이므로 정기적으로 INR을 측정하여 2-3으로 유지해야 한다.

심방세동은 일단 심장박동수를 정상화하는 증상완화치료를 한 다음 아래의 두 가지 방법 중 한 가지를 선택하여 약물치료를 실시한다. 만성 심방세동 환자는 증상이 심하지 않더라도 곧바로 약물치료를 시작해야 한다. 심방세동의 약물치료법에는 리듬조절법과 박동조절법의 두 가지가 있다(그림 4-1).

리듬조절법은 불규칙한 이소성 전기자극을 가라앉힘으로써 심장박동이 정상적인 리듬으로 돌아오도록 하는 방법이다. 박동조절법은 이소성 전기자극을 방치하면서 심장박동수만 줄이는 방법이다. 어느 방법으로 하든지 치료결과는 큰 차이가 없는 것으로 밝혀져 최근에는 부작용이 비교적 적은 박동조절법이 권장되고 있다. 두 가지 방법 모두 심방에서 혈전이 형성되지 않도록 warfarin을 경구로 투여하는 것은 동일하다. 고혈압이나 당뇨병이 있는 노인환자의 경우 warfarin이 특히 권장된다.

이소성 전기자극이 발생되는 부위가 확인되면 전극도자절제술을 실시하여 심방세동을 근본적으로 치료할 수도 있다. 전극도자절제술은 수술방법이 간단하고 부작용이 적어 최근에 널리 시행되고 있다. 심방세동 치료에 사용되는 약물의 용법, 용량 및 작용기전은 표 4-2, 표 4-3에 요약되어 있다.

표 4-2 심방세동 치료에 사용되는 약물의 용법 및 용량

구분	약물명	용법 및 용량
심장리듬조절제	amiodarone (코다론®)	처음 1-2주일간은 300mg을 1일 2회 복용한 다음, 200mg을 1일 2회 복용
	sotalol (소타론®)	40–80mg을 1일 2회 복용
심장박동조절제	digoxin (디고신®)	500–1,000mcg을 복용하고 6시간 간격으로 500mcg을 복용한 다음, 250–500mcg을 1일 1회 복용
	베타차단제, 칼슘차단제	고혈압 참조(표 1–2)
혈전예방제	aspirin (아스피린 프로텍트®)	100mg을 1일 1회 복용
	clopidogrel[a] (플라빅스®)	75mg을 1일 1회 복용
	warfarin (쿠마딘®)	2–5mg을 1일 1회 복용하는 것으로 시작하여 INR이 2–3이 되도록 용량을 조절함[b]
	apixaban (엘리퀴스®)	5mg을 1일 2회 복용
	dabigatran (프라닥사®)	150mg을 1일 2회 복용

INR=International Normalized Ratio. [a]clopidogrel은 아스피린에 부작용이 있는 환자의 경우 사용함. [b]INR이 2-3이란 혈액이 응고되는 데 걸리는 시간이 정상인에 비하여 2-3배라는 의미임

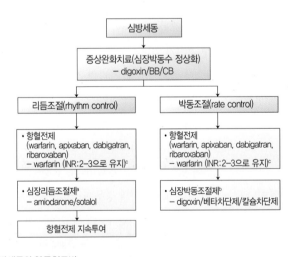

그림 4-1 심방세동의 약물치료법

BB=beta-blocker. CCB=calcium channel blocker. INR=international normalized ratio. [a]amiodarone, sotalol 등 칼륨 차단작용이 있는 항부정맥약. [b]digoxin, 베타차단제, 칼슘차단제 등 심장박동수를 늦추는 작용이 있는 항부정맥약. [c]INR 2-3이 란 혈액이 응고되는 데 걸리는 시간이 정상인에 비하여 2-3배라는 의미임

표 4-3 심방세동 치료제의 작용기전

구분	작용기전
심장리듬조절제	■ amiodarone, sotalol: – K channel을 차단하여 재분극 속도를 느리게 함 – 활동전위 및 유효불응기 기간을 연장하여 전기자극 발생을 느리게 함
심장박동조절제	■ digoxin: – 심장의 수축력 증가로 심장 박동수를 감소시킴 – 미주신경(제10뇌신경)에 효능적으로 작용하여 탈분극 속도를 느리게 하는 작용도 있음 ■ 베타차단제: – 베타수용체와 결합하여 심장 박동수를 감소시킴 – 심근세포막 안정화 작용도 있음 ■ 칼슘차단제: – Ca channel을 차단하여 탈분극 속도를 느리게 함 – 동방결절에서 발생한 전기의 전달속도를 느리게 하여 심장 박동수를 감소시킴
혈전예방제	■ aspirin: – 혈소판의 cyclooxygenase–1을 저해하여 thromboxane A–2 생성을 억제함으로써 혈소판이 활성화되지 못하게 함(그림 4–2) – 이미 활성화된 혈소판의 경우에도 thromboxane A–2가 없으면 응집되지 못하므로 혈전이 생성되지 않음 ■ clopidogrel: – 혈소판에 있는 adenosine diphosphate (ADP) 수용체에 결합하여 ADP와 결합하지 못하게 함(그림 4–3) – 혈소판 응집에는 ADP 수용체의 활성화가 필수적임 ■ warfarin: – 산화형 vitamin K가 환원형으로 되는데 필요한 효소를 저해함(그림 4–4) – 환원형 vitamin K에 의해서 활성화되는 혈액응고인자(Ⅱ, Ⅶ, Ⅸ, Ⅹ, protein C, protein S 등)가 활성화 되지 못함 – 결국 혈액응고인자가 활성화되지 않으므로 혈액응고가 일어나지 못함 ■ apixaban: – 혈액응고인자 Ⅹa에 선택적으로 결합되어 혈액응고를 저해함 ■ dabigatran: – 혈액응고인자 Ⅸa (thrombin)에 선택적으로 결합되어 혈액응고를 저해함

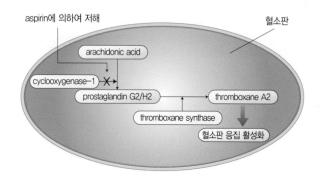

그림 4-2 aspirin의 작용기전

thromboxane A2의 생성을 저해하여 혈소판응집을 억제함

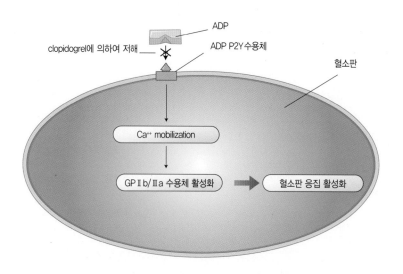

그림 4-3 clopidogrel의 작용기전

ADP가 수용체에 결합하지 못하게 하여 혈소판응집을 억제함

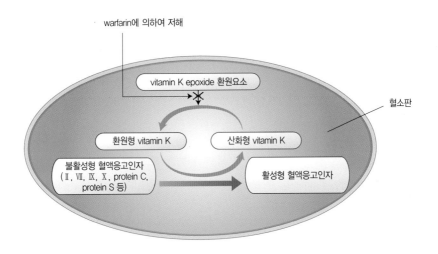

그림 4-4 aspirin의 작용기전

산화형 vitamin K가 환원형으로 전환되지 못하게 하여 혈액응고인자의 활성화를 방해함

협심증
(Angina pectoris)

1 개요

1) 정의

협심증은 심실의 근육에 혈액을 공급하는 관상동맥이 좁아져 갑작스럽게 심장 주변에 통증(흉통)을 느끼는 것을 가리킨다.

2) 원인

대부분의 협심증은 심실에 혈액을 공급하는 관상동맥 내부에 플라크가 형성되어 혈관이 좁아지거나 부분적으로 폐쇄되어 발생된다. 변이형 협심증은 플라크와 관계없이 관상동맥의 심한 경련이 원인이다.

3) 증상

협심증은 심장 주변에 쥐어짜는 듯한 통증(흉통)이 특징적인 증상이다. 그러나 협심증의 통증은 반드시 흉통으로 나타나는 것이 아니고 가슴 전체가 답답한 느낌으로 나타나기도 하고 목이나 턱 주변, 팔, 어깨 주변에 통증으로 나타나기도 한다. 또한 명치 밑이 답답하게 느껴지는 통증으로도 나타나기 때문에 위경련으로 오인하는 경우도 있다. 협심증은 주로 운동 중에 나타나고 안정 시 수분 이내에 통증이 가라앉는다. 안정을 취해도 통증이 가라앉지 않는 경우는 불안정형 협심증이라고 한다. 불안정형 협심증은 심근경색과 증상이 거의 비슷하다.

4) 진단

협심증의 진단은 흉통이 나타나는 시간과 당시 정황과 과거 병력을 바탕으로 진단할 수도 있다. 그러나 정확히 진단하기 위해서는 흉부 X-ray 촬영, 심전도, 운동부하 심전도, 심장초음파 등의 검사를 실시해야 한다.

2 협심증의 분류

협심증은 안정형 협심증, 불안정형 협심증 및 변이형 협심증으로 대별된다(표 5-1). 안정형 협심증은 흉통이 일상생활 또는 운동 도중에 발생(노작성 흉통)하고 안정을 취하면 수분 이내에 저절로 소실되는 상태를 가리킨다. 반면에 불안정형 협심증은 흉통이 일상생활이나 운동과 관계없이 발생하고 안정을 취해도 쉽게 소실되지 않는 상태를 가리킨다. 변이형 협심증은 흉통이 일상생활이나 운동과는 전혀 상관없이 주로 휴식기 또는 밤이나 이른 아침에 발생하는 특징이 있다.

표 5-1 협심증의 분류

협심증의 분류	흉통의 특징	원인
안정형 (stable angina)	심근에 과도한 부하 시 발생함. 안정 시 수분 이내에 소실됨	관상동맥 내부에 형성된 밀착형 플라크
불안정형 (unstable angina)	예고 없이 발생함. 안정 시에도 통증이 오래 지속됨	관상동맥 내부에 형성된 혈전성 플라크(이탈되기 쉬움)
변이형 (variant angina)	휴식기에 발생함. 안정 시에도 통증이 오래 지속됨	관상동맥의 경련

3 협심증의 약물치료법

협심증 약물치료 포인트

1. 협심증 환자는 무리한 운동을 피하고 금연 등 생활습관개선을 실천하여 협심증 발작이 오지 않도록 한다.

2. 흉통이 있을 때는 nitroglycerin 설하정이나 스프레이를 5분 간격으로 3회까지만 복용하고 그래도 흉통이 가라앉지 않으면 더 이상 약물을 사용하지 말고 즉시 응급실로 간다.

> 3. 관상동맥에 플라그가 끼어 있는 것이 확인되면 매일 아스피린 100mg을 장기적으로
>   복용하여 흉통을 예방한다.
> 4. 고지혈증이 합병된 경우에는 혈중지질을 낮추는 약물치료를 받도록 받는다.

협심증치료는 금연, 금주, 신선한 야채섭취 등 생활습관개선을 기본으로 하고 약물치료를 실시한다. 특히 흡연은 협심증을 일으키는 위험인자이므로 반드시 금연을 실천해야 한다.

협심증의 약물치료법은 안정형, 불안정형, 변이형에 따라서 사용하는 약물이 다르다. 본 장에서는 안정형 협심증의 약물치료법에 대해서만 언급하기로 한다. 안정형 협심증의 약물치료는 흉통의 정도를 감안하여 실시하는데 경도의 흉통이 있을 때는 통증완화를 목적으로 nitroglycerin 설하정이나 spray 제제를 사용한다(그림 5-1). 설하정과 spray 제제는 5분 간격으로 세 번까지만 복용하고 흉통이 진정되지 않으면 더 이상 복용하지 말고 병원 응급실로 가야 한다.

협심증 환자에게는 흉통을 예방할 목적으로 aspirin 100mg을 1일 1회 장기간 복용한다. Aspirin을 장기간 복용하는데도 협심증 증상이 반복적으로 재발되면 베타차단제를 추가한다. 천식이나 만성폐색성 폐질환 환자의 경우에는 베타차단제 대신 칼슘차단제를 사용한다. 베타차단제로도 흉통의 재발이 억제되지 않으면 칼슘차단제를 추가적으로 복용한다.

안정형 협심증은 aspirin이나 clopidogrel을 이용하는 예방요법으로 증상 재발이 효과적으로 억제되지만 그렇지 않은 경우에는 isosorbide를 추가적으로 복용하는 것을 고려할 수 있다. 만일 관상동맥 내부에 커다란 플라크가 있거나 심근경색이 우려되는 경우에는 stent를 시술하는 등 외과적 치료법을 고려한다. 고지혈증이 합병된 경우에는 statin 계열의 약물을 추가하여 혈중지질 수치를 낮춰야 한다. 안정형 협심증 치료에 사용되는 약물의 용법, 용량 및 특징적 부작용과 작용기전은 표 5-2, 표 5-3, 표 5-4에 요약되어 있다.

표 5-2 협심증 치료에 사용되는 약물의 용법 및 용량

구분	약물명	용법 및 용량
흉통완화제	nitroglycerin 설하정(0.6mg)	− 협심증 흉통 발작 시 1정을 혀 밑이나 입안에서 녹여서 복용함 − 흉통이 가라앉지 않으면 5분마다 추가로 복용할 수 있지만 3정 복용 후에도 통증이 가라앉지 않으면 더 이상 복용하지 말고 응급실로 가야 함
	nitroglycerin 스프레이 (니트로링구알®)	− 협심증 흉통 발작 시 혀 밑이나 입안에 1회 스프레이함 − 흉통이 가라앉지 않으면 5분마다 추가로 스프레이 할 수 있지만 3회 스프레이 한 다음에도 통증이 가라앉지 않으면 더 이상 스프레이 하지 말고 응급실로 가야 함
혈전예방제	aspirin (아스피린 프로텍트®)	100mg을 1일 1회 복용
	clopidogrel[a] (플라빅스®)	75mg을 1일 1회 복용
협심증발작 예방제	isosorbide mononitrate (임듈®)	60mg을 1일 1회 복용(처음 2-4일간은 30mg을 1일 1회 복용)
	isosorbide dinitrate (이소맥®)	20mg을 1일 2회 복용
	베타차단제, 칼슘차단제 엔지오텐신 전환효소 억제제: 고혈압 참조(표 1-2)	

[a]clopidogrel은 아스피린에 부작용이 있는 환자의 경우에 사용함

표 5-3 협심증 치료에 사용되는 약물의 특징적 부작용

구분	약물명	특징적 부작용	주의사항
흉통완화제	nitroglycerin	빈맥, 두통, 안면홍조	■ 반드시 응급약으로만 사용할 것 ■ 음주 또는 발기부전 치료제와 병용 시 부작용이 증강됨 ■ 원래 포장용기에 넣어서 보관할 것 ■ 6개월이 지난 약은 버릴 것
혈전예방제	aspirin, clopidogrel: 심방세동 참조(표 4-3)		

협심증발작 예방제	isosorbide mononitrate	빈맥, 두통, 안면홍조	■ 음주 또는 발기부전 치료제와 병용 시 부작용이 증강됨
	isosorbide dinitrate	20mg을 1일 2회 복용	
	베타차단제, 칼슘차단제: 고혈압 참조(표 1–3)		

표 5–4 협심증 치료제의 작용기전

구분	작용기전

흉통완화제	■ nitroglycerin:
	– 혈관내피세포 안에 들어가 산화질소(NO)를 유리함
	– NO는 혈관평활근세포 안으로 들어가 c–GMP를 증가시켜 혈관평활근 세포내의
	  Ca^{++} 농도를 저하시키므로 혈관수축력이 감소되고 따라서 혈관이 확장됨
	– 주로 모세혈관과 정맥혈관을 확장시켜 심장으로 돌아오는 혈액의 양을
	  감소시킴
	– 심장 안쪽에 혈액량이 감소하므로 심장의 펌프질이 수월해짐

혈전예방제	■ aspirin, clopidogrel: – 혈소판 응집을 저해하여 혈전이 생성되지 못하도록 함(표 4–4 참조)

협심증발작
예방제
	■ isosorbide mononitrate, isosorbide dinitrate:
	– nitrate를 함유하는 유기질산 화합물이므로 작용기전은 nitroglycerin과 동일함
	■ 베타차단제:
	– 혈관을 확장시켜 주므로 말초저항이 감소되어 심장이 혈액을 펌프질하기가
	  수월해짐
	– 심장박동수가 감소하므로 심실근육의 산소요구량 감소
	■ 칼슘차단제:
	– 혈관을 확장시켜 주므로 말초저항이 감소되어 심장이 혈액을 펌프질하기가
	  수월해짐
	– 심근세포 수축력저하로 심실근육의 산소요구량 감소
	■ 엔지오텐신 전환효소 억제제

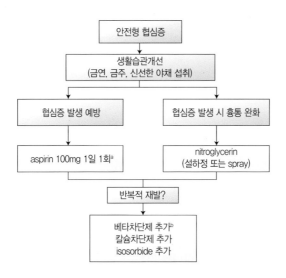

그림 5-1 안정형 협심증의 약물치료법

[a]aspirin에 부작용이 있는 환자의 경우, clopidogrel 75mg 1일 1회로 대체함. [b]천식이나 만성폐색성 폐질환 환자의 경우는 베타차단제가 금기이므로 칼슘차단제로 대체함

변이형 협심증
(Variant angina)

1 개요

1) 정의

변이형 협심증은 관상동맥에 구조적 병변이 없는데도 갑작스런 경련이 일어나 심장주변에 심한 통증(흉통)이 나타나는 것을 가리킨다.

2) 원인

변이형 협심증을 일으키는 관상동맥 경련은 정확한 원인이 알려지지 않았지만 아마도 흡연, 혈관내피세포의 기능장애, 칼슘에 대한 혈관 평활근의 과민반응, 자율신경계의 과민반응, 산화적 스트레스, 정신적 스트레스 등이 원인인 것으로 여겨지고 있다. 이 중에서 흡연은 가장 중요한 원인이며 특히 청소년기 흡연은 변이형 협심증의 발생과 밀접한 관련이 있다.

3) 증상

변이형 협심증의 증상은 안정형 협심증의 증상과 비슷하지만 흉통이 매우 심해서 실신하는 경우도 있고, 실신하지는 않더라도 응급실에 입원하게 되는 경우도 있다. 변이형 협심증은 안정형 협심증과 달리 안정 시에 흉통이 나타나는 것이 특징이다. 특히 흉통이 나타나는 시간은 주로 새벽부터 이른 아침인 경우가 많다.

4) 진단

변이형 협심증은 흉통이 나타나는 시간과 당시 정황을 청취함으로써 진단할 수도 있다. 그러나 정확히 진단하기 위해서는 심전도 측정과 관상동맥 조영술을 시행하면서 ergonovine 유발검사를 실시한다.

Ergonovine 유발검사는 ergonovine 50, 100, 200, 300, 400 마이크로그램을 정맥을 통하여 약 5분 정도 간격으로 단계적으로 증량 투여하면서 관상동맥의 경련상태를 심전도와 관상동맥조영으로 모니터한다. 이 검사에서 심전도 이상, 관상동맥경련, 흉통 등이 나타나면 변이형 협심증으로 진단한다.

2 변이형 협심증의 약물치료법

변이형 협심증 약물치료 포인트

1. 변이형 협심증은 정신적 스트레스와 흡연이 원인인 경우가 많으므로 스트레스 관리와 생활습관개선을 반드시 실천한다.

2. 흉통이 있을 때는 nitroglycerin 설하정이나 스프레이를 5분 간격으로 3회까지만 복용하고 그래도 흉통이 가라앉지 않으면 더 이상 약물을 사용하지 말고 즉시 응급실에 간다.

3. 재발예방을 위하여 6개월 이상 칼슘차단제를 이용한 치료를 받는다.

4. 치료를 중단하고자 할 때는 의사와 상의하여 용량을 서서히 줄이면서 끊는다.

변이형 협심증의 치료는 생활습관개선과 약물치료를 병행한다. 정신적 스트레스와 흡연은 관상동맥을 수축하여 변이형 협심증을 일으키는 원인이므로 금연과 휴식을 실천해야 한다. 또한 커피, 녹차 등 카페인이 함유된 음료도 줄이거나 끊어야 한다.

변이형 협심증의 약물치료는 우선적으로 nitroglycerin을 사용하여 흉통을 완화시켜야 한다. 변이형협심증의 흉통은 안정형 협심증의 경우와 달리 격심한 경우가 많으므로 nitroglycerin을 정맥주사로 투여하는 것이 권장된다. 그러나 가정이나 직장에서는 정맥주사를 할 수 없으므로 설하정을 5분 간격으로 복용한다.

Nitroglycerin 설하정은 세 번까지 복용하고, 그래도 흉통이 진정되지 않으면 더 이상 복용하지 말고 병원 응급실에서 치료를 받도록 한다(그림 6-1).

재발 예방을 위한 약물치료는 6개월 이상 사용한다. 약물치료를 중단하고자 할 때는 단번에 끊지 말고 용량을 점차로 줄이면서 끊도록 해야 한다. 베타차단제는 변이형 협심증의 흉통 지속시간을 연장시키며 또한 흉통을 유발할 수도 있기 때문에 금기이다. 변이형 협심증 치료에 사용되는 약물의 용법, 용량 및 특징적 부작용은 표 6-1과 표 6-2에 요약되어 있다.

표 6-1 변이형 협심증 치료에 사용되는 약물의 용법 및 용량*

구분	약물명	용법 및 용량
흉통 완화제	nitroglycerin 설하정 (0.6mg)	– 협심증 흉통 발작 시 1정을 혀 밑이나 입안에서 녹여서 복용함 – 흉통이 가라앉지 않으면 5분마다 추가로 복용할 수 있지만 3정 복용 후에도 통증이 가라앉지 않으면 더 이상 복용하지 말고 응급실로 가야 함
	nitroglycerin 스프레이 (니트로링구알®)	– 협심증 흉통 발작 시 혀 밑이나 입안에 1회 스프레이함 – 흉통이 가라앉지 않으면 5분마다 추가로 스프레이 할 수 있지만 3회 스프레이 한 다음에도 통증이 가라앉지 않으면 더 이상 스프레이 하지 말고 응급실로 가야 함
	nitroglycerin 주사 (니트로링구알)	10을 1분 동안 정맥주사 한 다음, 필요시 30분 간격으로 반복
칼슘 차단제	diltiazem (헤르벤®)	30–60mg을 1일 3회 복용
	nifedipine (아달라트®)	10mg을 1일 2–3회 복용(서방정의 경우 30mg을 1일 1회 복용)
	verapamil (이솝틴®)	40–80mg을 1일 3회 복용

*변이형 협심증의 흉통완화제는 발작시 응급약으로 사용하고 장기적 치료제로는 칼슘차단제를 사용함

표 6-2 변이형 협심증 치료에 사용되는 약물의 특징적 부작용

구분	약물명	특징적 부작용	주의사항
흉통 완화제	nitroglycerin	빈맥, 두통, 안면홍조	■ 반드시 응급약으로만 사용할 것 ■ 음주 또는 발기부전 치료제와 병용 시 부작용이 증강됨 ■ 원래 포장용기에 보관할 것 ■ 6개월이 지난 약은 사용하지 말고 버릴 것
칼슘 차단제	diltiazem 등	부종, 어지럼증, 저혈압, 심부전 증상 악화	■ 금연, 스트레스 완화 등 카페인 함유 음료 절제 등 생활습관개선을 반드시 실천할 것 ■ 음주 또는 발기부전치료제 복용 시 부작용이 증강될 수 있음 ■ 이 약은 심부전 증상을 악화시킬 수 있으므로 정기적으로 검진을 받을 것

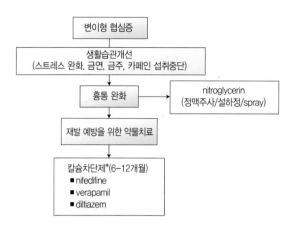

그림 6-1 변이형 협심증의 약물치료법

*6개월-1년 후 약물치료를 중단하고자 할 때는 용량을 점차 줄이면서 끊어야 함

고지혈증
(Hyperlipidemia)

1 개요

1) 정의

고지혈증은 혈액 속에 중성지방 또는 콜레스테롤이 비정상적으로 증가된 상태를 말한다. 중성지방만 150mg/dL 이상으로 증가된 상태는 고중성지방혈증, 콜레스테롤만 240mg/dL 이상으로 증가된 상태는 고콜레스테롤혈증이라고 한다. 그러나 대부분 이 두 가지 형태의 질환이 병존하기 때문에 굳이 구분하지 않고 묶어서 고지혈증이라고 한다.

2) 원인

고지혈증은 유전적 요소에 의한 경우도 있지만 대부분은 후천적 원인에 의하여 발생된다. 특히 포화지방을 많이 함유하는 음식을 좋아하고 운동부족, 음주, 스트레스 등이 겹치면 고지혈증이 되기 쉽다. 그 밖에도 당뇨병, 갑상선기능 저하증, 신부전 등 만성질환이 있는 환자 또는 경구용 피임제나 부신피질호르몬제를 장기간 복용하는 환자에게도 고지혈증이 흔히 나타난다.

3) 증상

고지혈증은 임상적으로 특별한 증상이 나타나지 않는다.

2 고지혈증의 분류 및 진단

1) 분류

고지혈증은 혈중에 어떤 지방성분이 증가되어 있는가에 따라서 I형, IIa형, IIb형, III형, IV형, V형의 6가지로 구분한다(표 7-1). I형은 중성지방이 대부분을 차지하는 chylomicron이라는 지질성분만 증가된 상태이며 II형은 콜레스테롤이 50% 정도에 이르는 LDL (low density lipoprotein)이 증가된 상태이다. II형은 다시 LDL만 증가되어 있는 경우인 IIa와 VLDL (very low density lipoprotein, 콜레스테롤 함량이 약 15% 정도임)도 함께 증가되어 있는 경우인 IIb로 세분된다. III형, IV형, V형은 LDL은 정상범위이고 IDL (intermediate density lipoprotein)과 VLDL 등 비교적 콜레스테롤이 적고 중성지방이 많이 함유된 지질단백이 증가된 상태이다.

혈중 지질단백의 특성은 표 7-2에 나타내었다. 지질단백은 밀도를 기준으로 5가지로 구분되며 밀도가 작을수록 지질단백 입자의 크기가 커진다. LDL은 지질단백 중에서도 콜레스테롤을 가장 많이 함유하고 있어 건강에 특히 해로운 지질단백으로 알려져 있다. 이와는 반대로 HDL은 콜레스테롤과 중성지방은 소량이고 단백질을 많이 함유하고 있어 건강에 좋은 지질단백으로 알려져 있다.

2) 진단

고지혈증의 진단은 혈액검사로 한다. 일반적으로 혈중 총지질단백이 240mg/dL 이상이면 고지혈증으로 판정하지만, 앞서 언급한 것처럼 지질단백이 모두 건강에 해로운 것이 아니라 HDL은 오히려 건강에 좋은 물질이므로 LDL과 HDL을 구분해서 별도로 측정하는 것이 중요하다. 혈중 지질단백과 중성지방 검사결과에 대한 판정기준은 표 7-3에 요약되어 있다.

표 7-1 고지혈증의 분류

분류	증가된 지질성분
I형	chylomicron
IIa형	LDL (콜레스테롤 다량 함유)
IIb형	LDL 및 VLDL (중성지방 다량 함유)

Ⅲ형	IDL
Ⅳ형	VLDL
Ⅴ형	VLDL 및 chylomicron

IDL=intermediate density lipoprotein. LDL=low density lipoprotein. VLDL=very low density lipoprotein

표 7-2 혈중 지질단백의 특성

특성	chylomicron	VLDL	IDL	LDL	HDL
밀도(g/ml)	≪1.006	<1.006	1.006-1.019	1.019-1.063	1.063-1.210
크기	80nm 이상	30-80nm	30nm	20nm	10nm
콜레스테롤 구성비	5% 미만	약 15%	약 30%	약 50%	약 20%
중성지방 구성비	약 95%	약 70%	약 30%	약 10%	약 5%
생성장소	장	간	VLDL의 분해산물임	VLDL의 분해산물임	장, 간, 혈액

HDL=고밀도 지질단백. IDL=중간밀도 지질단백. LDL=저밀도 지질단백. VLDL=극저밀도 지질단백

표 7-3 혈중 지질단백과 중성지방 검사결과의 판정기준

	검사결과 (단위: mg/dL)	검사결과 판정
총지질단백 (total lipoprotein)	240 이상	높음
	200-239	약간 높음
	200 미만	정상
저밀도 지질단백 (LDL)	190 이상	매우 높음
	160-189	높음
	100-159	약간 높음
	100 미만	정상
고밀도 지질단백 (HDL)	40 이상	정상
	40 미만	낮음

	500 이상	매우 높음
중성지방 (triglyceride)	200–499	높음
	150–199	약간 높음
	150 미만	정상

3 고지혈증의 약물치료법

고지혈증 약물치료 포인트

1. 고지혈증은 생활습관과 관련이 많으므로 식이요법과 운동요법을 3개월 정도 실시한 다음 의사와 상의하여 약물치료 여부를 결정한다.

2. 고지혈증은 유형에 따라 증가된 지질단백의 종류가 다르고 치료방법에도 차이가 있다.

3. Statin 계열 약물은 횡문근융해증을 일으킬 수 있으므로 복용 중 다리에 쥐가 나거나 근육통이 나타나는지 주의 깊이 살피고 만일 이런 증상이 나타나면 즉시 복용을 중단하고 의료인에게 알린다.

고지혈증으로 확진되면 일단 약 6주간 생활습관개선을 실천한 다음 고지혈증이 개선되었는지를 확인해야 한다(그림 7-1). 신선한 야채섭취를 늘리고 매일 운동을 통하여 체중을 줄이는 등의 노력으로 고지혈증이 개선되면 약물치료를 시작하지 않아도 된다. 만일 개선이 없으면 이러한 노력의 강도를 높여 6주 정도 더욱 노력한 다음 다시 검사를 받아 약물치료 여부를 결정한다. 그럼에도 불구하고 여전히 고지혈증이 개선되지 않으면 약물치료를 시작해야 한다.

고지혈증의 약물치료법은 혈중에 어떤 지방성분이 증가되어 있는가에 따라서 약물선택을 달리 해야 한다. I형의 경우는 중성지방이 약 95%를 차지하는 chylomicron만 증가된 상태이므로 치료의 대상이 아니다. 그러나 Ⅱa형과 Ⅱb형은 콜레스테롤이 약 50%를 차지하는 LDL이 증가된 상태이므로 반드시 치료를 받아야 한다. 특히 Ⅱb형의 경우는 LDL과 VLDL (중성지방이 약 70%를 차지함)이 동시에 증가된 상태이므로 콜레스테롤 생합성을 억제하는 HMG-CoA 환원효소저해제와 중성지방의 분해를 촉진하는 fibrate 계열의 약물을 병용하는 것이 권장된다(표 7-4).

Ⅲ형, Ⅳ형, Ⅴ형은 콜레스테롤 생합성 억제제인 HMG-CoA 환원효소저해제를 사용해도 되지만 이 경우는 LDL보다 VLDL이 증가된 상태이므로 중성지방의 분해를 촉진하는 fibrate 계열의 약물이 권장된다.

Niacin은 콜레스테롤 생합성이나 중성지방 분해촉진작용은 없지만 콜레스테롤로부터 VLDL이 만들어지는 과정을 억제하기 때문에 결과적으로 LDL 생합성도 감소되는 효과가 있어 Ⅱ형에서 Ⅴ형까지 모든 형태의 고지혈증에 사용할 수 있는 장점이 있다. 그러나 niacin은 일일 복용량이 500-2,000mg이나 되어 복용이 불편하고 안면홍조 부작용이 있어 잘 사용되지 않는다. 고지혈증 치료에 사용되는 약물의 용법, 용량 및 특징적 부작용과 작용기전은 표 7-5, 표 7-6, 표 7-7에 요약되어 있다.

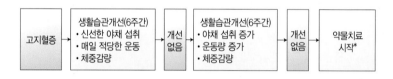

그림 7-1 고지혈증의 약물치료 여부 결정

*적어도 약 3개월 정도의 생활습관개선 노력을 실천한 다음 약물치료여부를 결정함

표 7-4 고지혈증의 약물치료법

분류	사용되는 약물
Ⅰ형	치료하지 않음
Ⅱa형	statins, resins 또는 niacin
Ⅱb형	statins, fibrates 또는 niacin
Ⅲ형	statins, fibrates 또는 niacin
Ⅳ형	fibrates 또는 niacin
Ⅴ형	fibrates 또는 niacin

fibrates: fenofibrate 등의 중성지방 분해촉진제. resins: 콜레스테롤과 결합하여 대변으로 배설시키는 담즙산 흡착제.
statins: atorvastatin 등의 HMG-CoA 환원효소저해제.

표 7-5 고지혈증 치료제의 용법, 용량 및 치료효과

구분	약물명	용법 및 용량	LDL 저하효과	중성지방 저하효과
HMG–CoA 환원효소 저해제 (statins)	lovastatin (로바스틴®)	20–80mg을 1일 2–3회로 나누어 복용	20–30%	–
	atorvastatin (리피토®)	10–80mg을 1일 1회 복용	40–60%	20–40%
	fluvastatin (레스콜®)	20–80mg을 1일 1회 복용	20–40%	–
	pravastatin (메바로친®)	20–80mg을 1일 1회 복용	20–30%	10–20%
	simvastatin (조코®)	10–80mg을 1일 1회 복용	30–50%	10–30%
	rosuvastatin (크레스토®)	5–20mg을 1일 1회 복용	50–60%	10–40%
중성지방분해 촉진제 (fibrates)	bezafibrate (베자립®)	400–1,200mg을 1일 1회 복용	2–16%	30–40%
	fenofibrate (리피딜 슈프라®)	1일 1회 200mg	20–45%	40–50%
	gemfibrozil (로피드®)	1일 2회 600mg 식전 30분 복용	–	30%
담즙산 흡착제 (resins)	cholestyramine (퀘스트란®)	1일 4–24g, 1–수회 분복	10–30%	10–30%
	colestipol (국내제품 없음)	1일 2–16g, 1–수회 분복	10–30%	–
	colesevelam (국내제품 없음)	1일 2–4g, 1–수회 분복	0–20%	0–20%
omega–3 지방산	omega–3 ethyl esters (오마코®)	1일 3g, 1–3회 복용	–	20–45%
기타	niacin 서방정 (국내제품 없음)	취침 전 1–2g	0–20%	0–40%

–: 효과 없음. HMG–CoA: 3-hydroxy-3-methyl-glutaryl-Coenzyme A (콜레스테롤 생합성에 필수적인 효소임), LDL=저밀도 지질단백.

표 7-6 고지혈증 치료제의 특징적 부작용*

구분	약물명	특징적 부작용	주의사항
HMG-CoA 환원효소 저해제	lovastatin 등	근육통, 쥐가 남, 횡문근융해증	▪ 복용을 시작하기 전에 혈중 creatinine kinase치를 측정하고 정기적으로 모니터할 것 ▪ 근육 부작용이 나타나면 의료인에게 알릴 것
중성지방분해 촉진제	fenofibrate 등	근육통, 쥐가 남, 간독성	▪ lovastatin 등 HMG-CoA 환원효소 저해제와 병용 시 근육 부작용이 증강됨
담즙산 흡착제 (resins)	cholestyramine	변비	▪ 변비가 있는 사람은 저용량으로 시작하여 서서히 증량할 것 ▪ 충분한 양의 물에 현탁시켜 복용할 것 ▪ 입안에 오래 동안 머금고 있으면 치아가 변색될 수 있음
기타	niacin	안면홍조	▪ aspirin을 복용하고 30분 정도 지난 다음 복용하면 안면홍조 부작용이 완화됨

*고지혈증 치료는 신선한 야채 섭취와 적절한 운동을 통한 체중감량 등 생활습관개선이 필수적임

표 7-7 고지혈증 치료제의 작용기전

구분	작용기전
HMG-CoA 환원효소 저해제	▪ lovastatin 등: – HMG-CoA (3-hydroxy-3-methyl-glutaryl-CoA) 환원효소를 저해하여 콜레스테롤 합성을 억제함(그림 7-2) – 따라서 콜레스테롤이 많이 함유되어 있는 LDL을 저하시킴 – HDL 증가작용도 있음
중성지방분해 촉진제	▪ fenofibrate 등: – 지방대사를 촉진하여 중성지방을 분해함(그림 7-3) – VLDL은 중성지방을 많이 함유하고 있으므로 VLDL도 잘 저하됨 – LDL 저하 및 HDL 증가작용도 있음

담즙산 흡착 제 (resins)	▪ cholestyramine 등: – 위장관에서 담즙산과 결합하여 담즙산이 혈액으로 재흡수되지 못하게 함(그림 　7–4) – 담즙산은 콜레스테롤의 원료물질이므로 혈중 콜레스테롤 농도가 저하됨
오메가–3 지방산	▪ omega–3 acid ethyl ester: – 간에서 중성지방 생합성을 억제함 – lipoprotein lipase 활성을 증강시켜 VLDL에 있는 중성지방을 분해함
기타	▪ niacin: – 지방조직에서 중성지방이 유리지방산(free fatty acid)으로 분해되는 과정을 　저해하므로 주로 VLDL을 저하시킴 – LDL 저하 및 HDL 증가작용도 있음

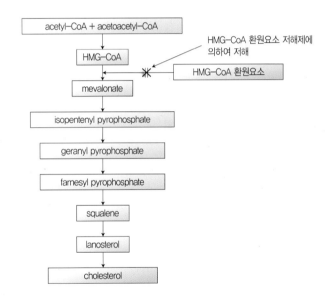

그림 7-2 statin 계열 약물의 작용기전

간에서 HMG-CoA 환원효소를 저해하여 콜레스테롤 합성을 저해함

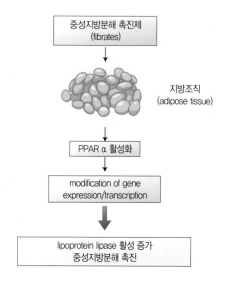

그림 7-3 중성지방분해 촉진제의 작용기전

lipoprotein lipase의 활성을 증가시켜 중성지방 분해를 촉진함

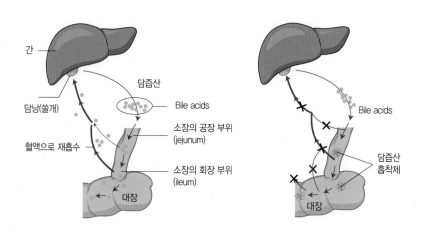

그림 7-4 담즙산 흡착제의 작용기전

위장관에서 담즙산과 결합하여 담즙산이 혈액으로 재흡수 되지 못하게 함

뇌졸중
(Stroke)

1 개요

1) 정의
뇌졸중이란 뇌에 혈액을 공급하는 혈관이 막히거나 터져서 뇌손상이 오고 그에 따른 신체장애가 나타나는 질환을 가리킨다.

2) 원인
뇌졸중의 원인은 크게 나누어 뇌경색과 뇌출혈의 두 가지가 있다(표 8-1). 뇌경색은 뇌혈관이 막혀 뇌조직이 손상되는 경우이고, 뇌출혈은 뇌혈관이 파열되어 뇌조직이 손상되는 경우이다.

뇌경색을 일으키는 혈전은 뇌혈관에서 생길 수도 있고 뇌혈관 이외의 장소에서 생길 수도 있다. 뇌혈관에서 생기는 경우는 대사성질환 때문에 뇌혈관에 나타나는 죽상동맥경화증이 원인이다. 뇌혈관 이외의 장소에서 생기는 혈전은 심장이나 목에 있는 큰 동맥에서 생겼다가 혈류를 타고 뇌혈관으로 흘러 들어가는 경우가 많다.

표 8-1 뇌졸중의 원인	
뇌경색 (ischemic stroke)	■ 뇌혈관이 혈전으로 막혀 뇌조직이 손상됨 　– 뇌혈관에서 생긴 혈전 　– 뇌혈관 이외에서 생긴 혈전(심장, 목에 있는 동맥) ■ 비만, 당뇨병, 고혈압, 고지혈증 등 대사성질환이 혈전의 원인이 됨
뇌출혈 (hemorrhagic stroke)	■ 뇌혈관이 파열되어 뇌조직이 손상됨 　– 뇌조직에서 출혈 　– 지주막하에서 출혈

3) 증상

뇌졸중의 증상은 원인에 따라 다르지만 대개 수초 또는 수분 사이에 급속히 나타난다. 뇌경색성 뇌졸중은 통증이 없이 감각이 어둔해 지면서 신체 한쪽에 마비감과 허약감이 나타난다. 뇌경색은 위치와 크기에 따라서 언어능력, 시력, 팔다리 운동기능에 이상이 올 수도 있다. 열공성 뇌경색(표 8-2)의 경우는 작은 혈관이 막혀 있는 상태이므로 감각마비나 운동마비가 그다지 심하지 않다. 혈전의 크기가 아주 작은 경우는 증상이 전혀 없는 경우도 있다.

뇌출혈성 뇌졸중은 심한 두통과 구토와 함께 의식장애와 혼수가 나타나는 경우가 많다. 지주막하 출혈 시에는 혈액이 지주막과 연막 사이의 공간에 고이게 되어 뇌에 상당한 압력을 가하게 된다. 따라서 심한 두통과 어지럼증을 일으키지만 초기에 적절한 치료를 받으면 후유장애 없이 치료될 수 있다. 지주막하 출혈이 동맥류 파열에 의한 경우는 해당 부위를 수술로 제거하여 재발을 막을 수 있다.

4) 진단

뇌졸중은 증상발현이 수초 내지 수분 사이에 급격히 나타나고, 증상이 신체 한쪽의 마비감, 운동기능장애, 의식장애 등 위중하고 특징적이기 때문에 특별한 진단과정 없이도 진단할 수 있다. 그러나 뇌경색성인지 뇌출혈성인지를 알아내고 뇌의 어느 부분에 어느 정도 손상이 있는지를 확인하기 위해서는 CT와 MRI 등 뇌영상 진단검사를 시행한다.

2 뇌졸중의 분류

뇌졸중은 발생 원인이 혈전인 경우는 뇌경색성 뇌졸중, 출혈이 원인인 경우는 뇌출혈성 뇌졸중으로 나눈다. 뇌경색성 뇌졸중은 다시 뇌혈전증, 뇌색전증, 열공성 뇌경색으로 세분된다. 뇌혈전증은 뇌혈관에서 생긴 혈전이 뇌의 혈관을 막는 경우이고 뇌색전증은 심장이나 목에 있는 큰 동맥에서 생긴 혈전이 혈류를 타고 뇌로 흘러 들어와 뇌의 혈관을 막는 경우이다. 열공성 뇌경색은 뇌의 아주 작은 혈관이 막힌 경우로서 가벼운 형태의 뇌졸중이라고 할 수 있으며 '소경색'이라고도 부른다.

　뇌출혈성 뇌졸중은 다시 뇌내출혈과 지주막하출혈로 세분된다. 뇌내출혈은 글자 그대로 뇌 안에 있는 혈관의 파열로 생긴 출혈이고, 지주막하출혈은 뇌를 감싸고 있는 지주막 아래에 있는 혈관이 파열되어 생긴 출혈이다(그림 8-1).

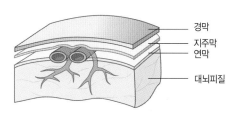

경막
지주막
연막

대뇌피질

그림 8-1 　뇌를 감싸고 있는 경막, 지주막, 연막

표 8-2 뇌졸중의 분류		
뇌경색성 뇌졸중 (ischemic stroke)	뇌혈전증 (cerebral thrombosis)	뇌혈관에서 생긴 혈전이 뇌의 큰 혈관을 막는 경우
	뇌색전증 (cerebral embolism)	뇌혈관 이외의 장소에서 생긴 혈전이 혈류를 타고 와서 뇌의 큰 혈관을 막는 경우
	열공성 뇌경색 (lacunar infarction)	뇌의 작은 혈관이 막힌 경우
뇌출혈성 뇌졸중 (hemorrhagic stroke)	뇌내출혈	뇌혈관이 파열되어 발생한 출혈 (대개 노화, 고혈압이 원인임)
	지주막하출혈	지주막 아래에 있는 혈관이 파열되어 발생한 출혈 (대개 동맥류 파열이 원인임)

3 뇌졸중의 약물치료법

뇌졸중 약물치료 포인트

1. 뇌졸중의 약물치료법은 원인이 뇌경색이었는지 뇌출혈이었는지에 따라서 치료법이 다르다.

2. 응급상황이 종료되고 퇴원 후에도 약물치료를 계속해야 한다.

3. 뇌경색은 고혈압, 고지혈증, 당뇨병 등 대사성질환이 원인인 경우가 많으므로 해당 질환에 대한 치료와 관리를 철저히 실천한다.

4. 뇌경색이 원인인 뇌졸중 환자의 경우 재발을 예방하기 위하여 warfarin을 복용할 때는 정기적으로 INR을 측정하여 2-3으로 유지해야 한다.

뇌졸중의 약물치료법은 뇌경색인지, 뇌출혈인지에 따라서 약물치료법이 다르다. 뇌경색 발생 후 3시간 이내에 경색의 위치가 확인된 경우에는 tissue plasminogen activator (t-PA)를 투여하여 혈전을 용해시킨다(그림 8-2). 뇌경색 발생 후 3시간이 지나고 48시간 이내에 경색 위치가 확인된 경우에는 t-PA를 사용하지 않고 aspirin을 투여하여 추가적 경색이 발생하지 않도록 한다. Aspirin은 혈전을 용해하는 작용은 없고 혈전이 생성되는 것을 억제하는 작용만 있다.

일단 혈전이 용해되고 환자가 안정되면 뇌졸중이 다시 발생하지 않도록 재발예방 요법을 실시한다. 재발예방요법은 혈전생성 억제제를 사용하는데 혈전이 어디에서 생기는지에 따라서 사용되는 약물이 다르다. 혈전이 생성되는 것은 고혈압, 당뇨병, 고지혈증과 밀접한 관련이 있으므로 고혈압치료와 고지혈증 치료를 병행한다.

뇌출혈로 뇌졸중이 발생한 경우라면, 출혈의 위치에 따라서 치료방법이 다르다. 뇌내 출혈은 수술로 지혈 및 혈괴 제거를 시도할 수 있지만 수술로 인한 위험성이 유익성보다 크지 않으므로 일반적으로 수술은 권장되지 않는다. 따라서 이 경우, 응급 치료로서 labetalol 또는 칼슘차단제 같은 강력한 항고혈압약을 정맥주사로 투여하면서 경과를 관찰해야 한다. 지주막하 출혈로 뇌졸중이 발생한 경우라면, 수술의 유익성이 크기 때문에 수술로 지혈하고 혈괴를 제거하는 것이 권장된다. 수술 후에는 칼슘차단제를 기본으로 하는 고혈압치료를 계속해야 한다. 특히 수술 후 약 3주 동안은 수술 부위의 혈관경련을 예방하기 위하여 nimodipine을 정맥주사로 투여한다. 뇌졸중 치료에 사용되는 약물의 용법과 작용기전은 표 8-3, 표 8-4에 요약되어 있다.

표 8-3 뇌졸중 치료에 사용되는 약물의 용법 및 용량

구분	약물명	용법 및 용량
혈전용해제	tissue plasminogen activator[a] (엑티라제®)	0.9mg/kg을 정맥주사로 1시간 이상에 걸쳐 서서히 투여함
혈전예방제	warfarin (쿠마딘®)	2–5mg을 1일 1회 복용하는 것으로 시작하여 INR이 2–3이 되도록 용량을 조절함
	aspirin (아스피린 프로텍트®)	뇌경색 치료목적: 160–325mg을 1일 1회 복용 뇌경색 재발예방목적: 100mg을 1일 1회 복용
	clopidogrel (플라빅스®)	75mg을 1일 1회 복용
베타차단제	labetalol (라베신®)	50mg을 1분 이상에 걸쳐 정맥주사한 다음, 필요시 5분마다 반복투여

고지혈증 치료제: 고지혈증 참조(표 7-5)

안지오텐신 전환효소 저해제, 안지오텐신 수용체 차단제, 이뇨제, 칼슘차단제: 고혈압 참조(표 1-2)

[a]tissue plasminogen activator는 alteplase라고도 부르며 약자는 t-PA임

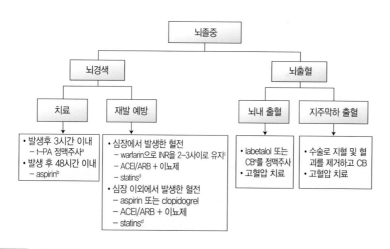

그림 8-2 뇌졸중의 약물치료법

[a]t-PA=tissue plasminogen activator (0.9mg/kg을 정맥주사로 1시간 이상에 걸쳐 서서히 투여함). [b]1일 용량 160-325mg을 경구로 투여함. [c]INR=international normalized ratio (2-3이란 혈액이 응고되는 데 걸리는 시간이 정상인에 비하여 2-3배라는 의미임). [d]statins: atorvastatin 등의 HMG-CoA 환원효소저해제. [e]CB=calcium blocker (칼슘차단제)로 nimodipine이 사용됨.

표 8-4 뇌졸중 치료제의 작용기전

구분	작용기전
혈전 용해제	■ tissue plasminogen activator: – plasminogen을 plasmin으로 전환시켜 혈전을 용해시키는 작용이 있음 (그림 8-3, 혈전생성을 예방하는 작용이 아님) – 이 약물은 혈관내피세포에 있는 serine protease의 일종으로서 유전자 재조합기술을 이용하여 생산되는 물질임
혈전 예방제	■ warfarin: – 산화형 vitamin K가 환원형으로 되는데 필요한 효소를 저해함으로써 환원형 vitamin K에 의해서 활성화되는 혈액응고인자(Ⅱ, Ⅶ, Ⅸ, Ⅹ, protein C, protein S 등)가 활성화 되지 못하게 함 – 결국 혈액응고인자가 활성화되지 않으므로 혈액응고가 일어나지 못함 (혈전을 용해시키는 작용은 없음) ■ aspirin: – 혈소판의 cyclooxygenase-1을 저해하여 thromboxane A-2 생성을 억제함으로서 혈소판이 활성화되지 못하게 함 – 이미 활성화된 혈소판의 경우에도 thromboxane A-2가 없으면 응집되지 못하므로 혈전이 생성되지 않음(혈전을 용해시키는 작용은 없음) ■ clopidogrel : – 혈소판에 있는 adenosine diphosphate (ADP) 수용체에 결합하여 ADP와 결합하지 못하게 함 – 혈소판이 활성화되지 못해 혈전이 생성되지 않음(혈전을 용해시키는 작용은 없음)

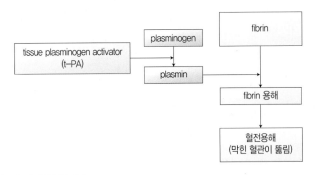

그림 8-3 혈전용해제의 작용기전

약·물·치·료·핸·드·북

Part 02
소화기 질환

소화성 궤양
(Peptic ulcer)

❶ 개요

1) 정의

소화성 궤양이란 위나 십이지장의 점막이 어떤 원인에 의해 손상되어 점막하 조직이 드러나 있는 상태를 말한다(그림 9-1). 흔히 위궤양 또는 십이지장궤양으로 불리는 질병이 소화성 궤양에 해당된다.

2) 원인

소화성 궤양의 원인은 아직 정확하게 밝혀지지는 않지만, 위 및 십이지장의 점막을 공격하는 인자와 방어하는 인자 사이의 균형이 파괴되어 발생하는 것으로 알려져 있다. 점막을 공격하는 인자는 헬리코박터균, 비스테로이드성 소염진통제, 스트레스 등이 있다.

헬리코박터균은 위 및 십이지장 점막에 붙어살 수 있는 세균인데 위산과 펩신으로부터 자신을 보호하기 위하여 암모니아 등 여러 가지 물질을 만들어 낸다(그림 9-2). 이 세균이 분비하는 암모니아는 위산을 중화시키는 작용이 있기 때문에 세균을 보호하는 효과가 있지만 위 점막 상피세포에게는 독소로 작용하여 점막 상피세포의 기능을 점차로 약화시킨다. 또한 헬리코박터균은 편모가 있어 운동능력이 있고 단백질 분해효소와 인지질 분해효소 등 여러 가지 효소를 만들어 내어 점막층 안으로 이동할 수 있다. 헬리코박터균이 박멸되지 않고 오랫동안 번식하게 되면 점막 상피세포는 결국 파괴되고 점막하 조직이 드러나게 되는 소화성 궤양이 발생한다.

비스테로이드성 소염진통제는 점막 상피세포의 프로스타글란딘 생합성을 억제하기 때문에 장기 복용 시 소화성 궤양이 발생된다. 프로스타글란딘은 점막 상피세포에 작용하여 점액질의 분비를 도와 위산과의 직접적인 접촉을 차단할 뿐만 아니라 bicarbonate ion의 분비를 촉진하여 위산을 중화시키는 역할을 하기 때문에 공격인자로부터 점막을 지켜주는 대표적 방어인자이다. 프로스타글란딘은 그 밖에도 점막하 조직의 혈액순환을 촉진하여 점막 상피세포의 재생을 도와주는 작용도 있는데 비스테로이드성 소염진통제 때문에 만들어지지 못하면 소화성 궤양이 발생한다.

스트레스는 위산 분비를 촉진하여 점막상피세포에 직접적인 손상을 주는데 정신적 스트레스와 육체적 스트레스 모두 소화성 궤양을 일으킬 수 있다. 특히 전신화상, 전신마취, 중환자실 입원 등 심각한 육체적 스트레스는 소화성 궤양을 잘 일으킨다.

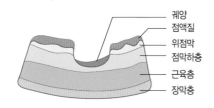

그림 9-1 위궤양

점막하층이 드러나 있음

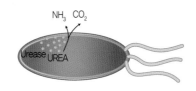

그림 9-2 헬리코박터균

암모니아를 생산하여 위산을 중화시키므로 산성환경에서도 생존할 수 있음

3) 증상

소화성 궤양의 증상은 상복부 팽만감과 속쓰림이 대표적이다. 증상은 공복시와 야간(특히새벽)에 심해지고 자극성 음식이나 음료, 긴장, 과로 등에 의하여 악화되는 특징이 있다. 식욕은 감퇴되지 않는 경우가 많다. 궤양이 심할 경우에는 상복부 통증과 출혈이 발생할 수도 있다. 소화성 궤양으로 인한 출혈이 대변으로 배설되면 흑색변으로 나타난다. 소화성 궤양은 특별한 증상 없이 우연히 내시경 검사에서 발견되는 경우도 있다. 이 경우 무증상성 궤양이라고 한다.

2 소화성 궤양의 진단 및 분류

1) 진단

소화성 궤양은 위염 또는 기능성 위장장애와 증상이 비슷하여 쉽게 구분이 안 되기 때문에 검사를 통하여 진단해야 한다. 소화성 궤양의 진단에는 상부 위장관 조영술, 내시경 검사, 조직검사 등의 방법이 이용된다.

상부 위장관 조영술과 내시경 검사는 궤양을 진단하는 정확도에 있어서 큰 차이는 없지만 내시경 검사는 궤양부위의 조직을 채취하여 조직검사까지 실시할 수 있는 장점이 있다.

헬리코박터균 검사는 조직검사 외에도 혈액검사 또는 요소호흡검사(urea breath test)를 통해서도 할 수 있다. 혈액검사는 헬리코박터균에 감염되었을 때 우리 몸의 면역방어기전에 의해서 만들어진 항체를 검사하는 방법이다. 이 방법은 비용이 저렴하고 신속한 장점이 있지만 과거에 감염되었던 적이 있었는지를 나타내는 것이기 때문에 현재의 감염상태를 알려주지 못하는 단점이 있다.

요소호흡검사는 방사성동위원소(C^{13})로 표지된 요소(urea)를 복용한 다음 내쉬는 호흡가스 중에 방사성동위원소(C^{13})로 표지된 이산화탄소가 있는지를 측정하여 헬리코박터균이 현재 존재하는지를 검사하는 방법이다.

2) 분류

소화성 궤양은 궤양의 부위를 기준으로 분류하는 방법과 궤양의 원인을 기준으로 분류하는 방법이 있다. 궤양 부위별로 분류하면 위궤양과 십이지장궤양으로 분류한다. 궤양 원인별로 구분하면 헬리코박터균 유발성 궤양, 비스테로이드성 소염진통제 유발성 궤양, 스트레스 유발성 궤양으로 구분된다(표 9-1).

표 9-1 소화성 궤양의 분류		
궤양부위별 분류	위궤양	▪ 주로 약물, 스트레스가 원인임
	십이지장 궤양	▪ 주로 헬리코박터균이 원인임

궤양원인별 분류	헬리코박터균 유발성 궤양	▪ 주로 십이지장에서 발생함 ▪ 궤양의 깊이가 비교적 얕음
	비스테로이드성 소염진통제 유발성 궤양	▪ 주로 위에서 발생함 ▪ 궤양이 깊음. 출혈 경향이 높음
	스트레스 유발성 궤양	▪ 궤양이 얕음

3 소화성 궤양의 약물치료법

소화성 궤양 약물치료 포인트

1. 헬리코박터 박멸요법에 사용되는 표준치료법은 프로톤펌프 저해제 한 가지와 clarithromycin, amoxicillin, metronidazole 중에서 두 가지를 선택하여 2주간 복용하는 것이다.

2. 헬리코박터 박멸요법은 항생제가 사용되므로 일단 시작하면 정해진 처방대로 치료받아야 한다.

3. 소화성 궤양이 NSAID 복용 때문인 경우에는 그 약물을 끊어야 한다.

4. 소화성 궤양은 정신적 스트레스와 불규칙한 식생활이 원인인 경우가 많으므로 스트레스 관리와 생활습관개선을 반드시 실천해야 한다.

소화성 궤양의 약물치료법은 원인에 따라서 다르지만 속쓰림 증상을 완화하기 위하여 프로톤 펌프 저해제가 기본적으로 사용된다. 프로톤 펌프 저해제는 가장 강력한 위산분비 억제제이다.

헬리코박터균 유발성인 경우는 원인균을 박멸하는 것이 원칙이다(그림 9-3). 헬리코박터균은 그람 음성 간균이므로 이 세균에 대하여 살균작용이 있는 항생제와 프로톤 펌프 저해제를 병용하여 치료받아야 한다. 헬리코박터균 박멸요법에는 세 가지 약물을 사용하는 3제 요법, 네 가지 약물을 사용하는 4제 요법이 있다. 이 중 3제 요법은 가장 널리 사용되는 표준적 치료방법으로서 프로톤 펌프 저해제 한 가지와 clarithromycin, amoxicillin, metronidazole 중에서 두 가지 항생제를 선택하여 2주간 실시된다. 이 치료법을 실시했는데도 불구하고 완치되지 않거나 재발되는 경우에는 4제 요법으로 치료받는다(그림 9-3).

비스테로이드성 소염진통제(NSAID) 유발성인 경우는 NSAID를 중단하고 프로톤 펌프 저해제나 H2-수용체 길항제 중에서 한 가지를 선택하여 치료하는 것이 권장된다. 다른 질환 치료 때문에 NSAID를 중단할 수 없는 경우에는 부작용이 적은 선택성 NSAID로 변경하고 프로톤 펌프 저해제나 H2-수용체 길항제를 병용하는 것이 권장된다. 선택성 NSAID는 진통작용이 미약하기 때문에 굳이 선택성 없는 일반 NSAID 사용을 고집하는 환자의 경우에는 프로톤 펌프 저해제와 H2-수용체 길항제를 반드시 병용한다.

스트레스 유발성인 경우는 프로톤 펌프 저해제나 H2-수용체 길항제가 사용된다. 심한 화상이나 중증질환으로 중환자실에 입원한 환자의 경우는 육체적, 정신적 스트레스가 심각해서 소화성 궤양이 잘 발생하므로 이를 예방하기 위해 증상이 없더라도 이들 약제를 정맥으로 투여한다. 소화성 궤양 치료에 사용되는 약물의 용법, 용량 및 특징적 부작용과 작용기전은 표 9-2, 표 9-3, 표 9-4에 요약되어 있다.

표 9-2 소화성 궤양에 사용되는 약물의 용법 및 용량

구분	약물명	용법 및 용량
프로톤 펌프 저해제	omeprazole (로섹®)	20-40mg을 1일 1회 복용
	esomeprzole (넥시움®)	20-40mg을 1일 1회 복용
	lansoprazole (란스톤®)	15-30mg을 1일 1회 복용
	pantoprazole (판토록®)	40mg을 1일 1회 복용
	rabeprazole (라비에트®)	20mg을 1일 1회 복용
	ilaprazole (놀텍®)	10mg을 1일 1회 복용
	dexlansoprazole (덱실란트®)	30-60mg 1일 1회 복용
칼륨경쟁적 산억제제	rebaprazan (레바넥스®)	200mg 1일 1회 복용

항생제	clarithromycin (클래리시드®)	HP 박멸목적: 500mg을 1일 2회 복용 (그림 9-3에 나타낸 조합으로 PPI 등 다른 약물과 병용함)
	amoxicillin (곰실린®)	HP 박멸목적: 1,000mg을 1일 2회 복용 (그림9-3에 ㅣ 타낸 조합으로 PPI 등 다른 약물과 병용함)
	metronidazole (후라시닐®)	HP 박멸목적: 400mg을 1일 2회 복용 (그림 9-3에 나타낸 조합으로 PPI 등 다른 약물과 병용함)
	tetracycline (테라싸이클린®)	HP 박멸목적: 1,000mg을 1일 2회 복용 (그림 9-3에 나타낸 조합으로 PPI 등 다른 약물과 병용함)
H2-수용체 길항제	cimetidine (타가메트®)	400mg을 1일 2회 복용
	ranitidine (잔탁®)	150mg을 1일 2회 복용
	nizatidine (액시드®)	150mg을 1일 2회 복용
	famotidine (가스터®)	20mg을 1일 1-2회 복용
	lafutidine (라푸티딘®)	10mg을 1일 2회 복용
기타	bismuth subsalicylate (헬리박®)	525mg을 1일 4회 복용(그림 9-3에 나타낸 조합으로 PPI 등 다른 약물과 병용함)

PPI=proton pump inhibitor (프로톤 펌프 저해제); HP=helicobacter pylori (헬리코박터균)

표 9-3 소화성 궤양에 사용되는 약물의 특징적 부작용

구분	약물명	특징적 부작용	주의사항
프로톤 펌프 저해제	omeprazole 등	소화불량	■ 이 약은 공복 시 복용할 것 ■ 지속성 제제로 된 제품은 깨거나 부수지 말고 그대로 복용할 것
항생제	clarithromycin	설사, 미각이상	■ 부작용이 나타나도 복용을 중단하지 말고 의사, 약사의 지시에 따를 것 ■ 병용하는 다른 약물의 대사를 억제하여 혈중농도와 약효를 증강시켜 부작용 발생을 증강시킬 수 있음
	amoxicillin	과민반응(두드러기, 호흡곤란)	■ 부작용이 나타나면 즉시 복용을 중단하고 의료인에게 연락할 것
	metronidazole	메스꺼움, 두통, 안면홍조	■ 이 약을 복용 중에는 물론 다 복용한 다음에도 적어도 48시간 동안은 술을 마시지 말 것(부작용이 증강됨)
	tetracycline	소화불량, 설사	■ 부작용이 나타나도 복용을 중단하지 말고 의사, 약사의 지시에 따를 것
H₂-수용체 길항제	cimetidine 등	우울증, 성욕감퇴, 피로감	■ cimetidine은 약물대사를 억제하여 병용하는 다른 약물의 혈중농도와 약효를 증강시켜 부작용 발생을 증강시킬 수 있음 ■ 병용하는 다른 약이 있을 경우에는 cimetidine 이외의 H₂-수용체 길항제를 복용할 것
기타	bismuth subsalicyate	대변색깔이 검게 변함	■ 대변 및 혀의 색깔이 검게 변할 수 있지만 이것은 혈변이 아니라 약물의 화학적 변화 때문이므로 안심해도 됨 ■ 복용을 중지하면 곧 사라짐

표 9-4 소화성 궤양 치료제의 작용기전

구분	작용기전
프로톤 펌프 저해제	■ omeprazole 등: – 벽세포의 프로톤 펌프(H^+/K^+ ATPase)의 SH group에 비가역적으로 결합함으로서 그 기능을 방해하여 벽세포가 프로톤을 위 안쪽으로 배출하지 못 함(그림 9-4) – 프로톤이 배출되지 못하므로 위산이 생산되지 못 함
항생제	■ clarithromycin, amoxicillin, metronidazole, tetracycline: – 헬리코박터균을 사멸 또는 증식억제
H_2-수용체 길항제	■ cimetidine 등: – 벽세포의 H_2-수용체가 histamine과 결합하는 것을 방해함(그림 9-4) – 이 수용체가 histamine과 결합하지 못하면 벽세포의 프로톤 펌프 기능이 현저히 저하됨(벽세포의 H_2-수용체, acetylcholine 수용체, gastrin 수용체가 histamine 등 해당 물질과 결합하면 프로톤 펌프가 활성화되어 프로톤을 위 안쪽으로 배출함)
기타	■ bismuth subsalicylate: – 수렴작용(소화관점막 상피세포의 분비물을 감소시킴) – 항염증작용(salicylic acid 유도체이므로 소염작용을 나타냄) – 항균작용(헬리코박터균의 성장을 억제하는 작용이 있는 것으로 알려져 있음)

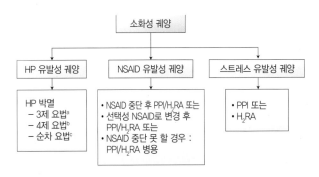

그림 9-3 소화성 궤양의 약물치료법

NSAID=non-steroidal antiinflammatory drug (비스테로이드성 소염진통제). HP=helicobacter pylori (헬리코박터균);
PPI=proton pump inhibitor (프로톤 펌프 저해제). H_2RA=H_2-receptor antagonist (H_2-수용체 길항제).
[a]3제 요법: PPI 한 가지 + clarithromycin, amoxicillin, metronidazole 중 두 가지로 2주간. [b]4제 요법: PPI 한 가지 +
clarithromycin, amoxicillin, metronidazole, tetracycline 중 두 가지 + bismuth subsalicylate로 2주간.
[c]순차 요법 : PPI와 amoxicillin 5일간 투여, 이후 5일간 PPI와 clarithromycin (또는 levofloxacin), metronidazole (또는
tinidazole)을 투여

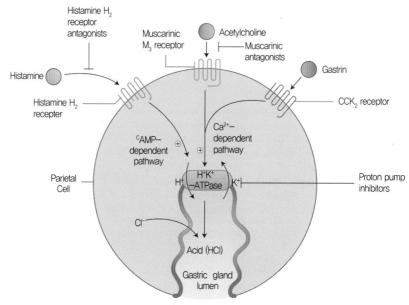

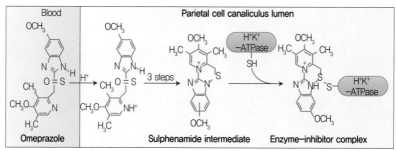

그림 9-4 프로톤 펌프 저해제와 H$_2$-수용체 저해제의 작용기전

프로톤 펌프 저해제는 프로톤 펌프에 결합하여 위산의 분비를 억제함. H$_2$-수용체 저해제는 H$_2$-수용체에 결합하여 히스타민의 작용을 방해함.

역류성 식도염
(Gastroesophageal reflux disease)

1 개요

1) 정의

역류성 식도염이란 위 내용물이 식도로 역류되어 식도점막에 염증이 발생한 경우를 가리킨다.

2) 원인

역류성 식도염의 원인은 위 내용물이 식도로 역류하기 때문이다. 역류된 위 내용물 중 식도에 직접적인 손상을 일으키는 것은 위산이다. 위산 역류는 대부분 위와 식도 사이에 있는 식도하부 괄약근(lower esophageal sphincter, LES)의 기능이 약화되어 수축력이 부족하거나 위 내부 압력이 너무 높아져서 LES가 쉽게 열려 발생한다. 과식이나 지나친 음주로 위가 팽창되어 위 내부 압력이 높아져도 역류성 식도염이 잘 발생한다. 정신적 스트레스로 위 연동운동이 조화를 잃으면 위 내용물이 십이지장으로 원활히 배출되지 못하게 되기 때문에 위 내부 압력이 높아져 역류성 식도염이 발생하기도 한다. 흡연이나 몸에 꽉 조이는 복장도 역류성 식도염의 원인이 된다. 그밖에도 위에 자극을 주는 식품이나 약물도 위 내용물이 역류하는 원인이 될 수 있다 (표 10-1).

표 10-1 위식도 괄약근에 영향을 미치는 음식과 약물	
LES 압력을 낮게 하는 음식/약물 (위 내용물 역류의 원인이 됨)	커피, 민트향 식품 초콜릿, 토마토 주스 조리하지 않은 양파나 마늘 조리하지 않은 야채 위장장애를 유발하는 모든 약물

LES 압력을 높게 하는 음식/약물 (위 내용물 역류를 방지함)	조리한 곡류 식품 조리한 육류 식품 콜린효능약물 위장관운동기능 촉진제

LES=lower esophageal sphincter (식도하부 괄약근)

3) 증상

역류성 식도염의 증상은 전형적 증상과 비전형적 증상으로 구분된다(표 10-2). 전형적 증상은 흉부작열감과 위산역류증상이다. 흉부작열감은 가슴이나 상복부에서 나타나는 타는 듯한 느낌으로 가슴이 쓰리다고 호소하는 경우가 많으며, 위산역류 증상은 위산이 역류하여 입에서 신맛이 느껴지는 것으로 '생목이 오른다'거나 '신맛이 난다'고 호소하는 경우가 많다.

비전형적 증상은 연하곤란, 목에 무언가 걸린 듯한 느낌(인후부 이물감), 만성기침, 구취 등 다양하게 나타난다. 특히 만성기침과 구취는 역류성 식도염이 다른 질환으로 오진되어 불필요한 치료를 받게 되는 이유가 된다.

표 10-2 역류성 식도염의 증상	
전형적 증상	흉부작열감(heartburn) 위산역류증상
비전형적 증상	연하곤란 인후부 이물감 만성기침 구취

2 역류성 식도염의 진단 및 분류

1) 진단

역류성 식도염은 오메프라졸 시험(omeprazole test)을 통하여 간단히 진단할 수도 있다. 이 시험은 역류성 식도염으로 여겨지는 환자에게 오메프라졸을 아침에는 40mg, 저녁에는 20mg을 1주일 동안 복용시킨 다음 증상이 소실되면 역류성 식도염으로 진단하는 방법이다.

그러나 이 시험은 환자의 주관적 판단에 기초하여 진단하는 방법이기 때문에 정확한 진단법이라고 할 수 없다. 따라서 역류성 식도염을 객관적으로 진단하기 위해서는 내시경 검사, 식도 내압 검사, 24시간 식도 산성도 검사 등을 실시해야 한다.

내시경 검사는 식도 안으로 내시경을 넣어 위산 역류에 의한 식도 점막손상 여부를 검사한다. 검사는 마취제를 투여하고 실시해야 하는 불편이 있지만 식도암이 의심되는 부분의 조직을 채취하여 조직검사까지 실시할 수 있는 장점이 있다.

식도 내압 검사는 식도 수축운동을 기록하는 검사로 위식도 괄약근(lower esophageal sphincter, LES)의 수축력 및 식도의 수축운동이 정상인지를 알아보는 검사이다.

24시간 식도 산성도 검사는 위의 두 가지 검사로 진단을 확정하기가 애매한 경우에 실시한다. 이 검사는 식도의 산성도(pH)를 측정할 수 있는 기구를 삽입하여 위산이 식도로 역류하는지 검사하는지를 24시간 동안 방법이다.

2) 분류

역류성 식도염은 식도내시경 결과 식도점막에 생긴 염증의 정도를 기준으로 아래와 같이 4단계로 구분된다(표 10-3).

표 10-3 역류성 식도염의 분류

구분	식도점막 염증의 정도
1단계	약간 발적되어 있음
2단계	염증상처가 몇 군데 있지만 따로 고립되어 있음(isolated erosion)
3단계	염증상처들이 서로 붙어 있음(confluent erosion)
4단계	궤양 및 협착이 있음(ulceration and stricture)

3 역류성 식도염의 약물치료법

역류성 식도염 약물치료 포인트

1. 역류성 식도염은 정신적 스트레스와 흡연, 자극성 음식이 원인인 경우가 많으므로 생활습관을 개선해야 한다.
2. 약물치료법은 step-up 방법과 step-down 방법이 있지만 가급적이면 저용량에서 고용량으로 변경해 나가는 step-up 방법으로 치료한다.
3. 프로톤펌프 저해제를 고용량으로 사용해도 반응이 없어 소화관운동 촉진제를 사용할 경우에는 이 약의 중추신경계에 대한 부작용에 주의해야 한다.
4. 특히 metoclopramide는 혈액뇌관문을 잘 통과하므로 졸음, 우울증, 파킨슨씨병 유사증상 등 중추신경계 부작용이 잘 나타난다.

역류성 식도염의 치료는 약물요법과 함께 생활습관개선이 필수적이다. 생활습관 개선은 앞에서 설명한 여러 가지 원인을 피해야 하며, 특히 자극성 음식과 흡연, 지나친 스트레스를 피해야 한다.

약물치료법은 일반의약품인 제산제부터 시작하여 증상의 경과를 살펴가면서 점차적으로 용량을 늘이거나 전문의약품으로 변경하는 step-up 방법이 흔히 사용된다 (그림 10-1). 증상이 심하여 환자가 고통을 느끼는 경우에는 고용량의 전문의약품으로 시작하고 증상의 경과를 살펴가면서 일반의약품으로 변경해 나가는 step-down 방법이 사용되기도 한다. 두 가지 방법 중 어떤 방법을 사용하든지 치료결과에는 큰 차이가 없으므로 적절한 방법을 선택하여 치료받으면 된다.

프로톤 펌프 저해제를 고용량으로 사용해도 치료되지 않은 경우에는 소화관운동 촉진제를 사용하기도 한다. 그러나 metoclopramide와 domperidone 등 소화관운동 촉진제는 졸음, 우울증, 파킨슨병 유사증상 등 중추신경계 부작용이 많으므로 사용에 주의해야 한다. 특히 metoclopramide는 혈액뇌관문을 잘 통과하기 때문에 여러 가지 중추신경계 부작용이 나타날 수 있다. 역류성 식도염 치료에 사용되는 약물의 용법, 용량 및 특징적 부작용과 작용기전은 표 10-4, 표 10-5, 표 10-6에 요약되어 있다.

식도점막에 궤양이 심하고 합병증까지 있는 경우는 수술요법이 사용되기도 한다. 수술요법은 식도하부 괄약근을 일부 봉합하거나 괄약근에 생체적합성 고분자를 주입하여 수축력을 증가시켜 주는 시술이다. 괄약근의 수축력이 증가되면 위 내용물이 식도로 역류되는 것을 막아 주므로 약물요법만으로 개선되지 않은 심한 경우 치료에 도움을 준다.

표 10-4 역류성 식도염에 사용되는 약물의 용법 및 용량

구분	약물명	용법 및 용량
제산제	겔포스®, 미란타®, 알마겔®: 1포를 1일 3~4회 복용	
	sucralfate (아루사루민®)	1,000mg을 1일 4회 복용(식전 1시간 및 취침 전)
H₂RA	표 9-2 참조 (Chapter 9 소화성궤양)	표준용량[a]: 표 9-2의 용량 저용량: 표준용량의 절반 고용량: 표준용량의 두배
PPI	표 9-2 참조 (Chapter 9 소화성궤양)	표준용량: 표 9-2의 용량 고용량: 표준용량의 두 배

$H_2RA=H_2$ receptor antagonist; PPI=proton pump inhibitor. [a]저용량은 표준용량의 절반, 고용량은 표준용량의 두 배를 사용함.

표 10-5 역류성 식도염에 사용되는 약물의 특징적 부작용

구분	약물명	특징적 부작용	주의사항
제산제	겔포스®	변비	■ 인산염을 함유하고 있어 과량 복용 시 고인산혈증이 나타날 수 있으므로 지시된 대로 복용할 것
	미란타®, 알마겔®	설사	■ 인산염을 함유하고 있어 과량 복용 시 고인산혈증이 나타날 수 있으므로 지시된 대로 복용할 것 ■ 마그네슘을 함유하고 있어 과량 복용 시 설사가 나타날 수 있음
	sucralfate	변비, 졸음, 어지럼증	공복에 복용할 것
H₂RA, PPI		소화성궤양 참조(표 9-3)	

소화관 운동 촉진제	metoclopramide, domperidone	중추신경/ 추체외로 이상반응, 유즙분비	■ 우울증, 손 떨림이 나타나면 복용을 중단하고 즉시 의료인에게 알릴 것 ■ 남자 또는 수유 중이 아닌 여자에게 유방이 커지거나 유즙이 분비되면 즉시 의료인에게 알릴 것

표 10-6 역류성 식도염 치료제의 작용기전

구분	작용기전
제산제	■ 일반제산제: 겔포스®, 미란타®, 알마겔® 등 - 알루미늄, 마그네슘, 칼슘 등 알칼리성 금속화합물로 구성된 알칼리성 물질이므로 위산을 중화시킴 - 따라서 공격인자인 위산의 양을 감소시킴 ■ sucralfate: - 위산이 많은 산성 환경에서 분자들 사이에 중합반응이 일어나 끈적끈적한 물질로 변함(그림 10-2) - 궤양 부위에 점착되어 궤양 부위가 위산이나 다른 공격인자로부터 공격받지 않도록 보호함
H2RA, PPI	■ 소화성궤양 참조(표 9-4)
소화관운동 촉진제	■ metoclopramide: - 소화관운동을 촉진함 - 중추신경계로 들어가 chemoreceptor trigger zone의 dopamine 수용체(D2)와 결합하여 차단하므로 메스꺼움, 구역, 구토를 억제함 - 그 밖에도 여러 아형의 세로토닌 수용체와도 결합하여 우울증을 유발할 수 있음 ■ domperidone: - 이 약의 작용기전은 metoclopramide와 유사하지만 혈액뇌관문을 잘 통과하지 않으므로 중추신경계 부작용이 적음

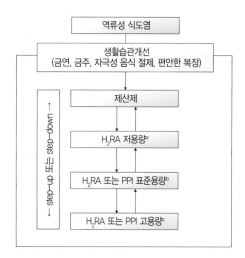

그림 10-1 역류성 식도염의 약물치료법

PPI=proton pump inhibitor (프로톤 펌프 저해제); H₂RA=H₂-receptor antagonist (H₂-수용체 길항제). ᵃH₂RA 저용량: 표준용량의 절반(예: ranitidine 75mg 1일 2회). ᵇH₂RA 또는 PPI 표준용량: ranitidine의 경우 150mg 1일 2회, omeprazole 20mg 1일 1회. ᶜH₂RA 고용량: 표준용량의 두 배(예: ranitidine 150mg 1일 4회, omeprazole 20mg 1일 2회).

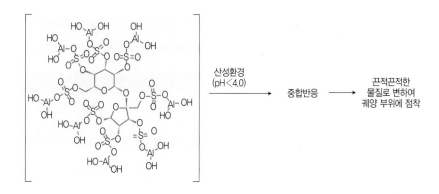

그림 10-2 sucralfate의 화학구조와 작용기전

췌장염
(Pancreatitis)

1 개요

1) 정의

췌장염은 췌장에 염증이 발생한 경우를 가리킨다. 췌장은 인슐린과 글루카곤을 분비하는 내분비기관 역할도 있지만 음식물을 소화시키는 효소를 생산하여 십이지장으로 보내주기 때문에 소화기관으로 분류한다.

2) 원인

췌장염의 원인은 알코올과 담석인 경우가 대부분이다. 급성 췌장염의 약 50%는 알코올 때문에 발생하고 약 25%는 담석 때문에 발생한다. 그 밖에도 고지혈증, 약물 유발성, 바이러스 감염 및 외상에 의해서도 발생한다(표 11-1).

표 11-1 췌장염의 원인	
주요 원인	■ 알코올 ■ 담석
기타 원인	■ 고지혈증(특히 중성지방수치가 높은 경우) ■ 약물유발성 ■ 바이러스 감염, 외상

3) 증상

급성 췌장염의 주요 증상은 급성 복통과 복부팽만이다(표 11-2). 급성 복통은 등이나 심와부, 옆구리, 하복부까지 미치는 방사통으로 나타난다. 복통은 발생 후 점점 강도가 높아지는 경향이 있으며 구토를 해도 완화되지 않는다. 췌장은 등 쪽에 있는 장기이므로 복통이 누우면 심해지고, 다리를 모으고 구부리면 완화되는 특징이 있다.

만성 췌장염의 경우 상복부 통증은 1~2시간 또는 며칠 동안 지속되다가 저절로 완화되고 며칠 후 다시 재발하는 특징이 있다. 만성 췌장염의 상복부 통증은 급성 췌장염의 경우와 달리 극심한 복통이 아니며 음식을 먹거나 술을 마실 때 더 심해지는 특징이 있다.

표 11-2 췌장염의 증상

급성 췌장염	만성 췌장염
■ 급성 복통 ■ 급성 복부팽만 ■ 구토	■ 만성적 재발성 상복부 통증 ■ 소화불량 ■ 술을 마시면 증상이 심해짐

2 췌장염의 진단 및 분류

1) 진단

췌장염은 통증의 양상과 환자의 병력 청취를 바탕으로 진단할 수도 있다. 그러나 정확한 진단을 위해서는 췌장에서 만들어진 amylase와 lipase가 혈중으로 유출된 정도를 검사한다. 급성 췌장염의 경우 아밀라제와 리파제의 혈중농도는 정상보다 3배 이상 크게 증가한다. 특히 리파제는 일단 혈중으로 유출되면 1주일 이상 높은 농도가 지속되기 때문에 발병 후 며칠이 지나서 병원에 오는 환자의 경우에도 진단표지자로 사용될 수 있다. 그밖에도 초음파 검사와 복부 컴퓨터 단층촬영으로 췌장염을 진단하기도 한다.

2) 분류

췌장염은 급성 췌장염과 만성 췌장염으로 구분한다. 급성 췌장염은 염증이 급성으로 발병하지만 회복 후 대부분 정상기능으로 돌아온다. 만성 췌장염은 염증이 서서히 진행되면서 반복적으로 재발하기 때문에 치료 후에도 정상기능으로 회복되지 않는 경우가 많다.

3 췌장염의 약물치료법

췌장염 약물치료 포인트
1. 급성췌장염의 경우 복통이 소실될 때까지 금식해야 한다.
2. Gabexate 투여 중 피부에 자반이 나타나면 피하출혈을 의미하므로 의료인에게 알려야 한다.
3. 만성췌장염은 알코올과 고지혈증이 원인인 경우가 많으므로 금주와 저지방식이를 실천해야 한다.

급성 췌장염은 통증이 심하므로 입원한 상태에서 메페리딘으로 통증을 가라앉혀야 한다(그림 11-1). 또한 충분한 수액을 정맥으로 공급하여 탈수로 인해 손실된 체액을 보충하고 혈압저하에 의한 주요 장기의 손상을 예방해야 한다. 급성 췌장염은 초기에 적절한 치료를 실시하면 대개의 경우 완전히 회복되지만 치료시기를 놓칠 경우 장기손상으로 인해 생명을 위태롭게 하는 상황으로 발전할 수 있다.

메페리딘은 항콜린작용이 있어서 소화관 경련억제 및 췌장의 소화효소분비를 억제하는 작용도 있으므로 진통효과와 더불어 부수적인 약효를 기대할 수 있는 장점이 있다. 한편 모르핀은 메페리딘과 유사한 마약성 진통제이지만 췌장의 소화효소분비를 촉진하는 부작용이 있으므로 권장되지 않는다.

급성 췌장염의 경우, 췌장을 쉬게 해주기 위하여 통증이 소실될 때까지는 금식해야 한다. Octreotide는 췌장에서 소화액 분비를 억제할 뿐만 아니라 진통작용도 어느 정도 있으므로 급성 췌장염의 치료에 사용을 고려할 수 있다.

Octreotide는 합병증을 줄이는 효과는 없지만 심한 급성 췌장염의 사망률을 감소해 주는 효과가 있는 것으로 알려졌다. Gabexate (호의®)도 단백질을 분해하는 소화효소(트립신)의 활성을 억제하는 작용이 있으므로 심한 급성 췌장염의 치료에 사용을 고려할 수 있다. 그러나 임상시험 결과에서 췌장염 환자의 생존율을 향상시키는 효과가 없을 뿐만 아니라 혈액응고과정을 억제하는 부작용이 있기 때문에 사용에 신중을 기해야 한다. 이 약 투여 중 피부에 자반이 나타나면 피하출혈을 의미하므로 피부상태를 주의깊게 관찰해야 한다. Gabexate는 트립신보다는 주로 serine protease (thrombin을 포함하여 모든 혈액응고인자가 여기에 속함)의 활성을 억제하므로 범발성 혈관내 혈액응고증의 치료에 사용되는 약물이다.

괴사가 진행되어 감염 우려가 있을 경우에는 항생제를 투여해야 한다. 담석 때문에 2차적으로 발생한 급성췌장염은 담석제거수술로 간단히 치료될 수 있다.

만성 췌장염은 알코올과 고지혈증(특히 고중성지방혈증)이 원인인 경우가 많으므로 금주와 저지방식이를 실천해야 한다. 만성 췌장염의 경우에는 통증이 심하지 않으므로 비마약성 진통제를 사용한다. 타이레놀®을 복용하거나 비스테로이드성 소염진통제를 주사로 투여하면 대개의 경우 통증이 조절된다. 소화효소 제제를 고용량으로 투여하면 음성 되먹이기 기전에 의해 췌장의 소화효소 분비를 억제할 수 있어 치료에 도움이 된다.

췌장염 치료에 사용되는 약물의 용법, 용량 및 특징적 부작용과 작용기전은 표 11-3, 표 11-4, 표 11-5에 요약되어 있다.

표 11-3 췌장염 치료에 사용되는 약물의 용법 및 용량

구분	약물명	용법 및 용량
마약성 진통제	meperidine (데메롤®)[a]	50–100mg을 3–4시간 간격으로 복용
비마약성 진통제	acetaminophen (타이레놀®)	500mg을 1일 3–4회 복용
	비스테로이성 소염진통제	류마티스 관절염 참조
소화액 분비 억제제	octreotide (산도스타틴®)	0.1mg을 1일 3회 14일 동안 피하주사
단백질 분해효소 활성억제제	gabexate[b] (호의®)	하루에 100–300mg을 점적정맥주사 (1일 최대용량: 600mg, 투여기간: 5일 이내)
소화효소제	amylase 등(파파제®)	2정을 1일 3회 이상 복용

[a]생산중단. [b]gabexate는 급성 췌장염의 치료에 사용되는 약물이지만 신중을 기해야 함

표 11-4 췌장염 치료에 사용되는 약물의 특징적 부작용

구분	약물명	특징적 부작용	주의사항
마약성 진통제	meperidine	어지럼증, 발한, 호흡부전, 환각	■ 이 약은 마약성 진통제이므로 오남용 시 중독될 수 있음 ■ 땀이 지나치게 많이 나거나 호흡부전이 나타나면 의료인에게 알릴 것
비마약성 진통제	acetaminophen	간독성	■ 1일 4000mg 이상 2주일 이상 연용 시 간독성이 나타날 수 있음
	비스테로이성 소염진통제	위출혈, 신장기능 저하	■ 위출혈을 일으킬 수 있으므로 단기간 동안만 사용할 것 ■ 신부전 또는 심부전 환자의 경우 증상이 악화될 수 있음
소화액 분비 억제제	octreotide	설사, 메스꺼움, 담석, 갑상선기능 저하증	■ 장기간 연용 시 담석이 잘 생기므로 단기간 동안만 사용할 것
단백질 분해효소활성 억제제	gabexate	자반(피부에 멍이 듦), 피하출혈	■ 출혈경향이 나타나면 의료인에게 알릴 것
소화효소제	amylase 등	고요산혈증, 소변 중 요산증가	■ 소화불량 증상이 없어도 지시된 대로 복용할 것

표 11-5 췌장염 치료제의 작용기전

구분	작용기전
마약성 진통제	■ meperidine: 　– 카파-opiod 수용체(뇌와 척수 세포막에 있는 수용체의 일종)와 결합하여 효능적으로 작용함 　（모르핀은 뮤-opioid 수용체와 결합하여 효능적으로 작용함） 　– 아트로핀과 구조가 유사하므로 항콜린작용을 나타내므로 소화관 경련 억제 및 소화효소분비를 억제하는 작용도 있음

비마약성 진통제	■ acetaminophen: 　– 이 약의 진통작용기전은 명확하지 않음 　– 작용기전은 기본적으로 비스테로이드성 소염진통제와 동일하지만 　　비스테로이드성 소염진통제와는 달리 뇌와 척수 등 중추신경계에서만 　　작용하는 것이 다름(비스테로이드성 소염진통제와는 달리 말초부위에서는 　　프로스타글란딘 생합성 억세로 인한 작용노 부삭용도 없음) ■ 비스테로이성 소염진통제: 　– 세포막에 있는 효소인 cyclooxygenase를 억제하여 염증 및 통증유발물질인 　　프로스타글란딘이 만들어지지 않도록 함으로서 항염증작용 및 진통작용을 　　나타내는 것으로 여겨짐 　– cyclooxygenase는 세포막에 있는 인지질 중 arachidonic acid라는 물질로부터 　　프로스타글란딘이 만들어지는 데 필요한 효소임
소화액 분비 억제제	■ octreotide: 　– 췌장에서 소화액의 분비를 억제해 주는 작용이 있음 　– 뮤–opiod 수용체(뇌와 척수 세포막에 있는 수용체의 일종)와 결합하여 　　효능적으로 작용하므로 진통작용도 있음
단백질 분해효소 활성억제제	■ gabexate: 　– 트립신의 활성을 억제함으로서 췌장에서 일탈된 단백질 분해효소가 주변 　　조직을 소화(분해)시켜 염증을 일으키지 않도록 함 　– thrombin 등 serine protease (모든 혈액응고인자가 여기에 속함)의 활성도 　　억제하므로 출혈을 유발할 수 있음
소화효소제	■ amylase 등: 　– 음성 되먹이기 기전으로 췌장의 소화효소 분비를 억제함

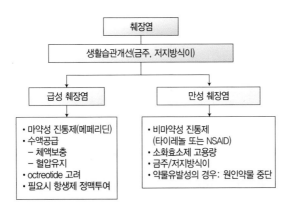

그림 11-1 췌장염의 약물치료법

크론씨병
(Crohn's disease)

1 개요

1) 정의
크론씨병은 구강에서 항문에 이르기까지 소화기관에 발생하는 만성적 염증성 질환을 가리키며 주로 회장 말단부에 발생된다.

2) 원인
크론씨병의 원인은 아직 밝혀지지 않았지만 가족적인 경향이 있는 것으로 보아 유전과도 관련이 있는 것으로 추정되고 있다(표 12-1).

표 12-1 크론씨병의 원인

원인	근거
유전	■ 가족적인 경향이 있음 ■ 일란성 쌍생아의 경우 동시 발생률이 높음 ■ NOD2, XBP1 등 여러 유전자의 이상과 관련이 있는 것으로 추정됨
면역기능 이상	■ 염증병소에 중성구, 임파구, 형질세포가 침윤됨 ■ 다른 자가면역질환의 경우와 같이 증상의 악화와 완화가 반복됨 ■ 류마티스 관절염, 포도막염 등 다른 자가면역질환과 동반되는 경우가 많음 ■ 면역억제제가 이 병의 증상완화에 효과가 있음

3) 증상
크론씨병은 병소의 위치에 따라서 증상이 다양하게 나타난다. 크론씨병은 회장 말단부에서 발생하는 경우가 전체 환자의 약 50%를 차지하는데 이 경우 초기증상은 복통과 설사이다. 회장말단부에 발생하는 크론씨병의 복통은 증상이 심해졌다가 가라앉고 다시 심해지는 것이 반복된다.

크론씨병은 증상의 악화와 완화가 반복되면서 병소가 점차로 깊어지는 특징이 있다. 병소가 깊어지면 짐막과 점막 하층은 물론 장 평활근까지 침범될 수 있다. 이 단계에 이르면 병소 주위에 섬유조직이 증가하면서 단단한 응어리를 형성하게 되고 때로는 장에 협착(stricture)이 생길 수도 있다. 심하면 주변에 있는 장 또는 방광, 자궁, 심지어는 복부 외피로 관통하는 좁은 통로(누관, fistula)가 형성되기도 한다.

대장에서 발생한 크론씨병도 복통과 설사가 나타나는데 이 경우에는 배변의 양은 적어지고 횟수가 많아지는 특징이 있다. 심한 경우는 하루에 5회 이상 대변을 본다. 대장에서 발생하는 크론씨병은 다음 장에서 기술되는 궤양성 대장염과 증상이 비슷하지만 증상의 진행속도가 빠르지 않고 심한 혈변이 없는 점이 다르다.

직장과 항문에서 발생하는 크론씨병은 치질 또는 치루와 증상이 비슷하여 구별이 쉽지 않다. 여러 차례 수술을 받는 치질환자는 항문주변에서 나타나는 크론씨병이 원인일 수도 있다. 구강에서 발생하는 크론씨병은 궤양성 구내염(아프타성 구내염, aphthous stomatitis)과 비슷하다. 크론씨병에 의한 구내염은 궤양성 구내염보다 증상이 오래 가고 자주 재발된다.

4) 진단

크론씨병은 정확하게 진단하기가 어렵다. 따라서 크론씨병이 의심되는 경우에는 환자의 병력을 자세히 청취하는 것이 매우 중요하다. 크론씨병이 직장이나 대장 또는 회장 말단부에서 발생하는 경우는 대장내시경을 통하여 비교적 쉽게 관찰할 수 있지만, 소장에서 발생하는 경우는 관찰하기가 쉽지 않다. 크론씨병의 진단에는 혈액검사, 대변검사, 초음파검사, X-선 검사, 대장내시경검사 등이 사용된다.

2 크론씨병의 약물치료법

크론씨병 약물치료 포인트

1. 크론씨병은 주로 소화기(특히 회장말단부)에서 발생되는 질환이지만 사실은 관절이나 눈 등 다른 기관에서도 만성적염증이 나타나는 자가면역질환의 일종이다.

2. 크론씨병은 병소의 위치와 심각도에 따라서 치료법이 약간 다르다.

3. 응급처치로 증상이 개선된 후에도 재발방지를 위하여 약물요법을 최소용량으로 하여 유지치료를 받아야 한다.

크론씨병의 약물치료는 병의 심각도와 병소의 위치에 따라서 약간 다르다(그림 12-1). 이 병은 완치가 불가능하므로 증상의 심각도에 따라서 약물치료법을 선택하여 받고 증상이 소실되었어도 재발방지를 위하여 최소용량을 지속적으로 치료받아야 한다. 예를 들어 회장 말단부에 발생한 크론씨병이라면 mesalamine을 매일 3g씩 꾸준히 복용해야 한다.

경증이면서 병소의 위치가 소장이면 mesalamine이나 metronidazole을, 회장 말단부 또는 대장이면 mesalamine이나 sulfasalazine을 사용한다. 병의 심각도가 중등도이면 경증의 경우와 같이 실시하되 prednisolone을 투여하여 증상이 신속히 완화되도록 한다. Prednisolone을 투여했는데도 증상이 가라앉지 않으면 azathioprine, 6-mercaptopurine, adalimumab, golimumab 등 면역조절제를 추가로 투여한다.

병의 심각도가 중증으로 판단되면, 응급처치로 hydrocortisone을 정맥으로 투여한 다음 cyclosporine을 투여하여 증상을 완화시키도록 한다. 응급상황이 종료되면 중증도와 병소위치에 따라 적절한 약물치료를 지속적으로 받아야 한다.

크론씨병 치료에 사용되는 약물의 용법, 용량 및 특징적 부작용과 작용기전은 표 12-2, 표 12-3, 표 12-4에 요약되어 있다.

표 12-2 크론씨병 및 궤양성 대장염에 사용되는 약물의 용법 및 용량

구분	약물명	용법 및 용량
면역 조절제	azathioprine (이뮤란®)	■ 1~2.5mg/kg을 1일 1회 복용
	mesalamine (펜타사®)	■ 경구용: 1000mg을 1일 3~4회 복용 ■ 좌약: 1000mg을 1일 1회 직장 내 삽입 ■ 관장액: 1000mg을 취침전 직장 내 주입
	metronidazole (후라시닐®)	■ 500~1000mg을 1일 3~4회 복용
	sulfasalazine (사라조피린®)	■ 500~1000mg을 1일 4~6회 복용
	prednisolone (소론도®)	■ 20mg을 1일 2~3회 복용
	6-mercaptopurine (푸리네톤®)	■ 50mg을 1일 3회 복용
	adalimumab (휴미라®)	■ 80mg을 1일 2회 15일 피하주사 후, 2주마다 40mg
	infliximab (레미케이드®)	■ 8주마다 5~10mg/kg 정맥주사
	golimumab (심퍼니®)	■ 2주, 4주마다 100mg 피하주사
	vedolizumab (킨델레스주®)	■ 2주, 6주, 8주마다 300mg 정맥주사

표 12-3 크론씨병 및 궤양성 대장염에 사용되는 약물의 특징적 부작용

구분	약물명	특징적 부작용	주의사항
면역 조절제	azathioprine	면역력 저하	■ 독감 등 전염병 유행 시 외출을 자제할 것
	mesalamine	메스꺼움	■ 메스꺼움은 1주일 정도 지나면 호전됨
	metronidazole	메스꺼움, 두통, 안면홍조	■ 이 약 복용 중에는 술을 마시지 말 것(부작용이 증강됨)
	sulfasalazine	피부발진, 두드 러기(설파제 부작용)	■ 피부발진이나 두드러기가 생기면 복용을 중지하고 의료인에게 알릴 것
	prednisolone	부종, 체중증가, 식욕증진	■ 의료인의 지시에 따라 단기간 동안만 복용할 것
	6-mercaptopurine	골수독성, 간독성	■ 빈혈(적혈구 감소), 피하출혈(혈소판 감소), 감기에 잘 걸림(백혈구 감소) 등이 나타나면 의료인에게 알릴 것

면역	adalimumab, golimumab, infliximab	독감유사증상	■ 독감 등 전염병 유행 시 외출을 자제할 것 ■ 결핵에 감염될 수 있으므로 정기검진을 받을 것
조절제	vedolizumab	독감유사증상	■ 독감 등 전염병 유행 시 외출을 자제할 것 ■ 결핵에 감염될 수 있으므로 정기검진을 받을 것

표 12-4 크론씨병 및 궤양성 대장염 치료제의 작용기전

구분	작용기전
면역조절제	■ azathioprine: – DNA, RNA를 만드는데 필요한 purine 생합성을 억제함 – 백혈구와 림프구의 경우 DNA, RNA가 모자라게 되어 면역활성이 저하됨 ■ mesalamine (5-aminosalicylic acid): – salicylic acid 유도체이므로 항염증작용이 있는 것으로 추정됨(그림 12-2) – 활성산소 및 자유기를 제거하여 염증반응의 진행을 억제함 ■ metronidazole: – 호중구(neutrophil)에 작용하여 O_2-, H_2O_2, OH^- 등 활성산소의 분비를 억제함 – 활성산소를 제거하여 염증반응의 진행을 억제함 ■ sulfasalazine: – 경구로 투여 시 대장에 있는 세균의 효소(azo reductase)에 의하여 sulfapyridine과 mesalamine으로 분해됨(그림 12-3) – 분해산물 중 mesalamine에 의하여 항염증작용을 나타내는 것으로 추정됨 (위에 기술한 mesalamine의 작용기전 참조) ■ prednisolone: – 세포막에 있는 glucocorticoid 수용체와 결합하여 염증반응 및 면역반응에 필요한 각종 물질의 합성을 방해함(그림 12-4) – prednisolone에 의하여 합성이 방해되는 물질의 예는 cyclooxygenase, 각종 cytokine, cell adhesion에 필요한 물질, NO synthase 등이 있음 – 이러한 물질들의 합성이 방해되므로 염증반응 및 면역반응이 전반적으로 억제됨 ■ 6-mercaptopurine: – 퓨린과 화학구조가 유사하므로 DNA 및 RNA의 합성을 방해하여 염증반응 및 면역반응에 필요한 각종 물질의 합성을 방해함 ■ adalimumab, golimumab, infliximab: – TNF-alpha에 결합하는 단일항체로써 면역반응을 억제함 ■ vedolizumab: – 림프구의 α4β7 integrin에 결합하는 단일항체로써 면역반응을 억제함

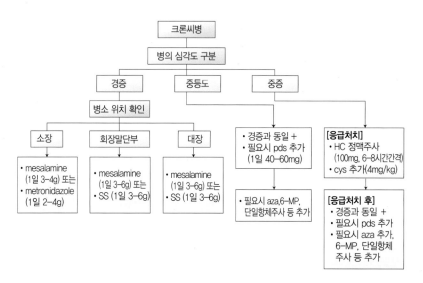

그림 12-1 크론씨병의 약물치료법

aza=azathioprine. CyS=cyclosporin. HC=hydrocortisone. 6-MP=6-mercaptopurine. pds=prednisolone.
SS=sulfasalazine.

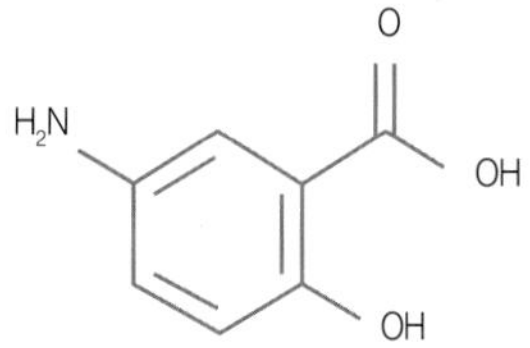

그림 12-2 mesalamine의 화학구조

salicylic acid 유도체이므로 항염증작용이 있을 것으로 추정됨

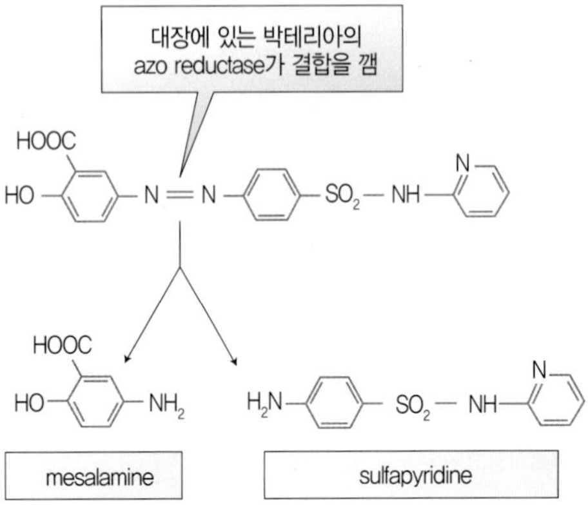

대장에 있는 박테리아의
azo reductase가 결합을 깸

HOOC

HO — N = N — SO₂ — NH — N

HOOC

HO — NH₂

mesalamine

H₂N — SO₂ — NH — N

sulfapyridine

그림 12-3 Sulfapyridine의 화학구조와 분해산물

대장에 있는 박테리아에 의해 유효성분인 mesalamine으로 분해됨

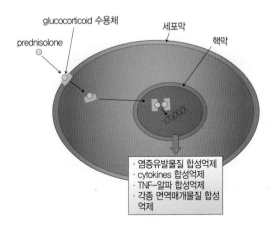

glucocorticoid 수용체   세포막

prednisolone   핵막

· 염증유발물질 합성억제
· cytokines 합성억제
· TNF-알파 합성억제
· 각종 면역매개물질 합성
  억제

그림 12-4 Prednisolone의 작용기전

염증유발물질과 각종 면역매개물질이 합성되지 못하게 함

궤양성 대장염
(Ulcerative colitis)

1 개요

1) 정의

궤양성 대장염은 대장에 발생하는 염증성 장질환으로서 주로 대장점막에 궤양이 생기고 출혈을 일으키는 질환을 가리킨다. 이 병은 크론씨병과 매우 유사하지만 호발 위치가 대장의 끝 부분인 S상 결장과 직장이기 때문에 궤양성 대장염이라고 한다 (그림 13-1).

2) 원인

궤양성 대장염의 원인은 아직 밝혀지지 않았지만 가족적인 경향이 있는 것으로 보아 유전과 관련이 있는 것을 추정되고 있다(표 13-1).

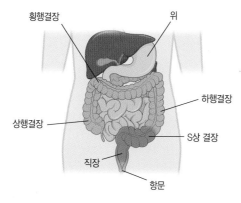

그림 13-1 궤양성 대장염의 호발위치
궤양성 대장염은 S상 결장과 직장에서 잘 발생됨

3) 증상

궤양성 대장염의 초기증상은 설사와 가벼운 복통으로써 일상생활에 큰 불변을 줄 정도는 아니다. 그러나 궤양성 대장염이 어느 정도 진행되면 설사가 하루에 4회 정도에 이르고 체중이 감소하며 일상생활에도 쉽게 피로감과 무력감을 느끼게 된다. 궤양성 대장염은 크론씨병과는 달리 염증이 점막과 점막하층에 국한되므로 누관 (fistula)이나 협착이 생기는 경우가 드물다. 중증 궤양성 대장염은 하루에도 여러 차례 혈변 때문에 삶이 고통스러워지고 빈맥과 발열 등 전신적 증상이 나타난다.

표 13-1 궤양성 대장염의 추정 원인

원인	근거
유전	■ 가족적인 경향이 있음 ■ 일란성 쌍생아의 경우 동시 발생률이 높음 ■ 6, 12, 14, 16번 등 염색체의 이상과 관련이 있는 것으로 추정됨
면역기능 이상	■ 염증병소에 중성구, 임파구, 형질세포가 침윤됨 ■ 류마치스 관절염, 포도막염 등 다른 자가면역질환과 동반되는 경우가 많음 ■ 다른 자가면역질환의 경우와 같이 증상의 악화와 완화가 반복됨 ■ 면역억제제가 이 병의 치료에 효과가 있음
기타	■ isotretinoin (경구용 여드름치료제)의 부작용으로 궤양성 대장염 발생사례 있음 ■ 섬유질이 부족한 식사를 하는 사람에게 발생률이 높음 ■ 모유를 수유받지 못한 사람에게 발생률이 높음

2 궤양성 대장염의 분류

궤양성 대장염은 증상의 심각도를 기준으로 경증, 중등도, 중증, 전격성의 4단계로 구분된다(표 13-2).

경증은 전신적 증상 없이 배변횟수가 1일 4회 이하이며 이 경우 대변은 혈변일 수도 있고 아닐 수도 있다. 중등도는 배변횟수가 1일 5회 이상이지만 전신적 증상이 없는 경우를 가리킨다. 중증은 하루에도 여러 차례 혈변이 있고 빈맥과 빈혈 등 전신적 증상이 있는 경우이며 이때는 대개 적혈구 침강속도가 증가된다. 혈변이 지속되어 저혈압성 쇼크가 나타나면 전격성이라고 하며 즉시 수혈이 요구되는 상황이다.

표 13-2 궤양성 대장염의 분류

구분	특징
경증 (mild)	■ 배변횟수 1일 4회 이하(혈변일 수도 아닐 수도 있음) ■ ESR 정상 ■ 전신적 증상 없음
중등도 (moderate)	■ 배변횟수 1일 5회 이상(혈변일 수도 아닐 수도 있음) ■ ESR 정상 ■ 전신적 증상 없음
중증 (severe)	■ 배변횟수 1일 6회 이상(혈변) ■ ESR 증가(분당 30mm 이상) ■ 빈맥, 빈혈, 발열 등 전신적 증상 동반
전격성 (fulminant)	■ 배변횟수 1일 10회 이상(혈변) ■ 발열, 저혈압성 쇼크 증상(hypovolemic shock)

ESR=erythrocyte sedimentation rate (적혈구 침강속도)

3 궤양성 대장염의 약물치료법

궤양성 대장염 약물치료 포인트

1. 궤양성 대장염은 발병위치가 주로 대장이나 직장인 점이 다를 뿐 병태생리학적 특성은 크론씨병과 비슷하다.

2. 발병위치가 직장이고 증상이 심하지 않으면 좌약으로 치료받는다.

3. 설사가 하루에 10회 이상이고 발열이나 혈변이 동반되면 저혈압과 쇼크가 올 수 있으므로 즉시 응급실에 입원하여 치료를 받아야 한다.

4. 응급처치로 증상이 개선된 후에도 재발방지를 위하여 약물요법을 최소용량으로 하여 유지치료를 받아야 한다.

궤양성 대장염의 약물치료법은 이 병의 심각도와 병소의 위치에 따라서 약간 다르다(그림 13-2). 이 병은 완치가 불가능하므로 증상이 소실되었어도 재발방지를 위하여 최소용량으로 하여 지속적으로 약물치료를 받아야 한다. 예를 들어 S상 결장에 발생한 궤양성 대장염이라면 mesalamine을 매일 3g씩 꾸준히 복용해야 한다.

경증이면서 병소의 위치가 직장이면 mesalamine을 좌약으로, S상 결장이나 하행 결장이면 관장약 또는 경구용으로, 기타 부위이면 경구용으로 사용한다. 병의 심각 도가 중등도이면 경증의 경우와 같이 실시하되 prednisolone을 투여하여 증상이 신 속히 완화되도록 해야 한다. Prednisolone을 투여했는 데도 증상이 가라앉지 않으면 azathioprine, 6-mercaptopurine, adalimumab, golimumab 등 면역조절제를 추가로 투 여한다.

병의 심각도가 중증으로 판단되면, 응급처치로 hydrocortisone을 정맥으로 투여한 다음 보다 강력한 면역억제제인 cyclosporine을 투여하여 증상을 완화시키도록 한다. 응급상황이 종료되면 중증도와 병소 위치에 따라 적절한 약물치료를 지속적으로 받 아야 한다. 궤양성 대장염의 치료에 사용되는 약물은 크론씨병의 경우와 같으므로 용법, 용량 및 특징적 부작용과 작용기전은 크론씨병의 표 12-2, 표 12-3에 요약되 어 있다.

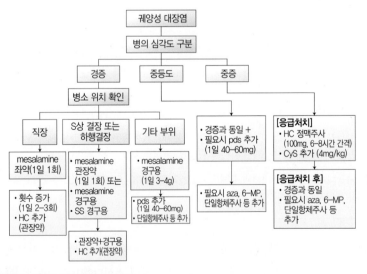

그림 13-2 궤양성 대장염의 약물치료법

aza=azathioprine. CyS=cyclosporin. HC=hydrocortisone. 6-MP=6-mercaptopurine. pds=prednisolone. SS=sulfasalazine.

간경화
(Cirrhosis)

1 개요

1) 정의
간경화는 간독성 물질에 노출되거나 오래된 간염으로 간조직이 섬유화되고 전체적으로 우둘투둘한 모양의 결절로 변하는 질환이다(그림 14-1).

2) 원인
간경화는 간독성 화학물질, 바이러스, 담관폐쇄, 알코올, 영양실조 등이 원인이다(표 14-1). 이 요인들에 단기간 노출되면 염증을 거쳐 치유되지만 장기간 반복적으로 지속되면 간조직에 섬유화와 경화가 일어나고 결국 간경화로 된다. 간경화를 일으키는 간독성 화학물질에는 사염화탄소와 비소 등이 있고 바이러스는 B형 및 C형 간염 바이러스가 대표적이다. 만성적인 담관염으로 담관이 좁아지거나 폐쇄된 경우에도 담즙의 독성으로 인하여 간경화가 발생한다. 음주과다, 영양실조, 당뇨병, 알파 1-항트립신 결핍증, 만성적 자가면역질환도 간경화를 일으킨다.

그림 14-1 간경화로 표면이 우둘투둘하게 변한 간

표 14-1 간경화의 원인	
간독성 화학물질	▪ 사염화탄소, 비소 등
바이러스	▪ B형 간염바이러스, C형 간염바이러스 등
담관폐쇄	▪ 담낭염 등 담도질환
기타	▪ 영양실조, 당뇨병, 알파-1-항트립신 결핍증, 만성 자가면역질환

3) 증상

간경화는 초기에는 대부분 증상이 나타나지 않는다. 그러나 간경화가 점차로 진전되면서 식욕부진, 구역, 구토, 피부소양증, 복수, 하지 부종, 황달, 출혈경향 등 증상이 나타난다. 간경화가 심하게 진행되면 비장 비대, 간성 뇌증(혼수), 위장관 출혈이 발생할 수 있는데 특히 식도 정맥류 파열로 인한 출혈은 생명을 위협하는 응급상황이다.

4) 진단

간경화의 확진은 복강경검사와 간조직검사를 통하여 실시한다. 그밖에도 간경화의 중증도를 알아내기 위하여 혈액검사, 소변검사, 초음파검사, 혈관조영술, CT 촬영 등을 실시한다.

2 간경화의 분류

간경화는 경화의 위치에 따라 괴사후성 간경화, 문맥성 간경화, 담즙성 간경화의 세 가지로 나눈다. 이들 세 가지 형태의 간경화에 대한 특징은 표 14-2에 나타내었다.

표 14-2 간경화의 분류

분류	특징
괴사후성 간경화	▪ 간조직의 일부가 경화됨 ▪ 괴사가 일어난 다음 경화로 진행됨 ▪ 간독성 화학물질 또는 바이러스성 간염이 원인임

문맥성 간경화	■ 문맥을 포함하여 넓은 부위가 경화됨(가장 흔한 형태임) ■ 지방간, 섬유화, 결절화, 경화의 순으로 진행됨 ■ 음주과다 및 영양실조가 원인임 ■ 알코올성, 이영양성 또는 라에넥형(Laennec's cirrhosis) 등으로 불리기도 함.
담즙성 간경화	■ 담관주위 간조직이 경화됨 ■ 담즙이 간에 울체되어 담즙독성이 원인임

3 간경화의 약물치료법

간경화 약물치료 포인트

1. 알코올중독, 담관폐쇄, 바이러스성 간염 등 원인인자를 치료하여 더 이상 간이 손상되지 않도록 해야 한다.

2. 문맥성 고혈압과 소화관 정맥류가 발생하면 베타차단제 중에서 심장선택성이 없는 약물이나 isosorbide로 치료를 받도록 한다.

3. 복수치료 중 감기 몸살 같은 오한 발열이 발생하면 자발성 복막염 때문일 수 있다.

4. 간성뇌증(혼수)은 암모니아 gas가 원인이므로 이 gas의 생성억제제(항균제)나 체외배출제(lactulose)를 복용한다.

5. 혼수상태에서 깨어나면 암모니아 gas 생성억제제는 복용을 중단하고 체외배출제는 의료인과 상의하여 최소량(설사가 하루에 세 번을 넘지 않을 정도)을 일정기간 지속적으로 복용해야 한다.

간경화를 치료할 수 있는 약물요법은 없다. 따라서 간경화의 치료는 알코올 중독, 담관 폐쇄, 바이러스성 간염 등 간경화를 일으킨 원인을 제거하여 더 이상 간이 손상되지 않도록 하는 것일 뿐 약물치료는 실시하지 않는다. 진정한 의미에서의 간경화 치료는 간이식 밖에 없다. 그러나 간경화로 이미 합병증이 발생한 경우에는 각각의 합병증에 대하여 적절한 약물치료를 실시한다.

1) 문맥성 고혈압 및 소화관 정맥류의 약물치료법

문맥성 고혈압은 전신의 혈압이 상승하는 것이 아니라 위와 소장 등 소화관에서 간으로 가는 정맥(간문맥, portal vein)의 혈액순환이 울체되어 나타나는 고혈압이다. 문맥성 고혈압이 오래되면 소화관에 정맥류가 생기고, 심하면 정맥류가 파열되어 출혈이 일어날 수 있다.

문맥성 고혈압은 문맥과 소화관 정맥에만 나타나는 고혈압이기 때문에 일반적인 고혈압 치료제는 효과가 없는 경우가 많다. 따라서 propranolol과 nadolol 같은 비교적 심장 선택성이 없는 베타차단제를 사용하여 문맥의 혈압을 낮춘다(그림 14-2). 베타차단제로 문맥혈압이 만족스럽게 저하되지 않으면 isosorbide를 병용하여 치료받도록 한다.

문맥성 고혈압이 오래 지속되면 소화관에 분포된 혈관에 혈액이 울체되어 혈관이 꼬불꼬불하게 변하는 정맥류 현상이 생긴다. 소화관 혈관에 정맥류가 형성되는 것을 예방하기 위해서는 문맥의 혈압을 낮추어 주어야 하므로 문맥성 고혈압의 예방과 마찬가지로 propranolol 또는 nadolol을 저용량으로 치료받도록 해야 한다. 정맥류가 파열되어 내장 혈관에 출혈이 발생한 경우에는 강력한 혈관 수축작용이 있는 octreotide, vasopressin, terlipressin, 등의 약물을 주사로 투여하여 지혈을 시도한다. Vasopressin은 전신 혈관을 수축시켜 혈압을 높이는 부작용이 많으므로 소화관 혈관에

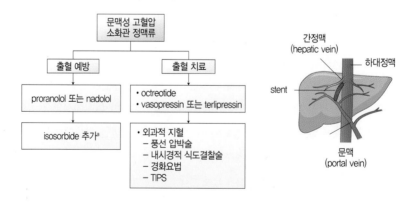

그림 14-2 문맥성 고혈압과 소화관 정맥류의 약물치료법

TIPS=transjugular intrahepatic portosystemic shunt

그림 14-3 TIPS

transjugular intrahepatic portosystemic shunt:
간정맥과 문맥 사이를 연결해주는 스텐트 삽입

선택성이 높은 octreotide가 선호된다. 이들 약물로 지혈이 안 되면 외과적 방법으로 출혈을 멈추어 주어야 한다. 외과적 지혈방법에는 풍선 압박술, 내시경적 식도결찰술, 경화요법, TIPS (transjugular intrahepatic portosystemic shunt) 등이 있다.

TIPS는 경정맥(jugular vcin)을 통하여 길고 가는 관(stent)을 삽입하여 간정맥(hepatic vein)과 문맥(portal vein) 사이에 우회로를 만들어 주는 '경정맥 경유 간내 우회로 단락술'이다(그림 14-3). 이 수술은 문맥혈압을 신속히 내려주면서 다른 수술법에 비하여 침습성이 덜하고 안전한 치료법이다.

각각의 약물에 대하여 용법, 용량 및 특징적 부작용은 표 14-3과 표 14-4에 요약되어 있다. 문맥성 고혈압과 소화관 정맥류 치료제의 작용기전은 표 14-5에 요약되어 있다.

표 14-3 문맥성 고혈압과 소화관 정맥류에 사용되는 약물의 용법 및 용량

구분	약물명	용법 및 용량
베타차단제	propranolol, nadolol: 고혈압 참조(표 1-2)	
혈관확장제	isosorbide mononitrate (엘로톤®)	20mg을 1일 2–3회 복용
	isosorbide dinitrate (이소맥®)	20mg을 1일 2회 복용
지혈제	octreotide (산도스타틴®)	시간당 0.025mg을 점적정맥주사로 최장 5일간 투여
	vasopressin (소플렉신®)	20단위를 5% 포도당 100–200ml에 녹여 10분 이상에 걸쳐 정맥주사
	terlipressin (글라이프레신®)	초기에 1–2mg을 정맥주사한 다음 4–6시간마다 1mg을 추가로 투여(1일 최대용량: 0.12mg/kg)

표 14-4 문맥성 고혈압과 소화관 정맥류에 사용되는 약물의 특징적 부작용

구분	약물명	특징적 부작용	주의사항
베타차단제	propranolol 등	고혈압 참조(표 1-3)	
혈관확장제	isosorbide	협심증 참조(표 5-3)	

지혈제	octreotide	췌장염 참조(표 11-3)	
	vasopressin	과민반응(두드러기, 피부발진, 호흡곤란)	과민반응이 나타나면 즉시 의료인에게 알릴 것
	terlipressin	위와 같음	위와 같음

표 14-5 문맥성 고혈압과 소화관 정맥류 치료제의 작용기전

구분	작용기전
지혈제	■ octreotide – 8개의 아미노산으로 이루어진 합성 펩타이드 호르몬으로서 somatostatin과 작용이 유사함 – 소화관에서 간으로 유입되는 혈관을 선택적으로 수축하는 작용이 있으므로 문맥성 고혈압 저하 및 소화관 정맥류 출혈에 대한 지혈작용이 있음 – 전신혈관에 대한 수축작용은 vasopressin에 비하여 현저히 낮음
지혈제	■ vasopressin – 9개의 아미노산으로 이루어진 펩타이드 호르몬으로서 소화관 혈관을 포함하여 모든 혈관을 수축시킴 – 소화관에서 간으로 유입되는 혈관도 수축되므로 문맥성 고혈압 저하 및 소화관 정맥류 출혈에 대한 지혈작용이 있음 – octreotide에 비하여 소화관 혈관에 대한 선택성이 낮음 ■ terlipressin – vasopressin의 화학구조를 변경시킨 tirglycyl-lysine vasopressin으로서 작용기전은 vasopressin과 동일함 – 체내에서 서서히 대사되어 lysine vasopressin으로 변환되기 때문에 작용시간이 긴 장점이 있음(점적정맥주사가 불필요하고 4-6시간마다 주사하면 됨)
베타차단제, 혈관확장제	고혈압, 협심증 참조

2) 복수의 약물치료법

간경화로 문맥과 소화관 정맥에 혈액이 울체되면 혈관 속의 수분과 혈장 성분이 빠져 나가 복강에 고여 복수가 된다. 간경화로 알부민 생산능력까지 저하되면 이 현상이 더욱 잘 일어난다. 혈중 알부민이 감소되면 혈장 부피가 감소되기 때문에 부신피질은 알도스테론 분비를 증가하여 혈장부피를 유지하려고 노력하지만 혈장은 혈

관 속에 머무르지 못하고 복강으로 빠져 나가 복수가 더욱 악화된다.

따라서 복수의 약물치료법은 전통적으로 알도스테론 차단제(알도스테론의 작용을 억제하는 약물)인 spironolactone을 단독요법으로 사용해 왔다. 그러나 최근에는 스피로노락톤 단독요법이 약효발현에 2주일 정도 걸리는 문제점과 고칼륨혈증을 유발하는 부작용이 있으므로 처음부터 루프이뇨제와의 병용요법으로 치료한다(그림 14-4). 만일 병용요법으로도 복수 치료가 만족스럽지 않으면 복강을 천자하여 복수를 제거하면서 알부민을 정맥으로 투여하는 방법도 함께 실시한다.

복수는 혈액성분이 빠져나와 복강에 저류되어 있는 액체이기 때문에 세균 침범 시염증의 온상이 되어 자발성 복막염(spontaneous bacterial peritonitis, SBP)이 발생할 수있다. 따라서 감기 몸살 같은 오한 발열이 나타나는지 주의깊게 관찰해야 한다. SBP는 외부 또는 복강내 감염 부위가 없는데도 저절로 발생한 복수의 감염증이다. SBP의발생기전은 아직 밝혀지지 않았지만 문맥성 고혈압과 소화관 정맥류로 인하여 탐식세포 기능저하, 장의 부종, 장내 세균의 이동 등이 원인인 것으로 여겨지고 있다. SBP로 의심되는 증상이 있으면 즉시 항균제를 이용한 약물치료를 실시해야 한다.

간경화로 인한 복수에 사용되는 약물의 용법, 용량 및 특징적 부작용과 작용기전은 표 14-6, 표 14-7, 표 14-8에 요약되어 있다.

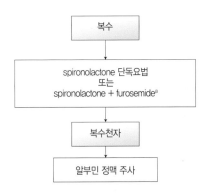

그림 14-4 복수의 약물치료법

[a]최근에는 spironolactone과 furosemide 병용요법이 권장됨

표 14-6 복수 치료에 사용되는 약물의 용법 및 용량

구분	약물명	용법 및 용량
이뇨제	spironolactone (알닥톤®)	고혈압 참조(표 1-2)
	furosemide (라식스®)	고혈압 참조(표 1-2)
혈장증량제	albumin (알부민)	25~75g에 해당되는 양을 2-4ml/min의 속도로 1일 1회 점적정맥주사로 투여

표 14-7 복수 치료에 사용되는 약물의 특징적 부작용

구분	약물명	특징적 부작용	주의사항
이뇨제	spironolactone, furosemide	고혈압 참조(표 1-3)	
혈장증량제	albumin	숨이 참, 마른기침	■ 숨이 차거나 마른기침이 나는 등 심부전 증상이 악화되면 의료인에게 알릴 것

표 14-8 복수 치료제의 작용기전

구분	작용기전
혈장증량제	■ albumin: – 분자량이 약 69,000g/mole인 단백질로서 정맥투여시 혈관 안에 머물면서 삼투압을 높임 – 따라서 혈관 밖에 있는 체액과 복강에 저류되어 있는 체액이 혈관 속으로 유입됨
이뇨제	■ spironolactone, furosemide: 고혈압 치료제 참조

3) 간성 뇌증의 약물치료법

간성 뇌증(정신이 혼미해짐, 심하면 혼수)은 암모니아 가스를 요소로 전환시켜 소변으로 배출시키는 간의 능력이 저하되기 때문에 나타난다. 따라서 소화관에서 암모니아 가스를 생성하는 세균을 죽이는 항균제(neomycin, metronidazole, rifaximin)로 치료하거나 또는 암모니아 가스가 혈중으로 유입되지 않도록 하는 lactulose로 치료

를 받는다(그림 14-5).

  항균제는 장기투여 시 신장독성 등 부작용이 우려되므로 간성뇌증이 개선되면 복용을 중단한다. Lactulose는 경구로 복용하면 소화관에서 흡수되지 않고 장내 세균에 의하여 분해되어 산성 물질로 변하기 때문에 암모니아 가스를 암모니움 이온으로 변화시키는 작용이 있다. 암모니움 이온은 암모니아 가스에 비해 독성이 거의 없으며 혈중으로 흡수되지 않을 뿐만 아니라 물에 잘 녹기 때문에 쉽게 대변으로 빠져나간다. Lactulose는 또한 설사를 유발하는 작용도 있어 소화관에 있는 암모니아 가스를 체외로 배출해 주는 이점도 있다.

  간성 뇌증의 치료 및 예방에 사용되는 약물의 용법, 용량 및 특징적 부작용과 작용기전은 표 14-9, 표 14-10, 표 10-11에 요약되어 있다.

표 14-9 간성 뇌증의 치료에 사용되는 약물의 용법 및 용량

구분	약물명	용법 및 용량
암모니아 가스 생성 억제제 (예방목적 사용 불가)	neomycin (포리지낙스®)	■ 국내에는 단일제제가 없음 ■ 복합제제 복용 시 neomycin으로서 1–2g을 4시간 간격으로 복용 ■ 간성뇌증이 개선되면 복용을 중단해야 함 (장기복용 시 신장독성이 우려됨)
	metronidazole (후라시닐®)	■ 250mg을 1일 3회 복용 ■ 간성뇌증이 개선되면 복용을 중단해야 함
	rifaximin (노르믹스®)	■ 400mg을 1일 3회 복용 ■ 7일 이상 복용하지 말 것
암모니아 가스 체외 배출 촉진제 (예방목적 사용 가능)	lactulose (듀파락®)	■ 30–50ml을 1일 4회 복용 ■ 간성 혼수 예방목적으로는 25ml을 1일 3회 복용(설사가 하루에 세 번을 넘지 않도록 용량을 조절해야 함)

표 14-10 간성 뇌증의 치료에 사용되는 약물의 특징적 부작용

구분	약물명	특징적 부작용	주의사항
암모니아 가스 생성 억제제	neomycin	메스꺼움, 설사	■ 소변량이 줄 수 있음(신장독성) ■ 작은 소리가 잘 들리지 않을 수 있음(청각독성) ■ 신장독성이나 청각독성이 나타나면 의료인에게 알릴 것
	metronidazole	소화성궤양 참조(표 9-3)	
	rifaximin	메스꺼움, 설사	■ 심한 설사가 있으면 의료인에게 알릴 것
암모니아 가스 체외 배출 촉진제	lactulose	배가 더부룩함, 설사, 복통	■ 이 약은 갈락토스, 유당, 과당 등이 함유되어 있음 ■ 따라서 당뇨병이 합병된 환자는 이 약 복용 중 혈당관리에 특별히 주의할 것

표 14-11 간성 뇌증의 치료제의 작용기전

구분	작용기전
암모니아 가스 생성 억제제	■ neomycin: – 아미노글리코사이드 계열의 항생제로서 경구투여 시 흡수되지 않고 소화관에 있는 세균을 살균함 – 소화관에서 암모니아 가스를 생성하는 세균이 살균되므로 혈중 암모니아치가 줄어들고 따라서 간성뇌증(혼수)이 개선됨 ■ metronidazole: – 니트로이미다졸 계열의 항생제로서 혐기성 세균과 프로토조아에 대해 특히 항균력이 큼 – 소화관에서 암모니아 가스를 생성하는 세균이 살균되므로 혈중 암모니아치가 줄어들고 따라서 간성뇌증(혼수)이 개선됨 ■ rifaximin: – rifamycin 계열의 항생제로 소화관에서 흡수되지 않고 장관 내 박테리아의 RNA polymerase에 결합하여 항균효과를 나타냄 – 그람양성, 그람음성, 호기성균에 광범한 살균효과가 있음
암모니아 가스 체외 배출 촉진제	■ lactulose: – galactose와 fructose로 이루어진 2당류 물질로서 경구투여 시 소화관에서 흡수되지 않고 장내 세균에 의하여 lactic acid, acetic acid 등 산성 물질로 분해됨 – 소화관 내 환경이 산성으로 변하면 소화관에 있는 암모니아 가스가 암모니움 이온으로 변화되는데 암모니움은 혈중으로 흡수되지 않으며 물에 잘 녹기 때문에 쉽게 대변으로 빠져나가게 됨 – 설사를 유발하여 암모니아 가스를 신속하게 체외로 배출시키는 작용도 있음

4) 혈액응고장애, 간신증후군, 간폐증후군의 약물치료법

간경화로 인한 혈액응고장애는 phytonadione (비타민 K1의 일종)을 투여하여 치료
한다. 간신 증후군과 간폐 증후군은 특별한 약물치료법이 없으므로 손상된 신장 및
폐의 기능을 보조할 수 있는 약물을 경우에 따라 적절히 사용한다. Phytonadione의
용법, 용량 및 특징적 부작용과 작용기전은 표 14-12, 표 14-13, 표 14-14에 요약되
어 있다.

표 14-12 혈액응고장애 치료에 사용되는 약물의 용법 및 용량

구분	약물명	용법 및 용량
지혈제	phytonadione (케이완®)	2.5–10mg을 1일 1회 복용(1일 최대용량: 50mg)

표 14-13 혈액응고장애 치료에 사용되는 약물의 특징적 부작용

구분	약물명	특징적 부작용	주의사항
지혈제	phytonadione	혈전	■ 이 약은 과량 복용 시 혈액응고가 촉진되어 체내에 혈전이 생길 수 있음 ■ 따라서 적정용량을 알아내기 위하여 혈액응고시간(prothrombin time)을 모니터 할 것 ■ 이 약을 복용 중인데도 지혈이 잘 되지 않으면 의료인에게 알릴 것

표 14-14 혈액응고장애 치료제의 작용기전

구분	작용기전
지혈제	■ phytonadione: – vitamin K라고도 불리는 물질로서 혈액응고인자(II, VII, IX, X, protein C, protein S 등) 활성화에 필수적임 – 혈액응고인자를 활성화시켜 혈액응고장애를 치료함 – 뼈의 단백질 성분 합성에도 필요함

그림 14-5 간성 뇌증의 약물치료법

A형 간염
(Hepatitis A)

1 개요

1) 정의

A형 간염이란 A형 간염 바이러스(Hepatitis A virus, HAV)가 간에 침범하여 간 실질세포와 쿠퍼세포(Kupffer cell)에서 증식하면서 주변 간조직에 염증을 일으킨 상태를 가리킨다.

2) 원인

A형 간염은 A형 간염 바이러스 감염이 원인이다. 이 바이러스는 주로 오염된 음식이나 식수를 통하여 입으로 들어온 다음, 구강인두 점막 또는 소장점막을 투과하여 혈액으로 침입한다(표 15-1). 일단 혈액 속으로 들어온 바이러스는 간의 실질조직과 쿠퍼세포(Kupffer cell, 간에 있는 macrophage)에서 증식하면서 간 조직에 염증을 일으킨다. 여기서 증식된 바이러스 입자는 담즙과 함께 십이지장으로 분비된 다음 대변을 통하여 배설되어 다른 사람에게 전파된다.

A형 간염은 원래 소아기에 감염되어 자연면역이 획득되는 질병이었는데 최근에는 어린이들이 수세식 변기가 설치된 깨끗한 위생시설에서 자라기 때문에 이 바이러스에 자연감염 되지 않고 오히려 10대와 20대의 청소년층에서 발생률이 높다.

표 15-1 A형 간염의 감염경로
A형 간염 바이러스에 오염된 음식 섭취
A형 간염 바이러스에 오염된 식수를 마심
A형 간염 바이러스 감염자와 신체적 접촉*
A형 간염 바이러스 감염자의 배설물이 묻은 물건과 접촉*

*A형 간염 바이러스는 접촉 후 입을 통하여 인체에 감염됨

3) 증상

A형 간염은 바이러스가 인체에 침입한 후 약 4주 동안의 잠복기가 지난 다음에 증상이 나타난다. 증상은 주로 미열과 피로감 등 가벼운 감기증상과 비슷하다. 때로는 식욕감소, 구역질, 구토, 복통, 설사 등 소화불량 증상도 함께 나타난다.

A형 간염은 유아 및 소아에게는 증상이 거의 나타나지 않는 반면 감염 연령이 높을수록 증상이 심하게 나타나는 특징이 있다. 노인이 A형 간염 바이러스에 감염되면 간에서 담즙 배출이 정체되어 대변 색깔이 연해지고(소변 색깔은 진해짐) 피부에 황달, 가려움증이 나타난다.

A형 간염은 B형 및 C형 간염과는 달리 만성화되지 않고 감염 후 3-5주가 지나면 자연히 회복된다. 그러나 A형 간염이 노인에게 감염되면 증상이 심하게 나타날 뿐만 아니라 전격성 간염으로 발전하여 간부전이 될 수도 있다.

만성 B형 또는 C형 간염 보균자에게 A형 간염 바이러스가 감염되면 전격성 간염(fulminant hepatitis)으로 발전하는 경우가 많다. 전격성 간염은 간괴사를 동반하는 급성 간부전(acute hepatic failure)이 특징으로 2주일 이내에 사망할 확률이 80% 정도나 된다.

2 A형 간염의 진단

A형 간염의 진단은 혈액검사를 통하여 실시한다. 혈액검사에서는 혈중에 있는 항원(A형 간염 바이러스)과 이에 대한 항체(IgM형 및 IgG형)를 측정하는데 IgM형 항체가 양성이면 A형 간염으로 진단한다(표 15-2). IgM형과 IgG형 항체가 모두 양성이면 면역을 획득하는 회복기에 있음을 의미한다.

감염 초기에는 항원이 발견되기도 하지만 일단 증상이 발생하여 환자가 병원에 내원했을 때는 이미 혈액이나 대변에서 항원이 검출될 가능성은 매우 낮다. IgM형 항체는 바이러스에 감염된 다음 약 2주 후에 나타나기 시작하여 약 3-4개월 후까지 지속되다가 사라진다(그림 15-1). IgG형 항체는 감염된 다음 약 4주 후에 나타나기 시작하여 수년간 지속된다. 따라서 IgM형 항체가 음성이고 IgG형 항체가 양성이면 면역이 획득되었음을 의미한다.

A형 간염 항체검사의 결과 판정은 표 15-2에 요약되어 있다.

표 15-2   A형 간염의 항체검사 결과 판정

IgM형 항체	IgG형 항체	항체검사 결과 판정
음성	음성	감염된 적이 없음
음성	양성	면역이 획득되었음
양성	음성	최근에 감염되어 아직 면역이 안되었음
양성	양성	최근에 감염되어 면역 획득 중에 있음

IgM=immunoglobulin M; IgG=immunoglobulin G

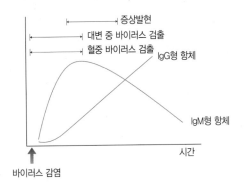

그림 15-1   A형 간염의 자연경과

IgM형 항체가 먼저 나타났다가 사라지면서 IgG형 항체로 대체됨

3 A형 간염의 약물치료법

A형 간염 약물치료 포인트

1. A형 간염은 휴식과 영양섭취만으로도 자연치유가 잘 되는 질환이지만 타이레놀 같은 해열제를 사용하면 전격성 간염으로 발전할 수 있다.

2. A형 간염 환자로 확인되면 약 한 달 정도는 약물복용과 과로를 피하고 휴식을 취해야 한다.

3. A형 간염 치료 중에는 배우자와 성관계를 하지 않도록 하고 배우자와 가족도 예방접종을 받아야 한다.

A형 간염은 미열, 피로감 등 가벼운 감기증상이 나타나기 시작한 이후 약 5주가 지나면 대부분 자연히 치유되는 질환이므로 특별한 약물치료가 필요하지는 않다. 그러나 간성 뇌증(혼수), 뇌부종, 신부전, 간효소치 저하, 저혈당, 혈액응고시간 증가, 복수, 부종, 간의 크기 감소 등 전격성 간염 증상이 나타나면 대증요법과 혈액응고시간 증가로 인한 소화기 내출혈 예방을 위한 약물치료를 실시한다. 전격성 간염이 아닌 것으로 확인되면 휴식과 영양섭취만으로 자연치유가 잘 되므로 약물치료는 필요하지 않다. 특히 타이레놀® 또는 acetaminophen이 함유되어 있는 진통제를 다량 복용할 경우, 오히려 간독성 때문에 전격성 간염으로 발전할 수 있으므로 약물복용을 삼가야 한다.

최근에는 청소년층에서 A형 간염의 발생률이 증가하는 추세에 있으므로 A형 간염백신을 접종하여 사전에 예방하는 것이 좋다. 또한 A형 간염에 감염된 사람과 가족관계이거나 최근에 성관계를 가진 사람은 면역글로불린을 근육주사로 투여하여 면역력을 높이도록 한다(그림 15-2).

A형 간염이 창궐하는 개발도상국가를 2주일 이내에 방문할 계획이 있는 사람도 면역글로불린 주사를 맞아 여행기간 중 감염에 대비하도록 해야 한다. 백신은 접종 후 면역력이 획득되기까지 2주일 이상 걸리기 때문에 도움이 되지 않는다. A형 간염에 사용되는 약물의 용법, 용량 및 특징적 부작용과 작용기전은 표 15-3, 표 15-4, 표 15-5에 요약되어 있다.

표 15-3 A형 간염에 사용되는 약물의 용법 및 용량

구분	약물명	용법 및 용량
면역글로불린	immunoglobulin (감마-글로불린®)	15-50mg/kg을 근육주사
A형 간염백신	hepatitis A antigen (하브릭스®)	1ml (소아: 0.5ml)을 어깨에 근육주사하고 6-12개월 후 추가접종
	hepatitis A antigen (이팍살베르나®)	0.5ml (소아: 0.25ml)을 어깨에 근육주사하고 6-12개월 후 추가접종

표 15-4 A형 간염에 사용되는 특징적 부작용

약물명	특징적 부작용	주의사항
면역글로불린	주사부위 발적, 미열, 피로감	■ 반드시 근육주사로 투여할 것(정맥주사하면 쇼크를 일으킬 수 있음) ■ 다른 질병에 대한 예방접종을 하려면 이 약 투여 후 적어도 3개월이 지난 다음에 할 것(이 약이 항체이므로 예방접종 효과가 없음) ■ A형 간염 바이러스에 노출된 후 2주가 지났거나 간염증상이 이미 나타난 경우에는 이 약의 효과를 기대할 수 없음
A형 간염백신	주사부위 발적, 미열, 피로감	■ 예방접종 후 6~12개월 사이에 반드시 추가접종을 실시할 것 ■ 예방접종 후 미열 또는 피로감이 나타날 수 있지만 이것은 면역획득과정의 정상적인 현상임

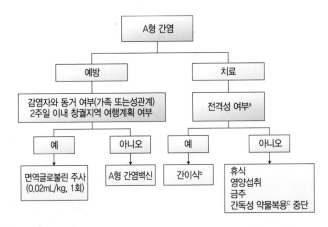

그림 15-2 A형 간염의 약물치료법

ᵃ전격성 간염: 간성 뇌증(혼수), 뇌부종, 신부전, 간효소치 저하, 저혈당, 혈액응고시간 증가, 복수, 부종, 간의 크기 감소 등의 증상이 나타남. ᵇ간이식을 하기 전까지는 뇌증, 뇌부종, 신부전, 저혈당에 대한 대증요법과 혈액응고시간 증가로 인한 소화기 내출혈 예방을 실시해야 함. ᶜacetaminophen이 대표적인 약물임.

표 15-5 A형 간염 치료제의 작용기전

구분	작용기전
면역글로불린	■ immunoglobulin: – 형질세포에서 분비되는 항체로서 A형 간염 바이러스에 부착되어 백혈구나 대식세포(macrophage)가 바이러스를 인식하고 잡아먹을 수 있게 해줌
A형 간염백신	■ hepatitis A antigen: – 불활성화된 A형 간염 바이러스임 – 소량을 주사하면 A형 간염 바이러스에 대한 면역력을 갖추게 되므로 훗날 같은 바이러스가 침입했을 때 간염에 걸리지 않게 됨

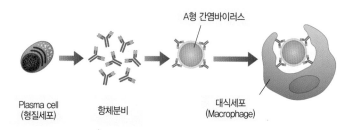

A형 간염바이러스

Plasma cell
(형질세포)

항체분비

대식세포
(Macrophage)

그림 15-3 면역글로불린의 작용기전

면역글로불린은 형질세포에서 분비되는 항체이므로 A형 간염바이러스에 부착되어 백혈구나 대식세포가 바이러스를 인식하고 잡아먹을 수 있도록 도와줌

16 Chapter

B형 간염
(Hepatitis B)

1 개요

1) 정의

B형 간염이란 B형 간염 바이러스(Hepatitis B virus, HBV)가 간에 침범하여 간 실질세포에서 증식하면서 주변 간조직에 염증을 일으킨 상태를 가리킨다.

2) 원인

B형 간염은 B형 간염 바이러스 감염이 원인이다. 이 바이러스는 주로 혈액을 통하여 감염되며 일단 혈액 속으로 들어온 바이러스는 간의 실질세포에 침입하여 증식한다. 후진국의 경우 이 바이러스가 감염된 사람의 혈액을 수혈받거나, 멸균되지 않은 주사기나 수술용 장비 사용 또는 혈액성분제품 주사를 통하여 감염되는 사례가 많다. 치과 처치과정에서 감염되는 경우도 드물지 않다.

인체의 면역계는 T-임파구를 다량으로 만들어 내부에서 바이러스가 증식되고 있는 간 실질세포와 그 안에 있는 B형 간염 바이러스를 공격한다. 이 면역반응으로 발생하는 염증반응이 B형 간염의 증상으로 나타나는데, 바이러스를 성공적으로 제거하면 환자는 B형 간염 바이러스에 대한 항체와 면역을 획득하게 된다.

아직 면역계가 완전하게 성숙되지 않은 소아기에 B형 간염 바이러스가 감염되면 면역반응이 일어나지 않는 경우도 있다. 이런 소아를 무증상적 보균자(asymptomatic carrier) 또는 건강한 보균자(healthy carrier)라고 부른다. 성인이 되면서 면역계가 성숙하게 되면 B형 간염 바이러스를 제거하기 위한 면역반응이 시작된다. 면역반응이 시작되고 성공적으로 바이러스를 제거하면 항체와 면역을 획득하게 된다. 그러나 성인이 되어도 제거하지 못하면 건강한 보균자 또는 만성 간염 환자로 남게 된다.

3) 증상

성인이 되어 감염된 경우, B형 간염의 증상은 대개 급성 간염으로 나타난다. 급성 간염의 전형적인 경과는 표 16-1에 나타낸 것처럼 잠복기, 전구증상기, 황달기, 회복기를 거치게 된다. B형 간염의 증상은 주로 전구증상기에 쇠약감과 미열을 동반한 감기 유사 증상으로 나타난다. 건강한 성인의 경우에는 황달기가 나타나지 않는 경우가 많다.

표 16-1 급성 B형 간염의 전형적 경과	
잠복기	감염되었지만 증상이 나타나지 않는 기간
전구증상기	식욕부진, 메스꺼움, 쇠약감, 소변 색깔이 짙어짐, 관절통, 미열 등 감기 유사 증상
황달기	급격한 면역반응 결과로 간조직에 염증이 생기고 담즙이 십이지장으로 배출되지 못해 황달 증상이 나타남
회복기	■ 자연치유 성공의 경우: 면역계가 간염 바이러스를 성공적으로 제거하고 항체와 면역을 획득하게 됨 ■ 자연치유 실패의 경우: 면역계가 간염 바이러스를 성공적으로 제거하지 못해 항체와 면역을 획득하지 못하고 만성 간염으로 됨

2 B형 간염의 진단

B형간염의 진단은 혈액검사로 한다. 혈액검사는 B형 간염 바이러스와 관련된 여러 가지 항원 및 항체를 측정하는데 이 검사를 통하여 감염여부와 면역획득 상태를 판단한다.

항원-항체검사는 간염 바이러스의 표면에 있는 물질, 핵에 있는 물질, 바이러스가 증식할 때 분비되는 물질 등 세 가지 물질에 대하여 실시한다(표 16-2). 바이러스 표면에 있는 항원물질을 간염표면항원(HBsAg), 이에 대한 항체를 간염표면항체(HBsAb)라고 한다. 바이러스 핵에 있는 항원물질은 간염핵항원(HBcAg), 이에 대한 항체는 간염핵항체(HBcAb)라고 한다. 바이러스 증식 시 분비되는 항원물질은 간염

분비항원(HBeAg), 이에 대한 항체는 간염분비항체(HBeAb)라고 한다.

일반적으로 항원-항체검사는 간염 바이러스의 표면에 있는 항원물질과 이에 대한 항체만 검사하는 경우가 많다. 간염표면항체는 면역이 획득되면 나타나기 시작하여 수년간 지속되기 때문에 면역획득 여부를 판정하는 데 있어서 표준이 되는 지표이다. 그러나 감염 중에 있거나 아직 면역이 획득되지 않은 만성 간염 환자의 경우에는 치유의 경과를 관찰하기 위하여 간염 바이러스 핵에 있는 항원물질과 이에 대한 항체도 검사한다(표 16-3).

B형 간염 바이러스에 감염된 후 자신의 면역반응으로 바이러스를 제거하고 면역을 획득한 경우, 이들 세 가지 항원-항체의 출현 및 소멸을 그림 16-1에 나타내었다. Window period를 경계로 왼쪽은 항원과 바이러스가 검출되는 시기이고 오른쪽은 항체가 검출되는 시기이다.

표 16-2 급성 B형 간염 진단을 위한 혈액검사(항원-항체 검사)

관련 물질	명칭	특성
바이러스 표면에 있는 물질	HBsAg (표면항원)	■ 바이러스 표면에 있는 항원물질임(감염을 나타냄) ■ 면역이 획득되면 사라짐 ■ 6개월 이상 지속적으로 나타나면 만성 간염으로 진단함
	HBsAb (표면항체)	■ 바이러스 표면에 있는 항원물질에 대한 항체임 ■ 면역이 획득되면 나타나기 시작하여 수년간 지속됨 ■ HBsAg이 사라지고 아직 HBsAb가 나타나지 않은 시기를 window period라고 함
바이러스 핵에 있는 물질	HBcAg (핵항원)	■ 바이러스 핵에 있는 항원물질임(감염을 나타냄)
	HBcAb (핵항체)	■ 바이러스 핵에 있는 항원물질에 대한 항체임 ■ IgM형과 IgG형이 있음 ■ IgM형은 window period에 나타났다가 곧 사라짐 ■ IgG형은 window period가 끝나고 HBsAb가 나타나는 시기에 나타남
바이러스 증식 시 분비되는 물질	HBeAg (분비항원)	■ 바이러스 증식 시 분비되는 항원물질임(감염 후 증식을 나타냄)
	HBeAb (분비항체)	■ 바이러스 증식 시 분비되는 항원물질에 대한 항체임 ■ HBsAb와 비슷한 시기에 나타났다가 몇 개월 후 사라짐

IgG=immunoglobulin G, IGM=immunoglobulin M

표 16-3 B형 간염 항원-항체 검사결과의 판정

HBsAg	HBsAb	HBcAb	판정
음성	음성	음성 (IgM형, IgG형 모두)	면역 미획득(훗날 감염될 수 있음)
	양성	양성 (IgG형만)	자연감염 후 면역획득
		음성 (IgM형, IgG형 모두)	예방접종 후 면역획득
양성	음성	양성 (IgM형, IgG형 모두)	급성 간염으로 면역반응 진행 중
		양성 (IgG형만)	급성 간염 후 면역획득에 실패하고 만성화된 경우
	양성	양성 또는 음성	급성 간염으로 면역반응 진행 중
음성	음성	양성 (IgG형만)	판정할 수 없음 (면역 미획득이거나 예방접종 후 면역획득했지만 HBsAb 역가가 낮아졌을 수 있음)

3 B형 간염의 약물치료법

B형 간염 약물치료 포인트

1. B형 간염으로 확진되면 6개월 정도 약물복용과 과로를 피하고 충분한 휴식과 영양섭취를 통하여 자연치유되도록 한다.

2. 이 기간 동안에는 감기에 걸리지 않도록 건강관리에 주의하고 감기에 걸리더라도 가급적 감기약을 복용하지 말아야 한다.

3. 만일 6개월 이상 간효소치가 정상치의 2배 이상 높고 간염 표면항원과 분비항원이 양성인 채로 유지되면 약물치료를 받아야 한다.

4. B형 간염 치료 중에는 배우자와 성관계를 자제하고 배우자와 가족도 예방접종을 받아야 한다.

5. B형 간염 치료 중에는 정기적으로 항원-항체 검사를 실시하고 만일 항원퇴치에 실패하여 만성간염이 되면 금주와 생활습관개선을 엄격히 실시해야 한다.

건강한 성인이 B형 간염 바이러스에 감염되면 대개 잠복기와 전구증상기를 거친 다음 약물치료 없이도 자연 회복되는 경우가 많다. 따라서 건상상태가 양호하고 면역계가 정상인 경우에는 병원에 입원하든지 혹은 가정에서 안정과 휴식을 취하는 것 이외에 약물치료는 하지 않는다. 그러나 6개월 이상 간효소치가 정상보다 2배 이상이고 바이러스의 표면항원과 분비항원이 양성인 채로 지속되면 약물치료를 받도록 해야 한다. 간부전이나 인터페론에 과민성이 있는 환자가 아니면 항바이러스제인 entecavir, tenofovir 또는 telbivudine을 면역조절제인 인터페론과 함께 치료한다(그림 16-2).

항원이 음성인 경우에는 간효소치(ALT)를 기준으로 약물치료 여부를 결정한다. 간효소치가 정상범위 한계치의 2배 미만이면 특별한 치료를 하지 않고 가정에서 안정을 취하도록 한다. 그러나 항원이 음성이어도 간효소치가 정상범위 한계치의 2배 이상이면 항원이 양성인 경우와 마찬가지로 항바이러스와 면역조절제로 약물치료를 받아야 한다.

다른 간염의 경우와 마찬가지로 타이레놀® 또는 acetaminophen이 함유되어 있는 진통제를 다량 복용할 경우, 전격성 간염을 유발하여 간기능 부전이 나타날 수 있으므로 주의해야 한다. 여러 가지 다른 약물들도 간기능에 영향을 줄 수 있으므로 만성 B형 간염환자는 약물복용에 신중을 기해야 한다.

B형 간염에 사용되는 약물의 용법, 용량 및 특징적 부작용과 작용기전은 표 16-4, 표 16-5, 표 16-6에 요약되어 있다.

표 16-4 B형 간염에 사용되는 약물의 용법 및 용량

구분	약물명	용법 및 용량
B형 간염백신	hepatitis B 표면항원 (헤파박스-진®)	1차 접종: 1ml (소아: 0.5ml)를 어깨에 근육주사 2차 접종: 1차 접종 1개월 후 동일하게 실시 3차 접종: 1차 접종 3개월 후 동일하게 실시
	hepatitis B 표면항원(헤파뮨®)	
	hepatitis B 표면항원 (유박스-비®)	
	hepatitis B 표면항원 (헵티스-비®)	

항바이러스제	entecavir (바라크루드®)	0.5mg을 1일 1회 복용
	tenofovir (비리어드®)	300mg을 1일 1회 복용
	telbivudine (세비보®)	600mg을 1일 1회 복용
면역조절제	pegylated interferon 알파-2a (페가시스®)	180μg을 48주간 매주 1회 피하주사

표 16-5 B형 간염에 사용되는 약물의 특징적 부작용

약물명	특징적 부작용	주의사항
B형 간염백신	주사부위 발적, 미열, 피로감	■ 이 약은 1차, 2차, 3차에 걸쳐 예방접종 해야 되므로 지시된 대로 추가접종을 실시할 것 ■ 미열 또는 피로감은 면역획득과정의 정상적인 현상임
entecavir, tenofovir, telbivudine	간부종, 췌장염, 유산 산혈증	■ 복용 중 급성복통이나 심한 복부팽만이 나타나면 의료인에게 알릴 것 ■ 간기능검사를 정기적으로 실시할 것
pegylated interferon 알파-2a	감기몸살증상(발열, 오한 근육통), 우울증	■ 이 약을 투여하는 날과 다음 날은 충분한 휴식을 취할 것 ■ 우울증이 있는 환자는 우울증 치료를 병행할 것 ■ 감기몸살증상이 심하게 나타나면 의료인의 지시에 따라서 비스테로이성 소염진통제를 복용할 것

표 16-6 B형 간염 치료제의 작용기전

구분	작용기전

B형 간염백신	■ hepatitis B 표면항원:
	  – B형 간염 바이러스의 표면항원을 정제한 것임
	  – 소량을 주사하면 B형 간염 바이러스에 대한 면역력을 갖추게 되므로 훗날 같은 바이러스가 침입했을 때 간염에 걸리지 않게 됨

항바이러스제	■ entecavir, tenofovir, telbivudine: – B형 간염 바이러스에 들어가 reverse transcriptase라는 효소의 작용을 방해하여 바이러스의 DNA 복제가 안 되게 함(그림 16-3)

면역조절제	■ pegylated interferon 알파-2a:
	  – interferon 알파-2a에 polyethylene glycol (PEG)를 결합시킨 물질로서 원래 interferon보다 작용시간이 연장된 물질임
	  – 림프구, natural killer cell, macrophage 등 면역세포를 자극하여 바이러스의 증식을 방해함(그림 16-4)

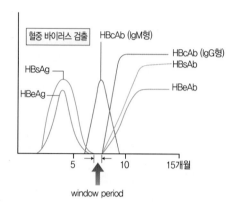

그림 16-1 B형 간염의 자연경과(바이러스를 제거하고 면역을 획득하는 경우)

window period를 경계로 왼쪽은 항원과 바이러스가 검출되는 시기, 오른쪽은 항체가 검출되는 시기임

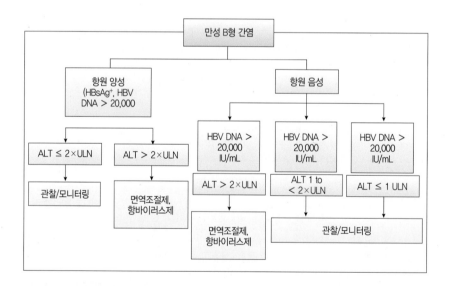

그림 16-2 B형 간염의 약물치료법

ALT= alanine transaminases; ULN= upper limit of normal
면역조절제: interferon, pegylated interferon; 항바이러스제= entecavir, tenofovir;

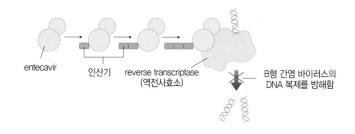

entecavir   인산기   reverse transcriptase   B형 간염 바이러스의
                        (역전사효소)   DNA 복제를 방해함

그림 16-3 entecavir의 작용기전

인산화된 다음 reverse transcriptase에 결합하여 바이러스의 DNA 합성을 방해함

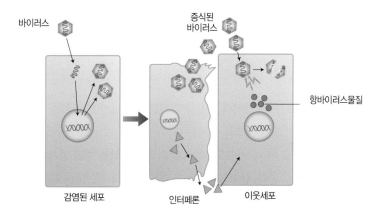

바이러스   증식된 바이러스

항바이러스물질

감염된 세포   인터페론   이웃세포

그림 16-4 인터페론의 작용기전

감염된 세포가 인터페론을 분비하여 이웃 세포에게 바이러스를 사멸시키도록 신호를 전달함

C형 간염
(Hepatitis C)

1 개요

1) 정의

C형 간염이란 C형 간염 바이러스(Hepatitis C virus, HCV)가 간에 침범하여 간 실질세포에 증식하면서 주변 간조직에 염증을 일으킨 상태를 가리킨다.

2) 원인

C형 간염은 C형 간염 바이러스 감염이 원인이다. 이 바이러스는 주로 혈액을 통하여 감염되며 일단 혈액 속으로 들어온 바이러스는 간의 실질세포에 침입하여 증식한다. 후진국의 경우 이 바이러스가 감염된 사람의 혈액을 수혈 받거나, 멸균되지 않은 주사기나 수술용 장비, 혈액성분제품 주사를 통하여 감염되는 사례가 많다. 치과 처치과정에서 감염되는 경우도 드물지 않다.

3) 증상

C형 간염 바이러스에 대한 면역반응은 B형 간염 바이러스에 대한 경우보다 늦은 편이어서 증상발현도 늦게 나타난다. C형 간염 바이러스에 감염되면 피로감이나 쇠약감을 동반하는 감기 유사 증상이 나타난다. 그러나 C형 간염은 B형 간염에 비하여 증상이 전혀 나타나지 않는 경우도 많다. 실제로 증상을 느끼는 경우는 전체 환자의 10% 미만인 것으로 알려지고 있으며, 이 병을 발견하게 되는 경위도 정기신체검사를 통하여 우연히 알게 되는 사례가 많다. C형 간염은 만성화율이 대단히 높아서 약 80%에 달하며 일단 만성 C형 간염이 되면 자연 치유되는 경우가 드물다.

2 C형 간염의 진단 및 분류

1) 진단

C형 간염의 진단은 간기능검사, 항원-항체검사, 바이러스의 유전자형 검사, 간조직검사 등을 통하여 실시한다. C형 간염의 항원-항체검사는 바이러스 핵에 있는 항원물질과 그에 대한 항체를 검사한다. C형 간염 항원검사는 정성적 검사와 정량적 검사로 구분하여 실시한다.

C형 간염 바이러스에 대한 면역반응은 늦은 편이어서 항체가 발현되는 데 걸리는 시간도 오래 걸린다. 일반적으로 감염 후 4개월 이내에 항체검사에서 양성으로 나올 확률은 약 80% 정도이지만 6개월이 경과하면 97% 이상에서 항체가 발현된다. 때로는 C형 간염 바이러스에 감염된 지 수년이 경과하여도 항체가 발현되지 않는 경우도 있다.

C형 간염의 경우에는 항체가 발현되어도 항원이 여전히 남아있는 경향이 있으므로 항체발현만으로는 면역이 획득되었다고 판정할 수 없고 오히려 감염을 의미하는 경우가 많다. 따라서 C형 간염은 항체와 항원을 모두 검사하여 항체는 양성, 항원은 음성이어야 면역을 획득한 것으로 판정한다(표 17-1). 항원과 항체가 모두 양성이면 최근에 감염되어 아직 면역이 안 된 상태에서 염증이 진행되고 있음을 의미한다.

C형 간염의 항원검사는 정성적 검사와 정량적 검사로 구분하여 실시하는데, 정성적 검사는 항원의 유무를 시험하는 검사이고 정량적 검사는 항원이 얼마나 많은지를 시험하는 검사이다. 정성적 검사는 진단목적으로 이용되고, 정량적 검사는 C형 간염환자의 약물치료 효과를 모니터하는 데 이용된다.

C형 간염은 바이러스 유전자형에 따라서 예후가 다르므로 유전자형 검사를 통하여 치료방침을 설정한다. 간기능 검사는 간조직의 손상 정도를 파악하여 약물처방을 정하는 데 필요한 검사이다.

2) 분류

C형 간염은 감염기간에 따라서 급성기와 만성기로 구분한다. 급성기는 C형 간염

바이러스에 감염된 이후 6개월 까지의 기간을 가리킨다. 감염된 날로부터 6개월이 지나면 만성기로 구분한다(표 17-2).

C형 간염을 바이러스 유전자형으로 구분하면 보통 유전자형 1(genotype 1), 유전자형 2(genotype 2), 유전자형 3(genotype 3)의 세 가지로 구분하며 최근에는 이밖에도 세 가지 유전자형이 더 밝혀져 모두 6가지 있다. 유전자 아형(subtype)은 소문자로 1a, 1b 등으로 표시한다. HCV 유전자형 간에는 염기서열이 약 33% 이상 서로 차이가 나고, 유전자 아형 간에는 20-25% 차이가 난다. 동일 환자에서 HCV 유전자형은 재감염 되지 않는 한 변하지 않는다.

유전자형 1은 전체 C형 간염환자의 대부분을 차지하는데 급성기에도 증상이 거의 나타나지 않아 치료시기를 놓치는 경우가 많아 만성화되는 사례가 많다. 한편 유전자형 2와 3은 증상이 비교적 잘 나타나며 약물치료 시 완치율도 높은 편이다. 우리나라에서 흔한 C형 간염 유전자형은 1b형(45-59%)과 2a형(26-51%)이지만 그 밖에도 1a형, 2b형, 3형, 4형, 6형 등도 보고되었다.

표 17-1 C형 간염의 항원 항체검사 결과 판정

항체	항원	판정
음성	음성	감염된 적이 없음
음성	양성	최근에 감염되어 아직 면역이 안 되었음
양성	음성	면역이 획득되었음
양성	양성	최근에 감염되어 아직 면역이 안 된 상태에서 염증이 진행되고 있음

표 17-2 C형 간염의 분류 및 특징

감염기간에 의한 분류	급성기	■ 감염 후 처음 6개월 사이의 기간 (급성증상이 나타난다는 의미가 아님) ■ 이 기간에 약물요법을 시작할 경우 완치율 높음
	만성기	■ 감염 후 6개월 이상 경과된 경우를 가리킴

바이러스 유전자형에 의한 분류	유전자형 1	▪ 증상이 거의 나타나지 않음
	유전자형 2	▪ 유전자형 1에 비하여 증상이 나타나는 경우가 많음
	유전자형 3	

3 C형 간염의 약물치료법

C형 간염 약물치료 포인트

1. C형 간염은 약물치료로 완치가 가능한 질환이므로 반드시 치료해야 한다.

2. 약물치료는 바이러스의 유전자형과 정량적 항원검사 및 간기능검사를 받은 다음 그 결과에 따라 정해진 처방으로 실시한다.

3. C형 간염의 약물치료는 유전자형과 간경화증 유무에 따라 처방 및 치료기간이 다르다.

4. 약물치료 기간에는 충분한 휴식과 영양섭취를 통하여 감기에 걸리지 않도록 하고 건강관리에 주의해야 한다.

C형 간염은 완치되기가 매우 어려웠지만 최근에는 direct acting antivirals (DAA)가 개발되어 완치가 가능한 질환이다. DAA는 HCV 바이러스 증식 기전에 직접 작용하여 항바이러스 효과를 나타낸다. DAA는 작용기전에 따라 HCV NS3/4A 단백분해효소 억제제, NS5A 억제제, NS5B 중합효소 억제제 등으로 나누어진다. NS3/4A 단백분해효소 억제제는 HCV 증식에 필수적인 단백분해 과정을 차단하며, 약제로는 boceprevir, telaprevir, simeprevir, asunaprevir, paritaprevir 등이 있다. NS5A 억제제는 HCV 복제 및 조립을 억제하며, 약제로는 daclatasvir, ledipasvir, ombitasvir 등이 있다. NS5B 중합효소억제제는 구조에 따라 뉴클레오시드 중합효소억제제(sofosbuvir)와 비뉴클레오시드 중합효소억제제(dasabuvir, beclabuvir)로 구분된다. DAA는 단독으로 사용되기도 하지만 예후가 좋지 않은 환자의 경우, 바이러스의 유전자형에 따라서 ribavirin과 병용투여하기도 한다.

치료 경험이 없는 C형 간염 환자는 바이러스 유전자형에 따라 daclatasvir, sofosbuvir, ledipasvir, ribavirin 중에서 치료적 유용성을 고려하여 선택하고 병용요법을 실시한다. 치료 경험이 없는 C형 간염환자에 대한 치료약제 및 치료기간을 간경화 동반유무에 따라 표로 요약하여 나타내었다 (표 17-3, 17-4).

치료 경험이 있는 C형 간염 환자는 바이러스 유전자형에 따라 daclatasvir, sofosbuvir, ledipasvir, ribavirin, simeprevir, ombitasvir, paritaprevir, ritonavir, dasabuvir 등 중에서 2가지 이상 약물을 선택한다. 이들 환자에 대한 치료약제 및 치료기간을 간경화동반 유무에 따라 표로 요약하여 나타내었다 (표 17-5, 17-6).

표 17-3 치료경험이 없는 C형 간염 환자 중 간경화를 동반하지 않은 환자의 치료약제 및 치료기간

구분	Dacla/Sofo	Ledi/Sofo	Sofo/Riba
유전자형 1	12주	12주	
유전자형 2			12주
유전자형 3	12주		24주
유전자형 4	12주	12주	
유전자형 5		12주	
유전자형 6		12주	

Dacla = Daclatasvir, Sofo = Sofosbuvir, Ledi = Ledipasvir, Riba = Ribavirin

표 17-4 치료경험이 없는 C형 간염 환자 중 간경화를 동반한 환자의 치료약제 및 치료기간

구분	Dacla/Sofo	Dacla/Sofo/Riba	Ledi/Sofo	Ledi/Sofo/Riba	Sofo/Riba
유전자형 1	24주	12주	24주	12주	
유전자형 2					16주
유전자형 3		24주			
유전자형 4	24주	12주	24주	12주	
유전자형 5			24주	12주	
유전자형 6			24주	12주	

Dacla = Daclatasvir, Sofo = Sofosbuvir, Ledi = Ledipasvir, Riba = Ribavirin

표 17-5 치료경험이 있는 C형 간염 환자 중 간경화를 동반하지 않은 환자의 치료약제 및 치료기간

구분	Sime/Sofo	Dacla/Sofo	Ombi/Parita/Rito/Dasa	Ombi/Parita/Rito/Riba	Sofo/Pegylated inteferon/Riba
유전자형 1	12주		12주		
유전자형 2		12주			
유전자형 3					
유전자형 4	12주			12주	
유전자형 5					12주
유전자형 6					12주

Dacla = Daclatasvir, Sofo = Sofosbuvir, Ledi = Ledipasvir, Riba = Ribavirin, Sime = Simeprevir, Ombi: Ombitasvir, Parita = Paritaprevir, Rito = Ritonavir, Dasa = Dasabuvir

표 17-6 치료경험이 있는 C형 간염 환자 중 간경화를 동반한 환자의 치료약제 및 치료기간

	대상성 및 비대상성 간경화 환자의 치료[a]	대상성 간경화 환자의 치료[b]				
	Dacla/ Sofo	Sime/ Sofo	Sime/ Sofo/ Riba	Ombi/ Parita/ Rito/ Dasa	Ombi/ Parita/ Rito/ Riba	Sofo/ Pegylated interferon/ Riba
유전자형 1		24주	12주	24주		
유전자형 2	12주					
유전자형 3						12주
유전자형 4		24주	12주		24주	
유전자형 5						12주
유전자형 6						12주

Dacla = Daclatasvir, Sofo = Sofosbuvir, Ledi = Ledipasvir, Riba = Ribavirin, Sime = Simeprevir, Ombi = Ombitasvir, Parita = Paritaprevir, Rito = Ritonavir, Dasa = Dasabuvir
[a]비대상성 간경화: 복수, 정맥류 출혈, 황달, 간성뇌증이 나타나는 간경화; 대상성 간경화: 비대상성 간경화의 증상이 없는 경우
[b]비대상성 환자에게 투약하는 경우 심각한 간부전 및 사망을 유발할 수 있음.

Part 03
호흡기 질환

18 Chapter

알레르기성 비염
(Allergic rhinitis)

1 개요

1) 정의
알레르기성 비염이란 특정 항원에 대한 코의 내부 점막의 면역반응에 의한 염증 질환이다.

2) 원인
알레르기성 비염은 집 먼지, 집 진드기, 꽃가루, 곰팡이, 동물의 털이나 비듬, 직물, 담배연기, 식품 등 일상생활에서 접촉하는 모든 물질이 원인이 될 수 있다. 그밖에도 공기오염, 화학물질, 정신적 스트레스, 갑작스러운 기온의 변화 등 환경적 요인도 알레르기성 비염의 원인이 된다.

3) 증상
알레르기성 비염의 3대 증상은 재채기, 맑은 콧물, 코막힘이다. 알레르기성 비염은 코안의 점막에 부종을 일으키기 때문에 두통(특히 전두통)이 나타나기도 한다. 또한 콧물과 함께 눈물이 나기도 하는데 이는 알레르기 반응이 결막에서도 일어나기 때문이다. 마찬가지로 피부가 가렵고 두드러기가 생기기도 한다. 피부에서 발생하는 알레르기 반응은 아토피성 피부염과 깊은 연관이 있다.

2 알레르기성 비염의 진단 및 분류

1) 진단

알레르기성 비염은 재채기와 코막힘 등 특이적인 증상이 있기 때문에 환자의 병력을 자세히 청취하면 특별한 검사 없이도 쉽게 진단할 수 있다. 또한 알레르기성 비염은 유전성 질환이므로 가족 중에 천식이나 아토피성 피부염 등 알레르기성 질환이 있는 사람이 있는지 물어보는 것도 진단에 도움이 된다.

알레르기성 비염은 감기나 부비동염과 증상이 비슷하기 때문에 정확하게 감별 진단하는 것은 쉽지 않다. 일반적으로 열이 있거나 코에서 농성 분비물이 나오면 알레르기성 비염이 아니고 감기나 부비동염일 가능성이 있는 것으로 본다.

알레르기성 비염을 정확히 진단하기 위해서는 혈액검사와 피부반응검사를 실시한다. 혈액검사는 특정 항원에 대한 면역글로불린(IgE)의 양을 측정한다. 피부반응검사는 각종 알레르기 유발물질과 양성 대조액(히스타민 1mg/ml)을 팔뚝에 한 방울씩 떨어뜨리고 뾰족한 기구(주사바늘이나 란셋)로 단자(prick)한 다음 15분 후에 해당 부위의 팽진과 발적의 크기를 측정하여 비교한다(그림 18-1). 알레르기 유발물질을 떨어뜨린 부위에 생긴 팽진의 크기가 양성 대조액보다 같거나 크면 해당 물질에 대하여 알레르기성 반응이 있는 것으로 판단한다.

2) 분류

알레르기성 비염은 계절성과 통년성으로 구분된다(표 18-1). 꽃가루가 날아다니는 계절과 같이 일년 중 특정 계절에만 비염이 발생하는 경우는 계절성 알레르기성 비염이라고 하며, 계절과 관계 없이 만성적으로 계속되는 경우는 통년성 알레르기성 비염이라고 한다.

표 18-1 알레르기성 비염의 분류	
계절성 (seasonal allergic rhinitis)	특정 계절에만 비염이 발생 (예: 꽃가루 알레르기)
통년성 (perennial allergic rhinitis)	계절과 관계 없이 만성적으로 발생 (예: 집먼지 알레르기)

그림 18-1 피부반응 검사 사진

3 알레르기성 비염의 약물치료법

알레르기성 비염 약물치료 포인트

1. 알레르기성 비염의 치료에는 회피요법, 면역요법, 대증요법의 세 가지가 있지만 대증요법이 가장 현실성 있는 방법이다.
2. 대증요법은 증상이 나타나는 기간 동안만 실시한다.
3. 부신피질호르몬제는 가급적 비강투여제를 사용한다.

알레르기성 비염의 치료는 크게 나누어 회피요법, 면역요법, 대증요법 등의 세 가지가 있다(그림 18-2). 이 중에서 회피요법은 약물을 사용하지 않는 방법이므로 가장 이상적인 치료법이지만 현실적으로는 불가능한 경우가 많다. 예를 들어 피부반응 검사 결과, 알레르기 유발물질이 집 진드기인 것으로 밝혀졌을 경우 이를 회피할 수 없기 때문이다.

면역요법도 이상적인 치료법이라고 할 수 있지만 아직까지는 현실성이 거의 없다. 예를 들어 피부반응검사에서 집 진드기가 원인인 것으로 나타났을 경우 탈감작반응을 시도하기 위하여 집 진드기의 어떤 성분을 정제하여 피부에 주사할 것인지 알 수 없다. 정제하지 않고 집 진드기 추출물을 그대로 주사해서는 안 되기 때문이다.

대증요법은 이상적인 치료법은 아니지만 가장 현실성 있는 방법이다. 대증요법은 일반적으로 항히스타민제나 비충혈제거제를 경구나 비강으로 투여하며 비강투여는 경구투여에 비하여 전신적 부작용이 적으므로 권장되는 방법이다. 항히스타민제는 제1세대와 제2세대의 두 종류가 있는데 제2세대에 속하는 항히스타민제는 졸음 같은 부작용이 적은 장점이 있다.

부신피질호르몬제는 경구로 장기간 투여할 경우 부작용을 일으킬 수 있으므로 가급적 비강투여 제제를 사용해야 한다. 최근에는 비만세포 안정제, 항콜린제, 부신피질호르몬제들이 비강투여제제로 개발되어 있어 알레르기성 비염에 널리 사용되고 있다(표 18-2).

Monteleukast와 pranlukast는 leukotriene 수용체 차단작용이 있는 약물로서 알레르기 반응을 억제하는 일종의 면역억제제라고 할 수 있지만 콧물, 재채기를 신속하게 억제시켜 주는 작용은 없다. 따라서 증상완화를 위해서 초기에는 항히스타민제와 병용하고 어느 정도 증상이 완화되면 단독요법으로 1개월 정도 사용한다. 계절성 알레르기성 비염과 같이 일정한 기간에만 증상이 나타나는 경우에는 그 기간 동안 이 약을 사용하면 된다.

알레르기성 비염 치료에 사용되는 약물의 특징적 부작용과 작용기전은 표 18-3, 표 18-4에 요약되어 있다.

표 18-2 알레르기성 비염에 사용되는 약물의 용법 및 용량		
제1세대 항히스타민제	chlorpheniramine (페니라민®)	2~6mg을 1일 2~4회 복용
	oxatomide (옥사타딘®)	30~60mg씩 1일 2회 복용
	piprinhydrinate (푸라콩®)	3mg씩 1일 3회 복용
제2세대 항히스타민제	bepotastine besilate (타리온®)	10mg 1일 2회 복용
	loratadine[a] (클라리틴®)	10mg을 1일 1회 복용
	fexofenadine[a] (알레그라®)	60mg 1일 2회 복용
	cetirizine[a] (지르텍®)	5~10mg을 1일 1회 복용
	azelastine (아젤틴비액®)	비강 내 1회 한번 1일 2회 분무
비충혈제거제	pseudoephedrine (대우수도에페드린염산염®)	60mg을 1일 3~4회 복용
	naphazoline (나리스타®)	각 비강에 두 번씩 1일 4~6회 비강투여
	oxymethazoline (시너스비®)	각 비강에 두 번씩 1일 2회 비강투여
	xylomethazoline (오트리빈®)	

	budesonide (풀미코트 비액®)	각 비강에 두 번씩 1일 2회 비강투여
	flunisolide (나살라이드 비분무액®)	
	fluticasone (후릭소나제 코약®)	각 비강에 두 번씩 1일 1–2회 비강투여
부신피질호르몬제	fluticasone (아바미스 나잘스프레이)	각 비강에 두 번씩 1일 1회 비강투여
	momethasone (나조넥스 나잘스프레이®)	
	triamcinolone (나자코트 비액®)	
비만세포 안정제	cromolyn (클레신비액®)	각 비강에 한 번씩 1일 6회 비강투여
	permirolast potassium (알레기살®)	10mg을 1일 2회 복용
항콜린제	ipratropium bromide (리노벤트비액®)	각 비강에 한 번씩 1일 2–3회 분무
leukotriene 수용체 차단제	montelukast (싱귤레어®)	5–10mg을 1일 1회 복용
	pranlukast hydrate (오논캡슐®)	225mg을 1일 2회 복용

[a]선택성 항히스타민제이므로 졸음을 일으키는 부작용이 적음

표 18-3 알레르기성 비염에 사용되는 약물의 특징적 부작용

구분	약물명	특징적 부작용	주의사항
항히스타민제	chlorpheniramine 등	졸음, 구갈	■ 복용 중 운전이나 복잡한 기계조작 시 주의할 것
비충혈제거제	pseudoephedrine 등	어지럼증, 혈압상승, 불면증	■ 고혈압 환자는 이 약을 복용하지 말 것
부신피질 호르몬제	fluticasone 등	코점막 자극감	■ 사용 전에 잘 흔들어 사용할 것 ■ 지시된 대로 사용할 것 ■ 과용 시 부신피질호르몬제 부작용이 전신에 나타날 수 있음
비만세포 안정제	cromolyn 등	재채기, 콧속 자극감	■ 재채기가 나타날 수 있지만 일시적인 자극에 의한 것임
항콜린제	ipratropium bromide 등	구갈, 메스꺼움, 어지럼증	■ 분무된 기체가 눈에 들어가지 않도록 주의할 것
leukotriene 수용체 차단제	montelukast 등	상기도 감염증	■ 이 약은 알레르기성 비염의 재발을 예방할 목적으로 사용되는 약임 ■ 장기간 연용 시 감염에 대한 방어작용을 약화시킬 수 있음

표 18-4 알레르기성 비염 치료제의 작용기전

구분	작용기전
제1세대 항히스타민제	▪ chlorpheniramine 등: 　– H_1-수용체와 결합하여 길항적으로 작용하므로 콧물, 재채기, 두드러기와 같이 체액이 분비물로 빠져나가면서 나타나는 증상을 완화시킴(그림 18-3) 　– 콜린 수용체, 무스카린 수용체 등 다른 수용체와도 결합하므로 여러 가지 부작용이 나타남 　– chlorpheniramine, brompheniramine, diphenhydramine은 중추신경계로 들어가 세로토닌과 노르에피네프린 등 감정조절에 관여하는 신경전달물질이 절전섬유로 재흡수 되는 것을 억제하는 작용도 있음(serotonin-norepinephrine reuptake inhibition)
제2세대 항히스타민제	▪ loratadine 등: 　– H_1-수용체에 선택적으로 결합하여 길항적으로 작용함 　– H_1-수용체에는 결합하지 않으므로 부작용이 적음
비충혈제거제	▪ pseudoephedrine 등: 　– 혈관평활근의 알파-1 수용체와 결합하여 효능적으로 작용하므로 혈관을 수축시킴 　– 혈관이 수축되면 느슨하던 혈관벽이 수축하게 되어 혈관 속에 있는 혈장성분과 기타 염증매개물질들이 혈관 밖으로 빠져 나가지 못하게 됨 　– 따라서 코 안에 있는 점막에 충혈이 제거되고 또한 알레르기 반응이 완화됨
부신피질 호르몬제	▪ fluticasone 등: 　– 세포막에 있는 glucocorticoid 수용체와 결합하여 염증반응 및 면역반응에 필요한 각종 물질의 합성을 방해함 　– 이러한 물질들의 합성이 방해되므로 염증반응 및 면역반응이 전반적으로 억제됨
비만세포 안정제	▪ cromolyn 등: 　– mast cell을 안정화시켜 염증유발인자의 분비를 억제함
항콜린제	▪ ipratropium bromide 등: 　– acetylcholine 수용체에 결합하여 부교감신경 작용을 차단함 　– 따라서 비강내 혈관을 수축하고 콧물 분비를 억제함
leukotriene 수용체 차단제	▪ montelukast 등: 　– 코 안의 점막 및 폐, 기관지 점막 상피세포의 leukotriene 수용체와 결합하여 길항적으로 작용함(그림 18-4) 　– leukotriene이 관여하는 염증반응 및 면역반응이 억제되므로 알레르기성 비염의 예방에 사용됨

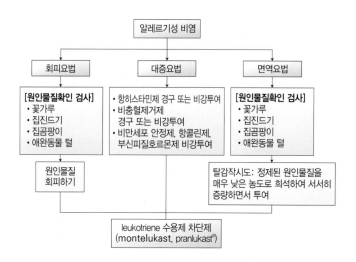

그림 18-2 알레르기성 비염의 약물치료법

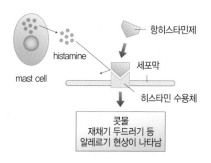

그림 18-3 항히스타민제의 작용기전

항히스타민제는 히스타민 수용체에 결합하여 히스타민이 결합하지 못하게 차단함

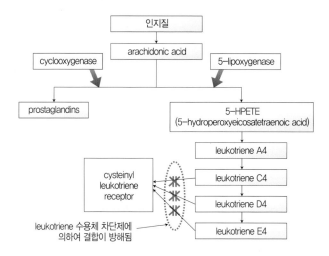

그림 18-4 leukotriene 수용체 차단제의 작용기전

leukotriene이 수용체에 결합하지 못하게 하여 알레르기 반응을 차단함

19 Chapter

천식
(Asthma)

1 개요

1) 정의
천식은 기도에 수축과 염증을 동반하는 만성적 호흡기질환이다.

2) 원인
천식은 유전적 또는 환경적 요인에 의하여 기도가 좁아지거나 경련을 일으키는 것이 원인이다. 기도 수축과 경련의 원인은 집 먼지, 꽃가루, 약물 등 외인성인 경우도 있지만 운동이나 정서불안과 같이 내인성인 경우도 있다. 기도 수축과 경련은 면역반응이 지나치게 예민해서 일어나는 자가면역질환의 일종이다. 면역반응의 심하게 일어나면 염증반응까지 일어날 수 있는데 천식 환자의 경우, 대개 염증반응이 함께 나타나는 경우가 많다.

3) 증상
천식은 가벼운 자극에도 쉽게 기도가 좁아져 숨 쉴 때 쌕쌕거리는 소리(천명)가 나는 것이 특징적인 증상이며 호흡곤란, 기침과 더불어 천식의 3대 증상이다. 심한 천식발작의 경우에는 불안증과 청색증(cyanosis)이 나타날 수 있다. 천식은 이들 3대 증상이 발작적으로 동시에 나타나는 경우가 일반적이지만 때로는 만성적 기침, 흉부 압박감 혹은 호흡곤란 증상만 있는 경우도 적지 않다. 천식, 특히 소아기에 나타나는 천식은 가역적 질환이므로 적절한 약물치료를 실시하면 조절이 잘 되는 질환이다. 소아기 천식은 완치율이 높아 청년기 이후까지 지속되는 경우는 많지 않다.

2 천식의 진단 및 분류

1) 진단

천식은 천명, 호흡곤란, 기침이 동반되는 특징적인 증상이 있기 때문에 병력청취만으로 진단할 수 있다. 그러나 이 증상들은 다른 호흡기 질환에서도 나타날 수 있으므로 정확한 진단을 위해서는 혈액검사, 객담검사, 폐기능검사, 흉부X-ray 검사, 기관지 유발시험, 알레르기 피부반응검사 등을 실시한다. 특히 기관지 유발시험과 알레르기 피부반응검사는 천식을 확진하는 데 중요한 시험이다.

기관지 유발시험(bronchial provocation test)은 비특이적 시험과 특이적 시험으로 구분된다. 비특이적 기관지 유발검사에서는 히스타민, 메타콜린 등 천식을 유발하는 약물의 희석액을 분무기로 흡입한 다음 폐기능검사를 실시하여 기관지가 수축되는 정도를 관찰한다. 특이적 기관지 유발검사에서는 각종 알레르기 유발물질의 희석액을 분무기로 흡입한 다음 비특이적 검사의 경우와 마찬가지로 폐기능검사를 실시하여 기관지 반응을 관찰한다.

알레르기 피부반응검사는 천식을 발생시키는 원인 물질을 확인하기 위한 검사이다. 이 검사에서는 각종 알레르기 유발물질을 피하주사(subcutaneous injection)한 다음 피부가 발적되는 현상을 측정하여 천식 유발물질을 찾아내는 검사이다(18장 알레르기성 비염 참조).

2) 분류

천식의 분류 방법은 두 가지가 있는데 기도 수축의 원인에 따른 분류는 표 19-1에, 중증도에 따른 분류는 표 19-2에 각각 나타내었다.

표 19-1 천식의 분류: 원인에 따른 분류

분류	기도 수축의 원인/특징
외인성 천식	원인: 집먼지, 집진드기, 꽃가루, 동물의 비듬, 곰팡이 등 외부의 항원물질 특징: 발병연령이 젊음
내인성 천식	원인: 상기도 감염, 운동, 정서불안, 차가운 공기, 습도 변화 특징: 성인형 천식에서 흔함

혼합형 천식	원인: 외인성 및 내인성 원인 특장: 소아형 천식에서 흔함
운동 유발성 천식	원인: 운동에 의한 과호흡, 기도의 열, 수분손실 특장: 건조한 공기에서 운동 시 심함
아스피린 유발성 천식	원인: 아스피린 복용 특장: 아스피린에 대한 특이체질반응임
직업성 천식	원인: 작업장에서 흡입되는 화학물질 특장: 노출 후 수개월–수년 후 발병, 주말이나 휴가 시에는 증상 완화

표 19-2 천식의 분류: 중증도에 따른 분류

구분	천식발작 빈도	PEF 백분율[a]
1단계	주 2회 미만(주로 낮)	80% 이상
2단계	주 2회 이상이지만 매일은 아님(주로 낮)	80% 이상
3단계	매일(야간에도 발생)	60–80%
4단계	하루 종일	60% 미만

PEF=peak expiratory flow
[a]PEF 백분율=100×(천식발작 시 최대호기속도)/(평소 최대호기속도)

3 천식의 약물치료법

천식 약물치료 포인트

1. 천식은 중증도에 따라 step-up 및 step-down 치료법을 활용하여 탄력적으로 실시한다.

2. 1단계는 천식발작 시에만 단시간형 기관지확장제 흡입기로 증상을 완화시킨다.

3. 2단계 이후로는 1일 2회 정해진 처방을 흡입기로 투여하면서 발작 시에는 1단계 치료법을 추가한다.

4. 흡입기는 제조회사에 따라 사용법이 다르므로 그 사용법을 숙지해야 한다.

천식은 미국의 심폐혈액재단(National Heart, Lung, and Blood Institute, NHLBI)의 권장안인 NAEPP (National Asthma Education and Prevention Program) 약물치료법에 따라 실시한다.

이 권장안은 표 19-2의 중증도 분류에 있는 각 단계마다 약물치료법을 정하고 있다(그림 19-1). 어느 단계에 해당되든지 환자에게 천식발작이 나타나면 즉시 단시간형 베타-2 흡분제를 2-6 puff 흡입하여 증상을 완화시킨다. 또한 이 권장안에 의하면 환자의 천식 상태가 가변적일 수 있으므로 증상이 호전되면 아래 단계에 준해서 치료하고, 증상이 악화되면 위 단계에 준해서 치료하는 'step-up and step-down' 치료법을 사용하도록 하고 있다. 단계를 구분하는 별도의 기준은 없고 사용하는 약제에 대해 증상이 잘 조절되는지 여부에 따라 판단한다. 가령 1단계 치료방법으로 천식증상이 조절되지 않으면 2단계로 판정하는 식이다.

1단계는 부신피질호르몬 흡입기를 1일 2회 흡입하면서 천식 발작 시에는 속효성 베타-2 흡분제(albuterol) 흡입기를 저용량으로 투여하여 증상을 완화시킨다. 저용량이란 표준용량의 약 절반정도를 사용하는 것을 가리키는데 1-2 puff 흡입한다. 2단계는 저용량으로 부신피질호르몬 흡입기 치료를 계속하면서 leukotriene 조절제와 theophylline (저용량)을 추가한다.

3단계는 표준용량(2-4 puff)의 부신피질호르몬제와 장시간형 베타-2 흡분제 흡입기를 1일 2회 투여하면서 발작 시에는 속효성 베타-2 흡분제를 추가하도록 한다. 장시간형 베타-2 흡분제는 salmeterol과 formoterol이 대표적인 약제이다. 최근에는 부신피질호르몬과 salmeterol이 복합되어 있는 제제가 있어 편리하다. 4단계는 고용량의 부신피질호르몬제와 장시간형 베타-2 흡분제를 1일 2회 투여하면서 발작 시에는 속효성 베타-2 흡분제를 추가한다.

5단계는 4단계 치료법을 유지하면서 추가적으로 항 IgE 단일클론항체 및 저용량 전신 스테로이드를 사용한다. 속효성 베타-2 흡분제는 발작시 필요에 따라 사용한다.

흡입기의 사용법은 흡입기의 형태에 따라 다르다. 기체 분무형(metered dose inhaler, MDI) 흡입기의 경우, 입을 알맞게 벌리고 흡입기의 출구가 입술에서 약 3-4cm 정도 떨어진 상태에서 분무하고 폐로 깊이 흡입한 다음 숨을 멈추고 잠시 후에 숨을 내쉬도록 한다(그림 19-2). 분말분무형(dry power inhaler, DPI) 흡입기의 경우에는 흡입기의 버튼을 눌러 기구 안에 있는 분말 파우치를 터트린 다음 입으로 강력하게 흡입해야 한다. 흡입한 다음에는 기체분무형 흡입기의 경우와 마찬가지로 잠시 동안 숨을 멈추어 분말이 기관지에 골고루 퍼지도록 기다린 다음에 숨을 내쉬도록 한다.

천식 치료에 사용되는 약물의 용법, 용량 및 특징적 부작용과 작용기전은 표 19-3과 표 19-4, 표 19-5에 요약되어 있다.

			천식		
추천 질병조절제	저용량 ICS 고려	저용량 ICS[b]	저용량[b] ICS / LABA	중간[c] / 고용량[d] ICS / LABA	추가적 치료 위해 천식 전문의 의뢰 (예, 항 IgE단 클론항체 등)
대체 가능 질병조절제		leukotriene 조절제	중간[c] / 고용량[d] ICS	고용량[d] ICS + leukotriene 조절제	저용량 전신 스테로이드 추가
		저용량 서방형 theophylline	저용량 ICS[b] + leukotriene 조절제 (또는 서방형 theophylline 추가)	중간[c] 또는 고용량[d] ICS/LABA + leukotriene 조절제	
				천식 전문가 의뢰	
증상완화제	필요시 속효성 흡입 베타2 항진제[a]		필요시 속효성 흡입 베타2 항진제[a], 또는 ICS/포모테롤		
	단계 1	단계 2	단계 3	단계 4	단계 5

그림 19-1 천식의 약물치료법

ICS: inhaled corticosteroid (스테로이드 흡입기) ; LABA = 지속형 베타-2 흥분제
[a]즉시적 증상완화를 위하여 단시간형 베타-2 흥분제(albuterol 흡입기)를 2-6 puff 흡입
[b]저용량은 표준용량의 약 절반임(fluticasone 흡입기의 경우: 1-2 puff씩 1일 2회)
[c]표준용량은 흡입기 마다 다름(fluticasone 흡입기의 경우: 2-4 puff씩 1일 2회)
[d]고용량은 표준용량의 약 두 배를 가리키지만 최대용량에 대한 제한은 없음

그림 19-2 기체 분무형 흡입기의 사용법

입을 알맞게 벌리고 흡입기의 출구가 입술에서 약 3-4cm 정도 떨어지도록 한 상태에서 분무하고 폐로 깊이 흡입한 다음 숨을 멈추고 잠시 후에 숨을 내쉼

표 19-3 천식에 사용되는 약물의 용법 및 용량

구분	약물명	용법 및 용량
단시간형 베타-2 흥분제 흡입기	albuterol[a] (벤토린®)	두 번씩 1일 4회 흡입
	salmeterol (세레벤트®)	두 번씩 1일 2회 흡입
장시간형 베타-2 흥분제	bambuterol (밤벡®)	10-20mg
	tulobuterol (호쿠날린®)	0.5-2mg
부신피질호르몬제 흡입기	fluticasone (후릭소타이드 디스커스®)	한 번씩 1일 2회 흡입
장시간형 베타-2 흥분제와 부신피질호르몬제 복합제	salmeterol+fluticasone (세레타이드 디스커스®)[b]	50μg+100μg: 한 번씩 1일 2회 흡입 50μg+250μg: 한 번씩 1일 2회 흡입 50μg+500μg: 한 번씩 1일 2회 흡입
	formoterol+budesonide (심비코트 터부헬러®)[c]	4.5μg+80μg: 1-2번씩 1일 1-2회 흡입 4.5μg+160μg: 1-2번씩 1일 1-2회 흡입 9μg+320μg: 1-2번씩 1일 1-2회 흡입
류코트리엔 수용체 길항제	montelukast (싱귤레어®)	5-10mg을 1일 1회 복용
	pranlukast (씨투스현탁®)	50mg을 1일 2회 복용
기관지경련 억제제	theophylline (데오크레®)	제형에 따라서 용법, 용량이 다름
비만세포 안정화제	nedocromil sodium	8-16mg: 2번씩 1일 2-4회 흡입
항 IgE 항체	omalizumab (졸레어주사®)	150-375mg으로 2주나 4주 간격으로 피하주사

[a]albuterol은 salbutamol이라고도 부름. [b]1회 흡입시 salmeterol 함량은 50μg으로 일정하지만 fluticasone 함량은 100μg, 250μg, 500μg으로 다양하게 제제화 되어 있으므로 증상의 심각도에 따라서 적절한 제품을 선택해서 사용해야 함. [c]1회 흡입시 formoterol 함량은 4.5μg과 9μg, budesonide 함량은 80μg, 160μg, 320μg으로 다양하게 제제화 되어 있으므로 증상의 심각도에 따라서 적절한 제품을 선택해서 사용해야 함

표 19-4 천식에 사용되는 약물의 특징적 부작용

구분	약물명	특징적 부작용	주의 사항*
단시간형 베타-2 흥분제 흡입기	albuterol	빈맥, 손발이 흔들림, 불안감, 초조감	■ 이 약은 급성증상을 신속히 완화시켜주지만 작용지속시간이 짧음
장시간형 베타-2 흥분제 흡입기	salmeterol	위와 같음	■ 이 약은 장시간형 약물이므로 급성증상을 신속히 완화시키는 작용이 없음 ■ 이 약을 사용중인데도 증상이 악화될 때는 albuterol 흡입기를 추가로 사용할 것
부신피질호르몬제 흡입기	fluticasone 등	코점막 자극감	■ 이 약은 천식발작을 예방하기 위하여 사용되는 약이므로 급성증상을 신속히 완화시키는 작용이 없음 ■ 반드시 지시된 대로 사용할 것 ■ 과용시 부신피질호르몬제 부작용이 전신에 나타날 수 있음
류코트리엔 수용체 길항제	montelukast	상기도 감염증	■ 염증반응과 면역반응을 억제하므로 감염에 대한 방어능력을 약화시킬 수 있음
기관지경련 억제제	theophylline	혈압상승	■ 혈압을 상승시킬 수 있으므로 고혈압 환자는 정기적으로 혈압을 측정하고 이상이 발견되면 복용을 중지하고 의료인에게 알릴 것
비만세포 안정화제	nedocromil sodium	재채기, 콧속 자극감	■ 재채기가 나타날 수 있지만 일시적인 자극에 의한 것임
항 IgE 항체	omalizumab	anaphylactic shock(치명적 전신알러지반응)	■ 전신 가려움증이나 두드러기가 나타나면 즉시 의료인에게 알릴 것

*흡입기 사용법을 잘 숙지한 다음 사용하고 1주일에 1회 이상은 입에 닿는 부분을 분리하여 깨끗이 세척할 것

표 19-5 천식 치료제의 작용기전

구분	작용기전
단시간형 베타-2 흥분제	▪ albuterol: – 기관지 평활근의 베타-1 수용체와 결합하여 효능적으로 작용하므로 기관지 평활근이 신속하게 확장됨 – 따라서 기도가 확장되고 기도경련이 완화됨
장시간형 베타-2 흥분제	▪ salmeterol: – albuterol과 동일 – albuterol에 긴 사슬모양의 alkyl group을 도입하여 지용성이 증가된 화학구조이므로 작용시간과 반감기가 긴 특징이 있음(그림 19-3)
부신피질 호르몬제	▪ fluticasone 등: – 기관지 평활근에 있는 glucocorticoid 수용체와 결합하여 염증반응 및 면역반응에 필요한 각종 물질의 합성을 방해하여 항염증 및 면역반응 억제작용을 나타냄
류코트리엔 수용체 길항제	▪ montelukast 등: – 기관지 평활근에 있는 cysteinyl leukotriene 수용체(CysLT1)의 leukotriene D4 (LTD4)에 선택적으로 결합하여 평활근 수축과 기도의 부종을 억제함 – 또한 기도에서 끈적끈적한 점액질 분비도 억제함
항경련제	▪ theophylline: – 기관지 평활근을 확장하여 경련을 억제함
비만세포 안정화제	▪ nedocromil sodium: – mast cell을 안정화시켜 염증반응 및 이에 따는 면역반응을 억제함
항 IgE 항체	▪ omalizumab: – 단일클론항체로써 IgE에 결합하여 IgE가 관여하는 allergy 반응을 억제함

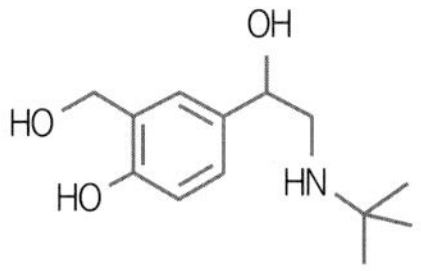

albuterol 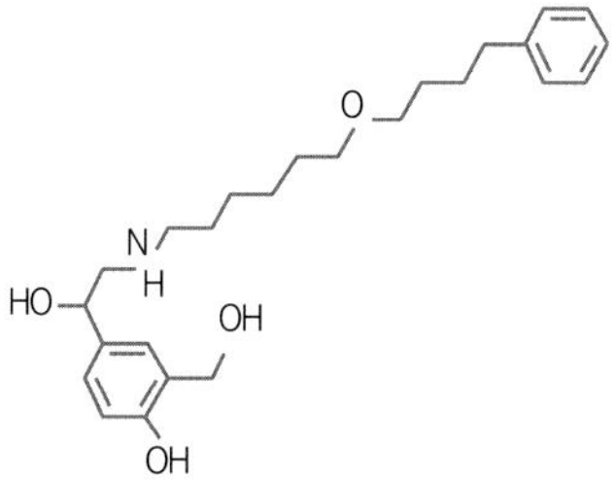   salmeterol

그림 19-3 albuterol과 salmeterol의 화학구조 비교

salmeterol의 화학구조에는 긴 alkyl group이 있어 지용성이 증가하고 작용시간이 연장됨

만성폐쇄성 폐질환
(Chronic obstructive pulmonary disease, COPD)

1 개요

1) 정의

만성 폐쇄성 폐질환은 기침과 가래를 동반하면서 염증반응이 점차로 진행되어 비가역적(회복될 수 없는) 기류폐쇄(airway obstruction)와 기류제한(airway restriction) 상태에 이른 호흡기 질환을 가리킨다. 오래된 기관지염과 폐기종도 만성 폐쇄성 폐질환의 일종에 속한다. 그러나 천식은 가역적이기 때문에 만성 폐쇄성 폐질환으로 분류하지 않는다.

2) 원인

만성 폐쇄성 폐질환의 원인은 크게 선천적 요인과 후천적 요인으로 대별된다(표 20-1). 선천적 요인으로는 유전적으로 알파-1 항트립신(α-1 antitrypsin) 결핍이 잘 알려져 있다. 이 효소는 폐포가 트립신에 의해 손상되는 것을 억제하는 효소인데 결핍되면 폐포가 손상을 받아 염증반응이 일어난다. 후천적 요인으로는 흡연, 유해가스, 화학물질, 미세 먼지 등이 있다. 만성 폐쇄성 폐질환은 흡연이 가장 큰 원인을 차지하지만 비흡연자에게도 발생할 수 있다.

표 20-1 만성폐쇄성 폐질환의 원인	
선천적 요인(유전 요인)	■ 알파-1 항트립신(α-1 antitrypsin) 결핍
후천적 요인(노출 요인)	■ 기도의 만성적 염증 ■ 흡연, 유해가스, 화학물질 ■ 미세 먼지

3) 증상

만성 폐쇄성 폐질환의 초기 증상은 기침과 가래이다. 어느 정도 증상이 심해지면 가벼운 일상생활에도 숨이 가쁘거나 호흡곤란을 느끼게 되고, 더욱 심해지면 휴식 시에도 숨이 차고 호흡이 곤란한 상태에 이르게 된다.

2 만성 폐쇄성 폐질환의 진단 및 분류

1) 진단

만성 폐쇄성 폐질환의 진단은 기침, 가래, 숨이 참, 호흡곤란 등 특징적인 증상이 있기 때문에 환자의 병력청취만으로도 진단할 수 있다. 그러나 이 병을 정확하게 진단하기 위해서는 호흡기능검사(pulmonary function test)를 실시한다(표 20-2). 다른 폐질환과 감별하기 위하여 흉부 X-ray 검사와 CT, MRI를 실시할 수도 한다.

2) 분류

만성 폐쇄성 폐질환은 기류제한의 정도에 따라 1단계에서 4단계로 구분하며, 기류제한의 정도는 일초율의 정상인 대비 백분율을 기준으로 한다(표 20-3). 일초율은 환자가 1초 동안에 내쉴 수 있는 공기의 부피를 가리킨다.

표 20-2 만성폐쇄성 폐질환의 진단기준	
기류폐쇄 (air obstruction)	FEV1이 FVC의 70% 미만
기류제한 (air restriction)	FEV1의 정상인 대비 백분율이 80% 미만

FEV1=forced expiratory volume in 1 second (일초율), FVC=forced vital capacity (최대호흡량).
기류폐쇄와 기류제한이 모두 확인되면 만성폐쇄성 폐질환으로 진단함

표 20-3 만성폐쇄성 폐질환의 분류

구분	기침/가래	FEV1/FVC (기도폐쇄 여부)	FEV1의 정상인 대비 백분율 (기류제한의 정도)
1단계 (경증)	있음	70% 미만 (기도폐쇄 있음)	80% 이상 (기류제한 없음)

2단계 (중등도)	있음	70% 미만 (기도폐쇄 있음)	50-80% (기류제한 중등도)
3단계 (중증)	있음	70% 미만 (기도폐쇄 있음)	30-50% (기류제한 중증)
4단계 (고도 중증)	있음	70% 미만 (기도폐쇄 있음)	30% 미만 (기류제한 고도 중증)

FEV1=forced expiratory volume in 1 second (일초율); FVC=forced vital capacity (최대호흡량)

③ 만성 폐쇄성 폐질환의 약물치료법

만성 폐쇄성 폐질환 약물치료 포인트

1. 만성 폐쇄성 폐질환은 중증도에 따라 step-up 및 step-down 치료법을 활용하여 융통성 있게 실시한다.

2. 1단계는 호흡곤란 발달 시에만 단시간형 기관지확장제 흡입기로 증상을 완화시킨다.

3. 2단계 이후로는 1일 2회 정해진 처방을 흡입기로 투여하면서 발작 시에는 1단계 치료법을 추가한다.

4. 흡입기는 제조회사에 따라 사용법이 다르므로 그 사용법을 숙지해야 한다.

5. 동맥의 산소분압이 60mmHg 미만이거나 적혈구 산소포화도가 90% 미만이면 즉시 산소요법을 실시해야 한다.

만성 폐쇄성 폐질환은 미국의 심폐혈액재단(National Heart, Lung, and Blood Institute, NHLBI)에서 권장하는 약물치료법에 따라 실시한다(그림 20-1). 이 권장안은 만성 폐쇄성 폐질환의 중증도 분류(표 20-3)에 있는 각 단계마다 약물치료법을 정하고 있다. 어느 단계에 해당되든지 환자에게 호흡곤란이 나타나면 즉시 단시간형 베타-2-흥분제를 2-4puff 흡입하여 증상을 완화시키도록 하고 있다. 만성 폐쇄성 폐질환은 비가역적 질환이지만 환자의 상태에 따라서 약물치료법을 한 단계 올리거나 내리는 'step-up and step-down' 치료법을 사용한다.

1단계는 호흡곤란이 발작적으로 나타날 때만 단시간형 기관지 확장제(albuterol)를 흡입기로 2-4puff 투여하여 증상을 완화시켜 주어야 한다.

2단계는 1단계에 사용되는 약물치료법에 장시간형 기관지 확장제를 추가한다. 이때 사용되는 약물은 베타-2 흥분제, 항콜린제, theophylline, aminophylline 등이 있으며 경구, 주사 또는 흡입기로 투여한다. 증상이 심할 경우에는 두 가지 이상의 약물을 병용하여 사용하기도 한다. 작용시간이 12시간 이상인 장시간형 기관지 확장제로 salmeterol과 formoterol이 있고, 항콜린제로는 tiotropium (스피리바®)이 있다.

3단계는 2단계에 사용되는 약물치료법에 부신피질호르몬제 흡입기를 추가하여 투여한다. 최근에는 베타-2-흥분제와 부신피질호르몬이 복합되어 있는 제제가 있어 두 가지 약제를 한 번에 투여할 수 있게 되었다. 심비코트 터부헬러®는 formoterol과 budesonide가 복합된 분말분무형 흡입기이고, 세레타이드 디스커스®는 salmeterol과 fluticasone이 복합된 분말분무형 흡입기이다. 분말분무형(dry power inhaler, DPI) 흡입기는 분무제(propellant)로 액화가스를 사용하지 않는 장점이 있지만 그 대신 입으로 강력하게 흡입해야 하는 단점이 있다. 호흡곤란 증상이 매우 심하여 흡입력이 부족한 경우에는 분말분무형 흡입기를 사용할 수 없다.

4단계는 일초율이 정상인의 30% 미만인 경우로 호흡기능이 심각하게 악화된 상태이므로 3단계에 사용되는 약물치료법에 추가적으로 산소요법을 실시해야 한다. 특히 동맥혈의 산소분압이 60mmHg 미만이거나 적혈구 산소포화도가 90% 미만이면 호흡부전 상태로 간주하여 즉시 산소요법을 추가해야 한다. 4단계에서는 기포절제술(bullectomy) 또는 폐이식 등 수술요법을 고려할 수 있다. 기포절제술은 기능하지 않는 폐조직을 절제함으로써 기능하는 폐포가 팽창할 공간을 확보하여 주는 수술로서 호흡부전을 개선하는 효과가 있다.

만성 폐쇄성 폐질환에 사용되는 약물의 용법, 용량 및 특징적 부작용과 작용기전은 표 20-4, 표 20-5, 표 20-6에 요약되어 있다.

표 20-4 만성 폐쇄성 폐질환에 사용되는 약물의 용법 및 용량

구분	약물명	용법 및 용량
단시간형 베타-2 흥분제 흡입기	천식 참조(표 19-3)	
장시간형 베타-2 흥분제 흡입기	천식 참조(표 19-3)	
부신피질호르몬제 흡입기	천식 참조(표 19-3)	
장시간형 베타-2 흥분제와 부신피질호르몬제 복합제	천식 참조(표 19-3)	
항콜린제 흡입기	ipratropium (아트로벤트®)	1–2번씩 1일 3–4회 분무
	tiotropium (스피리바®)	1번씩 1일 1회 분무
단시간형 베타-2 흥분제와 항콜린제 복합제	albuterol+ipratropium (컴비벤트®)	2번씩 1일 4회 분무
xanthine 유도제	theophylline (오스틴 서방캅셀®)	200mg을 1일 2회 복용
	aminophylline (아스콘틴 서방정®)	225–450mg을 1일 2회 복용
흡입 스테로이드/지속성 베타-2 작용제 복합제	budesonide + formoterol (심비코트 터부헬러®)	80/4.5µg/dose 1일 1–2dose씩 1일 2회 흡입
	fluticasone + formoterol (플루티폼 흡입제®)	50mcg/5mcg/dose을 1일 2회 흡입
전신 스테로이드제	predisolone (소론도®)	5–50mg을 1–4회로 분할복용
PDE4 억제제	roflumilast (닥사스®)	500µg을 1일 1정

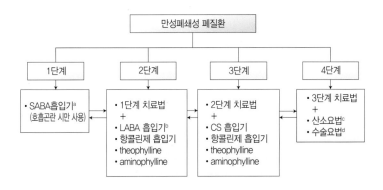

그림 20-1 만성 폐쇄성 폐질환의 약물치료법

CS=corticosteroid. LABA=long-acting beta-agonist. SABA=short-acting beta-agonist. [a]호흡곤란이 나타나면 단시간형 기관지 확장제(albuterol 흡입기)를 2~4puff 흡입. [b]2가지 이상의 장시간형 기관지 확장제를 경구 또는 흡입기로 병용투여할 수도 있음. [c]산소요법은 동맥혈의 산소분압이 60mmHg 미만이거나 적혈구 산소포화도가 90% 미만인 경우에 실시함. [d]수술요법으로는 기포절제술 또는 폐이식이 고려될 수 있음

표 20-5 만성 폐쇄성 폐질환에 사용되는 약물의 특징적 부작용

구분	약물명	특징적 부작용	주의사항*
베타-2 흥분제, 부신피질호르몬제	천식 참조(표 19-4)		
항콜린제	ipratropium 등	구갈, 메스꺼움, 어지럼증	■ 분무된 기체가 눈에 들어가지 않도록 주의할 것
xanthine 유도제	theophylline 등	불면증, 두통, 혈압상승, 손발이 흔들림	■ 부작용으로 생명을 위태롭게 하는 부정맥이 나타날 수 있음 ■ 부작용이 발생하면 즉시 의료인에게 알릴 것

*흡입기 사용법을 잘 숙지한 다음 사용하고 1주일에 1회 이상은 입에 닿는 부분을 분리하여 깨끗이 세척할 것

표 20-6 만성 폐쇄성 폐질환 치료제의 작용기전

구분	작용기전
베타-2 흥분제, 부신피질호르몬제	■ albuterol, salmeterol, fluticasone 등: - 천식 참조(표 19-5)
항콜린제	■ ipratropium, tiotropium: - atropine과 화학구조가 유사한 물질로서 아세틸콜린 수용체와 결합하여 길항적으로 작용함 - 기관지 평활근의 수축을 억제하여 기도 확장 및 기도경련 완화작용을 나타냄(그림 20-2)

항콜린제	– 기관지 점막 상피세포에도 작용하여 점액질의 분비를 억제함 – 4급 아민의 구조이므로 혈액뇌관문(blood brain barrier)을 통과하지 못하고 따라서 중추신경계에 대한 부작용이 없음 – ipratropium은 단시간형, tiotropium은 장시간형임
기관지 확장제	■ theophylline 등: – xanthine과 화학구조가 유사한 물질로서 여러 가지 작용을 나타냄 • 기관지 평활근 수축억제 • 심근 수축력 증강, 심장박동수 증가, 혈압상승 • 신장혈류량 증가(소변량 증가) • 중추신경계 흥분작용 • 항염증작용 – 위의 작용들은 이 약물의 phosphodiesterase 저해작용, leukotriene 합성저해, 아데노신 수용체 길항작용 등에 의한 것으로 추정됨

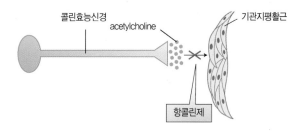

그림 20-2 항콜린제의 작용기전

acetylcholine이 수용체에 결합하지 못하게 방해하여 기관지 평활근의 수축을 억제함

약·물·치·료·핸·드·북

Part 04
신장 질환

21 Chapter

급성 신손상
(Acute kidney injury, AKI)

1 개요

1) 정의

급성 신손상이란 신장의 기능이 급격하게 저하된 상태를 가리킨다. 일반적으로 신장기능이 정상으로 유지되던 사람의 경우에는 혈청 크레아티닌치(serum creatinine)가 평소보다 0.5mg/dL 이상 상승하거나, 만성 신부전이 있는 환자의 경우에는 평소보다 1.0mg/dL 이상 상승하면 급성 신손상이라고 한다.

2) 원인

급성 신손상은 신장으로 들어오는 혈액량이 급격히 감소하거나(pre-renal, 신전성), 신장 자체의 손상으로 인하여 혈액의 여과 및 정화과정이 이루어지지 않거나(renal, 신성), 신장에서 나가는 소변의 배출통로가 폐쇄되어(post-renal, 신후성) 발생한다.

신장으로 들어오는 혈액량이 급격히 감소되는 요인은 심한 출혈이나 탈수 또는 저혈압 등이 있다. 신장 자체의 손상으로 인한 경우는 진정한 의미에서의 신손상이라고 할 수 있으며 여기에 해당되는 원인으로 사구체신염, 세뇨관괴사, 간질성신염 등이 있다. 소변의 배출통로가 폐쇄되는 요인은 암조직이 방광경부를 압박하거나 방광경련이 장시간 지속되는 경우 등이 있다(그림 21-1, 표 21-1).

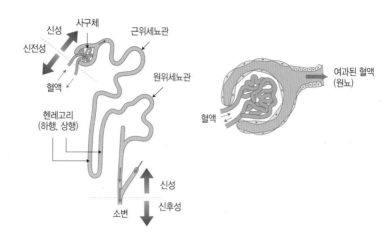

혈액의 여과와 소변의 생성

혈액이 사구체에서 여과된 다음 세뇨관을 거쳐 재흡수되고 남은 노폐물이 소변임(오른쪽 그림은 사구체를 확대한 그림).

표 21-1 급성 신손상의 원인

구분	원인
신장으로 들어가는 혈액량의 감소(신전성 원인)	심한 출혈, 심한 화상이나 설사로 인한 체액손실, 탈수, 심부전, 저혈압, 쇼크, 이뇨제 부작용
신장 자체의 손상 (신성 원인)	사구체신염(glomerulonephritis), 세뇨관괴사(tubular necrosis), 간질성신염(interstitial nephritis), 세균이나 바이러스 감염증, 신독성 약물(아미노글리코사이드 계열 항생제, cisplatin, cyclosporin, amphotericin B, 혈관조영제 등)
신장에서 나가는 소변의 배출통로 폐쇄(신후성 원인)	방광경부 폐쇄(암, 전립선비대증, 신경성 방광경련), 요관폐쇄(결석, 암, 요관경련, 요로감염증)

3) 증상

급성 신손상의 증상은 매우 다양하게 나타난다. 신손상의 정도가 심하지 않은 초기 신손상의 경우는 요량저하와 식욕부진, 오심, 구토 정도의 가벼운 증상이 나타난다. 어느 정도 진행되면 전신 부종과 고혈압이 나타나고 더욱 심해지면 폐부종, 뇌부종, 호흡곤란, 전신 경련, 혼수까지 올 수 있으며 사망에 이르는 심각한 경우도 있다. 경련과 혼수는 크레아티닌, 요소질소, 기타 질소화합물성 노폐물로 인한 질소혈증

(azotemia)과 전해질균형 파괴의 결과로 나타나는 증상이다.

급성 신손상으로 인한 사망률은 발병 원인과 밀접한 관계가 있다. 일반적으로 신전성과 신성인 경우가 신후성에 비하여 사망률이 높다. 특히, 신장으로의 혈류가 급격히 감소되어 신장피질괴사가 일어나면 사망률은 거의 100%에 이른다. 신장 혈류 감소로 인한 급성 세뇨관괴사(acute tubular necrosis)의 경우도 사망률이 60%를 넘는다. 그러나 자가면역질환인 사구체신염(glomerulonephritis)이나 간질성신염(interstitial nephritis)으로 인한 경우는 사망률이 높지 않아 각각 약 20%와 10% 정도이다. 신후성 경우는 외과적 수술을 통하여 신손상 상태를 신속히 교정할 수 있으므로 사망에 이르는 경우가 거의 없다.

급성 신손상은 핍뇨기, 이뇨기, 회복기의 경과를 거치면서 서서히 회복된다. 핍뇨기는 급성 신손상 증상의 초기과정으로 소변량이 급격히 줄어드는 시기로서 약 2주일 정도 지속된다. 이뇨기는 회복되는 과정으로서 이 시기에는 소변량이 하루에 4-5리터까지 증가되기도 하는데 이는 세뇨관의 농축능력이 완전히 회복되지 않았기 때문이다. 회복기는 소변량이 정상(하루에 약 1.8리터)으로 돌아오는 시기로서 완전히 회복되기까지는 약 2-3개월 정도 걸린다(그림 21-2).

그림 21-2 급성 신손상의 임상적 경과
급성 신손상이 완전히 회복되기까지는 약 2-3개월 정도 걸림

2 급성 신손상의 진단 및 분류

1) 진단

급성 신손상의 진단기준은 진료기관마다 조금씩 차이가 있지만 대개 혈액검사 결과에서 나타난 혈청 크레아티닌치를 기준으로 한다. 일반적으로 신장기능이 정상으로 유지되던 사람의 경우에는 혈청 크레아티닌치가 평소보다 0.5mg/dL 이상 상승하거나, 만성 신부전이 있는 환자의 경우에는 평소보다 1.0mg/dL 이상 상승하면 급성

신손상이라고 정의한다.

그러나 급성 신손상은 여러 가지 원인에 의하여 발생할 수 있으므로 환자의 병력 청취, 신체검사, 혈액검사, 소변검사, 신장초음파 검사, X-ray 검사 등 다양한 검사를 실시한다. 때로는 CT와 MRI 및 생검(biopsy)을 실시하기도 있다. 이러한 검사는 급성 신손상의 원인을 찾아 치료방침을 정하는 데 도움이 된다.

2) 분류

급성 신손상은 신장의 손상된 부위에 따라 분류하는 방법과 소변량에 따라 분류하는 방법이 있다. 손상된 부위에 따른 분류는 신전성, 신성, 신후성으로 나누며, 소변량에 따른 분류는 무뇨성, 핍뇨성, 비핍뇨성으로 나눈다(표 21-2).

신전성과 신후성 AKI는 신장 자체의 손상이 아니기 때문에 진정한 의미에서 볼 때 신손상이 아니라고 할 수 있다. 그러나 이 상태가 장시간 계속될 경우 결국 신장에도 손상이 발생하게 되므로 넓은 의미에서 신손상이라고 한다. 특히 신전성 AKI는 신장으로 가는 혈류가 급격히 감소된 상태이기 때문에 방치하면 허혈로 인하여 신장의 실질조직에 손상이 일어나 결국 신성 AKI로 발전한다.

신성 AKI는 신장 자체의 손상으로 인하여 신장기능이 급격히 저하된 상태이므로 진정한 의미에서의 신손상이라고 할 수 있다. 신성 AKI는 대개 사구체, 세뇨관 또는 간질의 손상 때문에 발생한다. 사구체 손상은 사구체신염이, 세뇨관 손상은 세뇨관 괴사가, 간질 손상은 간질성신염이 주요 원인이다.

표 21-2 급성신손상의 분류		
손상된 부위에 의한 분류	신전성(pre-renal AKI)	신장 자체의 기능은 정상이지만 신장으로 들어오는 혈액량이 감소되었기 때문임
	신성(renal AKI)	신장 자체의 손상 때문임
	신후성(post-renal AKI)	신장 자체의 기능은 정상이지만 소변 배출통로의 폐쇄 때문임
소변량에 의한 분류	무뇨성(anuria)	24시간 동안 소변량이 50mL 이하인 경우
	핍뇨성(oliguria)	24시간 동안 소변량이 50-400mL인 경우
	비핍뇨성(non-oliguria)	24시간 동안 소변량이 400mL 이상이지만 정상적 부피(약 1.8L/day) 미만인 경우

AKI=acute kidney injury (급성 신손상)

3 급성 신손상의 약물치료법

급성 신손상 약물치료 포인트

1. 급성 신손상의 치료는 약물보다 신장허혈예방과 식이요법 등 보조요법으로 실시한다.
2. 식이요법은 저단백식이와 저염식이를 실천한다.
3. 신전성 및 세뇨관괴사로 인한 급성 신손상은 원인약물을 즉시 중단하고 보조요법을 실시해야 한다.
4. 사구체신염 및 간질성 신염으로 인한 급성신손상은 면역억제 치료를 받는다.

급성 신손상의 치료는 병소의 위치에 따라 다르지만 일반적으로 약물요법보다 보조요법(supportive care)을 위주로 한다. 대부분의 약물이 신장을 통하여 배설되기 때문에 약물이 도리어 신장에 손상을 줄 우려가 있기 때문이다.

보조요법은 신장허혈 예방과 식이요법으로 실시한다. 신장허혈을 예방하기 위해서는 생리식염수를 정맥으로 투여하여 혈액이 신장으로 잘 관류되도록 해야 한다. 식이요법은 저단백식이와 저염식이로 질소화합물 섭취를 제한하는 것이다. 만일 폐부종이나 뇌부종이 나타나면 즉시 이뇨제를 투여하여 호흡곤란, 전신경련, 혼수 등 위급한 상태가 발생하지 않도록 해야 한다. 이뇨제를 투여해도 소변량이 증가하지 않으면 혈액투석을 실시하는 것도 고려해야 한다.

신전성 AKI는 아미노글리코사이드 계열 항생제, cisplatin, cyclosporin, amphotericin B, 혈관조영제 등 약물유발성인 경우가 많은데 이 경우 원인 약물을 즉시 중단하고 보조요법을 실시해야 한다(그림 21-3). 신전성 AKI는 신장으로 들어 오는 혈류가 감소되었을 뿐 아직 신장에는 손상이 발생하지 않은 상태이므로 보조요법을 통하여 신장허혈을 예방할 수 있다. 신장허혈이 지속되어 신성 AKI로 발전할 우려가 있을 경우에는 이뇨제를 사용한다.

신성 AKI는 사구체신염, 간질성신염, 세뇨관괴사 등이 원인인데 사구체신염과 간질성신염이 원인이면 prednisolone을 투여하여 자가면역반응을 억제시켜야 한다. 세뇨관괴사로 신성 AKI가 발생한 경우에는 신독성 약물이 원인인 경우가 많으므로 원인약물을 즉시 중단하고 보조요법을 실시해야 한다. 신성 AKI는 신장 자체의 기능이 급격히 저하된 경우이므로 이뇨제를 정맥주사로 투여해야 한다. 이뇨제는 furosemide (라식스®)를 우선 저용량(80mg을 1일 3-4회)으로 사용하고 효과가 없으면 고용량(400mg을 1일 3-4회)으로 증량하여 사용한다. 고용량의 furosemide에도 반응하지 않으면 chlorthiazide를 병용투여하면서 폐부종, 뇌부종, 전해질이상, 질소혈증 여부를 모니터해야 한다. 만일 이러한 증상이 확인되면 즉시 혈액투석을 실시한다.

신후성 AKI는 암, 전립선비대증, 신경성 방광경련 등에 의한 방광경부폐쇄 또는 결석, 암, 요관경련, 요로감염증 등에 의한 요관폐쇄가 원인인 경우가 대부분이므로 외과적 수술로 치료한다. 급성 신손상에 사용되는 약물의 용법, 용량 및 특징적 부작용과 작용기전은 표 21-3, 표 21-4, 표 21-5에 요약되어 있다.

표 21-3 급성 신손상에 사용되는 약물의 용법 및 용량

구분	약물명	용법 및 용량
이뇨제	furosemide (라식스®)	저용량: 80mg 1일 3-4회 정맥투여 고용량: 400mg 1일 3-4회 정맥투여
	bumetanide (부리넥스®)	1-2mg을 1일 1회 복용
	torsemide (세토람®)	40mg을 1일 2회 복용
	ethacrinic acid (국내생산중단)	2.5-5mg을 1일 1회 복용
	mannitol (만니톨주사액®)	1-3g/kg을 점적정맥주사로 투여
	chlorthiazide (국내생산중단)	500-1,000mg을 1일 1-2회 복용
면역조절제	prednisolone (소론도®)	20mg을 1일 2-3회 복용

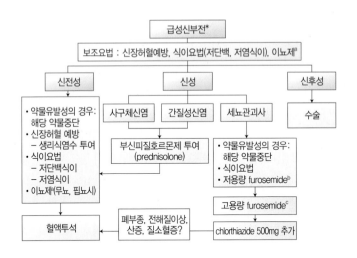

그림 21-3 급성 신손상의 약물치료법*

[a]이뇨제로 furosemide, bumetanide, torsemide, ethacrynic acid 등 루프이뇨제 또는 삼투성 이뇨제인 mannitol이 사용됨. [b]furosemide 80mg 1일 3-4회 정맥투여. [c]furosemide 400mg 1일 3-4회 정맥투여. *저용량 도파민요법(분당 2μg/kg 이하)이 소변량을 증가시키는 작용이 있어서 널리 사용되고 있지만 치료효과를 개선하는 작용이 없으므로 이 약물의 사용에 대해서는 아직 논쟁중임

표 21-4 급성 신손상에 사용되는 약물의 특징적 부작용

구분	약물명	특징적 부작용	주의사항
이뇨제	furosemide 등	고혈압 참조(표 1-3)	
면역조절제	prednisolone	부종, 소화성궤양, 혈압상승	■ 지시에 따라 단기간만 복용할 것 ■ 이 약은 면역기능을 저하시킬 수 있으므로 감염성질환에 주의할 것
강심, 이뇨제	dopamine	혈압상승, 빈맥, 부정맥	■ 고혈압이 되지 않도록 저용량, 저속도로 시작하여 점차 증량할 것 ■ 소변량을 지속적으로 관찰하면서 용량을 조절할 것

표 21-5 급성 신손상 치료제의 작용기전

구분	작용기전
강심, 이뇨제	▪ dopamine: – dopamine의 작용은 자율신경계 및 중추신경계 등 다양한 계통에 있는 세포막 수용체와 결합하여 효능적으로 작용함 – 저용량(2–5μg/kg/min)으로 사용하면 사구체 혈관에 있는 도파민 수용체와 결합하여 혈관을 확장시키므로 신혈류량 증가, 소변량 증가를 일으킴 – 신장의 세뇨관에 작용하여 Na^+ 재흡수를 억제하여 소변량을 증가시키는 작용도 있음
면역조절제	▪ prednisolone: – glucocorticoid 수용체와 결합하여 염증반응 및 면역반응에 필요한 각종 물질의 합성을 방해함 – 사구체신염과 간질성신염 등 신성 급성신손상은 과도한 면역반응과 관련이 있으므로 면역억제가 신손상의 진행속도를 늦춤
이뇨제	▪ 루프이뇨제(furosemide, bumetanide, torasemide, ethacrynic acid): – 헨레고리의 두꺼운 상행각 상피세포에 있는 $Na^+/K^+/2Cl^-$ cotransporter를 억제하여 Na^+, K^+와 Cl^-이 재흡수 되지 않고 소변 중으로 배설되도록 함(그림 21–4) – 소변 중에 Na^+과 Cl^-이 증가되면 삼투압이 높아지므로 소변량이 증가됨 – 혈액 중에 있는 노폐물이 소변으로 배설되어 신손상 증상이 개선됨 ▪ 삼투압성 이뇨제(mannitol): – mannitol이 소변으로 배설되면서 소변중의 삼투압이 증가하게 되어 소변량이 증가됨 – 소변량 증가로 인하여 부종과 고혈압이 완화되고 혈액 중에 있는 노폐물이 소변으로 배설되어 신손상 증상이 개선됨

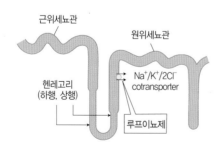

그림 21-4 루프이뇨제의 작용기전

상행 헨레고리의 두꺼운 부분에서 $Na^+/K^+/2Cl^-$ cotransporter를 차단하여 나트륨, 칼륨, 염소이온이 재흡수되지 않고 소변으로 배출되게 함. 이 때 물(H_2O)도 소변으로 같이 나가게 되어 소변량이 증가됨

만성 신부전
(Chronic renal failure)

1 개요

1) 정의

만성 신부전이란 신부전이 3개월 이상 지속되는 상태를 가리킨다. 신부전이란 신장이 혈액 속의 노폐물을 걸러내는 기능이 저하된 것을 말하는데 일반적으로 신장이 혈액 속에 있는 크레아티닌을 제거하기 위하여 1분 동안에 걸러내는 혈액의 부피가 60mL 이하인 상태를 가리킨다.

2) 원인

만성 신부전은 대부분의 경우 당뇨병, 고혈압, 사구체신염, 간질성신염의 합병증으로 발생한다. 특히 당뇨병과 고혈압은 전체 만성 신부전환자의 절반 이상을 차지하며, 전체 말기 신부전환자의 3분의 2 이상을 차지한다.

3) 증상

만성 신부전은 병이 상당히 진행될 때까지 심한 증상이 나타나지 않는다. 특히 1단계의 경우는 피로감, 식욕부진, 집중력 감소, 발목이 붓거나 아침에 눈이 푸석푸석해짐, 피부가 건조하며 가려움 등 가벼운 증상이기 때문에 대수롭지 않게 넘기는 경우가 대부분이다.

2단계에 이르면 고혈압과 빈혈이 나타날 수 있지만 단순한 고혈압이나 빈혈이라고 여기고 신장질환이 원인일 수 있다는 것을 간과하는 경우가 많다. 3단계부터는 크레아티닌 청소율이 60mL/min 미만으로 명백한 신부전 상태이므로 혈액 중 인산이 소변으로 걸러져 나가지 못하여 고인산혈증이 나타나고 또한 신장에서 vitamin D가 활성형으로 바뀌지 못하여 저칼슘혈증이 나타날 수 있다. 활성형 vitamin D는 음식으로 섭취한 칼슘을 흡수하는 데 필수적인 비타민이다. 혈액 속에 칼슘이 부족하게 되면 우리 몸은 뼈 속에 있는 칼슘을 녹여내는 호르몬(parathyroid hormone)을 분비하도록 한다. 이러한 생체의 자동기능으로 저칼슘혈증은 극복되고 혈중 칼슘농도는 정상범위 중 약간 낮은 쪽으로 유지되지만 그 결과로 뼈의 상태가 약해져 골이영양증(osteodystrophy)이 발생한다 (표 22-1).

4단계에 이르면 중증의 신부전이므로 혈액 중에서 노폐물을 걸러내는 신장의 기능이 상당부분 상실되므로 단백뇨, 부종, 소변량 감소, 고질소혈증, 요독등, 전해질이상 등 각종 합병증이 나타나므로 비로소 만성 신부전을 의심하게 된다. 소변에 거품이 생기는 것은 소변 중에 단백질이 많이 함유되어 있음을 의미하는데 이 정도면 단백뇨가 이미 심한 상태이다.

5단계 신부전은 말기신부전증으로써 생명유지를 위하여 혈액투석이나 복막투석 등 신장기능 대체요법이 필요한 단계이다.

2 만성 신부전의 진단 및 분류

1) 진단

만성 신부전은 앞서 신부전의 분류에서 언급한 것처럼 크레아티닌 청소율을 기준으로 진단한다. 크레아티닌 청소율을 측정하려면 24시간 동안 소변을 채집해야 하기 때문에 이 불편을 없애기 위하여 간단한 계산식을 이용하여 얻은 추정치를 사용한다. 일반적으로 널리 사용되는 크레아티닌 청소율 추정치 계산식은 환자의 체중과 혈청 크레아티닌치만 알면 간단히 계산할 수 있도록 되어 있다(그림 22-1).

그러나 만성 신부전의 진행 정도와 치료방침을 결정하기 위해서는 환자의 병력청취를 포함하여 신체검사, 혈액검사, 소변검사, 신장초음파 검사, X-ray 검사 등 다양한 검사를 한다. 필요한 경우 CT와 MRI 및 신장조직을 채취하여 생검(biopsy)을 실시하기도 있다.

2) 분류

만성 신부전은 신장기능의 저하 정도에 따라 5단계로 나눈다(표 22-1). 1단계는 신장의 구조적 손상은 있지만 기능은 아직 정상인 경우이며 2단계부터는 신장기능까지 저하된 경우이다. 신장기능저하는 비가역적이므로 점차로 악화되어 결국에는 5단계의 말기신부전에 이르게 된다. 말기신부전증으로 발전하면 혈액투석, 복막투석 또는 신장이식 등 신장기능 대체요법이 필요한 단계이다.

$$\text{크레아티닌 청소율 추정치(CrCL. mL/min)} = \frac{(140-\text{나이})\times\text{체중}}{72\times SCr}$$
여자의 경우 : 위 계산식 값 × 0.85

그림 22-1 Cockcroft-Gault 식에 의한 크레아티닌 청소율 추정치

CrCL=creatinine clearance (크레아티닌 청소율); SCr=serum creatinine (혈청 크레아티닌치); 체중=kg 단위.

표 22-1 만성 신부전의 단계 및 증상

단계	중증도	설명
1단계	위험군	■ 신장의 구조적 손상은 있지만 신장기능은 정상인 경우
2단계	경증 신부전 (mild)	■ 크레아티닌 청소율이 분당 60–90mL인 경우 ■ 고혈압이 나타날 수 있음
3단계	중등도 신부전 (moderate)	■ 크레아티닌 청소율이 분당 30–59mL인 경우 ■ 골이영양증, 고인산혈증과 빈혈이 나타날 수 있음
4단계	중증 신부전 (severe)	■ 크레아티닌 청소율이 분당 30 미만인 경우 ■ 단백뇨, 고질소혈증, 요독증, 전해질이상이 나타날 수 있음
5단계	말기 신부전 (ESRD)	■ 신장기능 대체요법(renal replacement therapy)이 필요한 경우 ■ 혈액투석, 복막투석 또는 신장이식을 실시해야 함

ESRD=end stage renal disease (말기신부전증). 크레아티닌 청소율: 신장이 혈액 속에 있는 크레아티닌을 제거하기 위하여 1분 동안에 걸러내는 혈액의 부피를 가리키는데 60mL/min이면 신부전이라고 함

③ 만성 신부전의 약물치료법

만성 신부전 약물치료 포인트

1. 신장은 전해질 균형을 유지하는 기관인데 만성신부전 환자는 그 기능이 불완전하므로 전해질 균형을 위한 식이요법이 매우 중요하다.

2. 만성신부전 환자는 저단백, 저인산식이를 실천하고 신장이 처리해야 할 노폐물의 양을 줄이기 위하여 체중을 줄여야 한다.

3. 고혈압과 단백뇨는 renin-angiotensin system에 작용하는 약물로 치료를 받아야 한다.

4. 고인산혈증과 고칼슘혈증이 모두 나타나면 전해질관리를 철저히 실시하여 인산과 칼슘의 곱이 55 미만으로 유지되도록 한다.

5. 고칼륨혈증은 심근경색을 일으킬 수 있으므로 정상범위를 유지해야 한다.

6. 거의 모든 약물은 신장을 통하여 배설되므로 약물을 복용할 때는 의료인과 상의하여 약용량을 줄여야 한다.

만성 신부전의 치료는 급성 신부전과 달리 식이요법과 약물치료를 위주로 한다(그림 22-2). 식이요법은 만성 신부전의 전 기간에 걸쳐서 매우 중요하며 저단백, 저인산식이가 기본을 이룬다. 인산은 고단백식품에 많이 함유되어 있으므로 저단백식이를 실천하면 저인산식이는 자동적으로 된다. 단백질이 많이 함유된 음식은 육류, 낙농제품, 콩, 견과류 등이므로 신부전 환자는 이런 음식을 가능한 한 적게 먹도록 해야 한다. 다만 투석 중인 환자는 단백질 함유 음식을 먹되 인산을 제거해주는 약물요법 (phosphate binder therapy)을 실시해야 한다.

만성 신부전은 중증도에 따라 부종, 고혈압, 단백뇨, 고인산혈증, 저칼슘혈증, 고칼륨혈증, 빈혈 등 다양한 합병증을 동반한다. 따라서 만성 신부전의 약물치료는 이들 합병증을 효과적으로 치료할 수 있도록 신중하게 실시해야 한다.

만성 신부전 3-4단계가 되면 부종과 고혈압, 단백뇨가 나타날 수 있는데 부종은 이뇨제로 치료하고 고혈압과 단백뇨는 안지오텐신 전환효소 차단제(angiotensin converting enzyme inhibitor, ACEI) 또는 안지오텐신 수용체 차단제(angiotension receptor blocker, ARB)로 치료한다. ACEI와 ARB 계열의 약물들은 원래 고혈압치료제로 개발된 약물이지만 단백뇨를 감소시켜주는 작용이 있는 것이 밝혀지면서 현재는 고혈압이 없는 단백뇨를 치료하는 데도 사용되고 있다. 이뇨제는 furosemide, torsemide, bumetanide, ethacrinic acid 등 루프이뇨제와 thiazide 이뇨제의 병용투여가 권장된다. 알도스테론 차단제는 고칼륨혈증을 유발하는 부작용 때문에 사용되지 않는다.

만성 신부전 3단계 이후부터 나타나는 고인산혈증은 인산결합제로 예방 및 치료를 실시해야 한다. 인산결합제로 추천되는 1차 약은 초산칼슘 등 경구용 칼슘제제이지만 최근에는 sevelamer(레나젤®)가 많이 사용되는 추세이다. 혈액투석치료를 받고 있는 말기신부전환자(5단계)의 경우 고인산혈증치료는 sevelamer를 사용한다. 고인산혈증의 치료목표는 만성 신부전 3-4단계에서는 정상범위(2.7-4.6mg/dL)를 유지하도록 하고 5단계에는 정상보다 약간 높게 3.5-5.5mg/dL로 설정한다.

고인산혈증이 나타나면 저칼슘혈증이 나타나기도 하는데 칼슘제제를 복용하면 고인산혈증과 저칼슘혈증이 동시에 치료되는 잇점이 있다(고인산혈증을 sevelamer로 치료할 경우에는 칼슘보급을 별도로 실시해야 함). Calcitriol은 활성형 vitamin D로서 강력한 혈중 칼슘증가작용을 나타내지만 초산칼슘 등 칼슘보급제를 1차 약으로 사용해도 약효가 없는 경우에만 2차 약으로 사용되어야 한다. 고인산혈증과 저칼슘혈증이 모두 나타났을 때 치료목표는 인산과 칼슘의 곱($Ca \times P$)이 55 미만으로 유지되도록 해야 한다.

만성 신부전의 합병증으로 나타나는 빈혈은 주사용 철분제로 치료한다. 이 때 치료목표는 transferrin 포화도(transferrin은 철분을 운반하는 carrier protein임)가 20-50% 사이로 유지되도록 1주일에 1회 정도 투여한다.

주사용 철분제로도 빈혈이 개선되지 않으면 erythropoietin (적혈구 성숙인자, 에스포젠®) 표준용량(1주 1회 150단위/kg 피하 또는 정맥주사)으로 치료한다. 이 때 치료목표는 헤모글로빈치가 11-12mg/dL 사이 또는 적혈구용적률(hematocrit)이 33-36% 사이에 유지되도록 한다. 에스포젠® 표준용량으로 치료목표가 달성되지 않으면 용량을 네 배까지 올리는 고용량으로 치료한다.

Erythropoietin은 적혈구 생성에 필수적인 인자인데 90% 이상이 신장에서 만들어진다. 4단계 이상의 신부전에서 발생하는 빈혈의 경우, erythropoietin이 부족하여 적혈구 수가 현저히 저하되기 때문에 철분제만으로는 빈혈이 치료되지 않는다. 더군다나 말기신부전(5단계)으로 요독증까지 겹치면 적혈구의 평균생존일수가 약 60일(정상인은 약 120일)로 짧아져 적혈구 수는 더욱 줄어든다. Erythropoietin은 만성 신부전에 의한 빈혈치료에 필수적인 약제이다.

고칼륨혈증은 말기신부전에서 흔히 나타나는 합병증이다. 고칼륨혈증은 부정맥과 심근경색을 일으킬 수 있으므로 이뇨제와 이온교환수지(polystyrene sulfonate)를 경구복용하여 치료한다. 경구 복용으로 혈중 칼륨농도가 교정되지 않으면 포도당과 인슐린을 주사로 투여한다. 인슐린과 포도당을 투여하면 혈액 중에 칼륨이 포도당과 함께 세포 속으로 유입되기 때문에 혈액 중의 칼륨농도가 내려간다. 만일 인슐린과 포도당 주사에도 고칼륨혈증이 교정되지 않으면 혈액투석을 실시해야 한다.

만성 신부전 치료에 사용되는 약물의 용법, 용량 및 특징적 부작용과 작용기전은 표 22-2, 표 22-3, 표 22-4에 요약되어 있다.

표 22-2 만성 신부전에 사용되는 약물의 용법 및 용량

구분	약물명	용법 및 용량
이뇨제		고혈압 참조 (표 1-2)
안지오텐신 전환효소 저해제		고혈압 참조 (표 1-2)
안지오텐신 수용체 차단제		고혈압 참조 (표 1-2)
인산결합제	sevelamer®(레나젤®)	아래의 주석 참조
	초산칼슘(네프로®)	1,420mg을 1일 3회 복용으로 시작하여 고칼슘혈증이 유발되지 않은 상태에서 혈중 인산치가 6mg/dL 이하로 떨어질 때까지 점차로 용량을 증가함
vitamin D	calcitriol^b (칼시오®)	0.25–0.5μg을 1일 1회 복용
철분보급제	ferric oxide sucrose complex (베노훼럼®)	철 부족량에 따라 용량을 정함
	erythropoietin (에스포젠®)	표준용량: 1주 1회 150단위/kg 피하 또는 정맥주사 (주 3회로 분할 투여가능) 고용량: 1주 1회 600단위/kg (주 3회로 분할투여 가능)

칼륨제거제	polystyrene sulfonate (아가메이트 젤리®)	젤리 1-2팩을 1일 3회 복용

[a]sevelamer의 복용량은 혈중 인산치에 따라 다름(5.5-7.5mg/dL: 800mg 1일 3회, 7.5-9.0mg/dL: 1,200mg 1일 3회, 9.0mg/dL 이상 1,600mg 1일 3회).
[b]calcitriol은 2-4단계 환자의 경우에는 1일 0.25-0.5μg을 복용하며 말기신부전환자의 경우에는 같은 용량을 주사로 투여함.

표 22-3 만성 신부전에 사용되는 약물의 특징적 부작용

구분	약물명	특징적 부작용	주의사항
이뇨제, 안지오텐신 전환효소 저해제, 안지오텐신 수용체 차단제: 고혈압 참조(표 1-3)			
인산결합제	sevelamer	메스꺼움, 설사, 소화불량, 복통	■ 이 약의 용량은 혈중인산치를 모니터하면서 수시로 조절할 것 ■ 이 약은 혈중 음이온(예: 중탄산이온, 염소이온)에도 영향을 미칠 수 있음 ■ 심한 설사나 구토가 발생하면 의료인에게 알릴 것
	초산칼슘	메스꺼움, 어지럼증, 변비, 고칼슘혈증	■ 어지럼증이 심하면 칼슘중독일 수 있으므로 의료인에게 알릴 것 ■ 혈중칼슘농도를 모니터하면서 복용할 것
vitamin D	calcitriol	변비, 메스꺼움, 어지럼증, 고칼슘혈증	■ 이 약은 활성형 비타민이므로 반드시 의료인의 지시에 따라서 복용할 것 ■ 어지럼증이 심하면 칼슘중독일 수 있으므로 의료인에게 알릴 것 ■ 혈중칼슘농도를 모니터하면서 복용할 것
철분보급제	ferric oxide sucrose complex	철분중독, 메스꺼움, 설사, 변비	■ 메스꺼움, 설사 또는 변비가 나타나면 의료인에게 알릴 것
	erythropoietin (에스포젠®)	혈전, 심근경색, 뇌졸중	■ 헤모글로빈치가 10-12 사이에 오도록 용량을 조절하면서 투여할 것 ■ 헤모글로빈치가 13을 초과하면 의료인에게 알릴 것(심근경색, 뇌졸중이 발생할 수 있음)
칼륨제거제	polystyrene sulfonate	메스꺼움, 저칼슘혈증, 저칼륨혈증	■ 혈중칼륨농도가 정상으로 회복되기까지는 수일 정도 걸림 ■ 따라서 응급상황에서는 인슐린 주사나 혈액투석을 실시할 수도 있음

표 22-4 만성 신부전 치료제의 작용기전

구분	작용기전
안지오텐신 전환효소 저해제	– angiotensin I이 angiotension II로 전환되는 데 필요한 효소를 저해하여 angiotensin II의 혈중농도가 감소되므로 혈관이 확장됨(angiotensin I과 angiotensin II 모두 혈관을 수축시키는 작용이 있지만 angiotensin II의 혈관수축작용은 angiotensin I에 비하여 훨씬 강함) – 단백뇨 감소작용은 아마도 사구체 내부의 혈압이 저하되어 혈중에 있는 단백질 성분이 사구체 혈관 밖으로 새어 나가는 현상이 감소되거나 또는 이 약이 사구체 혈관의 투과성에 직접 영향을 주어 단백질 성분이 새어 나가는 것을 방지하기 때문인 것으로 추정됨 – 당뇨병 환자에게 사용 시 당뇨병으로 인한 신부전증의 진행을 억제하는 효과가 있음(혈압이 높거나 정상인 경우 모두)
안지오텐신 수용체 차단제	– angiotension II 수용체와 결합하여 angiotension II의 작용을 차단함 – 나머지 작용은 안지오텐신 전환효소 저해제와 동일
인산결합제	■ sevelamer: – 흡수되지 않는 고분자물질로서 음식물 중의 인산과 결합하여 흡수되지 못하게 함(그림 22-3) – 이 약물의 아민기(–NH$_2$)가 소화관에서 암모늄기(–NH$_3^+$)로 변하여 인산기와 결합함 ■ 초산칼슘: – 음식 중의 인산과 결합하여 흡수되지 못하게 함
vitamin D	■ calcitriol: – 활성형 vitamin D이므로 혈중 칼슘농도를 증가시킴 – 혈중 칼슘농도 증가작용은 (1) 소화관에서 칼슘 흡수촉진, (2) 신장에서 칼슘 재흡수 촉진, (3) 뼈에서 칼슘을 녹여내는 작용에 의한 것임(그림 22-4) – 혈중 칼슘 이온은 인산과 결합하여 불용성 물질을 형성하므로 혈중 인산농도를 저하시킴
철분보급제	■ ferric oxide sucrose complex: – 철분 공급제이므로 빈혈을 개선해 줌 ■ erythropoietin: – 신장에서 생산되는 당단백 호르몬의 일종임 – 미성숙 적혈구 세포막에 있는 수용체와 결합하여 적혈구가 성숙되도록 하는 데 관여함
칼륨제거제	■ polystyrene sulfonate: – 흡수되지 않는 고분자물질로서 음식물 중의 칼륨과 결합하여 흡수되지 못하게 함 – 소장을 통과할 때 융털돌기의 모세혈관 안에 있는 칼륨 이온과 결합하므로 혈중 칼륨을 소화관으로 끌어내는 작용도 있음
이뇨제	급성 신부전 참조(표 21-5)

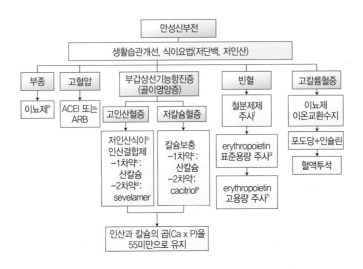

그림 22-2 만성 신부전의 약물치료법

ACEI=angiotensin converting enzyme inhibitor (안지오텐신 전환효소 차단제). ARB=angiotension receptor blocker (안지오텐신 수용체 차단제). [a]루프이뇨제와 thiazide 이뇨제를 병용투여하며 알도스테론 차단제는 고칼륨혈증을 유발하므로 금기임. [b]저인산식이는 저단백식이를 실천하면 됨. [c]초산칼슘은 칼슘의 양으로 환산하여 1일 1500mg을 복용함. [d]투석중에 있는 환자의 경우에는 1차 선택약으로 사용함. [e]칼슘보충제로 효과가 없을 때 2차 약으로 사용함. [f]치료목표는 transferrin 포화도 (transferrin은 철분을 운반하는 carrier protein임)가 20-50% 유지되도록 함. [g]표준용량: 1주 1회 150단위/kg 피하 또는 정맥주사(주 3회로 분할 투여가능). [h]고용량: 1주 1회 600단위/kg (주 3회로 분할투여 가능)

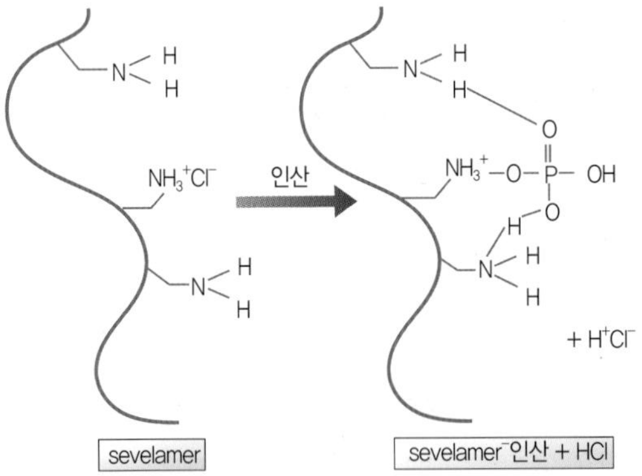

그림 22-3 Sevelamer의 작용기전

sevelamer는 음식물 중에 있는 인산과 결합하여 인산이 흡수되지 못하게 함

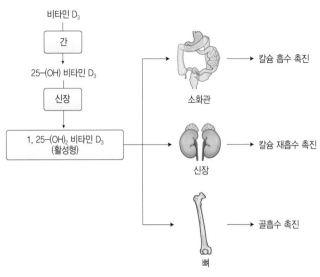

비타민 D_3

간

25-(OH) 비타민 D_3

신장

1, 25-(OH)_2 비타민 D_3
(활성형)

소화관 → 칼슘 흡수 촉진

신장 → 칼슘 재흡수 촉진

뼈 → 골흡수 촉진

그림 22-4 활성형 vitamin D의 작용기전

활성형 vitamin D는 위 세가지 기전으로 혈중칼슘농도가 유지되도록 함

사구체신염
(Glomerular nephritis)

1 개요

1) 정의

사구체신염이란 사구체에 염증반응이 생기는 신장 질환을 총칭하는 것으로서 줄여서 신장염 혹은 신염이라고도 불린다.

2) 원인

사구체신염은 아직 그 원인이 자세히 밝혀지지는 않았지만 면역계의 이상으로 인한 자가면역 현상과 관련이 있는 것으로 알려져 있다. 사구체신염은 면역기능 이상이 원인인 점에서 세균이 신장에 감염되어 나타나는 신우신염과 구분된다.

사구체에 염증반응을 일으키는 직접적인 원인은 체내에 떠돌아 다니던 면역복합

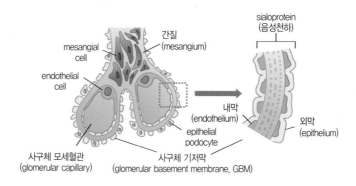

그림 23-1 정상적인 사구체 조직(사구체 모세혈관 내막, 외막, 간질)

사구체혈관의 내막, 사구체기저막, 외막에는 음성전하를 갖는 sialoprotein이 있어 음성전하를 갖는 단백질이 쉽게 빠져 나가지 못 하게 되어 있음

체(항원-항체 결합체)가 사구체 조직에 침착되고, 뒤이어 백혈구와 임파구가 이 면역복합체를 제거하기 위하여 분비하는 면역매개체 때문인 것으로 추정되고 있다. 면역매개체는 강력한 염증유발작용이 있기 때문에 사구체 모세혈관의 내막, 외막, 기저막, 간질에 염증반응을 일으켜 신장기능을 방해한다.

면역계에 이상을 유발하여 사구체신염을 일으킬 수 있는 인자는 전신성 홍반성낭창 등의 교원병, 혈관염, 알레르기성 자반병, 당뇨병, 약물복용, 세균이나 바이러스가 분비하는 독소 등이 있다. 소아의 경우, 용혈성 연쇄구균(hemolytic streptococcus)에 감염되어 목감기를 앓고 난 후 사구체신염이 나타날 수 있는데, 이는 세균이 분비하는 독소를 제거하는 과정에서 자가면역 현상이 발생하기 때문이다.

3) 증상

사구체신염의 증상은 단백뇨, 혈뇨, 부종이다. 단백뇨와 혈뇨는 대개 동시에 발견되지만 단백뇨를 주요 증상으로 하는 경우는 신장병증성 증후군(nephrotic syndrome), 혈뇨를 주요 증상으로 하는 경우는 신장염증성 증후군(nephritic syndrome)이라고 구분하여 부른다. 단백뇨는 혈액 안에 있는 단백질이 사구체막(내막, 기저막, 외막)을 빠져나와 소변으로 나오는 것을 가리킨다(그림 23-1).

2 사구체신염의 진단 및 분류

1) 진단

사구체신염은 병리학적 특성이 다른 여러 가지 질환의 총칭이기 때문에 감별진단이 중요하다. 정확한 감별진단에 사용되는 검사에는 기본적인 혈액검사, 소변검사, 신장초음파, 경정맥신우조영술(intravenous pyelography), 신장조직검사 등이 있다. 그 밖에도 감별진단을 위하여 혈청보체(C3, C4), 항핵항체(anti-nuclear antibody, ANA), 항사구체기저막항체(anti-glomerular basement membrane antibody, anti-GBM), 항중성구세포질항체(anti-neutrophil cytoplasmic antibody, ANCA), ASO 항체(anti-streptolysin-O) 등에 대한 검사도 실시한다.

단백뇨의 정도는 사구체신염의 약물치료방침을 정하는 데 있어서 중요하므로 24시간 동안 소변을 모아서 소변 속에 있는 단백질의 양을 측정한다. 최근에는 24시간 동안 소변을 모으는 것이 불편하기 때문에 낮 동안 임의의 시간에 소변을 채취한 다음, 그 소변 속에 있는 단백질 양과 크레아티닌 양의 비율을 측정하는 방법이 사용되고 있다(그림 23-2). 단백질 크레아티닌 비율(protein creatinine ratio, PCR)이 24시간 동안 소변으로 배설되는 단백질의 양과 일치하는 데서 착안한 방법이다. 예를 들어 PCR이 2.5이면 24시간 동안 소변을 모아 단백질의 양을 측정해도 약 2.5g 정도가 나와 PCR 값과 일치된다. 혈뇨는 소변 속에 있는 적혈구, 백혈구, 임파구를 현미경으로 관찰하여 검사한다.

2) 분류

사구체신염은 질병의 진행속도를 기준으로 분류하면 급성과 만성으로 구분되고, 병리학적 특성으로 분류하면 비증식성과 증식성으로 구분된다(표 23-1).

급성 사구체신염은 염증반응이 급속하게 진행되어 신장기능이 급격히 저하되는 경우로서 급성 신부전의 원인이 되기도 한다. 만성 사구체신염은 염증반응이 서서히 진행되는 경우 또는 급성 사구체신염이 일단 치료된 다음 신장기능이 수년간에 걸쳐 후유증으로 서서히 손상되는 경우이다. 만성 사구체신염은 만성 신부전의 원인이 된다.

비증식성 사구체신염은 병리학적으로 볼 때 병변 부위의 세포수가 정상인 사구체신염으로서 미소변화 신병증, 분절성 사구체경화증, 막 사구체신염 등이 여기에 속한다. 미소변화 신병증은 신장조직검사 결과, 사구체 사이의 조직이 약간 비대해졌지만 사구체 조직은 정상인 경우로써 주로 6세 이하의 어린이에게 발병된다. 분절성 사구체경화증은 일부 사구체 조직에서 경화증이 발견되고 나머지 사구체 조직은 정상인 경우이다. 조직검사를 위한 표본채취 시 정상 부위만 채취되면 오진될 가능성이 있다. 막 사구체신염은 면역복합체(항원-항체 결합체)가 사구체 모세혈관 내막에 침착되어 비후되어 있는 경우이다.

증식성 사구체신염은 병리학적으로 볼 때 병변 부위에 세포 증식이 나타나는 사구체신염으로서 면역글로불린 A 신병증, 막증식성 사구체신염, 급속진행성 사구체신염, 연쇄구균감염후 사구체신염 등이 여기에 속한다. 면역글로불린 A 신병증은 사구체 간질(사구체 내부의 mesangium, 그림 23-1)에 면역글로불린 A가 침착되는 경우이다. 막증식성 사구체신염은 면역복합체, 면역글로불린, 보체 등이 사구체 간질과 사구체 모세혈관의 내막에 침착된 경우이다. 이 경우, 사구체 모세혈관 내막의 비후와 간질의 세포증식이 관찰된다. 급속진행형 사구체신염은 막증식성 사구체신염의 일종으로서 그 진행속도가 매우 빨라 사구체 모세혈관이 붕괴되는 경우이다. 조직검사에서 붕괴된 모세혈관의 모양이 반달모양(crescent)을 나타내기 때문에 반월형 사구체신염이라고도 부른다. 연쇄구균 감염 후 사구체신염은 조직학적으로 막증식성 사구체신염에 속하는데 그 발병원인이 연쇄구균감염증에 의한 것으로 확인된 경우를 가리킨다. 연쇄구균 감염 후 사구체신염은 15세 이하의 어린에게 주로 발병하며 목감기 등 연쇄구균감염증에 걸린 다음 약 10-14일 후에 혈뇨와 함께 신장기능이 급격히 저하된다.

표 23-1 사구체신염의 분류

진행속도에 의한 분류	급성 사구체신염(acute GN)	
	만성 사구체신염(chronic GN)	
병리학적 특성에 의한 분류	비증식성 사구체신염	미세변화 신병증(minimal change GN)
		분절성 사구체경화증(segmental glomerular sclerosis)
		막 사구체신염(membraneous GN)
	증식성 사구체신염	면역글로불린 A 신병증(IgA nephropathy)
		막증식성 사구체신염(membranoproliferative GN)
		급속진행형 사구체신염(rapidly progressive GN)
		연쇄구균감염후 사구체신염(poststreptococcal GN)

GN=glomerular nephritis (사구체신염); IgA=immunoglobulin A (면역글로불린 A)

$$단백질 크레아티닌 비율(PCR) = \frac{소변 속의 단백질 양}{소변 속의 크레아틴 양}$$

그림 23-2 단백질 크레아티닌 비율(PCR)의 계산법

③ 사구체신염의 약물치료법

사구체신염 약물치료 포인트

1. 사구체신염은 단백뇨치료, 고혈압치료, 부종치료, 식이요법, 면역억제요법으로 치료한다.
2. 단백뇨 치료는 고혈압이 없어도 renin-angiotensin system에 작용하는 약물로 치료를 받는다.
3. 부종치료를 효과적으로 하기 위해서는 반드시 저염식이를 실천해야 한다.
4. 식이요법은 저단백, 저지방, 저염식이를 실천한다.

사구체신염은 단백뇨치료, 고혈압치료, 부종치료, 식이요법을 기본으로 하고 면역억제제를 이용하여 약물치료를 실시한다. 식이요법은 저염식이, 저단백식이(1일 0.8-1g/kg), 저지방식이(콜레스테롤로서 1일 200mg 이하)로 한다.

특히 소변으로 배출되는 단백질의 양이 하루에 3.5g이 넘는 환자는 반드시 저단백식이를 실천해야 하며 이를 위하여 육류와 콩 종류 음식을 피하도록 한다. 단백질이 소변으로 많이 배설되면 그 양 만큼 보충하기 위하여 단백질을 많이 섭취해야 할 것으로 생각되지만, 단백질은 신장에서 배설되면서 사구체를 손상시키기 때문에 섭취를 줄이는 것이 좋다.

단백뇨는 사구체신염의 진행을 가속화시키기 때문에 질병의 악화를 방지하는데 매우 중요하다. 단백뇨가 심한 경우에는(1일 3.5g 이상) prednisolone을 고용량으로 투여하여 면역매개체의 염증반응을 차단하고 사구체손상을 신속히 억제해 주어야 한다. 단백뇨 치료는 고혈압이 없어도 기본적으로 angiotensin converting enzyme inhibitor 또는 angiotension receptor blocker를 사용한다. ACEI와 ARB는 고혈압치료제이지만 혈액 안에 있는 단백질이 사구체막을 빠져나가지 못하게 하는 작용도 있으므로 사구체신염의 치료에 있어서 매우 중요한 약물이다.

고혈압치료는 ACEI 또는 ARB를 단독요법으로 사용하는 것이 권장된다. 만일 단독요법으로 고혈압이 조절되지 않으면 두 가지 약물로 병용요법을 실시한다.

부종치료는 루프이뇨제가 주로 사용되며 루프이뇨제 중에서도 특히 furosemide 가 널리 사용된다. 루프이뇨제 단독요법으로 부종이 신속히 제거되지 않으면 thiazide 이뇨제와 병용요법을 실시한다. 부종치료를 효과적으로 하기 위해서는 반드시 저염식이를 실천해야 한다.

사구체신염은 앞에서 언급한 것처럼 자가면역 현상으로 인한 염증이 원인이므로 자가면역을 억제하는 약물이 치료제로 사용된다. 이 목적으로 부신피질호르몬제, 면역억제제, 세포독성 약물이 사용된다. 부신피질호르몬제는 면역억제작용이 있으면서 독성이 적기 때문에 널리 사용된다. 세포독성 약물은 면역매개체를 분비하는 백혈구와 임파구를 파괴함으로서 염증을 완화시키는 작용이 있지만 부작용이 많아서 단백뇨가 심한 경우에 한하여 제한적으로 사용된다.

1) 비증식성 사구체신염

미세변화 신병증의 약물치료법에서 단백뇨가 심한 환자의 경우, 1차 약으로 권장되는 약물은 prednisolone 단기간요법으로 보통 1일 60mg을 4-6주간 복용한 다음 점차적으로 감량하여 복용한다(그림 23-3). 1차 치료를 했는데도 개선되지 않으면 2차 약으로 세포독성 약물인 cyclophosphamide를 체중 kg당 1일 2mg을 8주간 투여하거나 또는 prednisolone (1차 치료 시와 동일용량 또는 절반용량)과 cyclosporine (체중 kg 당 1일 5mg)을 병용요법으로 6-12개월 투여한다. 단백뇨가 심하지 않은 환자의 경우 (1일 3.5g 미만)에는 식이요법, 부종치료, 고혈압치료 등 기본적인 치료만 실시한다. 이 때 ACEI 또는 ARB를 사용하면 고혈압과 단백뇨가 동시에 개선되는 이점이 있다. 단백뇨가 심할 경우에는 ACEI와 ARB를 병용한다.

분절성 사구체경화증의 약물치료법은 단백뇨가 심한 환자의 경우, 1차 약으로 prednisolone 중기간요법으로 체중 kg당 1-2mg을 3-4개월 복용한 다음 점차적으로 감량하여 복용한다. 1차 치료 후에도 증상이 개선되지 않으면 2차 약으로 세포독성 약물요법을 실시한다. 이 때 사용되는 약물요법은 cyclophosphamide 2mg/kg 또는 chlorambucil 0.1-0.2mg/kg을 1년 이상 경구로 투여한다.

막 사구체신염의 약물치료는 단백뇨가 심한 환자의 경우, 1차 약으로 폰티첼리 요법을 실시한다(그림 23-4). 폰티첼리 요법은 6개월 동안 부신피질호르몬과 세포독성 약물을 병용하는 치료법이다. 첫 1개월은 methylprednisolone을 주사로 3일간 투여한 다음 경구용으로 바꾸어 27일 투여하고 2개월 차는 chlorambucil 또는 cyclophosphamide를 경구로 1개월 투여하는 방법이다. 3개월 차 이후로는 홀수 달에는 1개월 차와 동일하고, 짝수 달에는 2개월 차와 동일하게 약물치료를 실시한다.

2) 증식성 사구체신염

면역글로불린 A 신병증은 단백뇨가 심한 환자의 경우, 1차 약으로 권장되는 약물은 prednisolone 장기간요법으로 보통 1일 60mg을 6개월 이상 복용한 다음 점차적으로 감량하면서 치료한다(그림 23-5). 1차 치료로 증상이 개선되지 않으면 2차 약으로 면역억제제인 azathioprine 또는 mycophenolate를 사용한다. 단백뇨가 심하지 않은 면역글로불린 A 신병증은 식이요법과 부종치료, 고혈압치료 단백뇨치료를 기본적으로 실시하면서 오메가-3 지방산이 함유된 fish oil 제제를 투여한다. 세포독성 약물은 면역글로불린 A 신병증의 치료에 사용되지 않는다.

막 증식성 사구체신염은 단백뇨 정도 및 환자의 나이에 따라 약물치료법이 약간 다르다. 단백뇨가 심한 경우, 소아에게는 prednisolone 장기간요법을 실시한다. 성인에게는 prednisolone을 사용하지 않고 항혈전요법을 6-12개월 동안 실시하며 이 때 아스피린 또는 dipyridamole을 사용한다. 단백뇨가 심하지 않은 경우, 소아에게는 prednisolone 요법은 3개월간 실시한다. 성인에게는 염증치료는 실시하지 않고 부종, 고혈압 등 기본적인 치료만 실시한다.

급속진행형 사구체신염은 신장기능 저하속도가 매우 빠르고 폐출혈 등 위급한 증상이 나타날 수 있으므로 처음부터 부신피질호르몬제와 면역억제제를 병용하여 치료한다. 이 때 부신피질호르몬제는 신속한 약효를 얻기 위해서 methylprednisolone을 주사로 투여하고 이어서 경구용 prednisolone을 투여한다. 이 때 면역억제제로는 세포독성 약물인 cyclophosphamide 또는 chlorambucil을 사용한다. 증상이 위급하지 않은 경우에는 세포독성이 없고 비교적 안전한 면역억제제인 azathioprine 또는 cyclosporine을 사용한다.

급속진행형 사구체신염에서 약물요법으로 반응하지 않고 폐출혈 등 위급한 증상
이 나타나면 환자의 혈장을 제거하고 대신에 신선한 혈장이나 혈장대체액을 공급하
는 혈장교환술(plasmapheresis)을 실시한다(그림 23-6). 혈장교환술은 혈액 중에 떠
돌아다니는 항체, 면역복합체, 면역매개체를 신속히 제거해 주어 염증반응이 위급한
수준으로 되는 것을 예방하는 장점이 있다. 그러나 이 시술이 사구체신염을 치료하
거나 신장기능 회복에 직접적으로 도움을 주는 것은 아니다.

연쇄구균감염후 사구체신염은 3-6주 후 자연히 회복되는 경우가 95% 이상이므
로 염증치료를 실시하지 않는다. 다만 단백뇨가 심하면 prednisolone을 단기간요법으
로 4-6주간 투여한 다음 점감요법을 실시해야 한다. 단백뇨가 심하지 않은 경우는 부
종치료와 고혈압치료 등 기본적인 치료를 실시하면서 경과를 관찰해야 한다.

사구체신염 치료에 사용되는 약물의 용법, 용량 및 특징적 부작용과 작용기전은
표 23-2, 표 23-3, 표 23-4에 요약되어 있다.

표 23-2 사구체신염에 사용되는 약물의 용법 및 용량

구분	약물명	용법 및 용량
고혈압, 부종 및 단백뇨 치료제	안지오텐신 전환효소 저해제, 안지오텐신 수용체 차단제, 이뇨제: 고혈압 참조(표 1-2)	
세포독성약	chlorambucil (류케란®)	0.2mg/kg을 1개월간 복용(폰티첼리 요법)
	cyclophosphamide (알키록산®)	2.5mg/kg을 1개월간 복용(폰티첼리 요법)
면역억제제	prednisolone (소론도®)	20-40mg을 1일 2-3회 복용
항혈전제	aspirin (아스피린 프로텍트®)	100mg을 1일 1회 복용
	dipyridamole (디피리다몰®)	75-100mg을 1일 3-4회 복용

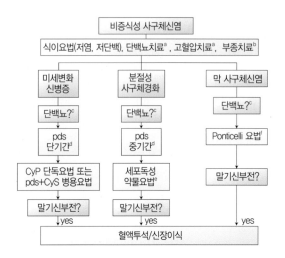

그림 23-3 비증식성 사구체신염의 약물치료법

CyP=cyclophosphamide. CyS=cyclosporine. pds=prednisolone. [a]단백뇨치료와 고혈압치료는 안지오텐신 전환효소 차단제 또는 안지오텐신 수용체 차단제가 사용됨(이들 약물은 항고혈압작용이 있으며 동시에 단백뇨 치료작용이 있음). [b]루프이뇨제 단독요법 또는 thiazide 이뇨제와의 병용요법이 사용됨. [c]24시간 소변으로 배설되는 단백질의 양이 3.5g 이상 또는 protein creatinine ratio가 3.5 이상인 경우. [d]단기간: 1-1.5개월, 중기간: 3개월. [e]세포독성 약물요법으로 cyclophosphamide 2mg/kg/day 또는 chlorambucil 0.1-0.2mg/kg/day를 1년 이상 경구로 투여함. [f]Ponticelli 요법은 그림 23-4 참조

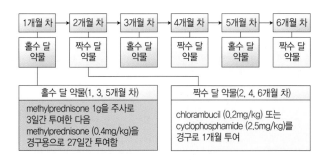

그림 23-4 폰티첼리 요법

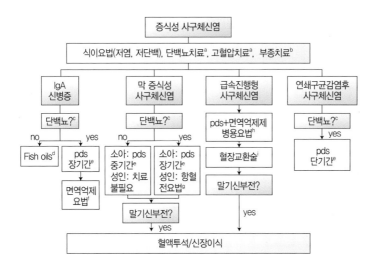

그림 23-5 증식성 사구체신염의 약물치료법

pds=prednisolone. [a]단백뇨치료와 고혈압치료는 안지오텐신 전환효소 차단제(angiotensin converting enzyme inhibitor, ACEI) 또는 안지오텐신 수용체 차단제(angiotension receptor blocker, ARB)가 사용됨(이 약물은 항고혈압작용이 있으며 동시에 단백뇨 치료작용이 있음). [b]루프이뇨제 단독요법 또는 thiazide 이뇨제와의 병용요법이 사용됨. 루프이뇨제 중에서는 furosemide가 가장 널리 사용됨. [c]24시간 소변으로 배설되는 단백질의 양이 3.5g 이상이거나 protein creatinine ratio가 3.5 이상인 경우. [d]오메가-3 지방산이 많이 함유되어 있는 fish oil 제품. [e]단기간: 1-1.5개월, 중기간: 3개월, 장기간: 6-12개월. [f]azathioprine 또는 mycophenolate가 사용됨. [g]methylprednisolone을 주사로 투여하고 이어서 경구용 prednisolone을 투여함(면역억제제로는 cyclophosphamide이나 chlorambucil 등 세포독성 약물과 azathioprine 또는 cyclosporine 등이 사용됨). [h]환자의 혈장을 제거하고 대신에 신선한 혈장을 공급하는 방법

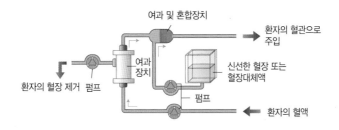

그림 23-6 혈장교환술

표 23-3 사구체신염에 사용되는 약물의 특징적 부작용

구분	약물명	특징적 부작용	주의사항
고혈압, 부종 및 단백뇨 치료제	안지오텐신 전환효소 저해제, 안지오텐신 수용체 차단제, 이뇨제: 고혈압 참조(표 1-3)		
세포독성약	chlorambucil, cyclophosphamide	골수억제(빈혈, 혈소판감소, 백혈구감소), 메스꺼움, 구토	■ 반드시 지시된 대로 복용할 것 ■ 피부발진이 나타나면 의료인에게 알릴 것 ■ 이 약은 면역기능 억제작용이 있으므로 사람이 많이 있는 곳은 피할 것
면역억제제	prednisolone	부종, 체중증가, 소화성궤양, 혈압상승	■ 반드시 지시된 대로 복용할 것 ■ 이 약은 면역기능 억제작용이 있으므로 사람이 많이 있는 곳은 피할 것
항혈전제	aspirin, dipyridamole	위장출혈, 두드러기 어지럼증, 두통, 안면홍조	■ 두드러기가 나타나면 복용을 중지하고 의료인에게 알릴 것 ■ 코피가 나거나 대변이 검은 색으로 변하면(위장출혈일 수 있음) 의료인에게 알릴 것

표 23-4 사구체신염 치료제의 작용기전

구분	작용기전
고혈압, 부종 및 단백뇨 치료제	■ 안지오텐신 전환효소 저해제, 안지오텐신 수용체 차단제, 이뇨제: – 만성 신부전 치료제의 작용기전 참조(표 22-4)
세포독성약	■ chlorambucil, cyclophosphamide: – 항암제의 일종이므로 암세포는 물론 정상세포에도 독성을 나타내는 성질을 이용함 – 면역세포(백혈구와 임파구)를 파괴하여 면역복합체 및 면역매개체로 인한 염증반응을 억제함 – 사구체신염은 자가면역질환이므로 면역반응과 염증반응이 억제되면 증상이 호전됨
면역억제제	■ prednisolone, methylprednisolone, azathioprine, cyclosporine: – 면역반응 및 염증반응에 필요한 각종 물질의 합성을 방해함 – 따라서 사구체신염의 직접적 원인이 되는 자가면역반응과 염증반응이 억제됨

항혈전제	■ aspirin: 　– 혈소판의 cyclooxygenase-1을 저해하여 thromoboxane A-2 생성을 억제함으로써 　　혈소판이 활성화되지 못하게 함(그림 23-7) 　– 이미 활성화된 혈소판의 경우에도 thromoboxane A-2가 없으면 응집되지 　　못하므로 혈전이 생성되지 않음 ■ dipyridamole: 　– 혈소판의 thromboxane synthase를 저해하여 thromoboxane A-2 생성을 　　억제함(이후 작용은 aspirin과 동일, 그림 23-7) 　– 혈관내피세포에 작용하여 adenosine deaminase, phosphodiesterase 등의 효소를 　　저해하여 혈관확장작용도 있음

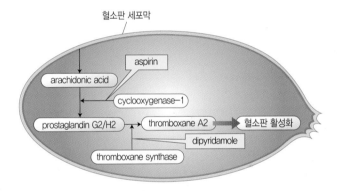

그림 23-7 aspirin과 dipyridamole의 작용기전

aspirin과 dipyridamole은 서로 다른 효소의 작용을 저해하여 혈소판 활성화를 저해함

면역글로불린 A 신병증
(IgA nephropathy)

1 개요

1) 정의

면역글로불린 A 신병증이란 신장 조직검사 결과 사구체 간질에 면역글로불린 A (IgA)가 침착되어 있는 것을 특징으로 하는 증식석 사구체신염의 일종이다. IgA 신병증은 이 병을 가장 먼저 병리학적으로 기술한 프랑스 병리학자 Berger의 이름을 따서 버거씨병으로도 불린다.

2) 원인

면역글로불린 A 신병증은 체내에 떠돌아 다니던 IgA가 사구체 간질에 침착되고, 뒤이어 백혈구와 임파구에서 분비되는 면역매개체의 작용 때문인 것으로 추정되고 있다.

3) 증상

면역글로불린 A 신병증은 평소 감기에 잘 걸리고 쉽게 피로를 느끼는 정도의 가벼운 증상으로 나타나기 때문에 모르고 지나는 경우가 많다. 이 병은 감기나 편도선염, 인두염 등 상기도 감염으로 병원에 방문하게 되어 우연히 발견되는 경우가 많다. 이 병의 증상은 피로감과 현미경적으로만 발견되는 가벼운 혈뇨이며 단백뇨는 드물다. 혈뇨는 상기도 감염증 발생후 즉시 또는 1-3일 후에 나타나기 때문에 감염증 발생후 10-14일 후에 혈뇨가 나타나는 연쇄구균감염후 사구체신염과 쉽게 구별된다. 이 병은 비교적 양성 질환으로 특별한 치료를 하지 않아도 저절로 낫는 경우가 대부분이다. 그러나 나은 다음에도 재발이 반복되면서 단백뇨가 나타나며 서서히 신부전으로 발전될 수도 있다.

4) 진단

면역글로불린 A 신병증은 편도선염이나 인두염 등 상기도 감염 후 즉시 또는 1-3일 후에 혈뇨가 나타나기 때문에 환자의 병력청취만으로도 추정할 수 있다. 그러나 이 병을 정확히 진단하기 위해서는 신장 조직검사를 통하여 사구체 내부의 간질(mesangium)에 IgA가 침착되어 있는 것을 면역형광현미경검사로 확인해야 한다.

2 면역글로불린 A 신병증의 약물치료법

면역글로불린 A 신병증 약물치료 포인트

1. 소아에서는 약물치료 없이도 완치되는 경우가 많고 특히 단백뇨가 없으면 약물치료를 실시하지 않는다.

2. 식이요법은 저단백, 저지방, 저염식이를 실천한다.

3. 단백뇨가 있고 신장기능이 저하된 환자는 치료가 종료된 후에도 오메가-3 지방산을 지속적으로 복용한다.

4. 단백뇨가 심한 환자는 renin-angiotensin system에 작용하는 약물을 6개월 이상 복용해야 한다.

5. 면역글로불린 A 신병증을 예방할 목적으로 편도선 절제술을 시행하고자 할 경우 의사와 상의하여 신중히 판단해야 한다.

면역글로불린 A 신병증은 증상이 심하지 않고 특별한 약물치료 없이도 자연치유되는 경우가 많다. 이 병으로 확인된 어린이의 경우 대개 성인이 되면서 자연히 치유된다. 그러나 성인의 경우는 재발이 잘 되기 때문에 치료가 된 다음에도 지속적인 관찰과 적절한 약물치료를 실시해야 한다.

면역글로불린 A 신병증의 치료는 단백뇨 여부와 신장기능을 기준으로 적절한 약물치료법을 선택해야 한다. 신장기능은 크레아티닌 청소율 기준으로 1분당 70mL 미만이면 신부전으로 간주한다. 단백뇨가 없는 환자는 특별한 약물치료를 실시하지 않는다(그림 24-1). 경미한 단백뇨(1-3.5g/day)가 있는 환자는 신장기능을 측정하여 치료제를 결정한다. 신장기능이 정상이면 안지오텐신 전환효소 저해제를 사용하여 단백질이 소변으로 빠져나오지 않도록 한다. 만일 신장기능이 저하되어 있으면 안지오텐신 전환효소 저해제와 오메가-3 지방산이 함유된 fish oil (오마코®)을 병용한다. 오메가-3 지방산은 신장기능이 악화되는 속도를 늦춰주는 것으로 보고되었으므로 치료가 종료된 다음에도 지속적으로 복용해야 한다. 그러나 fish oil은 콜레스테롤이 많이 함유되어 있으므로 혈중지질관리를 정기적으로 실시하면서 적정투여량을 유지하도록 하고 만일 콜레스테롤치가 상승하면 고지혈증치료제를 복용한다.

단백뇨가 이미 심한 환자(3.5g/day 이상)의 경우에는 안지오텐신 전환효소 저해제 또는 안지오텐신 수용체 차단제를 prednisolone과 함께 6개월 이상 장기간 복용한다. 약 1년 정도 복용 후에도 단백뇨가 개선되지 않으면 면역억제요법을 실시한다. 이 때 사용되는 면역억제요법은 azathioprine 또는 mycophenolate가 사용된다. 세포독성 약물은 신속하고 강력한 면역억제작용을 나타내지만 면역글로불린 A 신병증에는 사용하지 않는다.

인두염이나 편도선염에 자주 걸리는 소아의 경우 IgA 신병증을 미리 예방할 목적으로 편도선 절제술을 고려한다. 그러나 편도선 절제술이 일생 전반의 건강 측면에서 유익함이 있는지에 관해서는 아직 확립되지 않았으므로 신중한 판단이 요구된다.

면역글로불린 A 신병증 치료에 사용되는 약물은 사구체신염에 사용되는 약물과 같으므로 각각의 약물에 대한 용법, 용량 및 특징적 부작용과 작용기전은 사구체신염의 표를 참고하면 된다.

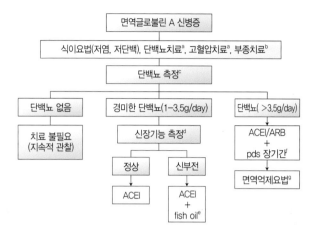

그림 24-1 면역글로불린 A 신병증의 약물치료법

ACEI=angiotensin converting enzyme inhibitor. ARB=angiotension receptor blocker; pds=prednisolone. [a]고혈압치료와 단백뇨치료는 안지오텐신 전환효소 차단제 또는 안지오텐신 수용체 차단제가 사용됨(이 약물은 항고혈압작용이 있으며 동시에 단백뇨 치료작용이 있음). [b]루프이뇨제 단독요법 또는 thiazide 이뇨제와의 병용요법이 사용됨. 루프이뇨제 중에서는 furosemide가 가장 널리 사용됨. [c]24시간 소변으로 배설되는 단백질의 양이 1g 미만이면 정상임. [d]크레아티닌 청소율로 1분당 70mL 미만이면 신부전으로 간주함. [e]오메가-3 지방산이 많이 함유되어 있는 fish oil 제품(오마코®). [f]장기간: 6-12개월. [g]azathioprine 또는 mycophenolate가 사용됨

약·물·치·료·핸·드·북

Part 05
내분비 질환

당뇨병
(Diabetes mellitus)

1 개요

1) 정의

당뇨병이란 인슐린의 생산이 부족하거나 또는 인슐린이 작용을 못하여 고혈당이 발생하고 이로 인하여 여러 가지 대사이상을 동반하는 상태를 가리킨다.

2) 원인

당뇨병은 췌장의 인슐린 생산이 부족하거나 인슐린이 작용을 하지 못하여 발생한다. 생산이 부족한 경우는 췌장에서 인슐린을 생산하는 세포(베타세포)의 파괴가 원인이고, 작용을 못 하는 경우는 인슐린 수용체 이상이 원인이다.

인슐린 생산이 부족하거나 생산량이 충분하더라도 작용이 원활하지 못하면 혈액 중에 있는 포도당은 세포 속으로 들어가지 못한다. 따라서 혈액 중에 포도당의 양이 많아지는 고혈당 현상이 발생된다. 또한 혈액 중에 과잉으로 존재하는 포도당은 혈액은 물론 혈관 내피세포(혈관의 가장 안쪽에서 혈액과 직접 접촉하는 세포)의 단백질에 결합하여 당화반응(glycation)을 일으킨다. 당화된 단백질(glycated protein)은 원래의 기능이 상당부분 상실되기 때문에 여러 가지 대사이상이 발생하고 눈, 신장, 신경 등에 합병증이 발생한다.

3) 증상

당뇨병의 초기 증상은 다뇨(polyuria)와 다갈(polydipsia)이다. 다뇨와 다갈이란 소변량이 많아지고 갈증이 심해서 물을 많이 먹게 된다는 뜻이다. 그 밖에도 소변에 거품이 많아지거나 체중감소, 쇠약감, 피부소양감 등이 당뇨병 초기에 나타날 수 있다. 최근에는 환자가 이런 증상을 느끼지 못하는 데도 당뇨병인 경우가 많다.

당뇨병을 치료하지 않고 여러 해 동안 방치하면 소변량이 오히려 줄고, 눈이 침침하거나 시력이 저하되고, 촉감이나 통각 등 피부 감각이 둔해지는 증상이 온다. 이런 증상들을 당뇨병의 합병증이라고 한다. 당뇨병의 합병증은 신체의 모든 기능에 나타나는데 특히 망막증(retinopathy), 신병증(nephropathy), 신경병증(neuropathy)이 많이 발생하기 때문에 이들 합병증을 당뇨병의 3대 합병증이라고 부른다.

당뇨병성 망막증은 망막혈관에서 일어나는 합병증으로 황반변성, 망막출혈 등 망막질환을 일으켜 실명까지 일으킬 수 있는 무서운 합병증이다. 당뇨병성 신병증은 사구체와 세뇨관에 있는 혈관에서 일어나는 합병증으로 만성 신부전이 대표적이다. 신부전이 되면 소변량이 줄면서 부종이 오고 노폐물이 축적되기 때문에 온갖 질병의 원인이 된다. 당뇨병성 신경병증은 말초신경과 자율신경에서 일어나는 합병증이다. 말초신경과 자율신경은 인체의 거의 모든 기능을 담당하기 때문에 이 합병증은 인체의 모든 기능을 침범한다고 할 수 있다. 대표적인 것은 피부 감각이 둔해지고, 소화기능이 떨어지고, 대소변 기능과 성기능 장애 등이 있다.

2 당뇨병의 진단 및 분류

1) 진단

당뇨병의 진단은 정맥혈의 포도당 농도를 기준으로 한다. 서로 다른 날 2번 검사하여 공복시(보통 검사 전 8-12시간 금식 상태) 혈장 포도당 농도가 둘 다 126mg/dL 이상이면 당뇨로 진단한다(표 25-1). 일반적으로 정상 혈장 포도당 농도는 보통 110mg/dL 미만인데 110-125mg/dL 사이이면 경계형 당뇨병이라고 한다. 경계형 당뇨병의 경우 당뇨로 진행하는 경우가 25-30%로 알려져 있으므로, 위험인자가 있는 사람은 혈당을 자주 측정하여 당뇨병으로 진행여부를 조기에 진단받도록 한다.

흔히 사용하는 휴대용 혈당측정기의 경우 말초혈액을 측정하는 것이어서, 정맥혈의 혈장 포도당을 측정한 결과보다 약간 낮게 측정된다. 따라서 휴대용 혈당 측정기로 혈당이 110 mg/dL 이상으로 측정되면 병원에서 정확한 진단을 받는 것이 좋다.

2) 분류

당뇨병은 크게 제1형, 제2형, 임신성으로 분류한다(표 25-2). 제1형은 자가항체에 의하여 췌장의 인슐린 생산세포(베타세포)가 파괴되는 유전질환으로 청소년기 이전에 발병된다. 인슐린 생산이 급격히 감소되고 얼마 후 인슐린이 완전 결핍되기 때문에 인슐린 주사만이 유일한 치료법이다.

제2형은 제1형과 달리 중년기 이후에 발생하여 서서히 진행된다. 제2형은 인슐린 생산과 분비는 정상이지만 인슐린 수용체에 이상이 생겨 인슐린이 제 기능을 할 수 없는 경우를 가리킨다. 초기부터 중기까지의 제2형 당뇨병은 인슐린 수용체 이상을 보상하기 위하여 더 많은 양의 인슐린을 생산하게 되고, 따라서 혈중 인슐린 농도가 정상인보다 높은 특징이 있다. 제2형의 경우도 적절한 치료를 받지 않고 수십년이 지나면 인슐린 생산능력이 고갈되어 제1형과 같이 인슐린 생산이 완전히 결핍될 수 있다. 임신성 당뇨병은 임신 중 발생하는 일시적 현상이고 대부분의 경우 출산 후 자연 치유되기 때문에 약물치료는 하지 않는다.

표 25-1 당뇨병의 진단

공복시 혈당(mg/dL)	진단
110 미만	정상
110-126	경계형 당뇨병
126 초과	당뇨병

표 25-2 당뇨병의 분류

분류	특징
제1형 당뇨병	■ 자가항체에 의하여 췌장의 베타세포가 파괴됨 ■ 인슐린의 생산이 급격히 감소함 ■ 유전질환으로 어린 나이에 발생함

제2형 당뇨병	■ 인슐린 생산은 정상이지만 수용체 이상으로 작용할 수 없게 됨
	■ 발병 후 수십년이 지나면 인슐린 생산량도 감소함
	■ 중년기 이후에 발생함
임신성 당뇨병	■ 임신 중 발생하는 일시적 현상임
	■ 대부분 출산 후 정상화됨

2 당뇨병의 약물치료법

당뇨병 약물치료 포인트

1. 제2형 당뇨병은 인슐린 수용체 이상이라는 특징이 있지만 그밖에도 여러 가지 생리기능에 대사이상을 일으키는 전신질환이다.

2. 약물치료 여부는 생활습관개선을 6개월 정도 실천한 다음 의사와 상의하여 결정한다.

3. 일단 약물치료를 실시하기로 결정하면 경구용 혈당강하제 한 가지를 선정하여 단독요법으로 치료받는다.

4. 당뇨병의 약물치료는 step-up 및 step-down 치료법을 활용하여 탄력성 있게 실시한다.

5. 약물요법을 실시해도 치료목표가 달성되지 않으면 step-up 치료법으로 변경하기 전에 식이조절과 운동량 증가에 더욱 힘써야 한다.

당뇨병은 치료하지 않고 방치하면 여러 가지 합병증이 발생하므로 적극적인 약물 치료가 필수적이다. 제1형 당뇨병은 인슐린 주사만이 유일한 치료법이지만 제2형 당 뇨병은 생활습관개선과 경구용 혈당강하제 및 인슐린을 이용하여 치료하는 방법이 많이 있다.

생활습관개선만으로 혈당조절이 되지 않는 제2형 당뇨병 환자에게는 약물치료를 실시해야 한다. 그러나 식이조절과 규칙적인 운동을 통하여 체중감량에 성공하고 공 복시 혈당이 정상범위로 돌아 온 경우에는 약물치료를 하지 않아도 된다. 당뇨병의 약물치료법은 그림 25-1에 나타내었다.

당뇨병은 환자가 생활습관을 개선하기 위하여 얼마나 많은 노력을 하고, 약물치료법에 얼마나 순응하느냐에 따라서 치료결과가 크게 달라진다. 따라서 환자의 노력 여하에 따라서 강도 높은 치료법이 사용될 수도 있고 반대로 강도가 낮은 치료법이 사용될 수도 있다(step-up and step-down therapy). 생활습관을 개선했는 데도 불구하고 공복시 혈당이 130mg/dL을 초과하거나 당화혈색소(헤모글로빈 중 당화된 헤모글로빈의 백분율)가 7%를 초과하는 경우에는 일차적으로 metformin으로 단독요법을 실시한다.

Metformin으로 치료했음에도 불구하고 치료목표(당화혈색소 7% 미만, 공복시 혈당 130mg/dL 미만)를 달성하지 못했을 경우에는 경구용 병용요법을 실시한다. 이 때 어떤 약물을 병용하느냐는 동맥경화성 심혈관질환이나 만성콩팥병 기왕력이 있는가 여부에 따라 다르다. 이 두 가지 질환이 있는 환자에게는 glucagon-like peptide-1(GLP-1) 수용체 효능약이나 sodium glucose co-transporter-2(SGLT-2) 억제제 중에서 한 가지를 선택하여 병용한다. 이 두 가지 질환이 없는 환자라면 설폰요소계열, 치아졸리돈계열 또는 DPP-4 저해제 등 다양한 경구용 당뇨병 치료제 중에서 선택해서 병용하면 된다.

경구용 병용요법을 해당 약물의 최대용량까지 증량하여 치료해도 치료목표가 달성되지 않는 것은 생활습관개선을 위한 환자의 노력이 불충분한 경우가 대부분이다. 따라서 식이조절과 운동량을 증가시키도록 하고 특히 비만인 환자는 체중을 줄이기 위한 다각적인 노력을 기울여야 한다. 그럼에도 불구하고 치료목표에 도달하지 못하면 경구용 3제 요법, 인슐린 추가 등 다양한 치료방법이 있다. 당뇨병 치료에 사용되는 인슐린의 종류와 특성은 표 25-3에 나타내었다.

인슐린은 그동안 실시해 오던 경구용 약물치료법을 지속하면서 보조적으로 사용한다. 이 때 권장되는 인슐린 투여 시간과 종류는 취침 전에 중간시간형 또는 장시간형 인슐린을 사용하는 방법이다. 인슐린의 용량은 보통 0.1-0.25단위/kg을 사용한다. 환자의 편의에 따라서 인슐린 투여를 저녁 식전에 할 수도 있는데 이 경우에는 중간시간형과 단시간형을 2:1로 혼합하여 사용하는 것이 권장된다(그림 25-2). 인슐린을 추가하는 치료법으로 치료목표가 달성되지 않으면 인슐린을 하루에 여러 번 투여하는 다음 단계의 약물치료법을 실시한다.

인슐린을 1일 2-3회 추가하는 요법은 인슐린을 기본으로 하고 그동안 실시해 오던 경구용 약물치료법을 보조적으로 실시하는 방법이다. 이 경우 인슐린의 용량은 보통 0.3-0.5단위/kg이며 인슐린의 종류는 단시간형, 중간시간형, 장시간형 중에서 선정하여 사용한다. 1일 2회 요법일 경우에는 보통 아침 식전에는 중간시간형과 단시간형을 2:1로 혼합하여 사용하고 저녁 식전에는 1:1로 혼합하여 사용한다. 1일 3회 요법일 경우에는 아침 식전과 저녁 식전에는 단시간형을 사용하고 취침전에는 장시간형을 사용한다.

제2형 당뇨병 치료에 사용되는 약물의 용법, 용량 및 특징적 부작용과 작용기전은 표 25-4, 표 25-5, 표 25-6에 요약되어 있다.

표 25-4 경구용 제2형 당뇨병 치료제의 용법 및 용량

구분	약물명	복용량	작용
설폰요소 계열	glibenclamide (유글루콘®)	2.5-15mg을 1일 1회 복용	■ 인슐린 생산촉진
	gliclazide (디아미크롱®)	40-80mg을 1일 1회 복용	
	glipizide (다이그린®)	2.5-30mg을 1일 1회 복용	
	glimepiride (아마릴®)	0.5-8mg을 1일 1회 복용	
비설폰요소 계열	repaglinide (노보넘®)	0.5-4mg을 1일 3회 복용	■ 인슐린 생산촉진
	nateglinide (파스틱®)	30-120mg을 1일 3회 복용	
바이구아나이드 계열	metformin (글루코파지®)	500-1,000mg을 1일 2-3회 복용	■ 인슐린저항성 개선 ■ 포도당흡수 억제 ■ 간의 포도당분비 억제
알파글루코시다제 저해제 계열	acarbose (글루코바이®)	25-100mg을 1일 3회 복용	■ 탄수화물 소화효소를 저해하여 포도당 흡수 억제
	voglibose (베이슨®)	10.2-0.3mg을 1일 3회 복용	

치아졸리딘디온 계열	rosiglitazone (아반디아®)	4-8mg을 1일 1회 복용	■ 인슐린저항성 개선
	pioglitazone (악토스®)	15-30mg을 1일 1회 복용	
DPP-4 저해제 계열	sitagliptin (자누비아®)	25-100mg을 1일 1회 복용	■ 인슐린 생산촉진 ■ 간의 포도당분비 억제
	vildagliptin (가브스®)	50-100mg을 1일 1회 복용	
SGLT2 저해제 계열	empagliflozin (자디앙®)	5mg을 1일 2회	■ 세뇨관에서 포도당 재흡수 억제 ■ 인슐린의 분비와 무관
	canagliflozin (인보카나®)	100-300mg을 1일 1회 복용	
	dapagliflozin (포시가®)	5-10mg을 1일 1회 복용	
GLP-1 수용체 저해제 계열	exenatide (바이에타®)	50-10mcg 1일 2회 피하주사	■ 식후에 인슐린분비 촉진 ■ 식후 포만감 증진
	albiglutide (이페르잔®)	30-50mcg 1주일마다 피하주사	

표 25-5 경구용 제2형 당뇨병 치료제의 특징적 부작용

분류	약물명	특징적 부작용	주의사항
설폰요소계열, 비설폰요소 계열	glimepiride 등	저혈당	■ 식은땀, 빈맥, 손 떨림이 나타나면 이는 저혈당 증상이므로 의료인에게 알릴 것 ■ 알코올은 저혈당을 유발할 수 있으므로 지나친 음주를 피할 것 ■ 식사시간과 식사량을 일정하게 유지하여 저혈당이 발생하지 않도록 할 것
바이구아나이드	metformin	메스꺼움	■ 신장질환이 합병된 사람은 의료인에게 미리 말할 것(복용금기)
알파글루코시다제 저해제 계열	acarbose, voglibose	소화불량, 복부팽만, 설사	■ 식사 직전에 복용할 것 ■ 복용 초기에는 복부팽만 등 부작용이 나타나지만 점차로 사라짐

치아졸리딘디온 계열	rosiglitazone, pioglitazone	심부전, 심근경색	■ 심부전 환자는 의료인에게 미리 말할 것(복용금기) ■ 복용 중 협심증으로 의심되는 흉통이 나타나면 의료인에게 알릴 것
DPP-4 저해제 계열	sitagliptin, vildagliptin	췌장염, 설사, 메스꺼움	■ 복용 중 갑자기 심한 복통이 나타나면 즉시 복용을 중지하고 의료인에게 알릴 것(급성 췌장염일 수 있음)
SGLT2 저해제 계열	empagliflozin, canagliflozin, dapagliflozin	저혈당	■ 저혈당이 발생하면 의료인에게 알릴 것
GLP-1 수용체 저해제 계열	exenatide, albiglutide	메스꺼움	■ 처음에는 메스꺼움이 심해도 점차로 사라짐

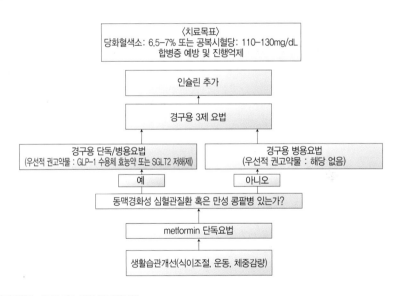

그림 25-1 제2형 당뇨병의 약물치료법

표 25-3 인슐린의 종류와 특성

분류	약효개시 시점	인슐린 이름(상품명)	약효지속시간
초단시간형	15분	insulin lispro (휴말로그®) insulin aspartate (노보로그®)	2–4시간
단시간형	30분	insulin regular (휴물린®, 노볼린®)	4–6시간
중간시간형	2–4시간	insulin NPH (휴물린–N®) insulin lente (휴물린–L®)	10–16시간
장시간형	2–4시간	insulin glargine (란투스®)	20–24시간

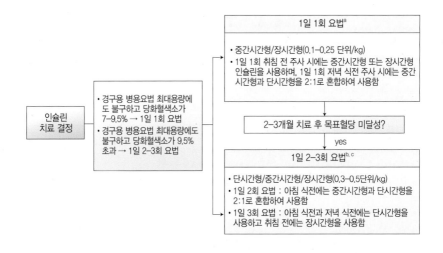

그림 25-2 인슐린을 이용한 제2형 당뇨병의 약물치료법

[a]1일 1회 취침 전 주사 시에는 중간시간형 또는 장시간형 인슐린을 사용하며, 1일 1회 저녁 식전 주사 시에는 중간시간형과 단시간형을 2:1로 혼합하여 사용함. [b]1일 2회 요법 시, 아침 식전에는 중간시간형과 단시간형을 2:1로 혼합하여 사용하고 저녁 식전에는 1:1로 혼합하여 사용함. [c]1일 3회 요법 시, 아침 식전과 저녁 식전에는 단시간형을 사용하고 취침 전에는 장시간형을 사용함

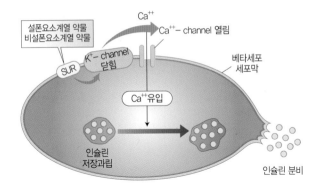

그림 25-3 설폰요소 및 비설폰요소 계열 약물의 작용기전

베타세포의 인슐린 저장과립 안에 있는 인슐린을 세포 밖으로 분비되게 함

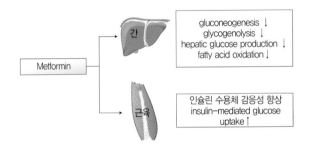

그림 25-4 Metformin의 작용기전

간에서 글리코겐이 포도당으로 전환되는 것을 억제하며 또한 인슐린 수용체의 감응성을 향상하여 고혈당을 개선함

표 25-6 경구용 제2형 당뇨병 치료제의 작용기전

분류	작용기전
설폰요소계열, 비설폰요소 계열	■ glimepiride 등: 인슐린 분비 촉진 – 췌장 베타세포의 세포막에 있는 sulfonylurea receptor (SUR)에 결합하여 K⁺-channel이 닫히게 함(그림 25-3) – 이로 인하여 세포막 바깥에 있는 K⁺이 세포막 안으로 유입되지 않으므로 세포막은 탈분극상태가 되고 이로 인하여 Ca⁺⁺이 유입됨 – Ca⁺⁺의 유입으로 인하여 세포안에 있는 인슐린 저장과립이 세포막 쪽으로 이동되고 이어서 인슐린이 세포막 바깥으로 분비되어 혈액 중으로 흘러 들어가게 함 – 결국 혈액 중 인슐린 농도가 높아져 혈당이 저하됨(따라서 이 계열 약물의 작용은 인슐린 분비를 촉진하는 것이며 혈당저하의 작용기전은 인슐린의 작용에 의한 것임)

바이구아나이드	■ metformin: – 작용기전은 아직까지도 자세히 밝혀지지 않았지만 베타세포에 직접 　작용하지는 않음(혈액 중 인슐린 농도를 상승시키지 않는 점이 근거임) – AMPK, tyrosine kinase, glucose transporter 등에 작용하여 insulin receptor의 　감응성을 향상시킴으로써 혈당을 저하시키는 것으로 여겨짐 – 간세포에 저장된 글리코겐이 포도당으로 전환되는 것을 억제하는 작용도 　있음(그림 25-4)
알파글루코시다제 저해제 계열	■ acarbose, voglibose: – 음식물 중 탄수화물의 소화에 작용하는 효소(특히 알파글루코시다제)의 　작용을 저해하여 탄수화물이 소화되지 않도록 함(그림 25-5) – 따라서 식후에 혈당이 급속히 증가되는 것을 막음
치아졸리딘디온 계열	■ rosiglitazone, pioglitazone: – 핵막에 있는 PPAR-감마와 결합하여 당질 및 지질대사에 관여하는 유전자 　발현을 조절함 – 피하지방조직에 있는 미성숙 지방세포(preadipocyte)의 핵막에 작용하여 　지방세포(adipocyte)로 성숙하는 것을 촉진함(그림 25-6) – 성숙한 지방세포는 혈중에 있는 당분과 지질을 끌어들여 저장하는 능력이 　있음
DPP-4 저해제 계열	■ sitagliptin, vildagliptin: – DPP-4를 저해하여 GLP-1이 분해되지 않도록 함(그림 25-7) – GLP-1은 식사 중 및 식사 직후에 소장의 enterocyte에서 분비되는 　호르몬으로서, 췌장에 작용하여 글루카곤의 분비를 줄이고 인슐린의 분비를 　촉진하는 작용을 나타냄 – 따라서 식후에 혈당이 증가되는 것을 막음
SGLT-2 저해제 계열	■ empagliflozin, canagliflozin, dapagliflozin: – 세뇨관의 sodium glucose co-transporter-2에 결합하여 포도당의 재흡수를 　억제함
GLP-1 수용체 효능약 계열	■ exenatide, albiglutide: – 글루카곤 분비를 억제하여 혈당상승을 억제함 – 식사 중 및 식후에 췌장의 베타세포에 작용하여 인슐린 분비를 촉진함 – 위내용물이 소장으로 내려가는 것을 억제함

AMPK=AMP-activated protein kinase. DPP-4=dipeptidyl peptidase-4. GLP-1=glucagon-like peptide-1. PPAR=peroxisome proliferator-activated receptor. SGLT-2=sodium glucose co-transporter-2

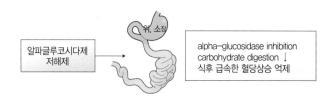

그림 25-5 알파글루코시다제 저해제의 작용기전

탄수화물의 소화를 억제하여 식후 혈당이 급속히 상승하는 것을 막아줌

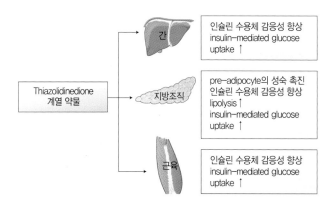

그림 25-6 치아졸리딘디온의 작용기전

당질 및 지질대사에 관여하는 유전자 발현을 조절하여 혈당과 혈중지질을 낮춤

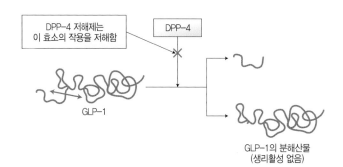

그림 25-7 DPP-4 저해제의 작용기전

DPP-4의 작용을 저해하여 GLP-1이 분해되지 않고 오래 작용하도록 함

26 Chapter

갑상선기능 항진증
(Hyperthyroidism)

1 개요

1) 정의

갑상선기능 항진증이란 갑상선에서 thyroxine과 triiodothyronine이 과잉 분비되는 상태를 가리킨다.

2) 원인

갑상선기능 항진증은 여러 가지 원인에 의하여 발생한다. 불필요한 항체(자가항체)가 자기 몸에서 만들어져 갑상선을 공격하여 발생하는 경우도 있고, 일시적으로 요드를 과잉섭취하여 발생하는 경우도 있다. 또한 출산 후에 일정기간 동안 나타나는 경우도 많으며, 감기 몸살 같은 바이러스 질환에 걸렸다 나은 다음에 일시적으로 나타나는 경우도 있다. 약의 부작용으로 갑상선기능이 항진되는 경우도 있다.

3) 증상

갑상선기능 항진증은 갑상선 호르몬의 과잉분비상태이므로 일반적 증상은 대사 항진 상태로 나타난다. 더위를 참지 못하고 땀을 많이 흘리며 맥박이 비정상적으로 빠르고 식욕이 왕성한데도 체중이 감소하며 신경과민과 불면증 등이 특징적인 증상이다. 적절한 치료를 받지 않고 장기간 방치하면 안구돌출 증상이 나타난다. 오늘날에는 조기 치료가 가능하기 때문에 안구돌출증상으로 발전하는 경우는 드물다. 갑상선기능 항진증이 심해져 맥박이 너무 빨라지면 심실성 부정맥과 심근경색이 발생할 수도 있다.

2 갑상선기능 항진증의 진단 및 분류

1) 진단

갑상선기능 항진증은 갑상선기능 검사, 갑상선 자가항체 검사, CT, MRI 등으로 진단한다. 갑상선기능 검사에서는 갑상선자극 호르몬(thyroid stimulating hormone, TSH), thyroxine (T4), triiodothyronine (T3)을 검사한다. TSH는 뇌하수체에서 분비되는 호르몬으로서 갑상선을 자극하여 T3와 T4를 분비하도록 촉진하는 기능을 한다. Thyroxine은 이 호르몬 분자 한 개당 요드가 4개 있으므로 T4라고 부르며, triiodothyronine은 3개 있으므로 T3라고 부른다. T3는 혈중농도가 매우 낮아서 검사비용이 고가이기 때문에 널리 실시되지 않는다.

갑상선기능 항진증에서는 T3와 T4가 정상보다 높게 나온다. 이에 대하여 TSH가 감소되어 있으면 갑상선기능의 상위조절기관이 정상임을 반영하며 이 경우는 1차성 갑상선기능 항진증으로 진단한다. 만일 T3와 T4가 정상보다 높은데도 TSH가 정상이거나 오히려 증가되어 있으면 상위조절기관에서의 조절능력에 문제가 있음을 나타내기 때문에 2차성 또는 3차성 갑상선기능 항진증으로 진단한다.

갑상선 자가항체 검사는 갑상선기능 항진증의 원인을 밝히기 위해 실시한다. 검사항목은 thyroglobulin antibody (Tg 항체), thyroid peroxidase antibody (TPO 항체), TSH receptor antibody (TSH 수용체 항체) 등이 있다. 이 검사는 갑상선기능 항진증이 자가면역에 의한 것인지 알아보기 위한 검사이다. 이들 항체가 양성으로 나타나면 그레이브씨병, 갑상선염 등 자가면역성 질환일 가능성이 있는 것으로 판단하고, 음성으로 나타나면 산후 갑상선염 등 기타 일시적 갑상선기능 항진증으로 판단한다. 이들 자가항체는 정상인에서도 양성으로 나타나는 경우가 적지 않은데 특히 Tg 항체와 TPO 항체는 정상인의 약 10%에서 양성으로 나타나기 때문에 진단의 특이성이 낮다. MRI는 갑상선과 뇌하수체의 상태를 정밀검사할 필요가 있는 경우에 실시된다.

2) 분류

갑상선기능 항진증은 갑상선 호르몬 분비조절기관 중 어느 기관의 조절실패인가에 따라서 표 26-1과 같이 1차성, 2차성, 3차성으로 구분된다. 갑상선 호르몬이 만들어지는 곳은 갑상선이지만 생산과 분비를 통제하는 곳은 뇌하수체(pituitary gland)와 시상하부(hypothalamus)이다. 따라서 과잉분비의 원인이 갑상선에 있을 수도 있지만 상위 조절기관인 뇌하수체에 있을 수도 있고, 그보다 더 상위 조절기관인 시상하부에 있을 수도 있다(그림 26-1, 표 26-2).

표 26-1의 구분 방법은 갑상선기능이 왜 항진되었는지와 관련이 없기 때문에 병리적 현상을 기준으로 하여 구분하기도 한다(표 26-3). 이 방법에 의하면 갑상선기능 항진증은 그레이브씨병(Graves' disease), 중독성 갑상선결절(toxic nodular goiter), 갑상선염(thyroiditis), 산후 갑상선염, 약물유발성 갑상선염 등으로 구분된다.

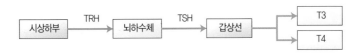

그림 26-1 갑상선 호르몬 분비 조절

갑상선은 T3와 T4라는 두 종류의 호르몬을 분비하는데 T3는 T4보다 약 4배 정도 생리작용이 강력한 호르몬임.
TRH=thyrotropin releasing hormone. TSH=thyroid stimulating hormone. T3=triiodothyronine. T4=thyroxine

표 26-1 분비조절 실패기관의 위치에 따른 갑상선기능 항진증의 분류

분류	생산 또는 분비조절 실패의 원인 기관
1차성 갑상선기능 항진증	갑상선
2차성 갑상선기능 항진증	뇌하수체
3차성 갑상선기능 항진증	시상하부

표 26-2 갑상선기능 검사 결과 해석*

T4	TSH	진단	설명
증가	감소	1차성 갑상선기능 항진증	T4가 증가되었으므로 갑상선기능 항진증이고, 이에 반응하여 TSH가 감소되었음은 상위조절기관에 문제가 없음을 반영함
	정상 또는 증가	2차성 또는 3차성 갑상선기능 항진증	T4가 증가되었으므로 갑상선기능 항진증이고, 이에 반응하여 TSH가 감소되지 않았음은 상위조절기관에 문제가 있음을 반영함

T4: thyroxine; TSH: thyroid stimulating hormone. *T3는 검사비용이 고가이므로 측정하지 않는 경우가 많음

표 26-3 병리적 현상에 따른 분류

분류	특징
그레이브씨병 (Graves' disease)	■ 갑상선 전체에 염증과 부종이 나타남 ■ 갑상선을 공격하는 자가항체가 혈액검사에서 검출됨 ■ 치료하지 않을 경우 항진증이 지속되고 안구돌출증상이 나타날 수 있음
중독성 갑상선결절 (toxic nodular goiter)	■ 갑상선에 한 개 또는 여러 개의 결절이 형성됨 ■ 결절이 형성된 부위에서 호르몬분비가 항진됨
갑상선염(thyroiditis)	■ 갑상선 전체에 염증과 부종이 나타남 ■ 갑상선을 공격하는 자가항체가 혈액검사에서 검출됨 ■ 염증의 범위와 급성도에 따라 증상과 예후가 다양함 ■ 하시모토씨 갑상선염의 경우, 초기에는 급성 항진증으로 시작하여 　저하증으로 발전함
산후 갑상선염	■ 출산 수주일 후에 항진증으로 시작하여 1년 이내에 정상화됨
약물유발성 갑상선기능 항진증	■ 약물 부작용에 의한 일시적인 항진증임 ■ 예: 체중감량이나 비만치료를 목적으로 thyroxine을 사용하는 경우

3 갑상선기능 항진증의 약물치료법

갑상선기능 항진증 약물치료 포인트

1. 갑상선기능 항진증은 원인에 따라서 치료법이 다르다.

2. 산후갑상선염이 원인인 경우는 일단 베타차단제만 복용하여 빈맥과 불면증을 완화시키는 치료를 받는다.

3. 방사성요드 치료는 갑상선기능을 완전히 무능력화시킨 다음 나머지 일생 동안 갑상선호르몬제를 복용하는 치료법이다.

4. 방사성요드 치료를 받은 여성은 적어도 1년 동안은 임신하지 말아야 한다.

갑상선기능 항진증의 약물치료법은 베타차단제를 기본으로 하고 필요에 따라서 항갑상선 약물이나 방사성요드를 병용한다(그림 26-2). 약물유발성 또는 산후갑상선염의 경우에는 대증요법으로 베타차단제만 사용하는 것이 원칙이고 항갑상선 약물이나 방사성요드를 사용하는 적극적 치료는 실시하지 않는다. 특히 체중감량이나 비만치료를 위해 의도적으로 갑상선호르몬제를 사용해서 발생된 일시적 갑상선기능 항진증의 경우에는 굳이 갑상선치료를 실시하지 않아도 원인약물을 중단하면 저절로 원래의 상태로 회복된다.

산후갑상선염에 의한 갑상선기능항진증은 출산 후 약 1년 정도 기간에 일시적으로 나타나는 항진상태이므로 항갑상선 약물을 복용하지 않아도 된다. 다만, 빈맥과 불면증이 심하여 일상생활에 지장이 있을 경우에는 propranolol 등 베타차단제로 증상을 완화시키는 치료를 실시한다. 만일 일시적인 갑상선기능 항진증 치료에 항갑상선약물을 장기간 투여하게 되면 영구적으로 갑상선기능 저하증이 될 수도 있다.

그레이브씨병, 중독성 갑상선결절, 갑상선염 등이 원인으로 발생하는 갑상선기능 항진증이라면 적극적으로 갑상선치료를 실시해야 한다. 이 때 사용되는 약물치료법 은 베타차단제를 기본으로 하고 항갑상선약물 또는 방사성요드를 사용한다. 베타차 단제는 갑상선치료 작용은 없지만 빈맥을 신속히 치료해주는 작용이 있으므로 갑상 선기능 항진증의 치료에 있어서 매우 중요한 약물이다. 중독성 갑상선 결절에서 암종 이 발견되면 수술요법과 약물요법을 병용한다.

현재 사용되고 있는 항갑상선약물에는 propylthiouracil과 methimazole이 있다. Methimazole은 처음 약 2개월간은 1일 3회 복용하지만 이후로는 1일 1회만 복용해 도 되므로 propylthiouracil에 비하여 복용이 간편한 장점이 있다. 방사성요드 치료는 한번만 복용하고 6개월 후에 검사를 실시하여 완치되지 않았으면 한 번만 더 복용 하면 되는 매우 간단한 방법이다. 그러나 방사성요드 치료는 임신부에게는 금기이 다. 또한 치료 후 적어도 1년 동안은 안전 피임방법을 실천하여 임신하지 않도록 해 야 한다.

갑상선중독증은 갑상선기능이 너무 항진되어 발생하는 생명이 위태로운 상황이 므로 즉시적 응급처치를 실시해야 한다. 이 때는 항갑상선약물, 베타차단제, 부신피 질호르몬제를 동시에 투여하면서 필요시 보조요법도 실시해야 한다(그림 26-3). 갑 상선기능 항진증 치료에 사용되는 약물의 용법, 용량 및 특징적 부작용과 작용기전 은 표 26-4, 표 26-5, 표 26-6에 요약되어 있다.

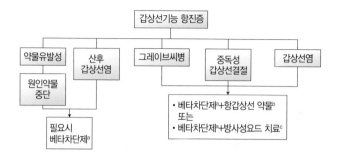

그림 26-2 갑상선기증 항진증의 약물치료법

[a]일반적으로 propranolol 40mg 1일 3-4회 복용함. [b]propylthiouracil 또는 methimazole이 사용됨. propylthiouracil은 처음 약 2개월간은 75-100mg씩 1일 3회 복용하고 이후로는 50-100mg씩 1일 3회 복용함. methimazole은 처음 약 2개월간은 10-20mg씩 1일 3회 복용하고 이후로는 5-10mg씩 1일 1회 복용함. [c]방사성요드로 표지된 요드화나트륨(NaI[131])이 사용되며, 용량은 증상의 정도에 따라 5-10mCi를 1회 복용함. 6개월 후에 검사하여 완치되지 않았으면 한 번 더 투여할 수 있음

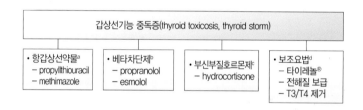

그림 26-3 갑상선중독증의 약물치료법

T3=thyroxine. T4=triiodothyronine. [a]propylthiouracil 900-1,200mg을 1일 4-6로 분할투여 또는 methimazole 90-120mg을 1일 4-6회로 분할투여. [b]propranolol 40-80mg 1일 4회 복용하거나 또는 부정맥이 심하여 심근경색이 우려될 경우에는 esmolol을 점적정맥주사로 연속투여함. [c]hydrocortisone 100mg을 1일 4회 정맥주사. [d]발열 시 해열제로 acetaminophen (타이레놀®), 탈수 시 생리식염수, 전해질 이상 시 필요한 전해질 보급 또는 과잉전해질 제거, T3 및 T4 제거가 필요하면 혈장교환술로 제거함

표 26-4 갑상선기능 항진증의 치료에 사용되는 약물의 용법 및 용량

구분	약물명	용법 및 용량
베타차단제	propranolol (프라놀®)	40mg을 1일 2회 복용으로 시작하여 약효가 나타날 때까지 서서히 증량(1일 최대용량: 640mg)
항갑상선 약물	methimazole (메티마졸®)	10-20mg을 1일 3회 복용으로 시작하여 5-10mg 1일 1회로 감량
	propylthiouracil (안티로이드®)	50-100mg을 1일 3회 복용으로 시작하여 25-50mg 1일 1-2회로 감량
방사성 요드	radioactive sodium iodide (방사성 요드화나트륨)	5-10mCi를 1회 복용(6개월 후에 검사하여 완치되지 않았으면 한 번 더 투여)

표 26-5 갑상선기능 항진증의 치료에 사용되는 약물의 특징적 부작용

구분	약물명	특징적 부작용	주의사항
베타차단제	propranolol	서맥, 우울증, 기관지가 좁아짐, 성욕감퇴	■ 천식환자는 복용하지 말 것 ■ 과음 또는 발기부전증 치료제 병용 시 저혈압이 나타날 수 있음 ■ 호흡곤란이나 어지럼증이 나타나면 복용을 중지하고 의료인에게 알릴 것
항갑상선 약물	methimazole, propylthiouracil	빈혈, 백혈구감소, 혈소판감소	■ 임신 중에는 복용하지 말 것 ■ 빈혈이나 코피가 잘 나오는 증상이 나타나면 의료인에게 알릴 것
방사성 요드	방사성 요드화나트륨	메스꺼움, 구토, 빈맥, 피부가려움증	■ 이 약을 복용 후 적어도 3주 동안은 어린이와 가까이 하지 말 것

표 26-6 갑상선기능 항진증 치료제의 작용기전

구분	작용기전
베타차단제	■ propranolol: 　– 교감신경계의 베타 수용체와 결합하여 빈맥, 불안감, 손떨림, 더위 못 참음 등의 증상을 완화시킴(갑상선기능 항진증의 증상은 대부분 베타 수용체의 활성화에 의하여 나타남) 　– T4가 보다 강력한 호르몬인 T3로 전환되는 것을 억제함 　– d-propranolol (우선성 이성질체)은 베타 수용체 차단작용은 없고 T3 전환을 억제하지만 반대로 l-propranolol (좌선성 이성질체)은 베타 수용체 차단작용이 있고 T3 전환을 억제하는 작용은 없음

항갑상선 약물	■ methimazole, propylthiouracil: – 갑상선에서 요드가 thyronine에 결합되어 iodothyronine이 되는 것을 방해함으로써 갑상선 호르몬의 생합성을 억제함 – mono–iodothyronine과 di–iodothyronine이 coupling 되어 T3, T4로 되는 것도 방해함 – propylthiouracil은 T4가 T3로 전환되는 것도 억제함(methimazole은 이 작용이 없음)
방사성 요드	방사성 요드화나트륨(^{131}I): – 방사성 동위원소로서 방사선(beta–ray)을 방출하여 인접한 세포와 조직을 파괴함 – 흡수된 다음 갑상선 호르몬을 생산하는 여포세포에 집중적으로 축적되는 성질을 이용하여 갑상선기능 항진증 치료에 사용되는 것임 – 반감기는 약 8일이며 beta–ray의 조직파괴 능력은 이 약의 접촉면으로부터 약 2mm 정도임

갑상선기능 저하증
(Hypothyroidism)

1 개요

1) 정의

갑상선기능 항진증이란 갑상선의 호르몬 생산능력이 저하되어 타이록신(thyroxine)과 트리요드타이로닌(triiodothyronine)이 부족한 상태를 가리킨다.

2) 원인

갑상선기능 저하증은 갑상선 항진증을 치료하기 위하여 갑상선 절제수술이나 방사성동위원소(I^{131})치료를 받은 후 발생하는 경우가 대부분이다. 갑상선기능 저하증은 또한 요드 섭취부족이나 갑상선 자체의 기능이상으로 발생할 수 있고, 갑상선기능을 조절하는 기관인 뇌하수체와 시상하부의 기능이상으로 발생할 수도 있다(표 27-1). 자가면역성 갑상선염(특히 하시모토씨 갑상선염)이 원인인 경우에는 염증 초기에 저장된 호르몬이 방출되어 일시적으로 항진증 현상이 나타나지만 곧이어 자가항체가 갑상선을 광범위하게 파괴하기 때문에 갑상선기능 저하증이 발생한다.

표 27-1 갑상선기능 저하증의 원인	
갑상선항진증 치료의 결과	■ 방사성동위원소(I^{131})치료 ■ 갑상선 절제수술
상위 조절기관의 기능이상	■ 뇌하수체 기능이상 ■ 시상하부 기능이상
요드 섭취부족	■ 해안에서 멀리 떨어진 지역 ■ 토양의 요드 함량이 낮은 지역
자가면역성 갑상선염의 후유증	■ 특히 하시모토씨 갑상선염

3) 증상

갑상선기능 저하증은 갑상선 호르몬 분비가 부족한 상태이므로 일반적 증상은 신진대사가 저하되어 무기력한 상태로 나타난다. 추위를 참지 못하고, 맥박이 비정상적으로 느리고, 식욕이 없고 식사량이 적은데도 불구하고 부종과 체중증가가 나타난다. 또한 근육에 힘이 없고 전신이 나른해지고, 머리카락이나 손톱이 잘 부러지는 현상이 나타난다.

적절한 치료를 받지 않고 장기간 방치하면 전신 피하조직에 히알우론산(hyaluronic acid)과 글리코사미노글리칸(glycosaminoglycan) 등 점액성 다당질이 침착하여 점액수종(myxedema)이라는 특이한 형태의 부종이 발생한다. 점액수종으로 인한 부종은 간이나 신장이 나쁠 때 나타나는 부종과 달리 손가락으로 부종 부위를 눌렀다 떼어도 바로 원래대로 복귀되고 누른 자국이 남지 않는다. 점액수종을 치료하지 않고 방치하면 점액성 다당질이 신경계까지 축적되어 점액수종 신경증 또는 점액수종 혼수를 일으킬 수 있다. 점액수종 혼수는 치사율이 매우 높은 응급상황이다.

2 갑상선기능 저하증의 진단 및 분류

1) 진단

갑상선기능 저하증의 진단방법은 갑상성기능 항진증의 경우와 같다. 다만, 갑상선기능 저하증에서는 T3와 T4가 정상보다 낮게 나온다. 이 경우 TSH가 증가되어 있으면 갑상선기능의 상위조절기관이 정상적임을 반영하여 1차성 갑상선기능 저하증으로 진단한다. 만일 T3와 T4가 정상보다 낮은데도 TSH가 정상이거나 오히려 감소되어 있으면 상위조절기관에서의 조절능력에 문제가 있음을 나타내기 때문에 2차성 또는 3차성 갑상선기능 저하증으로 진단한다.

갑상선 자가항체 검사는 갑상선기능 저하증의 원인을 밝히기 위해 실시하는데 이들 항체가 양성으로 나타나면 자가면역성 질환일 가능성이 있는 것으로 판단한다(갑상선기능 항진증 참조). 그러나 이 검사는 정상인에서도 양성으로 나타나는 경우가 많으므로 진단의 특이성이 높지 않다. MRI는 갑상선과 뇌하수체의 상태를 정밀검사할 필요가 있는 경우에 실시된다. MRI는 뇌하수체기능 이상으로 인한 2차성 갑상선기능 저하증이 의심되는 경우에 프로락틴 검사와 함께 중요한 검사이다.

2) 분류

갑상선기능 저하는 갑상선 호르몬 분비조절기관 중 어느 기관의 조절실패인가에 따라서 표 27-2와 같이 1차성, 2차성, 3차성으로 구분된다. 갑상선 호르몬이 만들어지는 곳은 갑상선이지만 생산과 분비를 통제하는 곳은 뇌하수체와 시상하부이다. 따라서 호르몬의 생산, 분비 조절실패의 원인이 갑상선에 있을 수도 있지만 상위 조절기관인 뇌하수체에 있을 수도 있고, 그보다 더 상위 조절기관인 시상하부에 있을 수도 있다(표 27-3).

표 27-2 생산 및 분비조절 실패기관의 위치에 따른 분류

분류	생산 또는 분비조절실패의 원인 기관
1차성 갑상선기능 저하증	갑상선
2차성 갑상선기능 저하증	뇌하수체
3차성 갑상선기능 저하증	시상하부

표 27-3 갑상선기능 검사 결과 해석*

T4	TSH	진단	설명
감소	증가	1차성 갑상선기능 저하증	T4가 감소되었으므로 갑상선기능 저하증이고, 이에 반응하여 TSH가 증가되었음은 상위조절기관에 문제가 없음을 반영함
	정상 또는 감소	2차성 또는 3차성 갑상선기능 저하증	T4가 감소되었으므로 갑상선기능 저하증이고, 이에 반응하여 TSH가 증가되지 않았음은 상위조절기관에 문제가 있음을 반영함

T4=thyroxine, TSH=thyroid stimulating hormone. *T3는 검사비용이 고가이므로 측정하지 않는 경우가 많음

3 갑상선기능 저하증의 약물치료법

갑상선기능 저하증 약물치료 포인트

1. 타이록신(갑상선 호르몬)은 평생동안 복용하는 약이다.
2. 복용 도중 맥박수 변화, 체중변화, 수면패턴 변화는 약용량이 맞지 않기 때문일 수 있으므로 주의깊이 관찰하고 기록으로 남겨야 한다.
3. 타이록신의 흡수를 저해하거나 대사를 촉진할 수 있는 약물은 2시간 이상 시간 차이를 두어 복용해야 한다.
4. 타이록신은 복용 도중 다른 회사 제품으로 변경하지 말아야 한다.

갑상선기능 저하증은 갑상선 호르몬을 투여함으로써 증상을 완화시키고 나아가 점액수종 등 합병증을 예방하는 것이 치료목표이다. 따라서 갑상선기능 저하증으로 확인되면 타이록신(씬지로이드®)을 복용하는 것이 치료의 원칙이다. 갑상선호르몬은 타이록신과 트리요드타이로닌이 복합된 약제(콤지로이드®)가 있지만 타이록신이 1차 선택약이다(표 27-4).

타이록신의 초기치료용량은 환자의 나이와 증상의 정도에 따라 결정되지만 일반적으로 하루에 50-100μg을 1회 복용한다. 나이가 45세 이상의 성인으로 심장혈관계 질환이 없는 환자라면 50μg으로 시작하고 약 1개월 후에 혈액검사로 갑상선 자극호르몬(TSH)의 변화를 관찰하면서 점차로 용량을 100μg로 증량한다(그림 27-1). 65세 이상이거나 심장혈관계 질환이 있는 환자라면 심장에 갑작스런 부담이 가지 않도록 25μg으로 시작한다. 타이록신은 심장 박동수를 증가시키기 때문이다. 약 1개월 후 혈액검사를 실시하여 갑상선 자극호르몬(TSH)의 변화를 관찰하면서 50μg으로 증량하도록 한다. 소아의 경우에는 성인에 비하여 대사량이 많기 때문에 용량을 성인보다 약 두 배 정도 높게 하고 용량계산은 체중을 기준으로 한다.

갑상선 호르몬을 복용 중인 환자는 흡수를 저해시킬 수 있는 약제 또는 체내에서의 대사과정에 영향을 미칠 수 있는 약제와 병용을 피해야 한다. 특히 고지혈증 치료제인 cholestyramine, 철분제제, 소화성궤양 치료제인 sucralfate 등은 타이록신의 흡수를 저해하므로 적어도 4시간 정도 시간차이를 두고 복용해야 한다.

갑상선기능 저하증을 치료하지 않고 방치하여 점액수종 혼수상태가 발생하면 신속한 응급치료가 필요하다. 응급치료는 갑상선 호르몬과 부신피질호르몬을 주사로 투여하고 체온, 호흡, 혈압 등 생명유지에 필수적인 보조요법을 실시해야 한다. 각각의 약물치료법은 그림 27-2에 나타내었다. 갑상선기능 저하증 치료에 사용되는 약물의 용법, 용량 및 특징적 부작용과 작용기전은 표 27-5, 표 27-6, 표 27-7에 요약되어 있다.

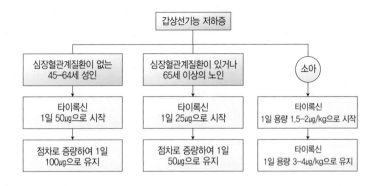

그림 27-1 갑상선기능 저하증의 약물치료법

건강한 성인은 thyroxine 1일 용량 1.74㎍/kg을 복용하면 체내에서 갑상선 호르몬이 전혀 생산되지 않아도 됨. 노인의 경우에는 약 1㎍/kg 정도, 소아의 경우에는 3-4㎍/kg 정도 복용하면 됨

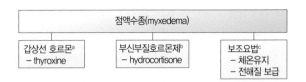

그림 27-2 점액수종 혼수의 약물치료법

[a]thyroxine 300-500㎍을 정맥주사로 1회 투여한 다음 유지량으로 75-100㎍을 정맥주사로 1일 1회 투여함.
[b]hydrocortisone 100mg을 1일 3-4회 정맥주사. [c]체온, 호흡, 혈압유지

표 27-4 갑상선 호르몬제	
타이록신 단일제제 (씬지로이드®)	1정 중 타이록신 함량: 50㎍, 100㎍, 또는 150㎍
타이록신 과 트리요드타이로닌 복합제* (콤지로이드®)	1정 중 타이록신 50㎍, 트리요드타이로닌 12.5㎍

*트리요드타이로닌은 타이록신보다 작용이 약 4배 정도 강하므로 타이록신 단일제제 100㎍과 비슷한 강도의 효력이 있음

표 27-5 갑상선기능 저하증의 치료에 사용되는 약물의 용법 및 용량

구분	약물명	용법 및 용량
갑상선 호르몬	thyroxine (씬지로이드®)	성인: 50㎍을 1일 1회 복용으로 시작하고 1일 100㎍으로 점차로 증량함 65세 이상의 노인 또는 심장혈관계 질환이 있는 사람: 25㎍을 1일 1회 복용으로 시작하고 1일 50㎍으로 점차로 증량함 점액수종의 경우: 300~500㎍을 정맥주사로 1회 투여한 다음 유지량으로 75~100㎍을 정맥주사로 1일 1회 투여함

표 27-6 Thyroxine의 특징적 부작용

약물명	특징적 부작용	주의사항
thyroxine	빈맥, 불면증, 불안증, 체중감소, 더위를 못 참음, 골다공증	■ 이 약은 평생 동안 복용하는 약임 ■ 복용 도중에 다른 회사제품으로 변경하면 치료효과가 달라질 수 있음 ■ 빈맥이나 불면증이 심하여 일상생활에 불편을 느낄 정도면 용량과다일 수 있음 ■ 체중이 급격하게 감소하면 용량과다일 수 있음 ■ 다른 질환으로 병원에 방문할 경우 이 약을 복용하고 있다는 것을 의료인에게 말할 것 ■ 가급적 다른 약과 병용을 피하고 병용이 불가피한 경우에는 2시간 이상 시간 차이를 둘 것

표 27-7 갑상선기능 저하증 치료제의 작용기전

약물명	작용기전

thyroxine	■ thyroxine (갑상선 호르몬):
	  – 이 약은 인체에서 만들어지는 갑상선 호르몬과 동일한 물질임
	  – 따라서 작용기전은 갑상선 호르몬의 생리작용과 동일함

28 Chapter

부신피질기능 저하증
(Adrenal insufficiency)

1 개요

1) 정의

부신피질기능 저하증이란 부신피질 호르몬의 분비가 부족한 상태를 가리킨다. 부신피질기능 저하증은 부신피질 자체의 기능이상으로 발생할 수 있고, 부신피질기능을 조절하는 상위 기관인 뇌하수체와 시상하부의 기능이상으로 발생할 수 있다.

2) 원인

부신피질 자체의 기능이상으로 인한 경우는 자가면역질환이나 감염성질환의 합병증 또는 부신피질기능에 영향을 주는 약물을 장기간 사용하는 것이 원인이다(표 28-1). 이 중 자가면역질환으로 인한 경우가 선진국에서는 전체 환자의 약 3/4을 차지할 정도로 가장 많고 결핵이 그 다음으로 전체 환자의 약 1/4을 차지한다. 반면에, 우리나라는 결핵으로 인한 경우가 자가면역에 의한 경우보다 많은 것으로 알려져 있다. 부신피질기능을 저하시킬 수 있는 자가면역질환의 예는 그레이브씨병, 하시모토 갑상선염, 당뇨병 등이 있다. 합병증으로 부신피질기능을 저하시킬 수 있는 감염성질환의 예는 결핵, 진균 감염증, 패혈증 또는 각종 바이러스 질환이 해당된다. 약물사용으로 인한 경우는 부신피질호르몬제 장기복용, 항응고제나 혈전용해제로 인한 부신출혈 등이 해당된다.

부신피질기능을 조절하는 상위기관의 기능이상으로 인한 경우는 뇌하수체 또는 시상하부에서 분비되는 호르몬의 양이 부족한 것이 원인이다. 시상하부는 부신피질자극호르몬 유리호르몬(corticotropin-releasing hormone, CRH)을 분비하여 뇌하수체로 하여금 부신피질자극호르몬(adrenocorticotropic hormone, ACTH)을 분비하도록 하고, 부신피질자극 호르몬은 부신피질을 자극하여 cortisol과 aldosterone 등 호르몬을 분비하도록 한다(그림 28-1).

표 28-1 부신피질기능 저하증의 원인	
자가면역질환	■ 그레이브씨병, 하시모토 갑상선염, 당뇨병 등 자가면역질환의 합병증으로 발생
감염성질환	■ 결핵, 패혈증 또는 각종 바이러스 질환의 합병증으로 발생
약물유발성	■ 부신피질호르몬제 장기복용 ■ 항응고제나 혈전용해제로 인한 부신출혈
상위 조절기관의 기능이상	■ 뇌하수체 기능이상 ■ 시상하부 기능이상

그림 28-1 부신피질 호르몬의 분비조절
ACTH=adrenocorticotropic hormone. CRH=corticotropin-releasing hormone

3) 증상

부신피질기능 저하증은 부신피질기능 저하의 정도 및 속도에 따라 증상이 다르다. 부신출혈로 인한 부신피질기능 저하증은 증상이 급격하게 나타난다. 이 경우 증상은 구토, 탈수, 심한 저혈압과 쇼크, 의식장애 등 생명을 위협하는 응급상황이다. 자가면역질환이나 감염성질환의 합병증으로 인한 부신피질기능 저하증은 증상이 서서히 나타난다.

대표적인 증상은 전신 쇠약감, 식욕부진, 체중감소, 구역질, 저혈압 등이다. 그밖에도 전신 피부에 색소가 침착되어 피부색이 변하는 증상도 나타난다.

4) 분류

부신피질기능 저하증은 증상의 정도에 따라서 분류하면 급성과 만성으로 구분되고 분비조절기관 중 어느 기관의 조절실패인가에 따라서 분류하면 1차성, 2차성, 3차성으로 구분된다(표 28-2).

2 부신피질기능 저하증의 진단

부신피질기능 저하증은 부신피질에서 분비하는 대표적 호르몬인 cortisol과 aldosterone의 혈중농도를 측정하여 진단한다(표 28-3). 저하증의 경우 이들 호르몬의 농고가 정상인보다 현저히 낮게 나타난다. 부신피질 호르몬 중 코티솔 분비는 저혈당에 민감하게 반응하기 때문에 인슐린을 토여하여 저혈당을 유발하고 이에 대응하여 코티솔이 얼마나 증가하는지를 검사하여 진단할 수도 있다. 저혈당이 유발되었는데도 코티솔의 혈중농도가 증가하지 않으면 부신피질기능 저하증이다.

부신피질기능 저하증이 확인되면 그 원인을 알아내기 위하여 부신피질자극호르몬 자극검사(ACTH stimulation test)를 실시한다. 이 검사는 ACTH를 정맥주사 한 다음 1시간 후 혈중 코티솔과 알도스테론의 농도를 측정하여 부신피질의 호르몬 분비능력을 시험한다. 검사 결과, 이들 호르몬의 혈중농도가 기저값보다 2배 이상 증가하지 못하면 이는 부신피질 자체의 분비능력에 문제가 있는 것으로 판단하여 1차성 부신피질기능 저하증으로 진단한다. 기저값보다 2배 이상 증가하는 경우에는 부신피질의 분비능력은 정상이므로 부신피질기능 저하증의 원인이 상위조절기관 즉, 뇌하수체나 시상하부에 있는 것으로 판단한다.

뇌하수체와 시상하부 중 어느 기관이 원인인지를 알아내기 위해서는 뇌하수체자극호르몬 자극검사(CRH stimulation test)를 실시한다. 이 검사는 CRH를 정맥주사 한 다음 혈중 ACTH 농도변화를 측정하여 뇌하수체의 호르몬 분비능력을 시험한다. 검사 결과, 1시간 후 ACTH가 기저값보다 2배 이상 증가하지 못하면 이는 뇌하수체의 ACTH 분비능력에 문제가 있는 것으로 판단하여 2차성 부신피질기능 저하증으로 진단한다. 기저값보다 2배 이상 증가하는 경우에는 뇌하수체의 분비능력은 정상이므로 부신피질기능 저하증의 원인이 시상하부인 3차성 부신피질기능 저하증으로 진단한다.

표 28-2 부신피질기능 저하증의 분류

증상의 정도에 따른 분류	급성	■ 생명을 위협하는 응급상황임 ■ 예: 부신출혈
	만성	■ 서서히 진행됨 ■ 예: 애디슨씨병
원인에 따른 분류	1차성	■ 부신피질 자체 이상이 원인임 ■ 예: 애디슨씨병
	2차성	■ 뇌하수체 이상이 원인임 ■ 예: 쉬한 증후군(Sheehan's syndrome)
	3차성	■ 시상하부 이상이 원인임

표 28-3 부신피질기능 검사 결과 해석

검사명	검사결과	진단
코티솔과 알도스테론의 혈중농도 검사	정상	정상
	정상 이하	부신피질기능 저하증
ACTH 자극검사	2배 이상 증가	2차성 또는 3차성 부신피질기능 저하증
	2배 이하 증가	1차성 부신피질기능 저하증
CRH 자극검사	2배 이상 증가	3차성 부신피질기능 저하증
	2배 이하 증가	2차성 부신피질기능 저하증

ACTH=adrenocorticotropic hormone, CRH=corticotropin-releasing hormone

3 부신피질기능 저하증의 약물치료법

부신피질기능 저하증 약물치료 포인트

1. 부신피질기능 저하증은 급성인지 만성인지에 따라 약물요법이 다르다.

2. 만성 부신피질기능 저하증은 평생 동안 약물요법을 실시해야 할 수 있다.

3. 약물요법은 정기적 검사를 통하여 최적의 유지용량과 용법을 설정해야 한다.

4. 부신피질호르몬의 흡수나 대사과정에 영향을 주는 약제와의 병용은 적어도 2시간 이상 시간 차이를 두고 복용해야 한다.

5. 복용 도중 다른 회사 제품으로 변경하지 말아야 한다.

부신피질기능 저하증의 약물치료법은 증상의 정도가 급성인지 만성인지에 따라 다르게 실시한다. 부신피질기능 저하증이 1차성인지, 2차성인지, 3차성인지는 약물 치료법에 있어서 큰 의미는 없다.

급성 부신피질기능 저하증으로 의심되면 환자의 생명이 위태로울 수 있으므로 검사결과를 기다릴 필요 없이 곧바로 수액과 전해질을 보급하여 혈압을 유지해 주면서 hydrocortisone 표준용량을 정맥으로 주사한다(그림 28-2). Hydrocortisone은 코티솔 작용과 알도스테론 작용을 모두 나타내는 잇점이 있기 때문에 다른 부신피질호르몬 제에 비하여 1차적으로 권장되는 약물이다.

일단 환자의 혈압과 맥박이 안정되면 hydrocortisone을 감량하여 약 2일간 경구로 투여한다. 이틀 정도 혈압과 맥박이 안정되면 급성 부신피질기능 저하증의 위기상황 은 종료된 것으로 보고 용량을 더욱 줄여 유지요법으로 전환한다. Hydrocortisone은 복용횟수가 많아 불편하므로 작용시간이 긴 합성 부신피질호르몬제인 prednisolone 또는 dexamethasone으로 대체하여 복용해도 된다. 치료 도중에 환자의 혈중 나트륨 이 너무 낮거나 혈중 칼륨이 높으면 알도스테론 효과를 나타내는 fludrocortisone (플 로리네프®)을 1일 0.05-0.1mg 추가로 복용한다.

만성 부신피질기능 저하증은 원인에 따라 다르지만 대개 평생동안 부신피질 호르 몬제를 복용해야 한다. 원인이 2차성이나 3차성인 경우에는 부신자체에는 이상이 없으므로 상위조절기관인 뇌하수체나 시상하부의 질환이 치료되면 부신피질 호르 몬제를 복용하지 않아도 된다.

만성 부신피질기능 저하증은 평상동안 이 두가지 호르몬제를 복용해야 하기 때 문에 정기적인 검사를 통하여 최적의 유지용량을 설정하고 용법, 용량을 준수해야 한다. 또한 이들 호르몬제는 고혈압, 당뇨병, 소화성궤양, 세균이나 바이러스에 의한 감염증 등을 일으키는 부작용이 있으므로 정기적인 건강검진이 필수적이다. 부신피 질기능 저하증 치료에 사용되는 약물의 용법, 용량 및 특징적 부작용과 작용기전은 표 28-4, 표 28-5, 표 28-6에 요약되어 있다.

표 28-4 부신피질기능 저하증의 치료에 사용되는 약물의 용법 및 용량

구분	약물명	용법 및 용량
부신피질 호르몬제 (코티솔 유사효과+알도스테론 유사효과)	hydrocortisone (솔루-코테프®)	급성증상치료: 100mg을 6시간 간격으로 정맥주사 유지치료: 10mg을 1일 3-5회 복용
부신피질 호르몬제 (코티솔 유사효과)	prednisolone (소론도®)	5-10mg을 1일 1-3회 복용
	dexamethasone (덱사소론®)	0.75mg을 1일 1-3회 복용
부신피질 호르몬제 (알도스테론 유사효과)	fludrocortisone (플로리네프®)	0.05-0.1mg을 1일 1회 복용

표 28-5 부신피질기능 저하증의 치료에 사용되는 약물의 특징적 부작용

약물명	특징적 부작용	주의사항
hydrocortisone	고혈압, 심부전, 감염성질환에 잘 걸림	■ 의료인의 감독하에 투여해야 함 ■ 면역기능 억제작용이 있으므로 전염성질환에 감염된 사람과 접촉하지 말 것
prednisolone, dexamethasone, fludrocortisone	부종, 고혈압, 심부전, 저칼륨혈증, 근육량감소, 소화성궤양	■ 반드시 지시된 대로 복용할 것 ■ 부종과 호흡곤란이 나타나면 심부전 증상의 악화 때문일 수 있으므로 의료인에게 알릴 것 ■ 두통, 시야몽롱, 이명이 나타나면 혈압상승 때문일 수 있으므로 의료인에게 알릴 것 ■ 면역기능 억제작용이 있으므로 전염성질환에 감염된 사람과 접촉하지 말 것 ■ 복용 도중 다른 회사 제품으로 변경하면 치료효과가 달라질 수 있음 ■ 가급적 다른 약제와 병용을 피할 것 (2시간 이상 시간차이를 둘 것)

표 28-6 부신피질기능 저하증 치료제의 작용기전

약물명	작용기전
hydrocortisone	– 이 약은 부신피질에서 만들어지는 cortisol과 같은 물질임(인공적으로 합성된 cortisol은 hydrocortisone이라고 부름) – 세포 안에 있는 glucocorticoid receptor와 결합한 다음 핵으로 이동하여 생명유지에 필요한 각종 물질을 만들도록 함 – 주요 작용은 스트레스에 대한 저항기능, 면역기능, 대사기능, 성장 및 발달기능, 인지기능에 영향을 미침
prednisolone, dexamethasone, fludrocortisone	▪ prednisolone, dexamethasone: – 이 약은 부신피질에서 만들어지는 호르몬 중 cortisol과 유사한 기능을 하는 물질로서 인공적으로 합성된 물질임 – 주요 작용은 hydrocortisone과 유사하지만 경구로 복용시 흡수가 잘되고 작용시간이 긴 점이 다름 ▪ fludrocortisone: – 이 약은 부신피질에서 만들어지는 호르몬 중 aldosterone과 유사한 기능을 하는 물질로서 인공적으로 합성된 물질임 – 주요 작용은 혈압, 수분, 전해질을 유지하는 것임

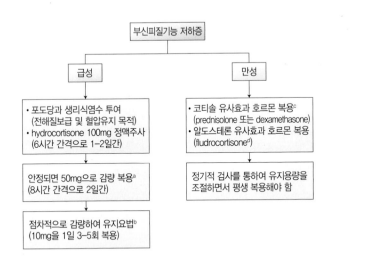

그림 28-2 부신피질기능 저하증의 약물치료법

[a]혈중 나트륨이 낮거나 혈중 칼륨이 높으면 fludrocortisone 1일 0.05-0.1mg 추가로 복용함. [b]prednisolone 또는 dexamethasone으로 대체하여 복용하기도 함. [c]hydrocortisone은 코티솔 유사효과와 알도스테론 유사효과를 모두 나타내므로 두 가지 약물을 복용하지 않아도 되지만 1일 3회 이상 복용하는 불편 때문에 잘 사용되지 않음. [d]fludrocortisone의 용량은 1일 1회 0.05-0.1mg 복용함

애디슨씨병
(Addison's disease)

1 개요

1) 정의

애디슨씨병이란 부신피질 자체의 기능 저하에 의하여 부신피질 호르몬의 분비가 부족한 상태를 가리킨다. 애디슨씨병은 이 병을 처음 기술한 토마스 애디슨의 이름을 따서 애디슨씨병이라 불리는데 1차성 만성 부신피질기능 저하증과 같은 의미이다.

2) 원인

애디슨씨병은 자가면역질환, 결핵균이나 바이러스에 의한 감염성질환의 합병증, 약물유발성 등 여러 가지 원인에 의해 발생된다(표 29-1). 이 중 자가면역질환으로 인한 경우가 선진국에서는 전체 환자의 약 3/4을 차지하고 결핵이 약 1/4을 차지한다. 반면에, 우리나라는 결핵으로 인한 경우가 자가면역에 의한 경우보다 많은 것으로 알려져 있다. 부신피질기능을 저하시킬 수 있는 자가면역질환의 예는 그레이브씨병, 하시모토 갑상선염, 당뇨병 등이 있다. 합병증으로 부신기능을 저하시킬 수 있는 감염성질환의 예는 결핵 및 진균 감염, 패혈증 또는 각종 바이러스 질환이 해당된다. 약물사용으로 인한 경우는 부신피질호르몬제 장기복용, 항응고제나 혈전용해제로 인한 부신출혈 등이 해당된다.

표 29-1 애디슨씨병의 원인	
자가면역질환	그레이브씨병, 하시모토 갑상선염, 당뇨병 등 자가면역질환의 합병증으로 발생
감염성질환	결핵, 패혈증 또는 각종 바이러스 질환의 합병증으로 발생
약물유발성	부신피질호르몬제 장기복용, 항응고제나 혈전용해제로 인한 부신출혈

3) 증상

애디슨씨병의 증상은 코티솔(cortisol)과 알도스테론(aldosterone) 등 부신피질 호르몬 결핍증상이기 때문에 식욕부진, 피로감, 구토, 설사, 근육통, 관절통, 체중감소, 우울증, 불안장애, 저혈압 등 다양하게 나타난다. 특징적인 증상으로는 저혈압과 전신의 피부색소침착증이다. 저혈압은 특히 앉았다 일어설 때 어지럼증을 일으키는 기립성 저혈압으로 나타나며 피부색소침착증은 태양에 노출되지 않는 부위까지 햇빛에 그을린 정도로 나타난다. 특히 손바닥 주름(손금), 손가락 관절, 팔꿈치, 무릎 등에 색소가 잘 침착된다.

애디슨씨병의 증상은 부신피질기능 저하의 정도에 따라 다르다. 부신피질기능이 약간 저하된 경우에는 피로감과 체중감소 정도 외에 특별한 증상이 나타나지 않는다. 그러나 정도가 심한 경우에는 심한 저혈압으로 인한 쇼크와 의식장애가 나타날 수도 한다. 이 경우 만일 치료하지 않고 방치하면 혼수와 사망에까지 이를 수 있다.

4) 진단

애디슨씨병은 1차성 부신피질기능 저하증이므로 진단은 부신피질기능 저하증의 경우와 같다. 이 병이 있는 환자는 cortisol과 aldosterone의 혈중농도검사 결과가 정상보다 낮으며 부신피질자극호르몬 자극검사(ACTH stimulation test)와 뇌하수체자극호르몬 자극검사(CRH stimulation test) 결과는 정상으로 나타난다. 자세한 사항은 부신피질기능 저하증의 진단을 참고한다.

2 애디슨씨병의 약물치료법

애디슨씨병 약물치료 포인트

1. 애디슨씨병은 1차성 만성 부신피질기능 저하증이므로 평생동안 약물요법을 실시해야 한다.
2. 약물요법을 임의로 중단하면 생명이 위태로울 수 있다.
3. 약물요법은 정기적 검사를 통하여 최적의 유지용량과 용법을 설정해야 한다.

4. 부신피질호르몬의 흡수나 대사과정에 영향을 주는 약제와의 병용은 적어도 2시간
   이상 시간 차이를 두고 복용해야 한다.

5. 복용 도중 다른 회사 제품으로 변경하지 말아야 한다.

에디슨씨병은 부신피질 자체의 이상으로 인해 발생하는 만성 부신피질기능 저하증이므로 평생 동안 부신피질호르몬을 복용해야 한다. 약물치료를 게을리 하거나 심한 육체적 스트레스를 받게 되면 부신피질기능이 급격히 저하되어 생명이 위태로울 수 있다.

급성 부신피질기능 저하증이 발생하면 곧바로 수액과 전해질을 보급하고 혈압을 유지해 주면서 hydrocortisone 100mg을 6시간 간격으로 1~2일간 정맥주사 한다. 환자의 혈압과 맥박이 안정되면 급성 부신피질기능 저하증 치료법에 따라 약물요법을 실시한다(부신피질기능 저하증, 그림 28-2 참조).

애디슨씨병은 1차성 만성 부신피질기능 저하증이므로 cortisol 효과를 나타내는 호르몬과 aldosterone 효과를 나타내는 호르몬을 1일 1회 평생 복용해야 한다(부신피질기능 저하증, 그림 28-2 참조)

쿠싱증후군
(Cushing's syndrome)

1 개요

1) 정의

쿠싱증후군이란 부신피질호르몬의 일종인 코티솔이 만성적으로 과도하게 분비되는 내분비 장애를 가리킨다.

2) 원인

쿠싱증후군의 직접적인 원인은 코티솔의 혈중농도가 정상보다 과도하게 높은 것이다. 코티솔의 혈중농도가 만성적으로 높은 원인은 부신피질 자체의 이상으로 인한 경우도 있지만 대개의 경우는 부신피질기능을 조절하는 상위기관인 뇌하수체 이상이 원인이다. 드물지만 폐암 등 종양세포가 CRH나 ACTH를 다량 분비하기 때문에 이 호르몬의 영향으로 부신에서 코티솔이 과도하게 분비되는 경우도 있다(표 30-1).

우리나라의 경우에는 부신피질 호르몬제의 과용으로 인한 경우가 가장 많다. 현재 사용되고 있는 부신피질 호르몬제는 코티솔보다 훨씬 강력한 생리작용을 갖는 것들이 대부분이다.

표 30-1	쿠싱증후군의 원인
부신 자체의 이상	부신 종양, 부신피질 이상증식 때문에 코티솔이 과다 분비됨
뇌하수체의 이상	뇌하수체의 선종(adenoma) 또는 암종(carcinoma) 때문에 부신피질이 이상증식 되고 코티솔이 과다 분비됨
ACTH를 분비하는 종양	폐암, 췌장암, 난소암 등의 종양세포가 CRH 또는 ACTH를 분비하기 때문에 부신피질이 이상증식 되고 이에 따라 코티솔이 과다 분비됨
약물유발성	부신피질 호르몬제의 과용

ACTH=adrenocorticotropic hormone, CRH=corticotropin-releasing hormone

3) 증상

쿠싱증후군의 특징적인 증상은 얼굴과 어깨, 복부에 지방이 축적되어 얼굴이 보름달처럼 둥글게 되고(moon face) 아랫배가 나오면서 피부가 트게 된다. 반면에 근육은 약화되고 팔, 다리는 가늘게 된다.

여성에서는 다모증, 희발월경, 무월경이 나타나고 남성에서는 여성형 유방이 나타날 수 있다. 또한 collagen 합성이 저하되어 피부가 얇아지고 혈관벽이 약해져 쉽게 멍이 들고(가벼운 피하출혈), 신경과민으로 정서가 불안정해져 우울증이나 정신병으로 발전하기도 한다.

2 쿠싱증후군의 진단 및 분류

1) 진단

쿠싱증후군의 진단은 선별검사, 확진검사, 감별검사의 3단계로 실시된다. 선별검사는 쿠싱증후군 유무를 판별하는 예비적 검사이고 확진검사는 말 그대로 확진을 위한 검사이다. 감별검사는 발병 원인을 찾아 치료방침을 설정하기 위한 검사이다.

선별검사는 덱사메타손 억제시험(dexamethasone suppression test)을 실시한다. 이 검사는 밤 10시경에 덱사메타손 1mg을 복용하고 다음 날 아침 8시에 혈중 코티솔 농도를 측정한다. 덱사메타손은 코티솔보다 훨씬 강력한 인공합성 부신피질호르몬이므로 정상인의 부신피질은 다음 날 아침 코티솔을 거의 분비하지 않는다. 만일 다음 날 아침 측정된 혈중 코티솔 농도가 5μg/dL 이상이면 일단 쿠싱증후군이 있는 것으로 의심하고 확진검사의 대상이 된다.

확진검사는 저용량 덱사메타손 억제시험(low dose dexamethasone suppression test), 24시간 소변중 유리형 코티솔 농도검사, 심야 타액중 코티솔 농도검사 등 네 가지 방법이 있다. 저용량 덱사메타손 억제시험은 덱사메타손을 0.5mg씩 6시간 간격으로 48시간 복용시킨 후 혈중의 코티솔 농도를 측정한다. 측정된 혈중 코티솔 농도가 5μg/dL 이상이면 쿠싱증후군으로 확진된다.

감별검사는 고용량 덱사메타손 억제시험(high dose dexamethasone suppression

test), 혈중 ACTH 검사, ACTH 자극검사, CRH 자극검사, CT, MRI 등으로 실시한다. 고용량 덱사메타손 억제시험은 덱사메타손을 2mg씩 6시간 간격으로 48시간 동안 총 16mg을 복용시킨 후 혈중의 코티솔 농도를 측정한다. 측정된 혈중 코티솔 농도가 5μg/dL 미만으로 떨어지면 2차성 쿠싱증후군(ACTH 의존성)으로 진단한다. 만일 5μg/dL 미만으로 떨어지지 않으면 1차성 또는 3차성 쿠싱증후군으로 진단하고 자세한 원인은 혈중 ACTH 검사, ACTH 자극검사, CRH 자극검사, CT, MRI 등의 검사를 실시한다. 혈중 ACTH 검사는 방사성동위원소를 이용하여 실시하는 검사로서 발병원인이 부신인지 아니면 뇌하수체 혹은 이소성인지를 감별하는데 특이성이 우수한 검사이다.

2) 분류

쿠싱증후군의 분류는 발생 원인에 따라 표 30-2와 같이 분류한다. 발생 원인이 부신 자체의 이상인 경우는 1차성, 뇌하수체의 이상으로 인한 경우는 2차성, 뇌하수체 이외의 곳에서 ACTH 분비가 원인인 경우는 3차성으로 분류한다.

1차성 쿠싱증후군은 뇌하수체의 ACTH 과잉분비와 상관이 없으므로 ACTH 비의존성이라고도 불린다. 2차성과 3차성 쿠싱증후군은 ACTH의 과잉 때문에 발생하는 경우이므로 ACTH 의존성이라고 불린다. 3차성 쿠싱증후군은 정상적 조절기관이 아닌 곳에서 부신피질기능을 조절하는 호르몬이 분비되는 것이 원인이므로 이소성(異所性, ectopic) 쿠싱증후군이라고도 불린다.

표 30-2 쿠싱증후군의 분류

분류	특징
1차성 쿠싱증후군 (ACTH 비의존성)	■ 부신종양 또는 부신피질의 자체의 이상증식 ■ 보통 두 개의 부신 중 한 쪽 부신에 발생함
2차성 쿠싱증후군 (ACTH 의존성)	■ 뇌하수체종양 때문에 부신피질이 이상증식되어 ACTH가 과잉분비 ■ 보통 두 개의 부신 모두 증식됨
3차성 쿠싱증후군 (ACTH 의존성, 이소성 쿠싱증후군)	■ 뇌하수체종양 이외의 종양에서 CRH 또는 ACTH가 과잉분비 ■ 폐암, 췌장암, 난소암 등의 종양세포가 ACTH를 분비함 ■ 비정상적인 장소에서 부신피질기능을 조절하는 호르몬이 분비되기 때문에 이소성(異所性, ectopic)이라고도 불림
약물유발성	■ 부신피질호르몬제의 고용량 투여 또는 저용량 장기투여

3 쿠싱증후군의 약물치료법

쿠싱증후군 약물치료 포인트

1. 쿠싱증후군의 약물요법은 원인에 따라 다르다.

2. 부신종양이 원인이면 수술로 제거하지만 부신이상증식이 원인이면 장기간에 걸친 약물요법을 실시해야 한다.

3. 부신피질호르몬제 장기간 복용이 원인이면 약을 갑자기 끊지 말고 의사와 상의하여 서서히 끊어야 한다.

4. 치료가 종료된 이후에도 정기적 검진을 받아야 한다.

쿠싱증후군은 원인을 찾아서 제거하는 것이 치료의 원칙이다. 부신피질호르몬제를 장기간 복용한 것이 원인이라면 그 약을 중단해야 한다. 그러나 이 경우 부신피질호르몬제의 장기간 투약에 의해 부신피질의 기능이 상당히 저하되어 있을 수 있으므로 갑자기 약물복용을 중단하면 급성 부신피질기능 저하증이 발생할 수 있다. 따라서 약을 끊을 때는 부신피질기능에 대한 세심한 추적 관찰과 함께 서서히 끊어야 한다(그림 30-1). 약을 끊은 다음에도 정기적 검진을 통하여 부신피질기능을 관찰해야 한다.

1차성 쿠싱증후군은 부신종양(선종 또는 암종)이나 부신피질 자체의 이상증식이 원인이다. 부신종양의 경우에는 종양부위를 수술로 제거하는 것이 원칙이지만, 수술이 불가능한 경우에는 약물요법을 실시한다. 이때 사용되는 약물은 ACTH 분비 억제제, 부신피질호르몬 생합성 억제제, 부신피질호르몬 수용체 차단제 등이 있다. Mitotane은 일종의 항암제로서 부신에 독성을 일으켜 부신피질 호르몬 합성을 저해하는 작용이 있다. 약물치료 초기에는 갑작스런 부신피질 호르몬 저하증이 올 수 있으므로 입원한 상태에서 부신피질 호르몬 혈중농도를 관찰하면서 치료용량을 주의 깊게 조절해야 한다.

Mitotane은 1~2g을 1일 3회 복용으로 시작하고, 치료경과를 관찰하면서 용량을 조절하는데 통상적으로 3g씩 1일 3회를 유지용량으로 하여 3개월간 복용하는 것이

한 코스이다. 3개월 복용 후 약 1개월 정도 휴약기간을 거친 다음 다시 3개월간 복용한다. Mitotane의 적정 치료기간은 정해지지 않았지만 치료경과를 관찰하면서 적절한 시점에서 치료를 종료한다. 그러나 쿠싱증후군은 완치가 잘 되지 않기 때문에 7년까지 복용하는 경우도 있다.

2차성 쿠싱증후군은 뇌하수체 종양이 원인이므로 종양부위를 수술로 제거하는 것이 원칙이다. 증상이 심하지 않은 쿠싱증후군 환자 또는 수술이 어려운 환자에게는 방사선요법을 실시한다. 3차성 쿠싱증후군은 뇌하수체 이외의 부위에 있는 종양이 원인이다. 이 경우에도 수술로 제거하는 것이 원칙이지만 증상이 심하지 않거나 수술할 수 없는 경우에는 방사선요법 또는 약물요법을 실시한다. 이 때 약물요법은 1차성의 경우와 마찬가지로 mitotane을 사용한다. 쿠싱증후군 치료에 사용되는 약물의 용법, 용량 및 특징적 부작용과 작용기전은 표 30-3, 표 30-4, 표 30-5에 요약되어 있다.

표 30-3 쿠싱증후군의 치료에 사용되는 약물의 용법 및 용량

구분	약물명	용법 및 용량
ACTH 분비억제제	cyproheptadine	■ 4mg을 1일 2회 복용 ■ 식약처에서 허가되지 않았음
부신피질호르몬 생합성 억제제	metyrapone (메토피론®)	■ 0.5~1g을 1일 2~4회로 분할하여 복용
	ketoconazole (니조랄®)	■ 200mg을 1일 1~2회 복용
	mitotane (리소드렌®)	■ 초기용량: 1~2g을 1일 3회 복용 ■ 유지용량: 통상 3g을 1일 3회 ■ 치료기간: 3개월 복용을 한 코스로 하여 3~4회 실시함
부신피질호르몬 수용체 차단제	mifepristine	■ 식약처에서 허가되지 않았음

표 30-4 쿠싱증후군의 치료에 사용되는 약물의 특징적 부작용

약물명	특징적 부작용	주의사항
cyproheptadine	졸음, 체중증가	■ 운전이나 집중력이 필요한 작업을 할 때는 주의할 것 ■ 체중이 증가할 수 있으므로 정기적으로 체중을 기록할 것

metyrapone 등 부신피질 생합성 억제제	메스꺼움, 구토, 설사, 어지럼증, 우울증, 피부발진	■ 반드시 지시된 대로 사용할 것 ■ 다른 질환으로 병원에 방문할 때는 이 약을 복용하고 있음을 의료인에게 반드시 말 할 것 ■ mitotane은 항암제의 일종이므로 간독성 등 부작용이 심하게 나타날 수 있고, 피부독성이 있으므로 손으로 만질 때는 반드시 비닐장갑을 낄 것 ■ 복용 도중 감기, 감염성질환, 심한 외상을 입었을 경우에는 복용을 잠시 중단하고 의료인에게 알릴 것(중단기간은 의사에게 문의할 것)
mifepristine	유산	■ 이 약은 유산을 유발하므로 임신 중 또는 임신할 계획이 있는 사람은 반드시 의료인에 미리 알릴 것 ■ 이 약을 복용 중에는 cortisol이 과도하게 분비되므로 혈중 및 소변 중 cortisol 농도를 주의깊게 모니터링 해야 함 ■ 이 약은 수술을 기다리는 동안만 일시적으로 사용함

표 30-5 쿠싱증후군 치료제의 작용기전

약물명	작용기전
cyproheptadine	– 히스타민, 세로토닌 및 콜린 수용체를 비선택적으로 차단하는 물질로서 뇌하수체 등 내분비계에도 영향을 미쳐 ACTH 분비를 억제하는 작용이 있음
metyrapone, mitotane	– 11-deoxycortisol이 cortisol로 전환되는 것을 방해하여 부신에서 cortisol이 분비되지 못하게 함(그림 30-2) – mitotane은 살충제로 사용되는 DDT의 유도체로서 세포독성을 나타내는 물질임 – 부신피질의 선조직에 대하여 세포독성이 있으므로 부신피질 호르몬의 생산 및 분비량을 저하시킴
mifepristine	– progesterone 수용체에 결합하여 progesterone이 작용하지 못하게 하기 때문에 임신중절제로 사용되는 약물임 – 부신피질호르몬 수용체에도 결합하는 작용이 있으므로 쿠싱증후군의 치료에 단기간 사용됨(수술을 기다리는 동안만)

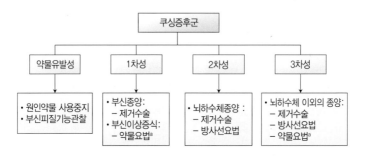

그림 30-1 쿠싱증후군의 약물치료법

[a]ACTH 분비 억제제, 부신피질호르몬 생합성 억제제, 부신피질호르몬 수용체 차단제 등이 사용됨.

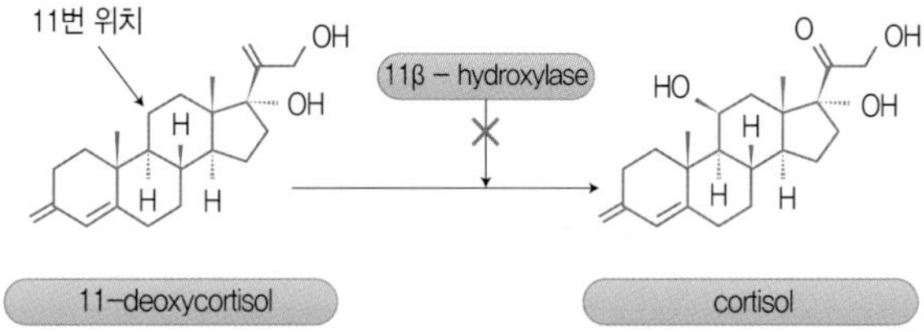

그림 30-2 Metyrapone과 mitotane의 cortisol 생합성 방해작용

11-deoxycortisol이 cortisol로 전환되는 것도 방해함

31 Chapter

뇌하수체기능 저하증
(Hypopituitarism)

1 개요

1) 정의

뇌하수체 기능저하증이란 뇌하수체에서 분비되는 여러 가지 호르몬 중 1가지 이상의 분비가 저하된 상태를 가리킨다. 모든 호르몬의 분비가 저하되어 있으면 범뇌하수체기능 저하증(panhypopituitarism)이라고 한다.

2) 원인

뇌하수체기능 저하증은 뇌하수체 주위의 질환으로 인한 경우가 많지만 뇌하수체 주위의 질환으로 인하여 발생할 수도 있다. 특히 뇌하수체 종양(양성종양)으로 인한 경우는 전체 환자의 약 70-80% 정도를 차지한다. 뇌하수체 자체에 질환을 일으키는 질환은 뇌하수체의 양성 종양, 뇌하수체 경색, 두부 방사선치료 시 뇌하수체 조직 손상 등이 있다. 뇌하수체 주위에 질환을 일으키는 질환은 시상하부 종양, 두부 외

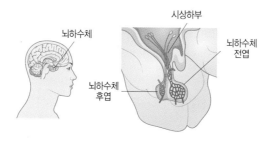

그림 31-1 뇌하수체의 위치(오른쪽 그림은 뇌하수체를 확대한 것임)

뇌하수체는 시상하부에 매달려 있으면서 전엽에서는 성장호르몬, 부신피질자극호르몬, 갑상선자극호르몬, 난포자극호르몬, 황체형성호르몬, 유즙분비호르몬, 후엽에서는 항이뇨호르몬, 자궁수축호르몬 등이 분비됨

상, 뇌염이나 뇌막염, 수두 같은 바이러스 질환의 합병증 등이 있다.

여성의 경우 분만 시 과다출혈로 인한 일시적 허혈이 뇌하수체 경색을 일으켜 뇌하수체기능 저하증이 될 수 있는데 이를 Sheehan 증후군이라고 한다. 출산 시 태아의 머리를 감자로 눌러 잡아당기는 과정에서(감자 분만) 생기는 두부 외상으로 태아에게 뇌하수체 주위 질환을 일으킬 수 있다.

표 31-1 뇌하수체기능 저하증의 원인	
뇌하수체 자체의 질환	■ 뇌하수체에 있는 양성 종양 ■ 뇌하수체 경색(분만 시 과다출혈) ■ 두부 방사선치료
뇌하수체 주위의 질환	■ 시상하부 종양 ■ 분만 시 두부외상(감자분만) ■ 뇌염, 뇌막염, 수두의 합병증

3) 증상

뇌하수체는 인체의 생리현상에 필수적인 여러 가지 호르몬을 분비하기 때문에 기능이 저하될 경우 다양한 증상이 나타난다. 그러나 증상을 느끼지 못할 만큼 서서히 진행되기 때문에 대부분 환자는 뇌하수체기능 저하증을 의심하지 않은 채 그저 불편을 감수하면서 지낸다. 또한 어떤 호르몬이 감소되는가에 따라 일상생활에 불편을 느끼는 영역이 각각 다르기 때문에 뇌하수체기능 저하증은 특징적인 증상 없이 애매모호한 전신적 증상을 나타낸다.

뇌하수체 전엽에서 분비되는 성장호르몬이 감소될 경우, 소아에서는 성장장애가 나타날 수 있지만 성인에서는 피로감 이외에는 거의 증상이 없다(표 31-2). 부신피질자극 호르몬이나 갑상선자극 호르몬이 감소하면 부신피질기능 저하증이나 갑상선기능 저하증이 나타날 수 있다. 성선자극 호르몬이 감소하면 여성의 생리와 임신기능에 장애가 나타난다. 유즙분비호르몬이 감소하면 산후에 젖이 잘 안 나오지만 최근에는 우유로 인공수유 하는 경우가 많아 모른 채 지나가는 경우가 많다. 뇌하수체 후엽에서 분비되는 항이뇨호르몬(anti-diuretic hormone, ADH)이 감소하면 다뇨증이 나타날 수 있다. 심하면 소변이 하루에 5리터가 넘는 요붕증(diabetes insipidus)이 발생하여 저혈압과 쇼크로 사망할 수도 있다. 자궁수축호르몬이 감소하면 분만 시 난산으로 고통을 받을 수 있지만 최근에는 산부인과에서 분만을 도와주는 시술이 발달되어 큰 문제가 되지 않는다.

표 31-2 뇌하수체기능 저하증의 증상	
성장호르몬 감소	■ 소아: 성장장애, 왜소증 ■ 성인: 피로감, 근무력감, 복부 지방축적
부신피질자극호르몬 감소	■ 식욕부진, 피로감, 근무력감 ■ 저혈압 ■ 저혈당
갑상선자극호르몬 감소	■ 소아: 성장장애, 왜소증 ■ 성인: 갑상선기능 저하증 참조(27장)
성선자극호르몬 감소 (난포자극호르몬, 황체형성호르몬)	■ 배란장애, 무월경, 불임증, 성욕감퇴
유즙분비호르몬 감소	■ 산후 젖이 잘 안 나옴
항이뇨호르몬[a] 감소	■ 다뇨증, 요붕증
자궁수축호르몬[a] 감소	■ 난산

[a]항이뇨호르몬과 자궁수축호르몬은 뇌하수체 후엽에서 분비됨. 둘 다 9개의 아미노산으로 구성된 펩타이드 호르몬인데 단지 아미노산 한 개의 위치만 서로 다름

2 뇌하수체기능 저하증의 진단

뇌하수체기능 저하증 진단은 전엽기능검사와 후엽기능검사로 나누는데 검사가 복잡하고 입원이 필요한 경우가 많다. 전엽기능검사는 복합뇌하수체 자극검사, 성장 호르몬검사, 부신피질자극호르몬검사, 갑상선자극호르몬검사, 성선자극호르몬검 사, 유즙분비호르몬검사 등을 실시한다. 후엽기능검사는 보통 자궁수축호르몬검사 는 하지 않고 항이뇨호르몬검사만 실시한다. 이 중에서 복합뇌하수체 자극검사는 한 번의 검사로 여러 가지 호르몬의 분비능력을 측정할 수 있어 널리 시행되고 있다.

복합뇌하수체 자극검사는 일반적으로 성장호르몬 유리호르몬(growth hormone releasing hormone, GHRH), 부신피질자극호르몬 유리호르몬(corticotropin releasing hormone, CRH), 갑상선자극호르몬 유리호르몬(thyrotropin releasing hormone, TRH), 황체형성호르몬 유리호르몬(luteinizing hormone releasing hormone, LHRH) 등 네 가지 유리호르몬을 동시에 정맥주사 한 다음 일정시간이 경과한 후 혈액을 채취하여 뇌하수체에서 분비되는 각종 호르몬의 양을 측정한다(표 31-3). 뇌하수체기능 저하증이 있는 경우, 이들 유리호르몬(releasing hormone)에 대하여 뇌하수체가 반응하는 기능이 저하되어 있으므로 GH, ACTH, TSH, LH의 양이 정상치보다 적게 분비된다.

뇌하수체 전엽에서 분비되는 여러 가지 호르몬 중 어떤 호르몬의 분비가 감소되었는지를 각각에 대하여 좀 더 자세히 검사하고자 할 때는 각각의 유리호르몬을 단독으로 정맥주사한 다음 해당 호르몬의 혈중농도를 같은 방법으로 측정한다.

뇌하수체 후엽기능검사는 혈액 속에 있는 ADH의 양을 측정하여 검사하는데 이 검사는 요붕증 환자의 경우에 실시한다. 환자의 혈중 ADH가 정상보다 현저히 낮으면 뇌하수체기능 저하증이 요붕증의 원인인 것으로 판단한다. 그러나 뇌하수체기능 저하증이 요붕증을 일으킬 만큼 ADH가 심하게 감소되는 경우는 드물다.

표 31-3 복합뇌하수체 자극검사

정맥주사하는 4 가지 유리호르몬	저하증 판정기준
성장호르몬 유리호르몬(GHRH)	GH: 3μg/dL 미만
부신피질자극호르몬 유리호르몬(CRH),	ACTH: 기저치보다 2배 미만 증가
갑상선자극호르몬 유리호르몬(TRH)	TSH: 5mU/L 미만
황체형성호르몬 유리호르몬(LHRH)	LH: 기저치에 비하여 10IU/L 미만 증가

ACTH=adrenocorticotropic hormone. CRH=corticotropin releasing hormone. GHRH=growth hormone releasing hormone. LHRH=luteinizing hormone releasing hormone. TRH=thyrotropin releasing hormone. TSH=thyroid stimulating hormone

③ 뇌하수체기능 저하증의 약물치료법

> **뇌하수체기능 저하증 약물치료 포인트**
>
> 1. 뇌하수체기능 저하증 치료는 뇌하수체의 신호를 받아 해당기관에서 분비되는 호르몬을 사용한다.
> 2. 약물요법은 하루도 거르지 말고 의사의 처방에 따라 꾸준히 실천해야 한다.
> 3. 육체적 노동이나 감염, 외상, 수술 등 스트레스 상황에서는 의사와 상의하여 용량을 약간 높게 설정해야 한다.

뇌하수체기능 저하증은 대부분 뇌하수체에 있는 양성 종양이 원인이므로 수술로 제거하거나 방사선요법을 실시한다. 그러나 수술이나 방사선요법을 실시해도 뇌하수체기능이 완전히 회복되는 경우가 드물기 때문에 뇌하수체기능 저하증은 부족한 호르몬을 보충해 주는 것이 약물치료의 원칙이다(그림 31-2).

뇌하수체호르몬에서 분비되는 호르몬은 가격이 비싸고 반드시 주사로 투여해야 하기 때문에 잘 사용되지 않는다. 대신 뇌하수체호르몬의 신호를 받아 해당 장기에서 분비되는 호르몬을 투여한다. 예를 들어 뇌하수체에서 분비되는 부신피질자극호르몬의 감소 때문에 부신피질에서 코티솔 분비가 부족하다면 코티솔의 작용과 유사한 prednisolone이나 dexamethasone, 알도스테론의 작용과 유사한 fludrocortisone을 복용하면 된다. 이들 약물은 주사제가 아니라 경구용으로 개발되어 있어 복용이 간편하고 가격도 매우 저렴하다.

뇌하수체에서 분비되는 갑상선자극 호르몬이나 성선자극 호르몬이 감소하는 경우에도 굳이 이 호르몬을 투여할 필요는 없다. 대신 값이 저렴하고 복용이 편리한 타이록신이나 여성호르몬 또는 남성호르몬을 경구로 복용하면 된다.

만일 여러 가지 호르몬이 모두 감소되는 범뇌하수체기능 저하증 환자라면 여러 가지 호르몬을 매일 복용해야 하는 불편을 감수해야 한다. 육체적 노동이나 감염, 외상, 수술, 정신적 충격 등 스트레스 상황에서는 이들 호르몬이 많이 필요하게 되므로 약의 용량을 높게 조정해야 한다. 환자 개개인의 상황에 알맞은 양의 호르몬을 결정하기 위해서는 정기적으로 병원에 방문하여 뇌하수체기능을 검사 받아야 한다.

　뇌하수체기능 저하증 치료에 사용되는 약물의 용법, 용량 및 특징적 부작용과 작용기전은 표 31-2, 표 31-3, 표 31-4에 요약되어 있다.

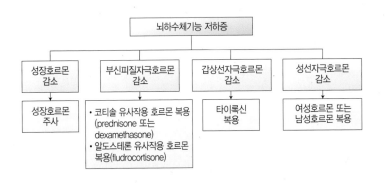

그림 31-2 뇌하수체기능 저하증의 약물치료법

표 31-4 뇌하수체기능 저하증의 치료에 사용되는 약물의 용법 및 용량

구분	약물명	용법 및 용량
성장호르몬	growth hormone (그린트로핀®)	0.6단위를 1주일에 2–4회로 분할하여 근육주사 또는 5–7회로 분할하여 피하주사
코티솔 유사작용 부신피질 호르몬	부신피질기능 저하증 참조(표 28–4)	
알도스테론 유사작용 부신피질 호르몬	부신피질기능 저하증 참조(표 28–4)	
갑상선 호르몬	갑상선기능 저하증 참조(표 27–5)	
여성 호르몬	conjugated estrogens (프레마린®)	2.5–7.5mg을 1일 1회 3주간 복용하고 1주일 휴약
남성 호르몬	testosterone 1%(테스토 겔®)	5g을 어깨, 팔, 복부의 피부에 1일 1회 도포(가능한 한 오전에 도포)

표 31-5 뇌하수체기능 저하증의 치료에 사용되는 약물의 특징적 부작용

약물명	특징적 부작용	주의사항
growth hormone	당뇨병, 비만, 고혈압, 부종, 갑상선기능 저하증	■ 혈당, 혈압을 정기적으로 관리할 것 ■ 부종, 두통 등 이상증상이 나타나면 의료인에게 알릴 것
부신피질호르몬: 부신피질기능 저하증 참조(표 28-5)		
갑상선 호르몬: 갑상선기능 저하증 참조(표 27-6)		
conjugated estrogens	자궁근종, 자궁암, 정맥혈전증, 뇌졸중, 심근경색, 피부발모, 여드름	■ 정기적으로 자궁암검사를 받을 것 ■ 생리주기가 불규칙하거나 출혈량이 비정상적이면 의료인에게 알릴 것 ■ 흉통이 발생하면 협심증, 심근경색일 수 있음 ■ 두통, 편두통이 자주 발생하면 뇌혈전 때문일 수 있으므로 의료인에게 알릴 것
testosterone	적용부위 자극감, 여드름, 고지혈증, 당뇨병	■ 정기적으로 혈당, 혈압을 관리할 것 ■ 옷으로 가려지는 부위에 도포하고 약이 마르기 전까지는 옷이 닿지 않게 할 것 ■ 약을 바른 후 손을 비누로 깨끗이 씻을 것 ■ 약이 마른 다음에는 옷으로 덮어 손과 접촉되지 않도록 할 것 ■ 약을 바른 피부에 여성 또는 소아의 피부와 접촉되지 않도록 할 것

표 31-6 뇌하수체기능 저하증 치료제의 작용기전

약물명	작용기전
growth hormone	– 뇌하수체 전엽에서 만들어져 분비되는 호르몬임(191개의 아미노산으로 구성) – 성장촉진, 단백질합성 촉진, 골생성촉진, 활력증강, 면역력 증강 등 다양한 기능을 나타냄
부신피질호르몬	– 부신피질기능 저하증 참조(표 28-5)
갑상선 호르몬	– 갑상선기능 저하증 참조(표 27-6)
conjugated estrogens	– estrone이 황산염(sulfate)으로 conjugation 되어 있는 estrone sulfate를 주성분으로 하는 약물임 – 뇌하수체기능 저하증 때문에 뇌하수체에서 성선자극 호르몬이 감소되고, 이로 인하여 난소와 지방조직(adipose tissue)에서 여성호르몬 분비가 부족할 경우 여성호르몬을 보충해 줌으로서 약효를 나타냄
testosterone	– 뇌하수체기능 저하증 때문에 뇌하수체에서 성선자극 호르몬이 감소되고, 이로 인하여 고환에서 남성호르몬 분비가 부족할 경우 남성호르몬을 보충해 줌으로서 약효를 나타냄(부신에서도 소량이 분비됨) – 여성의 경우, 이 호르몬은 주로 난소에서 분비되는데 양은 남성의 경우에 비하여 약 10분의 1정도임 – 이 호르몬은 고환과 전립선의 발달, 2차 성징의 발현, 근육과 뼈의 발달, 체모(털)의 성장 등 다양한 생리적 기능을 나타냄

Part 06
정신 질환

우울증
(Major depressive disorder, Depression)

1 개요

1) 정의

우울증이란 슬픈 감정과 의욕저하 등 정신적 증상과 체중감소(또는 증가), 수면장애(불면증 또는 과수면) 등 신체적 증상이 지속적으로 나타나는 정신질환을 가리킨다.

2) 원인

우울증은 생물학적, 심리적, 사회적 요인이 복합적으로 작용하여 발생하는 것으로 여겨지고 있지만 아직까지 자세한 원인은 밝혀지지 않았다. 마약이나 향정신성 의약품 등 중추신경계에 작용하는 약물, 일부 고혈압 치료제(베타차단제)도 우울증을 유발하며, 당뇨병과 갑상선기능 저하증 등 내분비 질환 및 종양질환도 우울증을 일으킨다.

생물학적 요인으로는 대뇌의 구조적인 이상, 중추신경계의 신경전달물질 불균형, 갱년기로 인한 자율신경계 불균형 등을 들 수 있다. 가족성 우울증과 노인성 우울증의 경우 전두엽과 해마 부위의 부피가 감소되는 등 대뇌의 구조적 이상도 발견된다. 중추신경계는 수많은 신경전달물질에 의하여 조절되는데 특히 도파민, 세로토닌, 노르에피네프린 등은 적극적이고 긍정적인 사고에 필요한 물질이다. 일반적으로 여성은 이들 신경전달물질이 남성에 비하여 적은 편이어서 우울증이 잘 발생된다.

심리적 요인으로는 스트레스를 쉽게 받는 소심한 성격, 신뢰하던 사람으로 받은 충격, 사랑하는 사람과의 이별이나 사망 등을 들 수 있다. 사회적 요인으로는 과중한 업무로 인한 스트레스, 오랫동안 근무해온 직장으로부터의 해고나 정년퇴직 등 다양하다. 특히 최근 평균수명은 연장되었지만 조기 정년퇴직이 늘고 노인 실업자가 많아짐에 따라 사회적 요인에 의한 우울증이 증가하고 있다.

3) 증상

우울증의 증상은 슬픈 감정뿐만 아니라 신체적 증상, 인지적 증상까지 동반하는 경우가 많다(표 32-1). 감정적 증상으로는 매사에 재미가 없어지고 쉽게 화를 내고 짜증을 내기도 한다. 자신의 존재가치를 과소평가하고 사소한 일에 죄의식을 느끼는 것도 우울증의 특징적인 증상이다. 특히 자살유혹은 우울증에서 가장 위험한 증상이다.

신체적 증상은 불면증 또는 과수면이 특징적이다. 우울증 환자는 일반적으로 매사에 의욕이 없기 때문에 기운이 없고 쉬 피로감을 느낀다. 소화불량과 가슴이 답답한 느낌이 나타나는 경우도 있다. 인지적 증상은 기억력 감퇴, 사고력 감퇴, 집중력 감퇴를 들 수 있다. 이 때문에 우울증 환자는 일반적으로 새로운 지식을 배우는 능력이 많이 저하되어 있다. 조기에 적절한 치료를 받지 않을 경우 범불안증, 양극성 장애, 강박증, 과잉행동장애 등 다른 정신질환과 합병될 수 있다. 우울증의 주요 증상은 표 32-1에 나타내었다.

	표 32-1 우울증의 주요증상
감정적 증상 (emotional)	■ 무흥미, 무쾌락 ■ 쉽게 화를 내고 짜증을 냄 ■ 자신의 존재가치를 과소평가함 ■ 사소한 일에 대하여 죄의식을 느낌 ■ 우유부단함, 자살유혹
신체적 증상 (physical)	■ 불면증 또는 과수면 ■ 기운이 없음, 쉬 피로감 느낌 ■ 소화불량, 가슴이 답답함
인지적 증상 (cognitive)	■ 기억력 감퇴, 사고력 감퇴, 집중력 감퇴 ■ 학습능력 저하

② 우울증의 진단 및 분류

1) 진단

우울증은 신체적 증상이 동반되기도 하지만 대부분의 경우 정신적 증상으로 나타나기 때문에 객관적인 진단이 매우 어렵다. 뿐만 아니라 환자가 정신적 증상을 솔직하게 고백하지 않는 경우가 많아 우울증으로 진단되지 않는 경우가 많다. 특히 남성 환자의 경우 우울증을 숨기고 술이나 담배에 의지하는 경향이 많아 우울증 진단이 더욱 어렵다.

이처럼 우울증이지만 우울증으로 진단되지 않는 것을 과소진단(under-diagnosis)이라고 한다. 이와는 반대로 우울증이 아니라 단순한 일과성 우울감인데도 우울증으로 진단되는 경우도 있다. 이런 경우는 과잉진단(over-diagnosis)이라고 한다.

과소진단이나 과잉진단을 줄이고 객관적으로 우울증을 진단하기 위하여 미국 정신과의사협회는 Diagnostic and Statistical Manuals of Mental Disorder (DSM-5)를 발행하여 정신과의사로 하여금 이 책에 있는 기준을 사용하도록 하고 있다(표 32-2). 그러나 이 기준은 너무 단순하게 네 가지 항목으로만 구성되어 있어 복잡하고 다양한 정신질환을 정확하게 진단하기에는 부족한 단점이 있다. 이런 단점을 보완하기 위하여 여러 가지 새로운 우울증 측정도구들이 개발되어 사용되고 있다.

Hamilton Depression Rating Scale (HDRS)은 21개 항목에 대하여 의사가 점수를 매겨서 우울증 여부를 판단하는 측정도구이다. HDRS는 의사가 작성하기 때문에 과잉진단 될 가능성이 높은 단점이 있다. Beck Depression Inventory (BDI)는 21개 항목에 대하여 환자가 스스로 판단하여 점수를 매기는 우울증 측정도구이다. BDI는 문항의 구성이 네 가지 항목으로 되어 있고 특히 환자가 직접 작성하는 것이기 때문에 과잉진단 될 가능성이 적은 장점이 있다. 그러나 이 측정도구는 과소진단 될 가능성이 높은 단점이 있다. Geriatric Depression Scale (GDS)는 30개 문항에 대하여 환자가 직접 작성하는 것으로 '예/아니오'로 간단하게 답변하도록 되어 있다. GDS는 치매가 있는 노인의 우울증 측정도구로 유용하지만 과소진단과 과잉진단 될 가능성이 모두 높다.

2) 분류

우울증 진단기준에 의하면 우울증은 5가지의 유형으로 구분된다(표 32-3). 비정형 우울증은 멜랑꼴리형이나 긴장형과 다르게 특징이 없고 정상인과 구분하기가 어려운 형태의 우울증이다. 우울증 환자의 대부분은 여기에 해당된다. 멜랑꼴리형은 비정형보다 심한 형태의 우울증이다. 이 분류에 속하는 우울증 환자는 때로는 환각이나 망상 등 정신분열증상이 동반되어 정신분열증 환자로 진단되기도 한다. 비정형의 경우와는 반대로 불면증과 이로 인한 체중감소가 주로 나타난다.

긴장형은 매우 드문 형태의 우울증이다. 여기에 속하는 환자는 깊은 상념에 잠겨 있는 시간이 많고 말이나 행동이 거의 없는 특징이 있다. 이런 현상을 catatonic stupor라고 한다. 타인에 의하여 이 시간이 방해를 받게 되면 화를 내는 경우가 있어 양극성질환으로 진단되는 경우가 많다. 산후형 우울증은 일시적인 현상으로 저절로 증상이 사라지는 경우가 많지만 1년 이상 지속되는 경우도 있다. 계절형 우울증은 햇빛이 적은 겨울이 되면 매년 반복되는 특징이 있다.

표 32-2 우울증 진단기준

A	과거 2주일 동안 다음 중 1번과 2번을 포함하여 5가지 이상의 증상이 있음 1. 거의 매일 우울한 기분임 2. 거의 매일 인생의 재미가 없고 즐거움이 없음 3. 다이어트를 하지 않는데도 체중이 감소하거나 증가함 4. 거의 매일 불면증 또는 기면증이 있음 5. 거의 매일 감정이 격양되거나 위축됨(타인에 의한 판단일 것) 6. 거의 매일 피곤하거나 기운이 없음 7. 거의 매일 죄의식을 느끼거나 혹은 자신의 존재가치가 없다고 느낌 8. 거의 매일 사고력과 집중력이 떨어지고 매사에 우유부단함을 느낌 9. 자살하고 싶은 생각을 자주 함
B	A항의 증상이 사회생활이나 직장생활 등에 영향을 미침
C	A항의 증상이 약물복용이나 기타 질병에 의한 영향이 아님
D	A항의 증상이 가족이나 연인의 상실에 의한 일시적인 영향이 아님

A, B, C, D항의 조건을 모두 만족하면 우울증으로 진단됨
DSM-5=Diagnostic and Statistical Manuals of Mental Disorder 제5개정

표 32-3 우울증의 분류	
비정형 (atypical type)	■ 가장 많은 형태의 우울증임 ■ 항상 우울감이 있지만 때로는 즐거움을 느끼기도 함 ■ 과식, 과수면, 과체중인 경향이 있음
멜랑꼴리형 (melanchlic type)	■ 드문 형태의 우울증임(전체 환자의 약 10%) ■ 환각, 망상 등 정신분열증상이 동반되기도 함 ■ 불면증, 체중감소의 특징이 있음
긴장형 (catatonic type)	■ 매우 드문 형태임 ■ 말과 행동이 거의 없어짐 ■ 장시간 동안 깊은 상념에 잠기는 특징이 있음(catatonic stupor)
산후형 (postpartum type)	■ 산후에 느끼는 우울증 ■ 보통 3개월부터 1년 사이에 증상이 사라짐
계절형 (seasonal affective disorder)	■ 햇빛이 적은 겨울에 발생함 ■ 햇빛이 많아지는 봄부터 증상이 저절로 사라짐

DSM-5=Diagnostic and Statistical Manuals of Mental Disorder 제5개정

3 우울증의 약물치료법

우울증 약물치료 포인트

1. 우울증은 오래 방치하면 치료가 더 어려워질 수 있으므로 발병초기에 적절한 약물치료를 받아야 한다.
2. 우울증 치료제는 약효를 나타내기까지 4주 이상이 걸리므로 적어도 1개월 정도 약물치료를 받은 다음에 약효여부를 판단한다.
3. SSRI를 치료제로 사용 시 약효가 어느 정도 있는 것으로 판단되면 약물을 바꾸지 말고 적어도 6개월 이상 지속적으로 치료받아야 한다.
4. 우울증 치료는 약물요법과 함께 생활환경개선(취미활동, 운동치료, 신앙생활 등)을 병행해야 한다.

우울증은 여러 가지 약물이 치료제로 시판되고 있지만 약물치료를 어떻게 실시하는 것이 최선의 방법인지에 관해서는 아직 정해지지 않았다. 산후형 또는 계절형 우

울증은 특별한 약물치료를 실시하지 않아도 일정기간이 지나면 증상이 저절로 사라지는 경우가 많다. 그러나 산후형 우울증이 1년 이상 지속되면 비정형 또는 다른 형태의 우울증으로 발전한 것으로 보고 적극적인 약물치료를 실시해야 한다. 또한 우울증은 양극성질환이나 정신분열증으로 발전하여 치료가 더욱 어려워질 수 있으므로 초기에 적절한 약물치료를 실시해야 한다.

우울증의 치료에 있어서 가장 먼저 고려되는 약물은 선택성 세로토닌 재흡수 억제제(selective serotonin reuptake inhibitor, SSRI)이다. 이 때 여러 가지 SSRI 중에서 어떤 약물을 선택하느냐 하는 것은 중요하지 않지만 적절한 용량을 정하는 것은 매우 중요하다. 또한 우울증 치료제는 약효를 나타내기까지 4주 이상 걸리므로 약물치료를 최소한 1개월 정도 실시한 다음에 약효가 있는지 없는지를 판단해야 한다. 우울증 치료효과 여부 판정은 의사의 주관적 판단으로 결정하는 것보다는 앞서 언급한 우울증 측정도구(DSM-5 기준, HDRS 또는 BDI 등)를 이용하여 객관적으로 실시해야 한다. 적절한 용량결정은 일반적으로 가장 널리 사용되는 SSRI인 fluoxetine을 기준으로 표 32-4에 요약되어 있는 상응용량을 참고하여 결정한다.

표 32-4 여러 가지 SSRI의 상응용량	
fluoxetine (푸로작®)	10-20mg 1일 1회(치료개시 표준용량)
fluvoxamine (듀미록스®)	50mg 1일 1회
paroxetine (세로자트®)	20mg 1일 1회
sertraline (졸로푸프®)	50mg 1일 1회
escitalopram (렉사프로®)	10mg 1일 1회

SSRI=selective serotonin reuptake inhibitor

한 가지 SSRI를 선정하여 1개월 이상 치료한 다음 약효가 있으면 약을 바꾸지 말고 6개월 이상 꾸준히 약물치료를 실시해야 한다. 1개월 이상 치료하여도 약효가 없거나 미흡한 것으로 판단되면 다른 약물로 변경하거나 다른 약물을 추가한다(그림 32-1). 이 때 약물을 추가하는 방법보다는 가급적이면 SSRI 중에서 다른 약물로 변경하여 단독요법을 실시하는 것이 권장된다. 일차적으로 선택한 SSRI에 대해서는 약효가 없거나 미흡했어도 다른 SSRI에 대해서는 약효가 있을 수 있기 때문이다. 여러 가지 약물들이 SSRI라는 한 가지 분류에 속하지만 실제로 이들 약물은 각기 독특한 약동학적, 약력학적 특성을 가질 수 있다.

　일차적으로 사용한 SSRI에 전혀 약효가 없을 때는 다른 SSRI로 변경하거나 세로 토닌 노르에피네프린 재흡수 억제제, bupropion, mirtazapine 중에서 한 가지를 선택 하여 치료를 계속한다. 약효가 어느정도 있기는 하지만 미흡할 경우에는 다른 SSRI 로 변경하거나 약물을 추가한다. 이 때 추가적으로 사용되는 약물은 삼환계 항우울 제, 제2세대 항정신병약, 리튬, 타이록신 등을 고려한다. 제2세대 항정신병약은 원래 정신분열증과 양극성질환 치료에 사용되는 약이지만 심한 우울증에 사용하기도 한

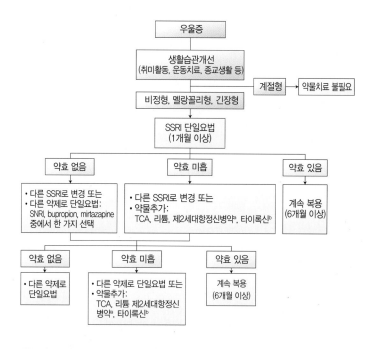

그림 32-1 우울증의 약물치료법

SNRI=serotonin norepinephrine reuptake inhibitor. SSRI=selective serotonin reuptake inhibitor. TCA=tricyclic antidepressant. [a]제2세대 항정신병약은 원래 정신분열증과 양극성질환 치료에 사용되는 약이지만 심한 우울증치료에도 사용되기도 함. [b]타이록신은 갑상선 호르몬이므로 갑상선기능 항진증 증상이 나타나는지 주의 깊은 관찰이 필요함

다. 이차적 약물치료법도 1개월 이상 치료를 계속한 다음에 약효가 있는지 없는지를 판단해야 한다.

이차적으로 사용한 약물치료법으로 증상이 현저히 완화되면 약물을 바꾸지 말고 6개월 이상 꾸준히 치료를 계속해야 한다. 약효가 없거나 미흡한 것으로 판단되면 다른 약제로 변경하거나 약물을 추가한다. 이 때 어떤 약물을 선정할 것인지에 관한 고려사항은 이차적 약물치료법의 선정시와 동일하다.

우울증은 약물치료법 만으로는 완치되기가 매우 어렵다는 것이 정설이다. 따라서 약물치료와 함께 생활환경개선을 병행해야 한다. 취미활동, 운동치료, 음악치료, 신앙생활 등은 우울증 치료에 큰 도움을 준다. 우울증 치료에 사용되는 약물의 용법, 용량 및 특징적 부작용과 작용기전은 표 32-5, 표 32-6, 표 32-7에 요약되어 있다.

표 32-5 우울증 치료에 사용되는 약물의 용법 및 용량

구분	약물명(제품명)	용법, 용량
SSRI	fluoxetine (푸로작®)	10–20mg을 1일 1회 복용
	fluvoxamine (듀미록스®)	50mg을 1일 1회 복용
	paroxetine (세로자트®)	20mg을 1일 1회 복용
	sertraline (졸로푸프®)	50mg을 1일 1회 복용
	escitalopram (렉사프로®)	10mg을 1일 1회 복용
SNRI	venlafaxine (이팩사®)	75–150mg을 1일 1회 복용
	duloxetine (심발타®)	30mg을 1일 1회 복용
TCA	amitriptyline (에트라빌®)	10–25mg을 1일 2–3회 복용
	nortriptyline (센시발®)	10–25mg을 1일 3회 복용
	imipramine	25mg을 1일 1–3회 복용

제2세대 항정신병약: 양극성장애 참조(표 33-6)

기타	bupropion (웰부트린®)	150mg을 1일 2회 복용
	mirtazapine (레메론®)	15-30mg을 1일 1회 복용
	lithium carbonate (리단®)	300mg을 1일 2-3회 복용 (0.8-1.5mEq/L을 유지해야 함)
	thyroxine (씬지로이드®)	50-100mcg을 1일 1회 복용(갑상선기능항진증이 나타나지 않도록 주의하여 사용해야 함)

표 32-6 우울증 치료에 사용되는 약물의 특징적 부작용

구분	약물명	특징적 부작용	주의사항
SSRI	fluoxetine 등	졸림, 구갈, 성욕감퇴, 발기부전	■ 갑자기 약을 중단하면 우울증이 심해질 수 있음 ■ 이 약을 복용 중에 임신하게 되면 반드시 의료인에게 알릴 것 ■ 이 약을 복용 중에 강박증, 불안증 등 다른 정신질환증상이 나타나면 의료인에게 알릴 것 ■ 이 약은 약효가 나타나는 데 적어도 1개월 이상 걸리므로 약물치료를 꾸준히 받을 것
SNRI	venlafaxine duloxetine	혈압상승, 두통, 집중력감소, 불면증	■ 두통이나 시야몽롱은 혈압상승 때문일 수 있으므로 의료인에게 알릴 것 ■ 이 약은 약효가 나타나는 데 적어도 1개월 이상 걸리므로 약물치료를 꾸준히 받을 것
TCA	amitriptyline 등	구갈, 졸림, 부정맥, 기립성 저혈압, 빈맥	■ 운전이나 정밀한 기계조작 시 특별한 주의가 필요함 ■ 복용초기에는 우울증이 악화될 수 있음 ■ 이 약은 부정맥을 유발 또는 악화시킬 수 있음 ■ 이 약은 약효가 나타나는 데 적어도 1개월 이상 걸리므로 약물치료를 꾸준히 받을 것

제2세대 항정신병약: 양극성장애 참조(표 33-7)

기타	bupropion	간질, 환각, 피부발진, 집중력감소	■ 간질, 환각 경력이 있는 사람은 복용하지 말 것(정신분열증 포함)
	mirtazapine	졸림, 구갈, 체중증가	■ 운전이나 정밀한 기계조작 시 특별한 주의가 필요함 ■ 복용 후 1개월이 지나도 증상이 개선되지 않으면 의료인에게 알릴 것
	lithium carbonate	손 떨림, 소변량 증가, 구갈, 메스꺼움	■ 메스꺼움, 구토, 설사, 손 떨림은 리튬 중독의 전조증상이므로 즉시 의료인에게 알릴 것 ■ 소변량 증가는 요붕증의 전조증상일 수 있으므로 즉시 의료인에게 알릴 것 ■ 이 약물은 치료역이 좁으므로 의사와 상의하여 약물의 혈중농도를 모니터 할 것 ■ 리튬의 적정 혈중농도범위는 0.5-1.0mmole/L임
	thyroxine	갑상선기능 저하증 참조(표 27-6)	

표 32-7 우울증 치료제의 작용기전

구분	작용기전
SSRI	■ fluoxetine 등: – 뇌의 신경세포에서 분비된 serotonin이 신경세포로 재흡수되는 것을 억제하여 시냅스 간극(synaptic cleft)에 serotonin이 많이 잔류하게 됨(그림 32-2) – serotonin은 대뇌에 작용하여 감정과 사고를 비롯한 다양한 정신활동에 영향을 미침
SNRI	■ venlafaxine 등 – 뇌의 신경세포에서 분비된 serotonin과 norepinephrine이 신경세포로 재흡수되는 것을 억제함(그림 32-2) – dopamine의 재흡수를 억제하는 작용도 있음
TCA	■ amitriptyline 등 – 뇌의 신경세포에서 분비된 serotonin과 norepinephrine이 신경세포로 재흡수되는 것을 억제함(serotonin과 norepinephrine에 대한 선택성이 없기 때문에 SNRI라고 불리지 않음, 그림 32-3) – nortriptyline 등 2급 아민 구조의 TCA는 norepinephrine의 재흡수를 억제하는 효과가 강하고 amitriptyline 등 3급 아민 구조의 TCA는 serotonin의 재흡수를 억제하는 효과가 강함 – dopamine, acetylcholine, histamine 등 여러 가지 신경전달물질의 재흡수를 억제하는 작용도 있음 – serotonin과 norepinephrine은 대뇌에 작용하여 감정과 사고를 비롯한 다양한 정신활동에 영향을 미침

제2세대 항정신병약: 양극성장애 참조(표 33-8)

기타	bupropion	– 뇌의 신경세포에서 분비된 dopamine과 norepinephrine이 신경세포로 재흡수되는 것을 억제함 – dopamine 재흡수 억제효과가 norepinephrine 재흡수 억제효과보다 약 2배 정도 강함 – dopamine도 대뇌에 작용하여 감정과 사고를 비롯한 다양한 정신활동에 영향을 미침
	mirtazapine	– 대뇌에 직접 작용하여 norepinephrine 및 serotonin과 유사한 효능을 나타냄
	lithium carbonate	– 50년 이상 사용되어 왔지만 아직도 작용기전은 밝혀지지 않았음
	thyroxine	– 인체에서 만들어지는 갑상선 호르몬과 동일한 물질임 – 갑상선 호르몬은 인체의 성장 및 대사 등 다양한 생리적 기능을 나타냄 – 갑상선 호르몬은 교감신경을 흥분시키는 epinephrine 및 norepinephrine의 생합성을 촉진하는 작용이 있으므로 우울증에 사용되기도 함

SNRI=serotonin norepinephrine reuptake inhibitor. SSRI=selective serotonin reuptake inhibitor. TCA=tricyclic antidepressant

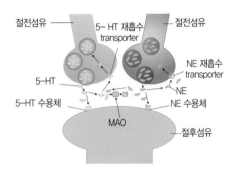

그림 32-2 우울증 치료제의 작용기전 ────────────────────

5-HT=serotonin. NE=norepinephrine. MAO=monoamine oxidase. SSRI와 SNRI는 serotonin과 NE가 재흡수 되는 것을 방해하여 항우울효과를 나타냄

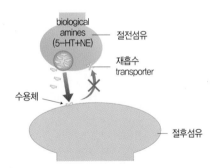

그림 32-3 TCA 계열 약물의 작용기전 ────────────────────

5-HT=serotonin. NE=norepinephrine. serotonin과 norepinephrine 등 여러 가지 biological amine이 절후섬유에 작용한 다음 절전섬유로 재흡수되는 것을 방해하여 항우울효과를 나타냄

양극성 장애
(Bipolar disorder)

1 개요

1) 정의
양극성 장애란 기분이 고양된 상태와 우울한 상태가 빈번하고 심하게 교차되어 나타나는 상태를 가리키며 조울증이라고도 불린다.

2) 원인
양극성 장애는 유전적, 환경적 요인 및 약물사용이 원인인 것으로 알려져 있지만 아직까지 정확한 원인은 밝혀지지 않았다(표 33-1).

표 33-1 양극성 장애의 원인	
유전적 요인	일란성 쌍둥이 경우, 둘 중에서 한 사람이 양극성 장애일 때 다른 한 사람도 양극성 장애가 될 확률은 약 40%임. 이란성 쌍둥이 경우, 이 확률은 10% 미만임.
환경적 요인	배우자나 자녀의 사망 같은 불행한 일 또는 심각한 정신적 충격이 우울증을 일으킬 수 있듯이 이러한 요인들이 양극성 장애를 일으킬 수 있음
약물유발성	마약, 향정신성약물 또는 중추신경계에 작용하는 약물을 장기간 복용하는 경우

3) 증상
양극성 장애의 증상은 기분이 우울한 상태와 고양된 상태가 교차되어 나타나는 것이다. 기분이 교차되는 시기에는 일정 기간 동안 정상적인 기분 상태가 된다. 우울한 상태의 증상은 그 정도가 가벼운 우울증부터 심한 우울증까지 다양하며, 고양된 상태의 증상도 경조증(hypomania)부터 조증(mania)까지 다양하게 나타난다.

제1형 양극성 장애는 조증과 우울증이 교차하지만 우울증보다는 조증이 두드러지게 나타난다. 제2형 양극성 장애는 경조증과 우울증이 교차하지만 경조증보다는 우울증이 두드러지게 나타난다. 조증은 기분이 매우 고양되어 자제력과 주의력이 떨어지고 수면욕구가 감소하고 과대망상적인 생각을 하게 되는 것을 가리킨다. 경조증은 기분이 비교적 가볍게 고양된 상태로서 판단력이 떨어지고 말의 속도가 빨라지며 지나치게 낙관적인 생각을 하게 되는 것을 가리킨다. 그러나 조증 상태와 경조증 상태의 구별은 전문가들에게도 쉽지 않은 경우가 많다.

❷ 양극성 장애의 진단 및 분류

1) 진단

양극성 장애는 보호자나 친척, 친구들의 관찰 및 환자 본인의 진술을 토대로 하여 정신과 의사의 판단으로 진단한다. 그러나 이 질환은 우울증과 정신분열증의 중간 위치에 해당되기 때문에 감별진단하기가 쉽지 않다. 미국과 우리나라의 경우 양극성 장애가 정신분열증으로 과잉진단되는 사례가 많아 주의가 요망된다. 양극성 장애를 정확히 진단하기란 매우 어렵지만 진단에 객관성을 높이기 위하여 미국정신과의사협회에서 발행한 DSM-5의 기준을 이용한다(표 33-2, 표 33-3).

2) 분류

양극성 장애는 증상과 예후가 환자에 따라 매우 다양하기 때문에 여러 가지 형태로 분류될 수 있다. 양극성 장애는 제1형, 제2형, 순환형, 기분장애형 등 네 가지로 구분되지만 일반적으로 양극성 장애란 제1형과 제2형의 경우를 가리킨다(표 33-4). 순환형과 기분장애형은 양극성 장애라기보다는 일종의 성격장애 정도의 질환이라고 볼 수 있으며 약물치료의 대상이 안 된다. 특히 기분장애형은 감정의 변동폭이 큰 성격을 가진 사람이면 대부분 해당된다고 볼 수 있다.

	표 33-2 제1형 양극성 장애의 진단기준
A	비정상적으로 고양된 기분(조증)과 우울증이 교차하는 증상이 있으면서, 조증이 1주일 이상 지속됨
B	기분이 고양된 기간 동안 다음 중 3가지 이상의 증상이 있음 1. 자존심 증대 또는 과장된 사고 2. 수면욕구의 감소 3. 평상시보다 말이 많거나 또는 계속 말을 많이 하려고 함 4. 사고비약 또는 생각이 꼬리를 물고 일어남 5. 주의산만 6. 목표지향적 활동의 증대 또는 정신 운동성 동요 7. 현재는 즐거우나 고통스러운 결과를 초래할 가능성이 높은 활동에 몰두함
C	B항의 증상이 사회생활이나 직장생활 등에 영향을 미침
D	B항의 증상이 약물이나 다른 질병의 영향이 아님

A, B, C, D항의 모든 조건을 만족하면 제1형 양극성 장애로 진단됨

	표 33-3 제2형 양극성 장애의 진단기준
A	비교적 가볍게 고양된 기분(경조증)과 우울증이 교차하는 증상이 있으면서, 경조증이 4일 이상 지속됨
B	기분이 우울한 기간 동안 기분(우울증) 다음 중 1번과 2번을 포함하여 5가지 이상의 증상이 있음 1. 거의 매일 우울한 기분임 2. 거의 매일 인생의 재미가 없고 즐거움이 없음 3. 다이어트를 하지 않는 데도 체중이 감소하거나 증가함 4. 거의 매일 불면증 또는 기면증이 있음 5. 거의 매일 감정이 격양되거나 위축됨(타인에 의한 판단일 것) 6. 거의 매일 피곤하거나 기운이 없음 7. 거의 매일 죄의식을 느끼거나 혹은 자신의 존재가치가 없다고 느낌 8. 거의 매일 사고력과 집중력이 떨어지고 매사에 우유부단함을 느낌 9. 자살하고 싶은 생각을 자주 함
C	B항의 증상이 사회생활이나 직장생활 등에 영향을 미침
D	B항의 증상이 약물이나 다른 질병의 영향이 아님

A, B, C, D항의 모든 조건을 만족하면 제2형 양극성 장애로 진단됨

표 33-4 양극성 장애의 분류	
제1형	■ 조증과 우울증이 교차하는 증상이 있음 ■ 조증 때문에 가정 및 사회생활에 문제가 됨
제2형	■ 경조증과 우울증이 교차하는 증상이 있음 ■ 우울증 때문에 가정 및 사회생활에서 문제가 됨
순환형 (cyclothymic)	■ 경조증과 우울증이 교차하는 증상이 있음 ■ 제1형, 제2형의 요건에 충족될 정도로 심하지 않음
기분장애형 (dysthymic)	■ 명랑한 기분과 우울한 기분이 교차하는 증상이 있음 ■ 우울증으로 진단할 정도는 아님

조증(manic episode): 기분이 매우 고양되어 사고와 행동이 비정상인 상태; 경조증(hypomanic episode): 기분이 고양되어 있지만 사고와 행동이 정상인 상태

3 양극성 장애의 약물치료법

양극성장애 약물치료 포인트

1. 양극성장애는 약물치료와 함께 생활환경개선(취미활동, 운동치료, 신앙생활 등), 심리치료, 영양치료를 병행한다.

2. 양극성장애는 제1형인지 제2형인지에 따라 치료법이 다르다.

3. 벤조디아제핀계열 신경안정제는 탐닉성이 강한 약물이므로 2주 이상 사용하지 말아야 한다.

4. 약물치료는 단독요법, 2제요법, 3제요법을 순차적으로 실시하고 증상이 완화되면 가급적 단독요법으로 전환하여 치료받는다.

5. 전기경련요법 실시여부는 시술방법, 치료효과, 부작용 등에 대하여 충분히 설명을 들은 다음 환자 스스로 분별력 있는 판단(informed decision)으로 결정해야 한다.

양극성 장애는 아직 그 원인이 정확하게 밝혀지지 않은 질환이므로 약물치료와 함께 여러 가지 비약물치료를 병행해야 한다(표 33-5). 심리치료는 대인관계치료, 인지행동치료, 스트레스완화치료 등의 프로그램으로 실시하는데 치료에 큰 도움이 된다. 또한 고단백식이요법과 필수지방산 보급, 비타민 및 미네랄 보급을 통한 영양치료도

중추신경계를 안정화시켜주는 효과가 있다. 정기적으로 마사지나 요가를 하거나 적절한 운동치료와 취미활동, 신앙생활도 증상을 완화시켜주는 데 효과가 있다.

양극성 장애는 제1형과 제2형으로 구분하여 약물치료법을 실시한다. 약물치료의 궁극적 목표는 제1형의 경우 조증을 완화시켜 가정생활과 사회생활을 원만하게 영위할 수 있게 하고, 제2형의 경우는 우울증을 완화시켜 줌으로써 삶의 질을 향상시키고 특히 자살기도를 방지하는 데 있다.

제1형 양극성 장애에서 경증은 리튬 또는 valproate를 사용하여 치료를 시작하는 것이 권장된다(그림 33-1). 정신과 의사의 판단에 따라 항경련제 중에서 한 가지를 선정하여 사용하기도 한다. 치료 도중 불면증이 나타나면 벤조디아제핀계열 신경안정제를 단기간 동안 추가하여 투여한다. 그러나 신경안정제는 탐닉성이 강력한 약물이므로 2주일 이상 사용하지 말아야 한다.

단독요법으로 약효가 미흡하다고 판단되면 2제요법을 실시한다. 이 때 권장되는 약물은 리튬을 기본으로 하고 항경련제나 제2세대 항정신병약 중에서 한 가지를 추가하여 사용한다. 정신과 의사가 판단하기에 환자의 조증이 비교적 심한 편이면 리튬 대신 항경련제를 기본으로 하고 여기에 항경련제 한 가지를 더 추가하거나 제2세대 항정신병약을 추가하기도 한다.

제1형 양극성 장애에서 중증은 처음부터 2제요법을 실시할 것이 권장된다. 2제요법에 사용되는 약물은 리튬 또는 valproate 중에서 한 가지를 선정하고 여기에 제2세대 항정신병약 한 가지를 추가한다. 2제요법으로 약효가 미흡하다고 판단되면 3제요법을 실시한다. 3제요법은 증상이 매우 심하여 환자 본인과 가족 등 주변 사람들이 괴로울 때 단기간 동안에 한하여 실시하고 일단 증상이 완화되면 2제요법 또는 단독요법으로 서서히 전환해 나가는 것이 권장된다.

드물지만 3제요법을 실시했음에도 조증이 가라앉지 않을 경우 전기경련요법이 고려되기도 한다(그림 33-2). 치료 전 환자에게 순간마취제를 정맥으로 투여하기 때문에 환자는 느낄 수 없지만 환자는 전기충격이 대뇌에 가해지는 동안 전신경련을 겪게 된다. 전기경련요법은 비윤리적인 측면이 있어 치료여부를 결정하기 전에 환자 가족과 정신과 의사의 신중하고 분별력 있는 판단(informed decision)을 거친 다음 실시하도록 한다.

제2형 양극성 장애에서 경증은 리튬 또는 lamotrigine을 사용하는 단독요법으로 실시한다. Lamotrigine은 항경련제의 일종이지만 최근에 양극성 장애 환자의 우울증 개선 및 예방에 효과가 인정되어 사용되고 있다. 그러나 리튬에 비하여 임상경험이 짧으므로 평생 동안에 걸쳐 복용해야 하는 유지요법으로 사용하기에는 환자 및 가족과 정신과 의사의 분별력 있는 판단이 요구된다.

제2형 양극성 장애에서 중증은 리튬이나 lamotrigine 중에서 한 가지를 선정하고 여기에 제2세대 항정신병약을 추가하는 2제 요법이 사용된다. 경우에 따라서는 제2세대 항정신병약을 사용하지 않고 리튬과 lamotrigine을 병용하기도 한다. 리튬과 lamotrigine로 구성된 2제 요법으로 치료도중 약효가 미흡한 것으로 판단되거나 과대망상이나 환각 증상이 나타나면 제2세대 항정신병약을 단기간 동안 추가하여 투여한다.

2제 요법을 실시했는데도 약효가 미흡하다고 판단되면 3제 요법을 실시한다. 이때 권장되는 약물은 리튬 또는 lamotrigine을 기본으로 하고 여기에 항경련제와 항우울제를 각각 한 가지를 추가하여 사용한다. 3제 요법은 우울증 증상이 매우 심하여 자해우려가 있을 때에 한하여 실시하고 일단 증상이 완화되면 2제 요법 또는 단독요법으로 서서히 전환해 나가는 것이 권장된다. 3제 요법을 유지요법으로 장기간에 걸쳐 실시할 경우, 항경련제의 부작용에 주의해야 한다.

3제 요법을 실시했음에도 우울증이 가라앉지 않을 경우 전기경련요법을 고려한다. 전기경련요법은 앞에서 언급한 것처럼 비윤리적인 측면이 있으므로 치료여부를 결정하기 전에 신중한 판단이 요구된다. 각각의 약물에 대하여 용법, 용량 및 특징적 부작용과 작용기전은 표 33-6, 표 33-7, 표 33-8에 요약되어 있다.

표 33-5 양극성 장애의 비약물치료 및 생활환경개선	
심리치료	■ 대인관계치료 ■ 인지행동치료 ■ 스트레스 완화치료
영양치료	■ 고단백식이 ■ 필수지방산 보급 ■ 비타민 ■ 미네랄 (칼슘, 마그네슘 등)

운동치료	■ 체중부하 운동 (weight–bearing exercise) ■ 환자의 상태에 따라 적절한 운동
기타	■ 취미활동 ■ 종교생활 ■ 이완요법(마사지, 요가 등)

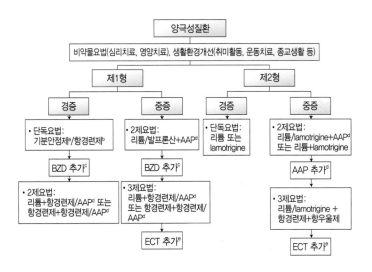

그림 33-1 양극성 장애의 약물치료법

AAP=atypical antipsychotics. BZD=benzidiazepines. ECT=electroconvulsive therapy.

[a]기분안정제에는 리튬, valproate, carbamazepine 등 세 가지 약물을 일컫는 용어임. 제1형의 경증에는 리튬 또는 valproate가 권장되지만, 제2형의 경증에는 리튬만 권장됨. [b]항경련제: lamotrigine, valproate, carbamazepine, oxcarbazepine. [c]불면증이 나타나면 단기간 동안 추가함. [d]제2세대 항정신병약(olanzapine, quetiapine, risperidone, ziprasidone, aripiprazole)은 환각, 망상 등 정신분열증 유사증상이 있을 때 사용함. [e]전기경련요법은 환자의 한 쪽 또는 양쪽 관자놀이에 전기충격을 가하는 치료법으로 보통 1주일에 2-3회씩 4주 정도(총 치료횟수: 8-12회) 실시함.

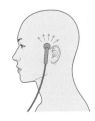

그림 33-2 전기경련요법

환자의 한 쪽 또는 양쪽 관자놀이에 전기충격을 1주일에 2-3회씩 가하여 4주 정도 치료함

표 33-6 양극성 장애에 사용되는 약물의 용량 및 용법

구분	약물명(제품명)	용법, 용량
기분안정제	lithium carbonate (리단®)	300mg을 1일 2–3회 복용 (0.8–1.5mEq/L을 유지해야 함)
	valproate[a] (데파킨크로노®)	500mg을 1일 2–3회 복용 (혈중농도 50–125µg/ml을 유지해야 함)
	divalproex[a,b] (데파코트®)	500mg을 1일 2–3회 복용 (혈중농도 50–125µg/ml을 유지해야 함)
항경련제	carbamazepine[c] (테그레톨®)	100mg을 1일 2–3회 복용
	oxcarbazepine (트리렙탈®)	300mg을 1일 2–3회 복용
	lamotrigine (라믹탈®)	처음 2주차: 25mg을 1일 1회 복용 3–4주차: 25mg을 1일 2회 복용 5주차 이후: 50mg을 1일 2회 복용
신경안정제	lorazepam (아티반®)	0.5–1을 1일 1–3회 복용
	clonazepam (리보트릴®)	0.5–1mg을 1일 1–3회 복용
제2세대 항정신병약	olanzapine (자이푸렉사®)	10mg을 1일 1회 복용
	quetiapine (쎄로켈 서방정®)	제1일: 50mg을 1일 1회 복용 제2일: 100mg을 1일 1회 복용 제3일: 200mg을 1일 1회 복용 제4일 이후: 300mg을 1일 1회 복용
	risperidone (레스페달®)	2mg을 1일 1회 복용 (이틀 간격으로 증량하여 1일 2–6mg 복용)
	ziprasidone (젤독스®)	제1일: 40mg을 1일 1회 복용 제2일: 60–80mg을 1일 1회 복용 제3일 이후: 40–80mg을 1일 2회 복용
	aripiprazole (아빌리파이®)	30mg을 1일 1회 복용

[a]valproate와 divalproex는 기분안정제이면서 항경련작용도 있음
[b]divalproex는 흡수되어 valproate로 변하여 약리작용을 나타냄
[c]carbamazepine은 기분안정제이면서 항경련작용도 있음

표 33-7 양극성 장애에 사용되는 약물의 특징적 부작용

구분	약물명	특징적 부작용	주의사항*
기분 안정제	lithium carbonate: 우울증 참조(표 32-6)		
	valproate, divalproex	졸림, 전신무력감, 언어장애, 복시(사물이 두 개로 보임)	■ 심한 복통이 나타나면 췌장염일 수 있으므로 의료인에게 알릴 것 ■ 이 약은 우울증 증상을 악화시킬 수 있음 ■ 이 약은 치료역이 좁으므로 의사와 상의하여 약물의 혈중농도를 모니터 할 것
항경련제	carbamazepine, oxcarbamazepine	괴사성피부염, 백혈구감소증, 재생불량성빈혈, 전신무력감, 언어장애	■ 골수기능장애 경력이 있는 사람은 이 약을 복용하지 말 것 ■ 이 약은 우울증 증상을 악화시킬 수 있음 ■ 이 약은 다른 약의 대사를 촉진하여 약효를 떨어뜨릴 수 있으므로 병용중인 다른 약의 이름을 의료인에게 말할 것 ■ 이 약은 치료역이 좁으므로 의사와 상의하여 약물의 혈중농도를 모니터 할 것
	lamotrigine	괴사성피부염, 졸림, 두통, 전신무력감, 복시, 언어장애	■ valproate와 병용 시 괴사성피부염 발생률이 증가됨 ■ 이 약은 신체의 조화로운 기능을 방해하므로 운전은 물론 보행 및 기계조작 시 특별한 주의가 필요함
신경 안정제	lorazepam, clonazepam	졸림, 건망증, 기억력감퇴, 우울증	■ 이 약은 습관성이 강한 약물이므로 장기연용하지 말 것 ■ 복용 중 술을 먹으면 호흡곤란 등 심각한 부작용이 발생할 수 있음 ■ 이 약은 항정신성약물로서 마약의 일종임
제2세대 항정신병약	olanzapine	졸림, 전신무력감, 언어장애, 체중증가, 당뇨병	■ 이 약은 체중증가와 더불어 당뇨병을 유발할 수 있으므로 체중과 혈당을 정기적으로 모니터할 것 ■ 이미 당뇨병이 있는 사람은 의료인과 상의하여 당뇨병치료법을 조정할 것 ■ 탈수현상이 오지 않도록 물을 충분히 마실 것 ■ 자살충동이 심해지면 의료인에게 말하고 처방변경을 상의할 것
	quetiapine, risperidone, ziprasidone, aripiprazole	졸림, 전신무력감	■ 이 약은 다른 항정신병약에 비하여 부작용이 적은 편이지만 자살충동이 심해지면 의료인에게 말하고 처방변경을 상의할 것

*valproate, divalproex, carbamazepine, oxcarbamazepine은 모두 태아에게 기형을 일으킬 수 있음

표 33-8 양극성 장애 치료제의 작용기전

구분	작용기전
기분안정제	■ lithium carbonate: – 50년 이상 사용되어 왔지만 아직도 작용기전은 밝혀지지 않았음 ■ valproate, divalproex: – GABA transaminase (GABA를 불활성화시키는 효소)의 작용을 억제하여 뇌 신경세포에서 분비된 GABA가 시냅스 간극(synaptic cleft)에서 고농도로 잔류하게 됨(그림 33-3) – GABA는 대뇌에 작용하여 뇌신경의 흥분을 억제하는 신경전달물질임 – 대뇌의 voltage-gated sodium channel 및 calcium channel을 차단하여 뇌신경의 과도한 흥분을 억제하는 작용도 있음
항경련제	■ carbamazepine, oxcarbamazepine, lamotrigine: – 대뇌의 voltage-gated sodium channel 및 calcium channel을 차단하여 뇌신경의 과도한 흥분을 억제함(그림 33-4)
신경안정제	■ lorazepam, clonazepam: – benzodiazepine 계열의 약물로서 GABA 수용체 안에 있는 benzodiazepine 결합부위에 결합하여 GABA 수용체의 작용에 변화를 일으키므로 GABA의 작용이 증대되어 나타남(GABA의 농도와 양에는 변화가 없음) – 대뇌에서 GABA의 작용은 뇌신경의 흥분을 억제하는 신경전달물질임
제2세대 항정신병약	■ olanzapine, quetiapine, risperidone, ziprasidone 등: – 뇌신경세포의 5-HT2 serotonin 수용체 및 D2 dopamine 수용체와 결합하여 길항적으로 작용함 – 5-HT2 serotonin 수용체에 대한 친화력이 D2 dopamine 수용체에 대한 친화력보다 훨씬 강하기 때문에 제2세대 항정신병약이라고 불림 – 히스타민 수용체, 무스카린 수용체, 알파수용체 등과 결합하여 길항적으로 작용하기 때문에 원하지 않는 부작용이 있음 ■ aripiprazole: – 뇌신경세포의 5-HT2 serotonin 수용체에는 길항적으로, D2 dopamine 수용체에는 미약하지만 효능적으로 작용함 – 히스타민 수용체, 무스카린 수용체, 알파수용체 등과의 친화력이 매우 약하기 때문에 이들 수용체와 관련된 부작용이 적음

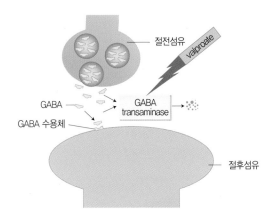

그림 33-3 valproate의 작용기전

GABA transaminase의 작용을 억제하여 GABA가 분해되지 않고 남게 하여 시냅스 간극에 GABA의 농도를 높임

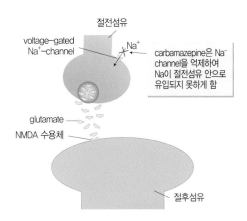

그림 33-4 carbamezepine의 작용기전

Na⁻channel을 억제하여 뇌신경의 과도한 흥분을 억제함

34 Chapter

조현병
(Schizophrenia)

1 개요

1) 정의

조현병은 현실에 대한 인식과 반응이 비정상적인 것을 특징으로 하는 정신질환이다. 조현병에 대한 연구와 이해가 부족했던 과거에 이 병은 정신이 분열되었다는 의미로 정신분열증이라고도 불렸다.

2) 원인

21일은 유전, 유년기 성장환경, 신경생물학적 요인, 심리적 요인, 사회적 요인이 복합적으로 작용하여 발생하는 것으로 여겨지고 있지만 아직까지 자세한 원인은 밝혀지지 않았다. 마약이나 향정신성 의약품 등 중추신경계에 작용하는 약물도 조현병을 일으킬 수 있는 것으로 알려졌다.

신경생물학적 요인으로는 대뇌의 신경전달물질들 사이에 불균형을 들 수 있다. 특히 도파민이라는 신경전달물질이 너무 많이 분비되거나 도파민에 대한 반응성이 지나치게 항진되면 환각과 망상 등 조현병의 특징적 증상이 나타나는 것으로 알려져 있다. 심리적 요인으로는 내성적인 성격이나 격심한 심리적 충격, 사회적 요인으로는 배신감이나 사업에서의 실패 및 이로 인한 사회적 고립 등이 있다. 유년기에 격은 격심한 심리적 상처(trauma)가 청소년기에 이르러 조현병으로 발병되는 경우도 있다.

3) 증상

조현병의 증상은 양성증상과 음성증상으로 구분한다(표 34-1). 양성증상이란 보통 사람에서는 나타나지 않는 현상으로 괴상한 사고나 행동, 환각, 망상을 가리킨다. 음성증상이란 보통 사람에게도 나타날 수 있는 현상으로 부정적인 사고와 행동을 가리킨다.

환각(hallucination)이란 인체의 감각기관인 시각, 청각, 후각, 미각, 촉각 등에 발생하는 증상이다. 환시는 시각적으로 나타나는 환각이고 환청은 청각적으로 나타나는 환각이다. 환시나 환청이란 같이 있는 다른 사람들에게는 보이거나 들리지 않는 것을 보고 듣는 현상이다. 증상이 후각이나 미각으로 나타나면 냄새나 맛을 정확하게 느끼지 못 하게 된다. 망상(delusion)이란 현실에 대한 인식과 반응이 잘못되었음을 가리킨다. 흔히 나타나는 망상의 예는 자기의 직위나 임무를 잘못 인식하거나 또는 누군가가 자기를 해치려 한다고 믿는 것 등이 있다.

음성증상은 조현병의 특징적인 증상은 아니지만 대부분의 환자에게서 발견되는 현상으로써 부정적인 사고와 행동이다. 음성증상은 조현병의 초기 증상이라기보다는 병이 어느 정도 진행된 상태에서 나타나는 증상이며 주요 예는 인생의 희노애락에 대하여 무감각해지고 삶의 즐거움과 욕구가 현저히 저하되는 것 등이 예이다. 더욱 심해지면 지나친 죄의식으로 괴로워하고 자살을 시도하기도 한다.

표 34-1 조현병의 주요증상

양성 증상(positive symptom)	음성 증상(negative symptom)
• 괴상한 사고나 행동 • 환각(환시, 환청) • 망상	• 감정이 무뎌짐 • 무쾌락(anhedonia) • 무욕망(avolition) • 죄의식을 느낌 • 자살유혹

2 조현병의 진단

조현병의 진단은 환자의 보호자나 친척, 친구들의 관찰 및 환자 본인과의 대화를 토대로 하고 다른 정신질환을 배제하는 방법으로 실시한다. 조현병을 정확하게 진단하기 위하여 미국 정신과의사협회는 'Diagnostic and Statistical Manuals of Mental

Disorder'라는 책을 발행하여 정신과의사로 하여금 이 책에 있는 기준을 사용하도록 하고 있다(표 34-2).

그러나 이 기준만으로는 조현병을 복잡하고 다양한 다른 정신질환과 감별진단하기에는 부족하다. 특히 양극성 장애는 조현병과 증상이 유사하게 나타나는 경우가 많아 감별진단이 어렵다. 청소년기에 발병하는 발달장애, 자폐증, 편집장애, 망상장애의 경우도 조현병과 비슷한 증상이 있기 때문에 조현병으로 오진되는 경우가 있다.

표 34-2 조현병의 진단기준(DSM-5)	
A	아래의 5가지 증상 중 2가지 이상이 1개월 이상 지속됨 (1~3번 중 한 가지는 반드시 포함되어야 함) 1. 환각 2. 망상 3. 언어에 논리적이지 않음(앞뒤가 맞지 않는 말, 주제에서 벗어나는 말) 4. 행동에 일관성이 없거나 행동이 거의 없음 5. 음성증상
B	A항의 증상이 나타난 후로 직장생활, 대인관계, 자기관리 등의 기능이 현저히 저하됨
C	A항의 증상이 6개월 이상 지속됨
D	A항의 증상이 조울증이나 기분장애에 의한 것이 아님
E	A항의 증상이 약물이나 다른 질병의 영향이 아님
F	A항의 증상이 발달장애로 인한 경우라면 현저한 환각이나 망상이 1개월 이상 지속되어야 함

A, B, C, D, E, F항의 모든 조건을 만족하면 조현병으로 진단됨

3 조현병의 약물치료법

조현병 약물치료 포인트

1. 조현병은 음성증상이 양성증상(환각, 망상)보다 치료하기가 더 어렵다.

2. 약물치료 없이는 재활프로그램을 실시할 수 없는 경우가 많으므로 반드시 약물치료를 받아야 한다.

3. 약물요법의 시작은 제2세대 항정신병약 한 가지를 선정하여 단독요법으로 치료받는다.

4. 약효여부는 적어도 4주 이상 치료받은 다음에 판정하고 약효가 있다고 판정되면 1년 이상 지속적으로 치료받아야 한다.

5. 세 가지 이상 약물에 대하여 단독요법을 실시해도 약효가 미흡하다고 판정되면 병용요법으로 치료받는다.

6. 항정신병약은 부작용이 매우 많으므로 이상반응이 나타나면 즉시 의료인에게 알려야 한다.

조현병은 약물치료와 함께 비약물치료 및 여러 가지 재활프로그램을 통하여 치료와 관리가 가능하다. 특히 재활프로그램은 조현병 환자를 가정과 직장으로 복귀하도록 하는 데 있어서 약물치료법보다 더 효과적이다. 그러나 약물치료 없이는 재활프로그램을 실시할 수 없는 경우가 많으므로 반드시 약물치료를 받도록 한다.

재활프로그램에는 기본교육, 사회생활기술 및 직업교육, 고용지원 등이 있다. 직업교육을 통하여 직장생활에 필요한 기술을 갖게 하고 동시에 고용지원을 실시하면 환자가 사회와 직장에서 어울려 생활하는 데 큰 도움이 된다. 일부 선진국에서 실시되는 능동적 지역사회치료(active community treatment, ACT)는 환자와 보호자, 병원, 지역자치단체가 함께 참여하는 재활프로그램으로서 조현병 뿐만 아니라 다른 정신질환의 치료에도 큰 효과가 있는 것으로 알려졌다.

조현병의 약물치료는 제2세대 항정신병약 중에서 한 가지를 선정하여 단독요법을 실시하는 것이 권장된다(그림 34-1). 약효여부는 약 4주 정도 지난 다음에 환자 상태를 평가하여 판정하고 약효가 있는 것으로 판정되면 해당 약물을 1년 이상 지속적으로 복용하도록 한다. 만일 약효가 미흡한 것으로 판단되면 제2세대 항정신병약 중에서 다른 약물 한 가지를 선정하거나 제1세대 항정신병약으로 바꾸어 한 번 더 단독요법을 실시하도록 해야 한다. 약물마다 독특한 약동학적, 약력학적 특성이 있기 때문에 선택한 제2세대 약물에 대해서는 약효가 없거나 미흡했어도 다른 제2세대 약물에 대해서는 약효가 있을 수 있기 때문이다.

　　제2세대 약물(표 34-3)은 양성증상을 치료하는 데 있어서 제1세대 항정신병약에 비하여 약효가 미흡하지만 음성증상을 악화시키는 부작용이 적으므로 가급적 제 2세대 약물을 선택하는 것이 좋다. 더군다나 제1세대 약물은 부작용으로 파킨슨씨병 유사증상(extrapyramidal symptom, tardive dyskinesia)을 일으킬 뿐만 아니라 음성증상을 악화시키는 부작용이 크기 때문이다. 조현병의 치료에 있어서 양성증상을 치료하는 것은 비교적 쉬운 반면에 음성증상을 치료하는 것이 어려운 부분임을 감안할 때 가급적 제2세대 약물 중에서 환자에게 약효가 있는 것을 찾아내기 위한 시도는 반드시 실시되어야 한다. 약효여부는 역시 약 4주 정도 지난 다음에 판정해야 한다.

　　두 차례에 걸쳐 2세대 약물로 단독요법을 실시했는데도 불구하고 여전히 약효가 미흡하다고 판단되면 환자와 보호자의 동의를 얻어 clozapine을 사용한다(치명적인 과립백혈구 저하증이 발생할 수 있기 때문임). 만일 clozapine 사용에 대한 동의를 얻지 못하면 사용하지 않은 제2세대 약물을 선정하여 세 번째 단독요법을 실시한다.

　　세 차례에 걸친 단독요법으로도 기대하는 치료효과를 얻지 못하면 병용요법을 고려한다. 이 결정을 하기 전에 치료자는 과연 환자가 약물을 잘 복용해 왔는지에 대해서 의심해 볼 필요가 있다. 환자가 정해진 용법 용량을 준수하여 약물치료법을 성실히 실시했는데도 불구하고 개선이 되지 않은 것이 확인되면 항우울제나 기분안정제를 사용하는 병용요법을 실시한다. 병용요법에도 반응하지 않는 경우에는 전기경련요법까지 고려한다(그림 33-3). 전기경련요법은 앞에서 언급한 것처럼 윤리적 문제가 있으므로 치료여부를 결정하기 전에 분별력 있는 판단이 요구된다. 조현병 치료에 사용되는 약물의 용법, 용량 및 특징적 부작용과 작용기전은 표 34-4, 표 34-5, 표 34-6에 요약되어 있다.

표 34-3　여러 가지 제2세대 항정신병약
olanzapine (자이프렉사®), quetiapine (쎄로켈®), risperidone (리스페달®), paliperidone (인베가®), ziprasidone (젤독스®), aripiprazole (아빌리파이®), clozapine* (클로자릴®).

*clozapine은 다른 제2세대 약물을 적어도 두 가지 이상 사용하고도 약효가 미흡하다고 판정될 경우에 한하여 사용함

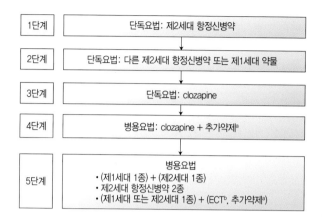

1단계	단독요법: 제2세대 항정신병약
2단계	단독요법: 다른 제2세대 항정신병약 또는 제1세대 약물
3단계	단독요법: clozapine
4단계	병용요법: clozapine + 추가약제ᵃ
5단계	병용요법 • (제1세대 1종) + (제2세대 1종) • 제2세대 항정신병약 2종 • (제1세대 또는 제2세대 1종) + (ECTᵇ, 추가약제ᵃ)

그림 34-1 조현병의 약물치료법

AD=antidepressant (항우울제). ECT=electroconvulsive therapy. MS=mood stabilizer (기분안정제). ᵃ추가약제는 항우울제, 기분안정제가 사용됨. ᵇ전기경련요법은 환자의 한 쪽 또는 양쪽 관자놀이에 전기충격을 가하는 치료법으로 보통 1주일에 2-3회씩 4주 정도(총 치료횟수: 8-12회) 실시함.

표 34-4 조현병 치료에 사용되는 약물의 용법 및 용량

구분	약물명(제품명)	용법, 용량
제1세대 항정신병약	chlorpromazine (네오마찐®)	50-100mg을 1일 3-4회 복용
	haloperidol (페리돌®)	0.5-2mg을 1일 2-3회 복용으로 시작하여 서서히 증량함 (유지용량: 1일 2-8mg)
	bromperidol (부롬®)	5-10mg을 1일 1회 복용
	trifluoperazine (오페라진®)	5mg을 1일 2회 복용
	thiothixene (오나벤)	2-5mg을 1일 2회 복용으로 시작하여 서서히 증량함 (유지용량: 1일 20-30mg)
	molindone (모반)	10-25mg을 1일 3-4회 복용
제2세대 항정신병약	olanzapine (자이푸렉사®)	10mg을 1일 1회 복용
	quetiapine (쎄로켈 서방정®)	제1일: 50mg을 1일 1회 복용 제2일: 100mg을 1일 1회 복용 제3일: 200mg을 1일 1회 복용 제4일 이후: 300mg을 1일 1회 복용
	risperidone (레스페달®)	2mg을 1일 1회 복용(이틀 간격으로 증량하여 1일 2-6mg 복용)

	paliperidone (인베가®)	6mg을 1일 1회 복용
제2세대 항정신병약	ziprasidone (젤독스®)	제1일: 40mg을 1일 1회 복용 제2일: 60–80mg을 1일 1회 복용 제3일 이후: 40–80mg을 1일 2회 복용
	aripiprazole (아빌리파이®)	30mg을 1일 1회 복용
	clozapine (클로자릴®)	12.5mg을 1일 1–2회 복용으로 시작하여 2주간에 걸쳐 서서히 증량함 (목표용량: 1일 200–450mg) 치료효과를 달성한 후에는 1일 150–300mg으로 서서히 감량하여 최소한 6개월 동안 치료함

표 34–5 조현병 치료에 사용되는 약물의 특징적 부작용

약물명	특징적 부작용	주의사항
chlorpromazine 등 제1세대 항정신병약	졸음, 전신무력감, 입술과 혀 및 안면근육경련, 파킨슨유사증상(보행장애, 손발 떨림, 몸동작이 느려짐)	■ 이 약은 부작용이 많아서 다른 약물에 반응하지 않는 경우에 한하여 제한적으로 사용됨 ■ 안면근육경련이나 파킨슨유사증상이 나타나면 복용을 중지하고 의료인에게 알릴 것 ■ 이 약을 복용하기 전에 이미 복용중인 약물의 이름을 의료인에게 알릴 것
olanzapine 등 제2세대 항정신병약	졸림, 전신무력감, 언어장애, 체중증가, 당뇨병	■ 이 약은 다른 항정신병약에 비하여 부작용이 적은 편이지만 자살충동이 심해지면 의사에게 말하고 처방변경을 상의할 것 ■ clozapine의 경우에는 무과립백혈구증(agranulocytosis) 부작용이 있으므로 의사와 상의하여 백혈구 검사를 정기적으로 받을 것 ■ 이 약은 체중증가로 제2형 당뇨병을 유발하는 부작용이 있으므로 의사와 상의하여 매주 체중과 혈당을 모니터할 것 ■ 이미 당뇨병이 있는 사람은 의사와 상의하여 당뇨병치료법을 조정할 것

표 34-6 조현병 치료제의 작용기전

구분	작용기전
제1세대 항정신병약	■ chlorpromazine 등: – 뇌신경세포의 dopamine 수용체와 결합하여 차단함 – dopamine은 mesolimbic pathway, nigrostriatal pathway, mesocortical pathway, tuberoinfundibular pathway 등 뇌의 여러 가지 신경전달경로에서 필수적인 물질이므로 이들 약물은 다양한 부작용이 있음 – serotonin 수용체, 히스타민 수용체, 무스카린 수용체, 알파수용체 등과도 결합하여 차단하기 때문에 dopamine 관련 이외에도 다른 여러 가지 부작용이 있음
제2세대 항정신병약	■ olanzapine, quetiapine, risperidone, ziprasidone 등: – 뇌신경세포의 dopamine 수용체와 결합하여 차단하는 작용이 있지만 D_2 dopamine 수용체와 $5-HT_2$ serotonin 수용체에 대한 선택성이 있음 (이 때문에 제2세대 항정신병약으로 분류됨) – $5-HT_2$ serotonin 수용체에 대한 친화력이 D_2 dopamine 수용체에 대한 친화력보다 훨씬 강함 – 위 두 가지 수용체에 대한 선택성이 있는 편이지만 히스타민 수용체, 무스카린 수용체, 알파수용체 등에 대한 작용도 여전히 있기 때문에 부작용이 전혀 없는 것은 아님 ■ aripiprazole: – 다른 제2세대 항정신병약과는 달리 뇌신경세포의 $5-HT_2$ serotonin 수용체에는 길항적으로, D_2 dopamine 수용체에는 미약하지만 효능적으로 작용함 – 히스타민 수용체 및 알파수용체와의 친화력이 비교적 약하여 이들 수용체와 관련된 부작용이 적음 – 무스카린 수용체에 대한 친화력이 매우 약하기 때문에 이 수용체와 관련된 부작용이 적은 장점이 있음

35 Chapter

범불안장애
(General anxiety disorder)

1 개요

1) 정의
범불안장애란 특별한 이유 없이 불안한 느낌이 6개월 이상 과도하게 나타나면서 다양한 신체증상까지 동반되는 상태를 가리킨다.

2) 원인
범불안장애는 정신질환, 육체적 질환, 약물사용 등이 원인인 것으로 알려져 있지만 아직까지 정확한 원인은 밝혀지지 않았다(표 35-1). 우울증, 양극성장애, 조현병 등 대부분의 정신질환은 불안장애를 동반하는 경우가 많다. 범불안장애는 그 자체가 독립된 질환이라기 보다는 다른 정신질환으로 나타나는 증상의 일부일 수도 있다.

표 35-1 범불안장애의 원인	
정신질환	■ 우울증, 양극성장애, 조현병 등 대부분의 정신질환은 불안장애를 동반하는 경우가 많음
육체적 질병	■ 심혈관계질환(부정맥, 협심증, 심부전 등) ■ 내분비질환(갑상선질환, 저혈당, 전해질이상, 빈혈 등) ■ 신경계질환(파킨슨씨병, 간질, 뇌졸중, 통증을 동반하는 질환 등) ■ 호흡기계질환(천식, 만성폐색성폐질환 등)
약물유발성	■ 마약, 향정신성약물 또는 중추신경계에 작용하는 약물

3) 증상
범불안장애의 증상은 정신적 증상과 신체적 증상으로 나눌 수 있다(표 35-2). 정신적 증상은 심한 불안감과 초조감이 대표적인 증상이고, 환자는 불안감 때문에 무엇에도 주의가 산만해져 마음을 집중할 수 없게 된다. 신체적 증상은 불안감과 초조감 때문에 가만히 있지 못하고 불면증으로 고통을 받는 것이 대표적인 증상이다. 증상이 더욱 심한 경우는 눈꺼풀이 떨리거나 얼굴이 창백해지고 심장이 두근거리는 증상이 나타나기도 한다. 이러한 환자는 정신적, 신체적 증상의 결과로 가정생활, 직장생활 및 사회생활에 큰 어려움을 겪게 된다.

표 35-2 범불안장애의 주요증상	
정신적 증상 (psychiatric)	■ 불안감, 초조감, 조절이 안 되는 심한 걱정 ■ 쉽게 짜증나고 화가 남 ■ 집중할 수 없음, 문제해결능력 상실
신체적 증상 (physical)	■ 쉽게 피로를 느낌 ■ 불면증 ■ 근육긴장 ■ 눈꺼풀이 떨림, 발한, 얼굴이 창백해짐 ■ 심장이 두근거림

정신적, 신체적 증상이 환자에게 고통과 가정생활, 직장생활과 사회생활에 심각한 어려움을 가져옴

4) 진단

범불안장애는 일반적으로 표 35-3의 진단기준에 따라서 진단한다. 표에 있는 6가지 증상 중 3가지 이상이 6개월 이상 지속되고 이로 인하여 환자에게 육체적 고통이나 가정생활, 직장생활, 사회생활에 심각한 어려움이 있을 경우 범불안장애로 진단한다.

표 35-3 범불안장애의 진단기준	
정신적 증상	■ 안절부절하거나 초조하고 긴장됨 ■ 쉽게 짜증나고 화가 남 ■ 집중력과 기억력이 저하됨
신체적 증상	■ 쉽게 피로를 느낌 ■ 근육긴장 ■ 불면증

위 6가지 증상 중 3가지 이상이 6개월 이상 지속되고 이로 인하여 환자에게 심각한 육체적 고통이나 가정생활, 직장생활, 사회생활에 심각한 어려움이 있을 경우 범불안장애로 진단함

범불안장애를 보다 객관적으로 진단하기 위하여 해밀턴 불안척도(Hamilton Anxiety Scale, HAM-A)가 널리 사용된다. HAM-A는 불안감, 긴장감, 공포감, 불면증 등 14개 항목 각각에 대하여 증상이 전혀 없으면 0점, 증상이 매우 심하면 4점으로 계산하여 합산된 점수를 지표로 한다(표 35-4). 합산점수가 14-17점 사이이면 경증, 18-24점이면 중등도, 25점 이상이면 중증의 범불안장애로 진단한다.

표 35-4 해밀턴 불안척도 합산점수*의 해석	
14-17점	경증
18-24점	중등도
25점 이상	중증

*14개 항목의 합산 점수

2 범불안장애의 약물치료법

범불안장애 약물치료 포인트

1. 범불안장애는 약물치료와 함께 비약물치료를 병행하도록 한다.
2. 근육과 심장을 강화시켜주는 운동과 평소 즐기던 취미활동이 불안증을 극복하는 데 큰 도움이 된다.
3. 벤조디아제핀계열 약물은 탐닉성이 강하므로 4주일 이상 사용하지 말아야 한다.

범불안장애는 약물치료와 함께 비약물치료를 병행하도록 한다. 범불안장애가 육체적 질병으로 인하여 이차적으로 나타나는 경우에는 원인질환을 찾아내어 치료하는 것이 중요하지만, 정신질환의 한 증상으로 나타나는 경우에는 약물치료법보다도 비약물치료가 효과적일 수 있다.

범불안장애의 약물치료는 일차적으로 선택성 세로토닌 재흡수 저해제(SSRI)나 세로토닌 노르에피네프린 재흡수 저해제(SNRI) 중에서 한 가지 약물을 선정하여 실시한다(그림 35-1). 환자가 불면증을 호소할 경우에는 졸음을 유발하는 항히스타민제(diphendramine)나 벤조디아제핀계열 항불안제(수면제)를 추가하여 증상을 완화시켜 주어야 한다. 이때 일반적으로 반감기가 짧은 항불안제는 탐닉성이 강하므로 가급적 사용을 피하고 반감기가 긴 약물로 약 2-4주 정도의 단기간 동안만 사용하도록 한다.

일차적 약물치료에 사용되는 약물은 SSRI 중에서 paroxetine이나 escitalopram이 권장되며 적어도 1개월 정도 사용한 다음에 약효가 있는지 여부를 판정한다. 약효판정은 정신과 의사의 주관적 판단을 지양하고 가급적 해밀턴 불안척도(Hamilton Anxiety Scale, HAM-A) 같은 객관적 측정도구를 사용한다. 만일 SSRI로 치료를 했는데도 불안장애가 개선되지 않으면 이팩사®로 변경하여 약물치료를 계속한다.

일차적 약물치료를 했는데도 불구하고 불안장애가 개선되지 않으면 제2세대 항정신병약, buspirone, tiagabine, 벤조디아제핀계열 항불안제 등을 추가하거나 사용하지 않은 다른 종류의 SSRI나 SNRI로 변경하여 치료를 계속 받아야 한다. 여전히 약효가 미흡하여 고통이 심한 경우에는 탐닉성과 의존성이 나타나는지를 예의주시하면서 벤조디아제핀계열 항불안제를 단기간 동안 추가한다. 우울증이나 양극성장애 등 합병증이 있으면 해당 합병증을 치료할 수 있는 약제로 전환하거나 추가하여 약물치료를 지속적으로 받아야 한다.

비약물치료는 약물치료만큼 신속한 효과를 기대할 수는 없지만, 환자 스스로 불안증을 극복해 낼 수 있는 능력을 키워주는 효과가 있다. 따라서 불안증으로 인한 고통이 어느 정도 가라앉으면 약물치료법에만 의존하지 말고 반드시 여러 가지 비약물요법을 병행해야 한다. 심리치료, 근육과 심장을 강화시켜 주는 운동요법, 등산같이 자신감을 높여주는 취미활동은 범불안장애의 치료에 큰 도움이 된다. 범불안장애 치료에 사용되는 약물의 용법, 용량 및 특징적 부작용과 작용기전은 표 35-5, 표 35-6, 표 35-7에 요약되어 있다.

표 35-5 범불안장애 치료에 사용되는 약물의 용법 및 용량

구분	약물명(제품명)	용법 용량	비고(반감기)
SSRI	우울증 참조(표 32-5)		
TCA	우울증 참조(표 32-5)		
신경안정제	alprazolam (알작스®)	1회 0.75-4mg	4-6시간
	diazepam (바리움®)	1회 2-10mg, 1일 1-2회	20-80시간
	clonazepam (리보트릴®)	1회 0.5-1mg, 1일 1-3회	30-40시간
	clorazepate (트랑센®)	1회 5-30mg, 1일 1-2회	50-100시간
	ethyl loflazepate (빅손®)	1회 1-2mg, 1일 1-2회	50-100시간

SSRI=selective serotonin reuptake inhibitor. TCA=tricyclic antidepressant. 벤조디아제핀계열 항불안제는 탐닉성이 강하므로 2-4주 정도의 단기간 동안만 사용함

표 35-6 범불안장애 치료에 사용되는 약물의 특징적 부작용

구분	약물명	특징적 부작용	주의사항
SSRI, TCA	우울증 참조(표 32-6)		
신경안정제	diazepam 등	졸림, 건망증, 기억력감퇴, 우울증	■ 이 약은 습관성이 강한 약물이므로 장기연용하지 말 것 ■ 복용 중 술을 먹으면 호흡곤란 등 심각한 부작용이 발생할 수 있음 ■ 이 약은 향정신성약물로서 마약의 일종임

표 35-7 범불안장애 치료제의 작용기전

구분	작용기전
SSRI	■ fluoxetine 등: – serotonin이 뇌신경세포로 재흡수 되어 분해되는 것을 억제하여 serotonin의 작용을 강화하고 작용시간을 연장함 – 뇌조직 중의 serotonin 양과 범불안장애 사이의 상관관계는 아직까지 자세히 밝혀지지 않았음
TCA	■ amitriptyline 등: – serotonin과 norepinephrine 등 신경전달물질이 신경세포로 재흡수 되어 분해되는 것을 억제함 – serotonin 및 norepinephrine 등 신경전달물질의 작용 강화 및 작용시간 연장 – 정확한 작용기전은 알려지지 않았음
신경안정제	■ diazepam 등: – GABA 수용체 안에 있는 benzodiazepine 결합부위에 결합하여 GABA 수용체의 작용에 변화를 일으키므로 GABA의 작용이 증대되어 나타남(GABA의 농도와 양에는 영향을 미치지 않음)(그림 35-2) – 정확한 작용은 알려지지 않았지만 GABA의 작용이 증대되어 뇌신경의 활동이 억제되는 것으로 추정됨

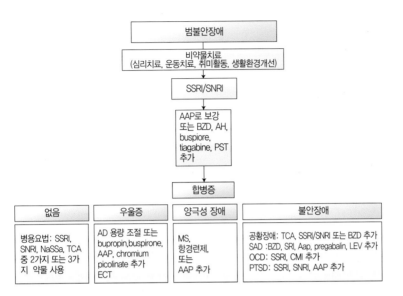

그림 35-1 범불안장애의 약물치료법

AAP=atypical antipsychotic. AD=antidepressant. AH=antihistamine. BZD=benzodiazepine. CMI=clomipramine. ECT=electroconvulsive therapy. GAD-generalized anxiety disorder. LEV=levetiracetam. NaSSa=noradrenergic and selective serotonergic antidepressant. MS=mood stabilizer. PST=psychosocial treatment. PTST=post trauma stress disease, SAD=social anxiety disorder. SNRI=serotonin-norepinephrine reuptake inhibitor. SRI=serotonin reuptake inhibitor. SSRI=selective serotonin reuptake inhibitor. TCA=tricyclic antidepressant.

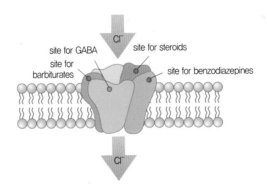

그림 35-2 GABA 수용체와 여러 가지 약물의 결합부위

GABA=gamma-aminobutyric acid. GABA 수용체는 GABA 이외에도 benzodiazepine, barbiturate 등 여러 가지 약물과 결합하여 다양한 생리반응을 나타냄

36 Chapter

강박증
(Obsessive-compulsive disease)

1 개요

1) 정의

강박증이란 강박사고(obsession)와 강박행동(compulsion)을 특징으로 하는 불안장애이다. 강박사고란 마음은 원하지 않는데도 자꾸만 떠오르는 생각이고, 강박행동이란 그 생각 때문에 자꾸만 하게 되는 행동이다. 강박증 환자는 대개 일어날 가능성이 거의 없는 일에 대한 염려와 불안(강박사고)을 해소하기 위하여 불필요하고 의미없는 일을 반복적으로 실시(강박행동)하는 특징이 있다.

2) 원인

강박증의 원인은 아직까지 자세히 밝혀지지 않았지만 생물학적 원인과 심리적 원인이 복합적으로 작용하여 발생하는 것으로 추정하고 있다.

생물학적 원인으로는 뇌 속에 있는 여러 가지 신경전달물질 사이의 불균형을 들수 있다. 특히 다른 신경전달물질들에 비하여 세로토닌이 상대적으로 부족하면 강박증이 나타날 수 있는 것으로 알려졌다. 대뇌의 구조적인 면에서 보면, 미상핵(caudate necleus)의 크기가 작아지는 것을 들 수 있다. 미상핵은 orbitofrontal cortex와 시상(thalamus) 사이에 있으면서 이들 사이의 신호전달을 제어하는 기능을 하는데 이기능이 원활하게 수행되지 않으면 orbitofrontal cortex의 자극이 반복적으로 시상으로 전달되고 시상은 이에 반응하여 반복적으로 신경전달물질과 호르몬 분비를 일으킨다. 따라서 환자는 안정된 정신상태를 유지하지 못하고 불안하게 되는 것이다. 심리적 원인으로는 지나치게 꼼꼼하고 완벽을 기하려고 하는 성격을 들 수 있다. 강박증 환자의 약 1/3은 완벽주의자적인 성향을 가진 사람이다. 또한 한 가지 생각에 몰두하는 성격도 강박사고와 강박행동의 원인이 된다.

3) 증상

강박증의 증상은 강박사고와 강박행동이다(표 36-1). 가장 흔한 강박사고의 예는 오염 강박사고와 정돈(확인) 강박사고이다. 오염 강박사고는 물건이 지저분하거나 더럽다는 생각, 세균에 오염되었을 수 있다는 생각이다. 정돈(확인) 강박사고는 물건이 정돈되지 않았다는 생각, 전기 스위치나 가스 밸브가 잠겨지지 않았을 수 있다는 생각, 현관문이 열려 있을 수 있다는 생각이다. 양심적 강박사고는 불경스러운 생각이나 욕설 등을 마음속으로 하는 것에 대한 양심의 가책이다. 공중도덕 또는 종교적 계율이나 규칙을 위반하는 것에 대한 집착도 여기에 해당된다.

강박행동은 강박사고를 해소하기 위한 노력이다. 대부분의 강박증은 불안을 만들어내는 강박사고와 불안을 해소하기 위한 강박행동이 짝을 이루고 있다. 그러나 강박행동은 잠시적인 해소책일 뿐 근본적으로 해결해 주지는 못하기 때문에 강박사고와 강박행동은 계속 반복되게 된다.

표 36-1 강박증의 주요증상

강박사고 (obssession)	■ 마음으로는 원하지 않는데도 자꾸만 떠오르는 생각 　– 오염 강박사고 　– 정돈(확인) 강박사고 　– 양심(도덕) 강박사고
강박행동 (compulsion)	■ 강박사고 때문에 자꾸만 하게 되는 행동 　– 오염 강박사고: 씻고 쓸고 닦기 반복, 회피증상(더럽다는 생각에 공공화장실 가지 　　못함, 대중교통 이용하지 못함, 성관계 하지 못함) 　– 정돈(확인) 강박사고: 정리정돈 반복, 잠금장치 반복 확인(전기, 가스, 현관) 　– 양심(도덕) 강박사고: 지나친 공중도덕 실천

2 강박증의 진단 및 분류

1) 진단

어느 정도 이상의 강박사고와 강박행동을 질병으로 보느냐 하는 문제는 사회적 문화적 환경에 따라 다르고 의사의 판단기준에 따라서 다르기 때문에 강박증을 객관적으로 진단하는 것은 쉽지 않다. 더군다나 강박증은 불안장애, 우울증 등 다른 정신질환과 함께 나타나는 경우가 많아 정확하게 감별진단 하는 것은 더욱 어렵다. 일반적으로는 환자가 하루에 1시간 이상 강박사고와 강박행동 때문에 고통을 경험하며, 이로 인하여 일상생활, 가정생활 및 사회생활에 심각한 영향을 미칠 정도이면 강박증으로 진단한다.

2) 분류

강박증에 대하여 일반적인 분류방법은 없지만 증상의 유형을 기준으로 오염강박, 정돈(확인)강박, 양심(도덕)강박의 3가지 대별할 수 있다(표 36-2).

표 36-2 강박증의 분류

구분	특징
오염강박	■ 손이나 몸을 너무 자주 씻음 ■ 가구나 바닥을 너무 자주 쓸고 닦음 ■ 지저분하다고 생각되는 곳에는 오래 있지 못하거나 아예 회피함
정돈(확인)강박	■ 좌우 대칭 등 정리정돈 상태를 너무 자주 점검함 ■ 전기 스위치, 가스 밸브, 현관 잠금장치를 너무 자주 점검함
양심(도덕)강박	■ 옳고 그름에 너무 예민하게 반응함 ■ 단순한 인간적 실수에 너무 예민하게 반응함 ■ 공중도덕에 너무 예민함

3 강박증의 약물치료법

강박증 약물치료 포인트

1. 강박증은 완벽 지향성이 강하거나 한 가지 생각에 너무 몰두하기 때문에 발생하는 일종의 성격장애다.

2. 강박증은 경증인 경우 인지행동치료만 실시하고 치료효과가 미흡할 경우 약물치료를 병행해야 한다.

3. 약물치료는 SSRI를 일차선택약으로 하고 적어도 2-3가지 SSRI를 사용해도 효과가 미흡하면 clomipramine으로 치료받아야 한다.

4. 약물치료의 효과 여부는 최소한 1개월 이상 치료를 받은 다음 객관적 검사를 통하여 판단해야 한다.

강박증 치료는 인지행동치료와 약물요법으로 실시된다. 인지행동치료는 강박사고를 일으키는 환경 속에서 강박행동을 자제하도록 훈련하는 치료이다. 예를 들면 오염 강박사고의 경우 화장실 변기를 청소한 후 손을 씻지 않고 견디는 훈련, 정돈 강박사고의 경우 가스 중간밸브를 잠그지 않고 외출하는 훈련 등이 있다.

비교적 경증의 강박증은 인지행동치료만으로도 치료가 잘 되는 경우가 많다. 따라서 우선 인지행동치료만으로 약 3-4주간 치료하고 유의성 있는 개선이 없을 경우 SSRI를 추가하여 약물요법을 실시한다(그림 36-1). 그러나 인지행동치료만으로 치료효과를 기대할 수 없는 중증의 강박증은 처음부터 약물치료와 병행하여 실시한다. 강박증 치료효과 여부 판정은 의사의 주관적 판단으로 결정하는 것보다는 증상의 정도를 객관적으로 측정하는 Yale-Brown Obsessive Compulsive Scale (YBOCS)를 이용하여 치료전과 치료후를 비교하는 것이 좋다.

인지행동치료와 SSRI로 치료를 실시해도 뚜렷한 증상개선이 없으면 다른 SSRI를 사용하여 약물요법을 실시한다. 새로 사용한 SSRI도 약효가 미흡하면 삼환계 항우울제인 clomipramine으로 약물치료를 실시한다. Clomipramine은 원래 항우울제로 개발된 삼환계 항우울제이지만 강박증 치료에 유효성이 인정되어 미국 FDA에서 강박증 치료제로 허가된 약물이다. 그러나 이 약물은 기립성저혈압, 졸음, 구갈, 변비 등의 부작용이 많은 편이므로 약물치료법에서 적어도 2-3가지 SSRI를 사용해 본 다음에 사용하도록 한다.

사실, 강박증 치료효과만으로 보면 clomipramine이 SSRI에 비하여 우수한 것으로 보고되었다. 그러나 clomipramine은 졸음과 구갈은 물론 심혈관계질환과 비만을 일으키는 부작용 때문에 SSRI를 우선적으로 사용하는 약물치료법이 권장된다. SSRI를 사용할 때 용량은 저용량에서 시작하여 1-2개월에 걸쳐 서서히 증량한다. 강박증 치료에 사용되는 약물의 용법 및 용량은 표 36-3에 요약되어 있다.

표 36-3 강박증 치료에 사용되는 약물의 용법, 용량[a]

구분	약물명	용법 및 용량
SSRI	fluoxetine (푸로작®)	20mg 1일 1회로 시작하여 40–60mg으로 증량
	fluvoxamine (듀미록스®)	50mg 1일 1회로 시작하여 200mg으로 증량
	paroxetine (세로자트®)	20mg 1일 1회로 시작하여 40mg으로 증량
	sertraline (졸로푸트®)	50mg 1일 1회로 시작하여 150mg으로 증량
	escitalopram (렉사프로®)	10mg 1일 1회로 시작하여 20mg으로 증량
TCA	우울증 참조(표 32–5)	

SSRI=selective serotonin reuptake inhibitor (선택성 세로토닌 재흡수 저해제); TCA=tricyclic antidepressant (삼환계 항우울제)
[a]특징적 부작용은 우울증 참조(표 32–6)

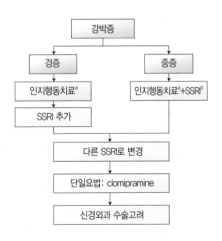

그림 36-1 강박증의 약물치료법

SSRI=selective serotonin reuptake inhibitor. [a]인지행동치료는 강박사고를 일으키는 환경 속에서 강박행동을 자제하도록 훈련하는 치료(예: 가스 중간밸브를 잠그지 않고 외출하는 훈련). [b]SSRI 중에서 강박증 치료에 사용되는 약물은 fluoxetine, flu-voxamine, paroxetine, sertraline이 있음

주의력결핍 과잉행동장애
(Attention deficit hyperactivity disorder, ADHD)

1 개요

1) 정의
주의력결핍 과잉행동장애(attention deficit hyperactivity disorder, ADHD)는 주의력결핍, 과잉행동, 충동성을 특징으로 하는 소아청소년기 정신질환을 가리킨다.

2) 원인
주의력결핍 과잉행동장애의 원인은 아직까지 밝혀지지 않았지만 여러 가지 원인이 복합적으로 작용하는 것으로 추측되고 있다. 유전적 요인, 식생활 요인, 사회적 요인, 신체적 요인 등이 이 질환의 발병과 관련이 있는 것으로 알려졌다(표 37-1).

표 37-1 주의력결핍 과잉행동장애의 원인	
유전적 요인	▪ 쌍둥이 연구 결과에 의하면 이 질환이 있는 어린이의 약 75% 정도가 유전적 요인에 의하여 발병하는 것으로 알려져 있음
식생활 요인	▪ 합성착색료 및 착향료 ▪ 방부제(안식향산 유도체류 등)
사회적 요인	▪ 원만하지 못한 가정 ▪ 영향력 있는 사람과의 불편한 관계(유아원, 유치원, 학원 또는 학교 선생님) ▪ 부적절한 교육환경(편파적 관심, 학습성취도 위주교육)
신체적 요인	▪ 임신중독, 임신 중 흡연 ▪ 분만시 난산 등에 의한 뇌손상

3) 증상
ADHD의 특징적 증상은 주의력 결핍, 과잉행동, 충동성으로 대개 3세 이전에 발병하지만 정규교육을 받기 전에는 알기 어렵고, 그저 산만한 편이라고 여기고 넘어가는 경우가 많다. 청소년기가 되면 증상이 많이 호전되지만 성인이 된 다음에도 증상이 완전히 사라지지는 않는다. 주의력 결핍은 학습장애까지 동반되는 경우도 적지않다.

ADHD의 증상은 주의력 결핍형과 과잉행동/충동형의 두 가지로 유형화할 수 있다. 주의력 결핍형 증상은 부주의로 실수를 잘하고 집중을 오래하지 못하거나 다른 사람의 말을 끝까지 경청하지 못하는 것 등을 들 수 있다. 과잉행동/충동형 증상은 손발을 가만히 두지 못하고 앉은 자리에서 계속 꼼지락거리거나 제 자리에 있어야 할 때 자리에서 일어나 돌아다니는 것 등을 들 수 있다. 때로는 괴상한 소리를 내어 주위에 있는 사람들을 놀라게 하기도 한다.

2 주의력결핍 과잉행동장애의 진단 및 분류

1) 진단

주의력결핍 과잉행동장애의 진단기준은 ADHD의 증상을 크게 주의력 결핍과 과잉행동/충동성의 두 가지로 유형화하고 환자의 증상 유무를 환자나 부모 또는 보호자의 진술을 토대로 하여 정신과 의사의 판단으로 진단한다(표 37-2).

ADHD의 진단은 단기간 동안의 일시적 현상만으로 판단하지 말고 5개 항목(A-E)에 대하여 적어도 6개월 동안 관찰한 결과를 바탕으로 판단해야 한다. A1은 충족시키지만 A2는 충족시키지 않으며 B, C, D, E항의 모든 조건을 충족하면 주의력결핍형 ADHD로 진단한다. 반대로 A1은 충족시키지 못하면서 A2를 충족시키고 나머지 B-E항목을 충족시키면 과잉행동/충동형 ADHD로 진단한다. A1과 A2 모두를 충족시키며 B-E항의 모든 조건을 충족하면 혼합형 ADHD로 진단한다.

주의력결핍 과잉행동장애는 주의력결핍형, 과잉행동 및 충동형, 혼합형의 세 가지로 구분된다(표 37-3).

표 37-2 주의력결핍 과잉행동장애의 진단기준

	〈주의력 결핍 관련 항목〉	〈과잉행동/충동성 관련 항목〉
A	A1: 다음 중 6가지 이상의 증상이 있음 1. 부주의로 실수를 잘함 2. 집중을 오래 유지하지 못함 3. 다른 사람 말을 경청하지 못함 4. 과제나 임무를 끝까지 완수하지 못함 5. 계획을 세워 체계적으로 하지 못함 6. 지속적 정신집중을 필요로 하는 공부, 숙제 등을 싫어하거나 회피하려 함 7. 장난감, 연필 등 필요한 물건을 자주 잃어버림 8. 외부자극에 의해 쉽게 정신을 빼앗김 9. 일상적으로 해야 할 일을 자주 잊어버림	A2: 다음 중 6가지 이상의 증상이 있음 1. 손발을 가만히 두지 못하고 앉은 자리에서 계속 꼼지락거림 2. 제자리에 있어야 할 때 마음대로 자리에서 일어남 3. 가만히 있어야 할 때 뛰어 다님 4. 조용히 놀아야 할 때 조용히 놀지 못함 5. 끊임없이 움직이고 마치 모터가 달린 것처럼 행동함 6. 지나치게 말을 많이 함 7. 질문이 끝나기 전에 불쑥 대답함 8. 차례를 기다리지 못함 9. 다른 사람의 대화 또는 활동에 불쑥 끼어들거나 방해함
B	A항의 증상이 7세 이전부터 나타났음	
C	A항의 증상이 학교생활과 가정생활에 영향을 미침	
D	A항의 증상이 학교공부, 사회생활, 직무수행에 심각한 영향을 미침	
E	A항의 증상이 다른 정신질환의 영향이 아님	

지난 6개월 동안 A1은 충족시키지만 A2는 충족시키지 않으며 B, C, D, E항의 모든 조건을 충족하면 주의력결핍형 ADHD로 진단됨

지난 6개월 동안 A2는 충족시키지만 A1은 충족시키지 않으며 B, C, D, E항의 모든 조건을 충족하면 과잉행동/충동형 ADHD로 진단됨

지난 6개월 동안 A1과 A2 모두를 충족시키며 B, C, D, E항의 모든 조건을 충족하면 혼합형 ADHD로 진단됨

표 37-3 주의력결핍 과잉행동장애의 분류

분류	특징
주의력결핍형	주의력결핍, 과잉행동, 충동성이 모두 있지만 주의력결핍이 주로 문제가 되는 형태
과잉행동 및 충동형	주의력결핍, 과잉행동, 충동성이 모두 있지만 과잉행동과 충동성이 주로 문제가 되는 형태
혼합형	주의력결핍, 과잉행동, 충동성 모두 문제가 되는 형태

3 주의력결핍 과잉행동장애의 약물치료법

주의력결핍 과잉행동장애 약물치료 포인트

1. 주의력결핍 과잉행동장애는 소아청소년기에 발생하는 정신질환으로서 유전적, 사회적 요인 이외에 식생활과도 밀접한 관계가 있다.

2. 주의력결핍 과잉행동장애는 약물치료와 함께 비약물치료(놀이치료, 사회생활훈련)를 병행하도록 한다.

3. 치료는 일찍 시작할수록 치료기간이 단축된다.

4. 약물치료 시 사용되는 methylphenidate는 마약의 일종이므로 다른 사람이 복용하지 않도록 안전한 장소에 보관해야 한다.

5. atomoxetine은 자살충동을 일으킬 수 있으므로 자녀의 행동을 주의깊이 관찰해야 한다.

주의력결핍 과잉행동장애는 놀이치료와 사회생활훈련 등 비약물요법을 병행하면서 약물치료를 하도록 한다. 놀이치료는 그림 그리기나 종이접기 등 어린이들이 좋아하는 여러 가지 놀이를 통하여 자연스럽게 치료해 나가는 프로그램이다.

약물치료는 마약류에 속하는 중추신경흥분제를 이용하여 집중력과 자제력을 향상시키는 치료를 실시해 왔지만 최근에는 마약류에 속하지 않는 새로운 치료제가 개발되어 사용되고 있다. 이 질환은 아직 뇌가 덜 성숙된 소아기에 발병하며, 치료는 일찍 시작할수록 치료기간이 단축된다.

주의력결핍 과잉행동장애는 주의력 결핍형, 과잉행동 및 충동형, 혼합형 등 세 가지 유형이 있지만 약물치료법은 동일한 방법으로 실시한다. 주의력결핍 과잉행동장애의 약물치료에 일차적으로 사용하는 약물은 methylphenidate 서방정(콘서타®) 또는 amphetamine 유도체(Adderall®)가 사용된다(그림 37-1). 콘서타®와 Adderall®은 모두 마약류에 속하는 약물이어서 남용우려는 물론 마약중독증까지 나타날 수 있기 때문에 매우 주의해서 사용해야 한다. 일반적으로 주의력결핍 과잉행동장애 증상이 6개월 이상 지속되는 심한 경우에 한해서만 이 약으로 치료한다.

Methylphenidate를 1차 약으로 선정하여 치료했는데 약효가 없거나 미흡하면 2차

약으로 amphetamine으로 변경하여 다시 치료한다. 만일 1차 약으로 amphetamine을 사용했었다면 2차 약으로 methylphenidate를 사용한다. 이들 두 가지 마약성 약물을 모두 사용했지만 여전히 약효가 없거나 미흡한 것으로 판정되면 atomoxetine (스트라테라®)을 사용한다. 스트라테라®는 주의력결핍 과잉행동장애 치료제로 허가받은 최초의 비마약류 약물이지만 이 병의 사용된 역사가 짧기 때문에 1차 약으로 권장되지는 않는다. 최근에는 도파민재흡수 억제제(bupropion), 중추성 알파2수용체 효능제, 삼환계 항우울제 등이 사용되기도 한다. ADHD 치료에 사용되는 약물의 용법, 용량 및 특징적 부작용과 작용기전은 표 37-4, 표 37-5, 표 37-6에 요약되어 있다.

표 37-4 ADHD의 치료에 사용되는 약물의 용법, 용량

구분	약물명	용법 및 용량
마약류	methylphenidate (콘서타®)	소아(6~12세): 1일 1회 18mg으로 시작하여 최대 54mg까지 증량 가능 청소년(13~17세): 1일 1회 18mg으로 시작하여 최대 72mg까지 증량 가능
SSRI	atomoxetine (스트라테라®)	체중 70kg까지: 0.5mg/kg에서 시작하여 1.2mg/kg으로 증량 체중 70kg초과: 1일 1회 40mg으로 시작하여 80mg으로 증량
도파민 재흡수 억제제	bupropion (웰부트린®)	소아, 청소년 : 1일 1.4~6mg/kg 성인 : 1일 2회 150mg에서 시작하여 최대 450mg까지 증량 가능
중추성 α₂효능제	clonidine (켑베이®)	첫째주: 취침 시 0.1mg 둘째주: 오전 0.1mg, 취침 시 0.1mg 셋째주: 오전 0.1mg, 취침 시 0.2mg 넷째주: 오전 0.2mg, 취침 시 0.2mg
TCA	imipramine (이미프라민®)	소아, 청소년 : 2~5mg/kg을 1일 1~2회로 나누어 복용 성인 : 100~300mg을 1일 1~2회로 나누어 복용
	nortriptyline (센시발®)	소아, 청소년 : 1~3mg/kg을 1일 1~2회로 나누어 복용 성인 : 50~200mg을 1일 1~2회로 나누어 복용

콘서타®는 서방정(徐放錠)이므로 속방정(速放錠)으로 된 methylphenidate 제제와 용법, 용량이 다르므로 주의할 것

표 37-5 ADHD의 치료에 사용되는 약물의 특징적 부작용

약물명	특징적 부작용	주의사항
methylphenidate, amphetamine	빈맥, 혈압상승, 불면증, 초조감, 식욕저하	■ 부작용이 나타나면 의료인과 상의하여 용량을 조정할 것 ■ 이 약은 중독성이 강한 마약의 일종이므로 다른 사람이 복용하지 않도록 안전한 장소에 보관할 것
atomoxetine	빈맥, 혈압상승, 불면증, 초조감, 식욕저하, 복통	■ 이 약은 마약이 아니라 오남용 가능성이 적음 ■ 부작용으로 혈압이 상승할 수 있으므로 두통이 나타나면 의료인에게 알릴 것 ■ 이 약은 자살충동을 일으킬 수 있으므로 보호자는 자녀의 행동을 주의깊게 관찰하고 이상 행동이 나타나면 즉시 의료인에게 알릴 것
bupropion	간질	■ 이 약은 간질을 유발할 수 있으므로 간질 경력이 있는 소아에게는 주의해서 사용할 것
clonidine	저혈압(어지럼증), 구갈	■ 이 약은 혈압을 떨어뜨려 저혈압을 일으킬 수 있으므로 어지럼증이 심하면 의료인에게 알릴 것
imipramine, nortriptyline	어지럼증, 두통, 체중증가	■ 이 약은 부정맥이 있는 어린이에게는 주의해서 사용할 것 (QT 간격이 증가될 수 있음)

표 37-6 ADHD 치료제의 작용기전

구분	작용기전
마약류	■ methylphenidate 등: – 대뇌에서 도파민의 분비를 증가시킴 – 도파민 증가로 주의력 및 집중력이 향상됨
SSRI	■ atomoxetine: – 대뇌에서 serotonin, norepinephrine, dopamine의 재흡수를 억제함 – 카테콜 아민류 신호전달물질의 증가로 주의력 및 집중력이 향상됨
도파민 재흡수 억제제	■ 중추신경계에서 도파민, 노르에피네프린이 절전섬유로 재흡수되는 것을 선택적으로 차단하여 교감신경 효능작용을 나타냄 ■ 이로 인해 주의력과 집중력이 향상됨 ■ nicotinic acetylcholine 수용체를 차단하는 작용도 있음 (이 작용으로 인해 금연보조제로 사용됨)
중추성 α_2효능제	■ 중추신경계의 알파2A 수용체와 결합하여 효능제로 작용함
TCA	■ 중추신경계의 세로토닌, 노르에피네프린이 절전섬유로 재흡수되는 것을 방해하여 이들 신경전달물질의 작용을 도와줌

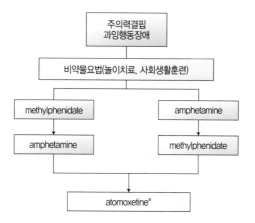

그림 37-1 주의력결핍 과잉행동장애의 약물치료법 —————————————

[a]atomoxetine (스트라테라®)은 선택성 세로토닌 재흡수 억제제로서 마약류에 속하는 약물이 아님

알츠하이머병
(Alzheimer's disease)

1 개요

1) 정의

알츠하이머병이란 뇌조직이 기능을 잃으면서 기억력, 판단력, 언어능력 등 지적기능과 인격, 행동양상 등 정신기능이 쇠퇴하는 질환이다(그림 38-1).

2) 원인

알츠하이머병의 원인은 아직 자세히 밝혀지지 않은 채 여러 가지 가설들이 제안되어 있지만 아직도 정확한 원인은 밝혀지지 않았다. 최초로 제안된 가설은 대뇌에서 아세틸콜린 부족이 원인이라고 주장하였다. 그러나 아세틸콜린을 증가시키는 약물이 치료효과가 거의 없는 것이 밝혀지면서 베타-아밀로이드 단백질 침착 및 신경섬유 엉킴이 원인이라는 가설들이 현재 제안되어 있다(그림 38-2). 그 밖에도 유전, 바이러스 감염, 스트레스 등도 이 병의 발생과 관련이 있는 것으로 제안되었다(표 38-1).

표 38-1 알츠하이머병의 원인	
아세틸콜린 부족	■ 뇌세포 사이의 신경전달물질인 아세틸콜린이 부족하면 뇌의 기능이 방해됨
베타-아밀로이드 단백질 침착	■ 베타-아밀로이드 단백이 뇌세포 사이에 침착되어 뇌조직의 기능이 방해됨
신경섬유 엉킴	■ 신경섬유 엉킴이 뇌세포 내부에 형성되어 뇌세포의 기능이 방해됨 ■ 타우(tau)라는 단백질이 변성되면 이 단백질에 의해 안정화되는 미세소관(microtubule)이 엉키게 됨 ■ 미세소관이 엉키면 뇌세포 내부에 있는 신경섬유의 구조도 엉키게 되어 뇌세포의 기능이 방해됨
기타	■ 유전, 바이러스 감염, 스트레스, nor-epinephrine 부족

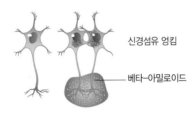

신경섬유 엉킴

베타-아밀로이드

그림 38-1 알츠하이머병의 뇌신경세포
세포 안쪽에 신경섬유 엉킴이 있고 축삭 바깥쪽에 베타-아밀로이드 단백질이 침착되어 있음

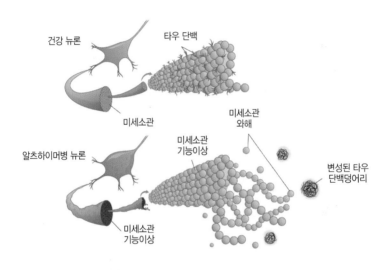

건강 뉴론

타우 단백

미세소관

알츠하이머병 뉴론

미세소관
기능이상

미세소관
기능이상

미세소관
와해

변성된 타우
단백덩어리

그림 38-2 신경섬유 엉킴 가설
변성된 타우 단백덩어리가 미세소관을 와해시켜 알츠하이머병이 발생된다는 가설

3) 증상

알츠하이머병의 증상은 기억력, 판단력, 언어능력 감퇴 중 지적기능과 관련된 증상(인지장애)과 인격(성격)변화, 우울증 등 정신기능과 관련된 증상(행동장애)으로 대별된다(표 38-2).

초기에는 지적기능 관련 증상이기 때문에 모르고 지나치기가 쉽다. 그러나 증상이 심해지면 평소 잘 기억하던 것도 기억할 수 없게 되면 식사를 마친 지 얼마 안 되어 식사했다는 것을 잊고 또 식사를 하기도 한다. 심한 경우에는 배우자나 자녀를 알아보지 못하고 대소변도 가리지 못하게 된다.

표 38-2 알츠하이머병의 증상

구분	증상
지적기능 관련 (인지장애)	▪ 기억력 감퇴 ▪ 판단력 감퇴 ▪ 언어능력 감퇴
정신기능 관련 (행동장애)	▪ 인격(성격)변화 ▪ 우울증 ▪ 정신증(의심이 많아지고 화를 잘 냄)

4) 진단

알츠하이머병은 보통 보호자나 가족으로부터 병력청취와 간이정신상태 검사 (mini-mental status examination, MMSE)를 통해서 진단한다. 간이정신상태 검사는 "오늘은 무슨 요일입니까?", "당신의 주소는?", "여기가 어디입니까?", "100에서 7을 빼면 얼마입니까?" 등 간단하고 쉬운 질문에 답하도록 하고 정답을 모두 맞히면 30점이 되도록 한 검사법이다. 이 검사에서 25점 미만이면 알츠하이머병으로 진단하고 점수에 따라 중증도를 판단한다(표 38-3).

알츠하이머병의 진단에 CT와 MRI가 사용되기도 하는데 이들 장비는 이 병 자체를 진단하는 목적보다는 다른 질병과의 감별진단을 위하여 사용된다. 예를 들어 대뇌의 작은 혈관이 막혀 발생하는 열공성 뇌경색은 알츠하이머병과 비슷한 치매증상이 나타나기 때문이다.

표 38-3 간이정신상태검사(MMSE)*의 결과 해석

25점 이상	정상
21–24점	경도 알츠하이머병
10–20점	중등도 알츠하이머병
9점 이하	중증 알츠하이머병

MMSE=mini-mental status examination.
*간이정신상태 검사의 만점은 30점임

② 알츠하이머병의 약물치료법

알츠하이머병 약물치료 포인트

1. 발병초기에 초기에 인지재활치료와 약물요법을 실시하면 병의 진행속도를 늦추고 삶의 질을 유지할 수 있으므로 적극적인 치료를 받도록 한다.

2. 약물치료는 지적기능과 정신기능의 두 가지 방향으로 실시한다.

3. 약물치료 효과여부는 최소한 1년 정도 치료를 받은 다음 객관적 검사를 통하여 판단해야 한다.

4. Cholinesterase 저해제는 저용량으로 시작하여 1개월 이상에 걸쳐 서서히 목표용량으로 증량한다.

5. 보조요법제로 은행엽 액기스를 사용할 때는 피부자반 등 내출혈에 주의해야 한다.

알츠하이머병은 초기에는 지적기능이 저하되는 인지장애 증상만 나타나지만 병이 진행되면서 정신기능에도 이상이 초래되어 행동장애가 나타난다. 알츠하이머병은 완치할 수 있는 치료법은 없지만 인지재활치료와 약물요법을 실시하면 병의 진행속도를 늦추고 요양시설에 입원해야 하는 시기를 늦출 수 있으므로 초기에 적극적인 치료를 실시하도록 해야 한다.

인지재활치료는 인지훈련, 일상생활훈련, 운동치료, 과거회상요법 등이 있다. 인지훈련은 기억력훈련, 시공간 지각기능훈련, 판단능력훈련 등이 있고, 일상생활훈련에서는 옷 입기, 몸단장, 대소변관리, 가사 등 일상생활에 대한 훈련을 실시한다. 운동치료는 심폐기능을 향상시키는 효과뿐만 아니라 인지기능의 증진에도 효과가 있음이 밝혀졌다. 따라서 환자의 개인적 신체수준에 적합한 유산소훈련을 꾸준히 하는 것은 알츠하이머병의 치료에 매우 중요하다. 과거회상요법은 환자로 하여금 과거의 기억을 떠올리도록 하고 그 기억을 소재로 대화를 시도하는 방법이다. 과거회상요법은 환자의 인지능력을 유의성 있게 향상시키지는 못하지만 소일거리가 되고 환자에게 즐거움을 주는 효과가 있다.

앞에서 언급한 것처럼 알츠하이머병은 완치할 수 있는 약물이 개발되지는 않았지만 일반적으로 지적기능과 정신기능의 두 가지 방향으로 나누어 약물치료를 실시한다(그림 38-3). 지적기능과 관련된 인지장애 증상은 콜린효능약과 memantine으로 치료한다. 정신기능과 관련된 행동장애 증상은 항우울제와 항정신병약으로 치료한다.

인지장애 치료는 일차적으로 콜린효능약와 memantine 중 한 가지를 선정하여 실시하는 것이 권장된다. 콜린효능약의 약효여부는 최소한 1년간 실시한 다음 간이정신상태 검사(MMSE)결과로 판정한다.

cholinesterase 저해제와 memantine 중 한 가지로 약물치료를 한 결과 환자의 상태가 악화되지 않았으면 그대로 치료를 계속한다. 만일 MMSE 결과가 1년 전보다 4점 이상 큰 차이로 저하되었으면 효과가 없는 것으로 판단한다. 이 경우, 콜린효능약으로 치료받은 환자라면 memantine으로 변경하고, memantine으로 치료받은 환자라면 콜린효능약을 추가하여 치료를 계속한다.

행동장애 치료는 우울증과 정신증으로 구분하여 치료한다. 환자의 정신기능이 주로 우울증으로 편향되어 있는 경우에는 일차적으로 SSRI 중에서 한 가지를 선정하여 사용한다. 만일 SSRI로 약 1개월 정도 치료를 했는데도 우울증관련 증상이 개선되지 않으면 기분안정제나 벤조디아제핀 계열 약물로 변경하여 약물치료를 계속한다.

정신증 치료는 일차적으로 제2세대 항정신병약 중에서 한 가지를 선정하여 치료한다. 약 1개월 동안 사용해도 정신증 개선효과가 미흡한 것으로 판단되면 기분안정제나 벤조디아제핀 계열 약물로 변경하여 약물치료를 계속한다. 전문의약품을 이용한 약물치료법과 함께 보조요법으로 소염진통제, 고지혈증치료제, 은행엽 액기스를 사용하기도 한다. 소염진통제는 위장장애가 적은 cyclooxygenase-2 저해제(celecoxib)가 일반 소염진통제보다 권장되고, 고지혈증치료제 중에서는 pravastatin과 lovastatin이 약효가 약간 있는 것으로 알려졌다. 은행엽 액기스는 뇌혈류를 개선해 주는 효과가 있어 고용량으로 사용 시 알츠하이머병의 진행을 약간 억제하는 것으로 알려져 있다. 그러나 부작용으로 출혈이 발생할 수 있으므로 주의를 기울이도록 한다. 알츠하이머병 치료에 사용되는 약물의 용법, 용량 및 특징적 부작용과 작용기전은 표 38-4, 표 38-5, 표 38-6에 요약되어 있다.

표 38-4 알츠하이머병 치료에 사용되는 약물의 용법 및 용량

구분	약물명	용법 및 용량
cholinesterase 저해제	donepezil (아리셉트®)	1일 1회 5mg으로 시작하여 10mg으로 증량
	rivastigmine (엑셀론®)	1일 1회 3mg으로 시작하여 1일 2회로 증량
	galantamine (레미닐®)	1일 2회 4mg씩으로 시작하여 8mg씩으로 증량
NMDA 수용체 차단제	memantine (에빅사®)	1일 1회 5mg으로 시작하여 1일 2회 10mg씩으로 증량
SSRI	우울증 참조(표 32-5)	
제2세대 항정신병약	조현병 참조(표 34-3)	

NMDA=N-methyl D-aspartic acid; SSRI=selective serotonin reuptake inhibitors (선택성세로토닌 재흡수저해제)

표 38-5 알츠하이머병 치료에 사용되는 약물의 특징적 부작용

구분	약물명	특징적 부작용	주의사항
cholinesterase 저해제	donepezil 등	메스꺼움, 구토, 설사, 배뇨장애, 식욕저하	■ 복용 후 즉시 약효가 나타나지 않지만 지시대로 복용할 것 ■ 저용량으로 시작하여 1개월 이상에 걸쳐 서서히 용량을 증가하면 부작용을 줄일 수 있음
NMDA 수용체 차단제	memantine	졸림, 어지럼증, 두통	■ 지시된 대로 복용할 것
SSRI	우울증 참조(표 32-6)		
제2세대 항정신병약	양극성장애 참조(표 33-7)		

NMDA=N-methyl D-aspartic acid; SSRI=selective serotonin reuptake inhibitors (선택성세로토닌 재흡수저해제)

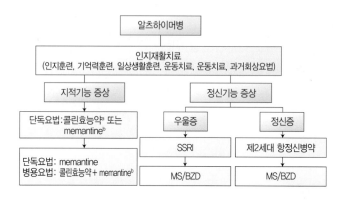

그림 38-3 알츠하이머병의 약물치료법

BZD=benzodiazepine. MS=mood stabilzer (기분안정제). SSRI: selective serotonin reuptake inhibitors.
[a]cholinesterase 저해제: 아세틸콜린이라는 뇌신경세포들 사이의 신호전달물질이 분해되는 것을 저해하는 약물로서 donepe-zil, rivastigmine, galantamine이 사용됨. [b]memantine: NMDA 수용체 차단제로 AD 치료제로 사용되는 약은 memantine 한 가지 밖에 없음.

표 38-6 알츠하이머병 치료제의 작용기전

구분	작용기전
cholinesterase 저해제	■ donepezil 등: – 뇌신경세포에서 cholinesterase라는 효소와 결합하여 acetylcholine이 분해되는 것을 방해하여(acetylcholine은 choline의 일종으로서 뇌세포의 정상적인 작용에 필수적인 신호전달물질임) 뇌신경세포에서 acetylcholine의 작용을 증강시킴 – 뇌신경세포에 대한 선택성이 있는 편이지만 자율신경계 신경세포에 대해서도 같은 작용을 나타내므로 여러 가지 부작용이 있음 – 소화관에서 흡수가 잘 되고 혈액뇌관문도 잘 통과함
NMDA 수용체 차단제	■ memantine: – 뇌신경세포에서 NMDA 수용체와 차단하여 glutamate의 유입을 억제하므로 glutamate에 의한 뇌세포 손상이 방지됨 – glutamate는 뇌세포의 정상적인 작용에 필수적인 신호전달물질이지만 지나치게 많으면 오히려 뇌세포에 손상을 줌
SSRI	우울증 참조(표 32-7)
제2세대 항정신병약	양극성장애 참조(표 33-8)

NMDA=N-methyl D-aspartic acid. SSRI=selective serotonin reuptake inhibitors

Part 07
근골격계 질환

류마티스 관절염
(Rheumatoid arthritis)

1 개요

1) 정의

류마티스 관절염이란 관절을 싸고 있는 활액막이라는 얇은 막에 염증을 일으키는 만성질환을 가리킨다(그림 39-1). 류마티스 관절염은 자가면역질환의 일종이기 때문에 관절 뿐만 아니라 피부, 콩팥, 혈관 등 다른 기관에도 염증성 질환을 일으키는 경우가 많다.

2) 원인

류마티스 관절염은 면역계가 자신의 몸, 특히 관절을 공격하여 염증을 일으키기 때문에 발생한다. 그러나 면역계가 왜 자기 자신을 공격하는지는 아직까지 자세히 밝혀지지 않았다.

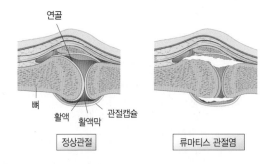

그림 39-1 관절의 구조

류마티스 관절염에서 염증 때문에 활액의 양이 줄어든 것을 볼 수 있음

3) 증상

류마티스 관절염의 증상은 신체의 좌우에 있는 관절이 대칭적으로 뻣뻣해지는 것이 특징적이다. 이 증상은 특히 아침에 잠에서 깨었을 때 심하고 아침 활동을 하게 되면서 점차로 가라앉는다. 더욱 진행되면 관절이 붓고 아픈 증상이 나타나며 심하면 관절의 겉모양이 팽창되어 결절이 생기는 경우도 있다.

4) 진단

류마티스 관절염은 병력청취와 환부의 상태를 자세히 관찰하는 것만으로도 진단할 수 있지만 정확하게 진단하기 위해서는 혈액검사와 X-ray 검사를 실시한다. 혈액검사에서는 일종의 자가항체인 류마티스 인자(rhematoid factor)가 있는지를 검사하는데 특이성은 그다지 높지 않다. X-ray 검사에서는 뼈, 연골, 활액막 등 관절구조에 변형이 있는지를 검사한다. 현재 류마티스 관절염은 미국 류마티스 학회(American College of Rhematology)에서 제안한 아래의 기준에 의거하여 진단한다(표 39-1).

표 39-1 류마티스 관절염의 진단기준

항목	증상
1	매일 아침마다 뻣뻣한 증상이 6주 이상 지속됨
2	3곳 이상의 관절이 붓고 아픈 증상이 6주 이상 지속됨
3	손가락 관절이 붓고 아픈 증상이 6주 이상 지속됨
4	관절이 붓고 아픈 증상이 좌우 대칭이고 6주 이상 지속됨
5	관절의 겉모양이 팽창되어 결절이 있음
6	혈액검사에서 류마티스 인자가 양성임
7	X-ray 검사에서 관절구조 변형이 발견됨

위 7개 항목 중 4개 항목 이상 해당되면 류마티스 관절염으로 진단함

❷ 류마티스 관절염의 약물치료법

류마티스 관절염 약물치료 포인트

1. 류마티스 관절염은 주로 관절부위에서 발병하지만 사실은 자가면역현상에 의한 전신질환이다.

2. 발병 후 2-3년 이내에 관절부위 연조직이 파괴될 수 있으므로 초기에 질환변경제를 사용한 적극적 약물치료를 받아 이를 막아야 한다.

3. 질환변경제는 신속한 진통작용은 없지만 관절염뿐만 아니라 비정상적인 면역현상 전반에 대하여 조정해주는 효과가 있으므로 꾸준히 치료를 받아야 한다.

4. 질환변경제는 부작용이 많으므로 이상반응이 나타나면 즉시 의료인에게 알려야 한다.

5. Prednisolone 치료는 골다공증을 일으킬 수 있으므로 칼슘과 비타민-D가 함유된 영양제를 구입하여 복용해야 한다.

류마티스 관절염은 비스테로이드성 소염진통제로 통증을 조절하면서 질환변경제 (disease-modifying antirheumatic drug, DMARD)로 약물요법을 실시한다(그림 39-2). 비스테로이드성 소염진통제는 류마티스 관절염을 치료하는 작용은 없지만 통증을 가라앉혀 일상생활에 불변이 없도록 도와주기 위하여 사용된다. 반면에 질환변경제는 통증을 완화시켜 주는 작용은 없지만 류마티스 관절염의 발병 초기에 사용하면 염증의 진행을 억제하는 효과가 있다.

류마티스 관절염은 발병 후 약 3개월이 지나면 관절 손상이 시작되고 2-3년 정도 가 지나면 관절의 파괴가 진행된다. 따라서 류마티스 관절염의 치료는 초기에 질환변 경제를 사용하여 적극적으로 치료해야 한다.

질환변경제는 약효가 나타나기까지 시간이 오래 걸리므로 의료인의 지시를 따르는 것이 매우 중요하다. 또한 질환변경제는 진통작용이 없으므로 치료기간 중 적절한 비스테로이드성 소염진통제를 복용하여 일상생활에 불편이 없도록 해야 한다. 최근에는 처음 치료단계에서 질환변경제를 사용하는 적극적인 약물치료법이 우수한 치료성적이 있는 것으로 알려져 널리 사용되고 있다. 질환변경제를 사용하는 치료기간은 아직 확립되지는 않았지만 5년 이상 치료를 받는 경우도 있다. 비교적 부작용이 적은 질환변경제인 hydroxychloroquine이나 sulfasalazine 중에서 한 가지를 선정하여 약 6개월 정도 복용한 다음 약효여부를 판정해야 한다. 일차적으로 시도한 질환변경제가 약효가 없는 것으로 판정되면 이차적으로 methotrexate나 leflunomide를 사용한다. 이들 약물은 부작용이 많은 편이지만 3개월 정도 사용하면 약효여부를 확인할 수 있다.

단독요법으로 약효가 만족스럽지 않은 것으로 판단되면 2-3가지 질환변경제를 동시에 사용하는 병용요법을 실시한다. 병용요법에도 증상이 뚜렷이 개선되지 않으면 생물학적제제로 된 질환변경제를 사용하여 치료를 실시한다. 생물학적제제는 경구로 복용하지 않고 주사로 투여해야 하는 단점이 있지만 여러 가지 질환변경제를 병용요법으로 사용해도 개선되지 않는 심한 류마티스 관절염의 치료에 효과가 있다. 류마티스 관절염치료에 사용되는 생물학적제제에는 infliximab, etanercept, adalimumab 등이 있다.

Prednisolone은 합성 부신피질호르몬이므로 장기간 사용 시 골다공증을 비롯한 여러 가지 부작용이 일어나므로 1일 3-5mg 정도로 낮은 용량을 사용해야 한다. Prednisolone을 사용할 경우에는 골다공증을 예방하기 위하여 칼슘과 비타민-D를 꾸준히 복용해야 한다.

류마티스 관절염을 적극적으로 치료하는 방법은 2-3가지 질환변경제를 처음부터 병용요법으로 시작하고 부작용이 많은 약물을 점차적으로 중단해나는 step-down 방식이다. 이 방법에서 흔히 사용되는 질환변경제의 조합은 hydroxychloroquine, sulfasalazine, methotrexate의 병용 또는 hydroxychloroquine, sulfasalazine, leflunomide을 병용하는 3제 요법이다. 이 방법은 여러 가지 약물이 동시에 사용되기 때문에 부작용이 심하게 나타날 수 있으므로 이상반응에 대한 주의 깊은 관찰과 정기적인 검진이 필요하다. 질환변경제들은 각기 독특한 부작용이 있으므로 환자에게 이상반응이 나타나면 그것이 어떤 약물 때문인지 예측할 수 있다(표 39-4). 예를 들어 hydroxychloroquine, sulfasalazine, methotrexate를 병용하는 3제 요법으로 치료하는 도중에 안구건조증이 나타나면 이것은 hydroxychloroquine의 부작용 때문이고 피부발진이나 가려움증이 나타나면 sulfasalazine의 부작용 때문이라고 예측할 수 있다. 질환변경제와 비스테로이드성 소염진통제의 용법, 용량 및 특징적 부작용과 작용기전은 표 39-2, 표 39-3, 표 39-4, 표 39-5에 요약되어 있다.

표 39-2 류마티스 관절염의 치료에 사용되는 질환변경제의 용법, 용량

구분	약물(제품명)	용법, 용량
질환변경제	methotrexate[a] (엠티엑스®)	7.5–15mg을 1주일에 한번만 복용(12시간 간격으로 세 번에 나누어 복용하기도 함)
	hydroxychloroquine (옥시크로린®)	200–300mg을 1일 2회 복용
	sulfasalazine (사라조피린®)	500mg을 1일 2회 복용
	leflunomide (류마이드®)	100mg을 1일 1회 3일간 복용한 다음, 10–20mg 1일 1회로 감량
	infliximab (레미케이드®)	3mg/kg을 0주차, 2주차, 6주차에 1회씩 주사한 다음, 8주 간격으로 정맥주사
	etanercept (엔브렐®)	25mg을 주 2회 피하주사하거나 50mg을 주 1회 피하주사
	adalimumab (휴미라®)	40mg/kg을 2주일마다 피하주사
부신피질호르몬제	prednisolone[b] (소론도®)	3–5mg을 1일 1회 복용

[a]methotrexate는 1주일에 한번만 복용하는 약이므로 주의가 요망됨. [b]prednisolone은 골다공증을 유발할 수 있으므로 칼슘과 비타민 D를 함께 꾸준히 복용해야 함

표 39-3 질환변경제의 특징적 부작용

약물명	특징적 부작용	주의사항
methotrexate[a] (엠티엑스®)	■ 골수관련: 백혈구 감소증 ■ 전신: 감염성질환에 잘 걸림	■ 일주일에 정해진 요일에만 지시된 대로 복용할 것
hydroxychloroquine (옥시크로린®)	■ 눈 관련: 눈부심, 안구건조감, 시야가 흐려짐, 황반변성. ■ 귀 관련: 이명	■ 황반변성 등 망막질환이 있는 사람은 복용하지 말 것 ■ 3개월마다 안과검진을 받을 것
sulfasalazine (사라조피린®)	■ 피부관련: 피부발진, 가려움증	■ 설파제에 부작용이 있는 사람은 복용하지 말 것

leflunomide (류마이드®)	■ 소화기 관련: 설사 ■ 골수관련: 백혈구 감소증, 감염성질환에 잘 걸림	■ 임신 중에는 복용하지 말 것 ■ 전염성질환에 걸린 사람과 접촉하지 말 것 ■ 이 약 복용 중에는 황열, 홍역 등 생균백신 예방접종을 받지 말 것
infliximab (레미케이드®)	■ 전신: 오한, 발열, 근육통, 감염성질환에 잘 걸림	■ 주사투여 중 또는 주사 후 발열, 오한이 나타나며 즉시 의료인에게 알릴 것 ■ 이 약으로 치료 중인 기간에는 황열, 홍역 등 생균백신 예방접종을 받지 말 것
etanercept (엔브렐®)	■ 피부관련: 피하주사 부위 발적 ■ 전신: 감염성질환에 잘 걸림	■ 전염성질환에 걸린 사람과 접촉하지 말 것 ■ 이 약으로 치료 중인 기간에는 황열, 홍역 등 생균백신 예방접종을 받지 말 것
adalimumab (휴미라®)	■ 피부관련: 피하주사 부위 발적 ■ 전신: 감염성질환에 잘 걸림	■ 이 약은 면역기능을 저하시킬 수 있으므로 결핵균이 잠복되어 있는 사람은 결핵치료를 먼저 받은 다음에 사용할 것

표 39-4 류마티스 관절염의 치료에 사용되는 비스테로이드성 소염진통제의 용법 및 용량*

구분		약물(제품명)	용법, 용량
선택성 NSAID		celecoxib (쎄레브렉스®)	200mg을 1일 2회 복용
비선택성 NSAID	propionic acid 유도체	ibuprofen (부루펜®)	200–600mg을 1일 3–4회 복용
		dexibuprofen (엑시펜®)	300–400mg을 1일 3–4회 복용
		ketoprofen	경구용: 50–100mg을 1일 2–3회 복용 주사용: 50–100mg을 1일 1–2회 주사 국소용: 1일 1–4회 환부에 도포
		fenoprofen (페노프론®)	300–600mg을 1일 3–4회 복용
		loxoprofen (록소펜®)	60mg을 1일 3회 복용
		tiaprofenic acid (썰감®)	200–300mg을 1일 2–3회 복용
		zaltoprofen (솔레톤®)	80mg을 1일 3회 복용
		naproxen (낙센®)	250–500mg을 1일 2회 복용
		flurbiprofen (후로벤®)	40mg을 1일 3회 복용
		oxaprozin (옥진®)	200mg을 1일 1–2회 복용

		indomethacin	25–50mg을 1일 2회 복용
비선택성 NSAID	acetic acid 유도체	sulindac (크리돌®)	100–200mg을 1일 2회 복용
		etodolac (로딘®)	200–400mg을 1일 2–3회 복용
		ketorolac (타라신®)	10mg을 1일 4–6회 복용 (7일 이상 사용하지 말 것)
		diclofenac (볼타렌®)	25mg을 1일 2–3회 복용
		nabumetone (렐라펜®)	500–1,000mg을 1일 1–2회 복용
	oxicam 유도체	piroxicam (로시덴®)	20mg을 1일 1회 복용
		meloxicam (모빅®)	7.5–15mg을 1일 1회 복용
		tenoxicam (테노캄®)	20mg을 1일 1회 복용
		lornoxicam (제포®)	4–8mg을 1일 2–3회 복용
		cinnoxicam (시나트롤®)	15mg을 1일 1–2회 복용
	fenamic acid 유도체	mefenamic acid (폰탈®)	250–500mg을 1일 3회 복용

NSAID=non-steroidal antiinflammatory drug (비스테로이성 소염진통제)

*비스테로이드성 소염진통제는 소화관출혈을 일으킬 수 있으므로 소화성궤양이 있는 환자는 복용하지 말아야 함

표 39-5 비스테로이드성 소염진통제의 특징적 부작용

특징적 부작용	주의사항
소화성 궤양, 위장출혈, 소변량 감소, 심부전증 악화	■ 속 쓰림, 대변색깔이 검은 색으로 변하면 복용을 중단하고 의료인에게 알릴 것 ■ 공복 시 복용하지 말고 반드시 식후에 복용할 것 ■ 소화성 궤양 환자는 celecoxib를 복용할 것 ■ 소변량이 감소하거나 숨이 차는 부작용이 나타나면 즉시 복용을 중단하고 의료인에게 알릴 것(심부전증 악화의 전조조증상임)

표 39-6 관절염 치료제의 작용기전

구분	작용기전
비선택성 NSAID	■ ibuprofen 등: – cyclooxygenase (COX-1, COX-2의 두 가지 형태가 있음)를 저해하여 arachidonic acid가 프로스타글란딘으로 전환되는 것을 차단함 – COX-1에 의하여 생성되는 프로스타글란딘은 생명유지에 필수적인 기능을 담당하는 반면, COX-2로 만들어지는 프로스타글란딘은 염증반응에 관계되는 기능을 담당함 – 이 계열의 약물은 두 가지 형태를 모두 저해함

선택성 NSAID	■ celecoxib: – 비선택성 NSAID와는 달리 COX–2만 선택적으로 억제하므로 생명유지에 필수적인 프로스타글란딘에는 영향을 미치지 않고 염증에 관계되는 프로스타글란딘의 생성만을 선택적으로 억제함

질환 변경제	■ methotrexate:
	  – dihydrofolate가 tetrahydrofolate로 전환되는 데 필요한 효소인 dihydrofolate 환원효소를 억제하는 항암제의 일종임
	  – tetrahydrofolate는 DNA, RNA 합성에 필요한 퓨린의 원료 물질임
	  – 이 약의 류마티스 관절염 치료에 대한 효과는 DNA, RNA 합성 억제라기 보다는 T–cell 활성화 억제효과에 의한 것으로 추정되고 있음
	  – T–cell이 활성화되지 않으면 관절의 활액막에 붙는 데 필요한 단백질이 만들어지지 않기 때문에 활액막에서의 자가면역현상이 억제되는 것으로 추정되고 있음
	
	■ hydroxychloroquine:
	  – 원래 말라리아 치료에 사용되는 약임
	  – 지용성이 강한 염기성 물질이므로 면역기능을 수행하는 세포안으로 쉽게 투과되는데, 특히 산성이 강한 lysosome에 잘 들어감
	  – 면역세포의 lysosome에 들어가면 lysosome의 산성 환경을 중화시켜 면역기능이 정상적으로 수행되지 못하게 됨
	
	■ sulfasalazine:
	  – 대장에서 박테리아에 의해 분해되어 mesalamine (mesalazine이라고 불림)으로 변하여 염증반응에 관계되는 cyclooxygenase 등 여러 가지 효소들을 억제하는 것으로 추정됨
	
	■ leflunomide:
	  – dihydroorotate가 oratate로 전환되는 데 필요한 효소인 dihydroorotate 탈수소효소를 억제함
	  – orotate는 DNA, RNA 합성에 필요한 피리미딘의 원료 물질임
	  – 류마티스 관절염 치료에 대한 효과는 DNA, RNA 합성 억제라기 보다는 T–cell 활성화 억제효과에 의한 것으로 추정되고 있음
	  – T–cell이 활성화되지 않으면 관절의 활액막에 붙는 데 필요한 단백질이 만들어지지 않기 때문에 활액막에서의 자가면역현상이 억제되는 것으로 추정됨

질환 변경제	■ infliximab, adalimumab, etanercept:
	  – TNF–알파와 결합하여 불활성화 시키는 항체의 일종임
	  – TNF–알파는 류마티스 관절염 등 자가면역질환을 일으키는 원인물질이므로 이 약은 자가면역질환을 억제하는 작용이 있음

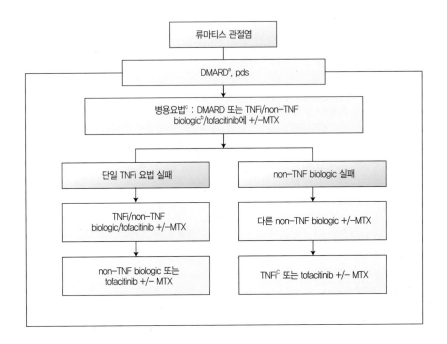

그림 39-2 류마티스 관절염의 약물치료법

DMARD=disease-modifying antirheumatic drug. MTX=methotrexate. pds=prednisolone. TNFi=tumor necrosis factor inhibitor

[a]DMARDs로는 methotrexate, hydroxychloroquine, sulfasalazine, leflunomide가 있으며, NSAIDs와 함께 사용할 것을 권장함. [b]non-TNF biologic은 abatacept, rituximab 등의 단클론항체 등이 있으며 methotrexate와 병용함. [c]TNFi는 기존에 TNFi가 사용되지 않았을 경우에 사용함.

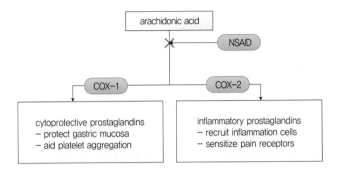

그림 39-3 NSAID의 작용기전

COX=cyclooxygenase. COX-1과 COX-2를 모두 저해하여 염증유발물질인 prostaglandin의 합성을 억제함. COX-2에 선택성이 높은 NSAID는 COX-1을 저해하지 않으므로 부작용이 적음

골관절염
(Osteoarthritis)

1 개요

1) 정의

골관절염이란 관절에 있는 연골이 부서지거나 닳아서 관절이 움직일 때마다 뼈와 뼈가 서로 부딪혀 통증이 나타나는 관절질환을 가리킨다. 주로 손가락 끝마디, 무릎 관절, 대퇴관절에 잘 나타난다.

2) 원인

골관염은 노화와 관절의 활동량 증가에 따른 관절부위 스트레스가 원인이다. 무용수나 축구선수는 무릎과 고관절에 무리한 스트레스가 가해져 그 곳에 골관절염이 잘 발생한다. 비만과 과체중도 무릎관절에 손상을 일으킨다. 컴퓨터 자판을 오래동안 두드리는 직업을 가진 사람에게는 손가락 끝마디에 골관절염이 잘 발생된다.

3) 증상

골관절염의 증상은 관절이 가만히 있을 때는 아프지 않다가 움직일 때 통증이 심해지는 것이 류마티스 관절염과 다른 특징이다. 호발하는 관절은 손가락 끝마디(특히 인지와 중지), 무릎 관절, 고관절 등 세 곳이다. 연골이 많이 손상되면 뼈와 뼈가 서로 부딪혀 삐그덕 거리는 소리가 들리기도 있다.

2 골관절염의 진단 및 분류

1) 진단

골관절염은 환자의 관절 형태를 자세히 관찰하는 것만으로도 진단할 수 있지만 정확하게 진단하기 위해서는 혈액검사와 X-ray 검사를 실시한다. 혈액검사에서 적혈구 침강속도가 정상보다 높거나 류마티스 인자(rhematoid factor)가 양성으로 나오면 자가면역질환임을 암시하므로 골관절염이 아니라 류마티스 관절염일 가능성이 높다. X-ray 검사는 뼈, 연골, 활액막 등 관절구조에 변형이 있는지를 검사하는데 가장 저렴하고 정확한 진단법이다. 골관절염은 류마티스 관절염과 증상이 서로 비슷하지만 치료방법이 다르기 때문에 정확한 감별진단이 필요하다.

2) 분류

골관절염은 크게 손가락 골관절염, 무릎 골관절염, 대퇴 골관절염으로 구분하며, 각각에 대한 진단은 아래의 기준에 의거하여 판단한다(표 40-1, 표 40-2, 표 40-3).

표 40-1 손가락 골관절염의 진단기준

항목	증상
A	손가락 관절이 뻣뻣하고 아픔
B	손가락 관절 10개[a] 중 경조직 비대(hard tissue enlargement)가 두 군데 이상
	손가락 끝마디의 경조직 비대(hard tissue enlargement)가 두 군데 이상
	손가락 끝에서 셋째 마디가 변형된 곳이 두 군데 이하
	손가락 관절 10개[a] 중 변형(deformity)이 한 군데 이상

A항목에 해당되고 B항목 4개 항목 중 3개 이상 해당되면 손가락 골관절염으로 진단함.
[a]손가락 관절 10개: 양쪽 손의 인지와 중지 끝마디와 둘째 끝마디, 엄지의 둘째 끝마디를 가리킴(모두 합치면 10개).

표 40-2 무릎 골관절염의 진단기준

항목	증상
A	무릎 관절이 아픔
B	나이가 50세 이상

	무릎 관절이 30분 이상 뻣뻣해진 적이 있음
	무릎 관절에서 삐그덕 거리는 소리가 남(crepitus)
B	무릎 주변 뼈에 통증이 있음(bony tenderness)
	무릎 주변 뼈가 불거져 나와 있음(bony enlargement)
	무릎 주변에 미열이 없음(no palpable warmth)

A항목에 해당되고 B항목 6개 항목 중 3개 이상 해당되면 무릎 골관절염으로 진단함

표 40-3 대퇴 골관절염의 진단기준

항목	증상
A	고관절이 아픔
	적혈구 침강속도 정상(20mm/h 미만)
B	X-ray 검사에서 고관절에 골극(관절의 뼈가 매끈하지 않고 우둘두둘해진 상태)이 발견됨
	X-ray 검사에서 고관절 간격이 좁아진 것이 발견됨

A항목에 해당되고 B항목 3개 항목 중 2개 이상 해당되면 엉덩이 골관절염으로 진단함

3 골관절염의 약물치료법

골관절염 약물치료 포인트

1. 골관절염은 약물치료보다 비약물치료를 위주로 하여 치료한다.

2. 근력강화운동은 고통스럽지만 꾸준히 치료를 받으면 골관절염의 진행을 늦추거나 치료하는 효과가 있다.

3. 무릎 및 대퇴 골관절염의 경우 반드시 체중감량을 실천해야 한다.

4. 글루코사민은 과량복용 시 출혈이나 당뇨병을 일으킬 수 있으므로 지나치게 복용하지 말아야 한다.

5. 진통제는 가급적 타이레놀을 사용하고 관절에 염증이 발생한 경우에는 NSAID를 사용한다.

골관절염의 치료는 연골이 부숴지거나 닳아서 생기는 질환이므로 관절을 보호하는 비약물요법을 위주로 하고 약물치료는 보조적인 역할로 실시한다. 비약물치료법에는 근력강화운동, 체중조절, 식이요법, 보조기 착용등이 있다.

골관절염 환자는 관절을 움직일 때마다 통증이 오기 때문에 관절을 거의 사용하지 않게 되는데, 이렇게 되면 관절주변 근육이 위축되기 때문에 관절과 연골에 영양분 공급이 모자라게 되고 따라서 연골은 더욱 쉽게 부숴지거나 마모되기 쉬운 상태로 된다. 근력강화운동은 골관절염이 발생한 부위에 근육을 강화시켜 주고 근육에 혈관형성을 왕성하게 하여 부수적으로 연골이 튼튼해지는 효과를 가져온다. 이런 점에서 근력강화운동은 골관절염의 진행을 늦추거나 치료하는 효과가 있으므로 고통스러워도 근력을 강화시키는 재활치료를 꾸준히 받아야 한다.

식이요법은 체중증가를 억제하면서 필수적인 영양소를 골고루 섭취하도록 하는 치료법이다. 무릎 또는 대퇴 골관절염 환자는 걷기가 불편하여 운동을 못 하게 되고 따라서 체중이 증가하는 경우가 많다. 체중증가는 운동을 더욱 힘들게 하기 때문에 골관절염의 진행을 가속화하는 악순환의 고리가 된다. 식이요법은 근력강화운동과 더불어 골관절염 치료에 있어서 반드시 실천해야 할 비약물요법이다.

골관절염의 약물치료법은 단순진통제인 acetaminophen으로 시작한다(그림 40-1). 골관절염은 초기에는 류마티스 관절염과 달리 염증현상이 없기 때문에 소염진통제를 사용하지 않는다. 타이레놀®은 하루에 4,000mg을 초과하여 2주 이상 복용하면 간독성이 있으므로 복용량과 복용기간을 기록해 놓는 것이 중요하다. 관절에 붙이는 파스나 겔 종류의 약제를 사용하면 진통제의 복용량을 줄이면서 원하는 진통작용을 얻을 수 있다. 글루코사민도 어느 정도 진통작용이 있으므로 병용할 수 있다. 그러나 글루코사민은 헤파린을 구성하는 글루사미노글리칸(glycosaminogly-can)과 관련이 있는 물질이므로 과량 복용시 출혈과 당뇨병 발생 등 부작용이 나타날 수 있으므로 지나치게 많은 양을 복용하지 말아야 한다.

단순진통제로 통증이 조절되지 않는다면 골관절염이 어느 정도 진행되어 관절주변에 염증이 발생했을 가능성이 있다. 이 단계가 되면 비스테로이드성 소염진통제로 변경하여 염증 진행을 억제하도록 한다. Celecoxib는 가격은 비싼 편이지만 위장장애가 적고 부작용이 적어 널리 사용되는 선택성 COX-2 저해제이다. 때때로 celecoxib 로 진통이 되지 않는 환자도 있는데 이 경우에는 선택성이 없는 보통의 비스테로이드 성 소염진통제를 사용하면서 위장장애가 없도록 위장약을 적절히 병용하면 된다.

소염진통제를 복용하는 데도 불구하고 통증이 조절되지 않으면 tramadol을 복용 하거나 hyaluronan을 관절강에 주입한다. Tramadol은 마약성 진통제와 유사할 정도 로 강력한 진통효과가 있지만 의존성이 있어 사용에 신중을 기해야 한다.

Tramadol을 사용해도 조절되지 않는 통증은 마약성 진통제를 사용하기도 한다. 마약성 진통제는 경구로 복용하는 약이 대부분이지만 팻취로 붙이는 약제도 있다. 골관절염의 약물치료에 마약성 진통제를 사용하는 경우는 거의 없지만 수술요법 대 기 중인 환자나 수술 후에는 단기간 동안 사용하기도 한다. 수술요법에는 무릎이나 대퇴관절에 인공관절을 장치하는 무릎관절대치술과 대퇴관절대치술 등이 있다. 인 공관절은 골관절염으로 관절기능을 완전히 상실한 환자에게 수술을 통하여 관절기

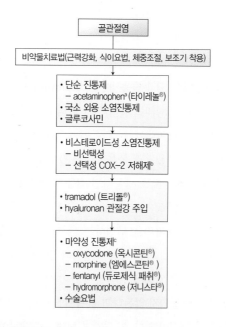

그림 40-1 골관절염의 약물치료법

[a]acetaminophen은 1일 용량으로 4,000mg을 초과하여 2주 이상 사용 시 간독성이 우려되므로 주의할 것. [b]선택성 COX-2 저해 제는 위장장애가 적은 장점이 있으며 celecoxib이 사용됨. [c]마약성 진통제는 수술요법 대기 중이거나 수술 후 단기간에만 사용함

능을 되찾게 해준다. 골관절염 치료에 사용되는 약물의 용법, 용량 및 특징적 부작용과 작용기전은 표 40-4, 표 40-5, 표 40-6에 요약되어 있다.

표 40-4 골관절염의 치료에 사용되는 약물의 용법, 용량

구분	약물(제품명)	용법, 용량
단순진통제	acetaminophen (타이레놀®)	500–1,000mg을 통증이 있을 때 복용
NSAID	류마티스 관절염 참조 (표 39–2)	
건강기능식품	glucosamine (오스테민®)	200mg을 1일 2회 복용
관절 윤활제	hyaluronan (히아론®)	20–25mg이 들어 있는 일회용 pre–filled 주사제를 관절강에 직접 투여함(매주 1회씩 5주 동안)
비마약성 진통제	tramadol (트리돌®)	50mg을 복용하고 30분–1시간 후 통증이 가라앉지 않으면 50mg 추가 복용(1일 최대용량: 400mg)
마약성 진통제	oxycodone (옥시콘틴®)	10–20mg을 1일 2회 복용(통증의 중증도에 따라 증량)
	morphine (엠에스콘틴®)	10–20mg을 1일 2회 복용(통증의 중증도에 따라 증량)
	fentanyl (듀로제식 패취®)	시간당 12μg 속도의 패취를 3일마다 붙임(통증의 중증도에 따라 증량)
	hydromorphone (저니스타®)	서방정의 경우 4mg을 1일 1회 복용

NSAID=non–steroidal antiinflammatory drug (비스테로이성 소염진통제)

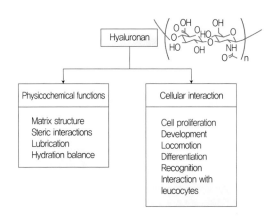

그림 40-2 Hyaluronan의 화학구조와 특성

수분을 끌여들여서 윤활작용을 나타내는 고분자물질이므로 관절이 움직일 때 뼈 사이의 마찰을 줄여줌

표 40-5 골관절염의 치료에 사용되는 약물의 특징적 부작용

구분	약물명	특징적 부작용	주의사항
단순 진통제	acetaminophen	메스꺼움, 속쓰림	■ 하루에 4,000mg을 초과하여 2주 이상 복용하면 간독성이 있음
NSAID	류마티스 관절염 참조 (표 39-3)		
관절 윤활제	hyaluronan	주사부위 발적	■ 일시적으로 주사 맞은 관절에 부종이 나타날 수 있음
비마약성 진통제	tramadol	불안, 초조, 빈맥, 간질	■ 반드시 지시된 대로 복용할 것 ■ 갑자기 복용을 중단하면 금단증상이 나타날 수 있음 ■ 이 약은 중독성이 있으므로 다른 사람이 복용하지 않도록 안전한 장소에 보관할 것
마약성 진통제	oxycodone 등	변비, 환각, 호흡부전, 구갈, 간질	■ 반드시 지시된 대로 복용할 것 ■ 갑자기 복용을 중단하면 금단증상이 나타날 수 있음 ■ 이 약은 중독성이 있으므로 다른 사람이 복용하지 않도록 안전한 장소에 보관할 것

표 40-6 골관절염의 치료제의 작용기전

구분	작용기전
단순진통제	■ acetaminophen: – 중추신경계에서 프로스타글란딘의 생합성을 억제하여 통증을 느끼지 못하게 함(비스테로이드성 소염진통제와는 달리 말초부위의 프로스타글란딘 생합성에는 영향을 끼치지 않음) – 통증은 뇌에서 느끼는 감각의 일종이므로 통증유발 장소에 관계없이 진통작용을 나타내는 것으로 추정됨
비스테로이드성 소염진통제	류마티스 관절염 참조(표 39-6)
건강기능식품	■ glucosamine: – 활액의 윤활물질인 hyaluronan의 생성을 촉진하는 것으로 추정되고 있지만 자세한 기전은 아직 알려지지 않았음
관절 윤활제	■ hyaluronan: – hyaluronic acid, sodium hyaluronate 또는 그냥 hyaluronate라고도 불리는 고분자물질로서 결합조직, 신경조직 및 내피세포의 세포막에서 발견되는 생체유래 물질임 – 중합도에 따라서 분자량이 수천에서 수백만까지 이르며 골관절염 환자의 관절강에 주입 시 윤활작용을 통하여 통증을 완화시켜 주는 것으로 여겨짐

비마약성 진통제	■ tramadol:
	  – 자세한 작용기전은 알려지지 않았음
	  – opioid 수용체와 결합하여 효능적으로 작용하여 진통작용을 나타내는 것으로 추정됨
	  – 그밖에도 serotonin 유리작용, norepinephrine 재흡수 억제작용, NMDA 수용체 길항작용 등 중추에서 다양한 약리작용을 나타냄

마약성 진통제	■ oxycodone 등: – 뇌와 척수 세포막에 있는 opioid 수용체와 결합하여 효능적으로 작용하여 통증을 차단함

골다공증
(Osteoporosis)

1 개요

1) 정의

골관절염이란 뼈 미세구조의 질적인 변화로 인해 뼈의 통합성과 강도가 약화되어 약한 충격에도 뼈가 쉽게 부러지는 질환을 가리킨다. 골절이 잘 발생하는 부위는 척추, 허벅지 뼈, 팔뚝 뼈 등이다.

2) 원인

골다공증의 원인은 인구학적 요인, 생활양식 요인, 골다공증 유발 질병 및 약물 등으로 구분할 수 있다(표 41-1).

표 41-1 골다공증의 원인	
인구학적 요인	■ 나이(고령) ■ 마르고 작은 체격 ■ 여성(특히 폐경 후)
생활양식 요인	■ 운동부족(특히 체중부하운동) ■ 콜라 등 인산을 함유하는 탄산음료 과다 복용 ■ 흡연, 음주, 비타민 D 및 칼슘 섭취부족
골다공증 유발 질병	■ 갑상선기능 항진증, 부갑상선기능 항진증 ■ 쿠싱증후군 ■ 만성신부전 ■ 칼슘 결핍증 및 비타민-D 결핍증
골다공증 유발 약물	■ 부신피질 호르몬 ■ 갑상선 호르몬제(thyroxine) 및 부갑상선 호르몬제 ■ warfarin, lithium, phenytoin 등

3) 증상

골다공증은 노화와 함께 서서히 진행되는 병이기 때문에 특별한 증상이 없는 경우가 많다. 척추 뼈에 골다공증이 진행되면 허리가 굽으면서 통증이 오고 신장이 감소된다. 더욱 심하게 진행되면 약한 충격에도 척추, 골반, 손목 뼈에 골절이 잘 발생한다.

4) 분류

골다공증은 원발성과 속발성으로 구분한다(표 41-2). 원발성은 노인성과 여성의 폐경 후 골다공증이 해당되고 속발성은 약물유발성과 질병유발성이 해당된다.

표 41-2 골다공증의 분류

분류	예시
원발성 골다공증	■ 노인성 ■ 여성의 폐경으로 인한 경우
속발성 골다공증	■ 질병유발성 ■ 약물유발성(표 41-1참조)

2 골다공증의 진단

골다공증은 요추, 대퇴부(허벅지 뼈 전체), 대퇴 경부(허벅지 뼈 중 골반 뼈와 관절을 이루는 부분) 등 세 부위의 골밀도를 DEXA (dual energy X-ray absorptiometry)라는 기계를 이용하여 측정한다. 요추 골밀도는 요추가 여러 개의 뼈로 구성되어 있으므로 1번 요추부터 4번 요추까지 골밀도 값을 각각 측정한 다음 그 평균치를 사용한다. 세 부위의 골밀도 값이 각각 다를 경우, 가장 낮은 골밀도 값이 골다공증 진단에 사용된다.

골다공증의 진단은 환자의 골밀도 값이 젊은 성인(보통 30대 성인)의 골밀도 값에 비하여 얼마나 감소되어 있는지 비교하여 판정한다. 이 비교 결과는 T-score라는 용어로 표시되는데, T-score란 환자의 골밀도 값이 정상 젊은 성인의 평균 골밀도 값에 비하여 얼마나 감소되어 있는지를 나타내는 수치이다. 예를 들어 환자의 T-score가 -2.0이라면 젊은 성인의 평균에서 2.0표준편차만큼 감소되었음을 나타낸다.

T-score가 −1부터 −2.5 사이면 아직 골다공증이라고 진단할 수는 없지만 골다공증 위험이 많은 상태임을 나타낸다. 이 경우를 골량감소증(osteopenia)이라고 한다. T-score가 −2.5 미만이면 골다공증(osteoporosis)이라고 진단한다(표 41-3). 요추의 T-score가 −2.5 미만이면 요추 골다공증, 대퇴 경부의 T-score가 −2.5 미만이면 대퇴 경부 골다공증이라고 구분하여 진단하기도 한다. 그러나 일반적으로는 요추, 대퇴 부, 대퇴 경부 중 어느 한 부위라도 골다공증이면 부위를 표시하지 않고 골다공증이라고 진단한다. 세 부위 중 어느 한 부위라도 골다공증에 해당되면서 골절의 경험이 있으면 확정 골다공증(established osteoporosis)이라고 진단한다. 골다공증의 원인을 알아내기 위해서는 갑상선기능검사, 부갑상선기능검사, 부신피질기능검사, 남성 또는 여성 호르몬검사, 비타민-D 결핍여부검사 등을 추가로 실시한다.

표 41-3 골다공증의 진단기준

진단	T-score 범위
골량감소증 (osteopenia)	−1부터 −2.5까지
골다공증 (osteoporosis)	−2.5 미만
확정 골다공증 (established osteoporosis)	−2.5 미만이면서 골절의 경험 있음

T-score: 환자의 골밀도 값이 정상 젊은 성인의 골밀도 값에 비하여 얼마나 감소되어 있느냐를 나타내는 수치 (예: −2.0이라면 정상 젊은 성인의 골밀도 평균값에서 2.0 표준편차 만큼 감소되었음을 나타냄)

3 골다공증의 약물치료법

골다공증 약물치료 포인트

1. 골다공증은 약물치료와 함께 비약물치료를 병행한다.

2. 체중부하운동은 골량을 늘리는 효과가 있으므로 하루도 거르지 말고 매일 실천해야 한다.

3. 칼슘과 비타민-D가 함유된 영양제를 구입하여 복용한다.

4. 약물치료는 요추, 대퇴부 또는 대퇴 경부의 골밀도가 T-score로써 -2.5 미만이거나 나이가 50세 이상 또는 폐경후 여성인 경우에 한하여 실시한다.

5. Bisphosphonate 계열 약물을 복용한 다음에는 적어도 30분 동안은 누워있지 않도록 하고 이 복용법을 지킬 수 없는 환자는 의사와 상의하여 주사제로 치료받는다.

골밀도는 20-30대에 최고치에 이르고 이후로는 서서히 감소하는데 특히 여성의 경우 폐경이 되면서 감소속도가 빨라진다. 골밀도 감소속도는 사람에 따라 차이가 있는데 일단 골밀도가 감소하기 시작하면 약물치료를 실시해도 감소속도는 크게 줄어들지 않는 경우가 많다. 따라서 평소 뼈를 튼튼하게 유지하여 골다공증을 예방하는 것이 중요하다.

골다공증은 약물요법과 비약물요법을 병행하여 치료하도록 한다. 비약물치료는 체중부하운동, 칼슘과 비타민-D 섭취, 금연, 금주 등이 있는데, 체중부하운동은 뼈를 튼튼하게 해주는 데 효과가 있는 것으로 알려졌다. 역기나 아령은 대표적인 체중부하운동이지만 골다공증으로 진단된 환자에게는 무리가 가는 운동이다. 적당한 무게의 아령을 양손에 들고 걷기운동을 하면 큰 무리 없이 체중부하운동과 동일한 효과를 볼 수 있으며 저강도의 에어로빅도 뼈를 튼튼하게 하는 데 효과가 있다. 이러한 운동은 하루도 거르지 않고 매일 실천해야 한다.

칼슘과 비타민-D는 골량을 유지하고 뼈가 녹아나오지 않게 하는 데 필수적인 영양소이다. 50세 이상의 성인은 하루에 1,200mg 이상의 칼슘과 400단위 정도의 비타민-D를 매일 섭취해야 한다(표 41-4). 음식이나 영양제 속에 있는 칼슘은 아무리 많이 섭취하여도 비타민-D가 부족하면 소화관에서 흡수되지 않으므로 영양제로 칼슘을 복용할 때는 비타민-D가 함유되어 있는지 반드시 확인하도록 해야 한다.

흡연은 뼈의 건강을 해치는 중요한 요소이다. 커피도 하루에 여러 잔 마실 경우 뼈속의 칼슘과 미네날 성분이 혈액으로 녹아나오는 현상이 촉진되는 것으로 알려졌다. 음주는 적당한 양일 때는 크게 해롭지 않지만 지나치게 마시면 골다공증을 악화시킨다. 음식을 짜게 먹으면 나트륨과 함께 칼슘이 소변으로 배설되기 때문에 뼈의 건강을 해친다. 최근 미국 골다공증재단(National Osteoporosis Foundation, NOF)에서 출판된 〈골다공증의 예방 및 치료 가이드라인〉에 의하면 칼슘과 비타민-D 섭취, 체중부하운동, 낙상예방, 금연 및 과음절제가 중요하다.

골다공증의 약물치료는 요추, 대퇴부 또는 대퇴 경부의 골밀도가 T-score 기준으로 −2.5 미만이거나 나이가 50세 이상 또는 폐경 후 여성에 한하여 실시한다(그림 41-1). 약물치료는 뼈가 녹아나오는 것을 억제하는 경구용 bisphosphonate 계열의 약물을 일차적으로 고려한다. 이 계열에 속하는 약물은 alendronate, risedronate, ibandronate 등이 있다. 이들 여러 가지 약물의 약효에 대해서는 아직까지 비교할 만한 자료가 없으므로 어떤 제품을 선정하느냐 하는 것은 복용의 간편성에 따라 결정되는 경우가 많다. 사실 골다공증 치료제의 치료효과는 골밀도 측정에 근거해야 하지만 앞서 언급한 것처럼 일단 골밀도가 감소하기 시작하면 약물치료를 실시해도 그 감소속도가 크게 줄어들지 않기 때문에 판정이 애매한 경우가 많다.

경구용 bisphosphonate 계열 약물은 아침 공복시에 복용하고 적어도 30분 동안은 누워있지 말아야 하는데 이 복용법에 불편을 느끼는 환자에게는 주사제로 처방을 변경한다. Pamidronate는 3개월에 한 번, zoledronate는 1년에 한 번만 주사 맞으면 되므로 투여가 간편하다. 그 밖에 골다공증 치료에 사용되는 약물로는 salcatonin, elcatonin, teriparatide, denosumab 등이 있다.

골다공증이라고 진단할 수는 없지만 T-score가 −1부터 −2.5 사이에 있는 골량감소증 환자에게는 굳이 약물치료를 실시하지 않는 것이 전문가들의 일반적 견해이다. 그러나 일부 전문가들은 50세 이상 남성이거나 폐경 후 여성에게는 골량감소증 때부터 적극적으로 약물치료를 실시하여 골소실을 억제하는 것이 좋다는 견해도 있다. 이처럼 약물치료에 대한 상반된 주장은 아직 결론이 나지 않은 상태이므로 약물치료 실시여부는 의료인과 환자가 개인의 특수한 상황을 고려하여 판단해야 할 것이다. 각각의 약물에 대한 용법, 용량 및 특징적 부작용과 작용기전은 표 41-5, 표 41-6, 표 41-7에 요약되어 있다.

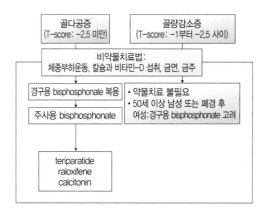

그림 41-1 골다공증의 약물치료법

표 41-4 칼슘과 비타민-D의 적정섭취량

나이	칼슘	비타민-D
19-50세	매일 1,000mg	매일 200단위
51-70세	매일 1,200mg	매일 400단위
71세 이상	매일 1,200mg	매일 600단위

표 41-5 골다공증 치료에 사용되는 약물의 용법 및 용량

구분		약물명(제품명)	용법, 용량
골소실 억제제	bisphosphonate 계열[a]	alendronate (포사맥스®)	10mg을, 1일 1회 또는 70mg을 1주일에 한 번만 복용
		risedronate (악토넬®)	5mg을, 1일 1회 또는 35mg을 1주일에 한 번만 복용
		ibandronate (본비바®)	150mg을 한 달에 한번만 복용 또는 3mg을 3개월에 한 번만 정맥주사(30초에 걸쳐 서서히 주사)
		pamidronate (아레디아®)	30g을 3개월에 한 번만 정맥주사(1-4시간에 걸쳐 서서히 주사)
		zoledronate (조메타®)	5mg을 1년에 한 번만 정맥주사(15분 이상에 걸쳐 서서히 주사)
	calcitonin 계열	salcatonin (마야칼식®)	비강분무제: 1회 100-200 단위를 1일 1-2회 비강에 분무 주사제: 1회 50-100단위를 매일 또는 격일로 피하주사 또는 근육주사

골소실 억제제	calcitonin 계열	elcatonin (엘시토닌®)	10단위를 1주일에 2회 근육주사 또는 20단위를 1주일에 한 번 근육주사
RANK 기질 저해제	denosumab		60mg을 6개월마다 피하주사
골생성 촉진제	teriparatide[b] (포스테오®)		20µg을 매일 피하주사(확정 골다공증 환자 중 골절의 위험이 매우 높은 환자에게 사용)
기타	raloxifene[c] (에비스타®)		60mg을 1일 1회 복용

[a]bisphosphonate 계열의 약물은 아침 공복 시에 복용하고 적어도 30분 동안은 누워있지 말아야 함.
[a]teriparatide는 악성 골종양(bone sarcoma)을 일으킬 수 있으므로 사용여부에 신중을 기해야 함.
[c]raloxifene은 자세한 기전은 밝혀지지 않았지만 골소실억제 및 골생성촉진작용을 모두 가지는 것으로 알려져 있음

표 41-6 골다공증 치료에 사용되는 약물의 특징적 부작용

약물명	특징적 부작용	주의사항
alendronate 등 bisphosphonate 계열	위 또는 식도궤양	■ 아침식사 30분 전에 충분한 양의 물과 함께 복용할 것 ■ 복용후 30분 동안은 절대로 누워있지 말 것
salcatonin	요통, 코점막 자극감	■ 사용방법을 숙지하고 사용할 것 ■ 다른 비강분무제와 병용 시 충분한 시간 간격을 둘 것
elcatonin	주사부위 발적	■ 지시된 대로 근육주사할 것
denosumab	팔다리 근육통, 악골(턱뼈)괴사	■ 근육통이 심하거나 턱뼈에 이상한 느낌이 들면 즉시 의료인에게 연락할 것
teriparatide	골육종, 두드러기	■ 피하주사 방법을 잘 숙지하고 사용할 것 ■ 두드러기가 나타나면 즉시 의료인에게 연락할 것
raloxifene	혈전증	■ 정지된 자세로 오랫동안 있으면 혈전이 생길 수 있음 ■ 매일 적당한 운동으로 뼈를 튼튼히 하고 혈전이 생기지 않도록 할 것

표 41-7 골다공증 치료에 사용되는 약물의 작용기전

약물명	작용기전
bisphosphonate 계열	■ alendronate 등: – 파골세포가 뼈 속의 칼슘을 빠져 나오게 하는 작용을 차단함(그림 41-2) – 조골세포의 작용에는 거의 영향이 없음
calcitonin 유도체	■ salcatonin, elcatonin: – calcitonin과 구조 및 기능이 유사한 물질로서 파골세포의 기능을 방해하여 뼈에서 칼슘이 녹아나오는 것을 억제함 – salcatonin은 연어에서, elcatonin은 장어에서 분비되는 호르몬이며, calcitonin에 비하여 쉽게 분해되지 않는 장점이 있음

denosumab	– RANK (receptor activator of nuclear factor kappa B) 리간드를 억제하여 pre-osteoclast의 성숙을 억제함 – 따라서 파골세포가 뼈를 녹이지 못하게 함
teriparatide	– parathyroid hormone의 일부분을 유전공학적으로 제조한 물질로서 파골세포로 하여금 뼈를 녹여 칼슘이 빠져 나오게 하는 작용을 촉진함 – 간헐적으로 투여하면 파골세포 기능 활성화에 대한 인체의 반사적 대응으로 조골세포 기능이 활성화되어 오히려 뼈를 단단하게 하는 효과를 나타냄
raloxifene	– 선택적 에스트로젠 수용체 조절제(selective estrogen receptor modulator, SERM)의 일종임 – SERM은 자궁과 유방에는 항에스트로젠 작용을 나타내지만 뼈에 대해서는 에스트로젠 작용을 나타내어 뼈를 단단하게 하는 작용이 있는 것으로 알려졌음(그림 41-3)

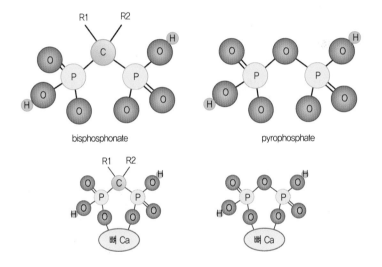

그림 41-2 bisphophonate와 pyrophosphate의 화학구조 비교

bisphosphonate는 pyrophosphonate와 화학구조가 매우 유사함. 뼈 속의 칼슘에 결합되어 저장되어 있다가 파골세포 안으로 이행되어 파골세포 안에서 일어나는 각종 인산화반응을 교란시킴

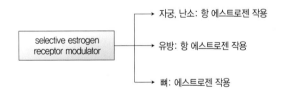

그림 41-3 selective estrogen receptor modulator (SERM)의 작용

뼈에서 에스트로젠 작용을 나타내므로 뼈를 단단하게 하는 효과가 있음

통풍
(Gout)

1 개요

1) 정의

통풍이란 요산(uric acid)이라는 물질이 관절의 활액막 안에 쌓여서 결정 덩어리를 이루고 이로 인하여 나타나는 격심하고 발작성인 재발성 통증을 가리킨다. 요산결정이 가장 잘 쌓이는 곳은 엄지발가락 둘째 마디(중족지관절)이지만, 다른 관절과 연부조직에 침착되는 경우도 많다(그림 42-1).

2) 원인

통풍은 체내에 요산이 너무 축적되기 때문에 발생하며 그 원인은 요산이 과잉생산 되거나 또는 배설이 원활하지 않기 때문이다(표 42-1). 우리 몸에서 정상적으로 생산되는 요산의 양은 하루에 약 600-800mg이므로 이 만큼의 요산은 몸 밖으로 매일 배설되어야 한다. 이 요산의 약 2/3는 소변을 통하여 배설되고 나머지는 소화관에 있는 세균들에 의하여 분해되는 것으로 알려져 있다.

요산이 과잉생산되는 경우는 음식물로부터 퓨린을 과잉섭취하는 경우, 퓨린이 체내에서 너무 많이 생합성되는 체질, 핵산이 퓨린으로 잘 전환되는 체질 등이 있다. 퓨린이 많이 함유되어 있는 식품은 육류와 콩을 원료로 만든 식품, 생선 등이 있다. 참고로 퓨린은 핵산의 구성성분인데 체내에서 대사되어 요산으로 된다. 요산이 과소배설되는 경우는 이뇨제를 복용 중인 사람이나 술을 과음하는 사람, 그밖에도 당뇨병 등 대사성질환이 있는 사람을 들 수 있다.

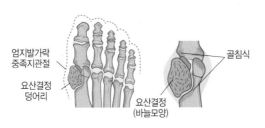

엄지발가락
중족지관절

요산결정
덩어리

골침식

요산결정
(바늘모양)

그림 42-1 엄지발가락 둘째 마디에 쌓인 요산결정 덩어리

오른 쪽은 중족지관절을 확대한 그림임. 바늘 모양의 요산결정이 격심한 통증을 일으키고 시간이 지나면서 관절염과 뼈의 침식을 일으킴

표 42-1 통풍의 원인	
요산의 과잉생산	▪ 퓨린이 다량 함유된 음식물 섭취 ▪ 퓨린이 체내에서 많이 생합성되는 체질 ▪ 핵산이 퓨린으로 잘 전환되는 체질
요산의 과소배설	▪ 이뇨제 ▪ 알코올 ▪ 당뇨병, 고지혈증, 비만 등 대사성 질환

3) 증상

통풍의 특징적인 증상은 격심하고 발작적인 관절통이며 그 통증의 정도가 너무 심하여 통풍발작(gout attack)이라고도 한다. 첫 발작은 대개 엄지발가락 둘째 마디(중족지관절) 한 곳에 나타나며 부종과 발적이 동반된다. 통풍은 발작이 시작되고 일주일 정도 지나면 저절로 가라앉지만 격심한 통증 때문에 소염진통제를 복용하지 않고는 견디기 힘들다.

통풍은 대개 첫 발작이 가라앉은 다음 약 6개월에서 2년 정도는 재발하지 않는다. 그러나 재발할 때는 처음 발작시의 관절은 물론, 발목과 무릎 등 하체의 다른 관절에도 나타난다. 통풍의 원인이 되는 퓨린 함유식품을 지나치게 섭취하거나 술을 많이 마시면 재발이 빨리 온다. 적절한 치료를 하지 않고 방치하게 되면 손가락, 손목 등 상체의 관절까지 통풍이 확산될 수 있다. 통풍이 오래된 환자는 관절주변이나 귓바퀴에 작은 혹 같은 결절이 생기기도 하는데 이 결절을 통풍결절(tophi 또는 tophus)이라고 부른다. 통풍결절 속에는 요산결정 덩어리가 들어차 있어 짜내면 하얀 치약같은 물질이 나오기도 한다. 통풍이 오래되면 관절의 연골과 활액막 및 뼈에 염증이 반복되어 관절기능을 완전히 상실할 수 있다. 요산결정이 콩팥에 쌓이면 신장기능이 저하되어 신부전이 되기도 한다.

2 통풍의 진단

통풍을 정확하게 진단하기 위해서는 활액을 주사기로 빼어 내어 바늘 모양의 요산결정을 현미경으로 확인해야 한다(표 42-2). 그러나 이 방법으로 진단이 가능한 시기는 이미 통풍이 상당히 진행된 경우가 많다. 또한 이 방법은 첫 발작이 나타난 경우처럼 통풍결절이 뚜렷하지 않은 초기단계에서는 검사결과가 음성으로 나타날 수도 있다.

통풍은 환자로부터 통증의 양상과 경과에 대하여 자세히 청취하는 것만으로도 진단할 수 있다. 보다 정확하게 진단하기 위해서는 혈액검사를 실시하여 요산이 정상치(남자: 7mg/dL 미만, 여자: 6mg/dL 미만)보다 높은지 확인해야 한다. 격심하고 발작성인 관절 통증이 colchicine 투여 시 효과적으로 가라앉으면 이 사실만으로도 통풍으로 진단한다(colchicine 시험이라고 함).

통풍의 원인이 요산의 과잉생산 때문인지 요산의 과소배설 때문인지를 알아내기 위해서는 24시간 소변을 채집하여 요산의 양을 측정한다. 24시간 동안 소변으로 배설된 요산의 양이 1,000mg 이상이면 과잉생산이 원인인 것으로, 그 이하이면 과소배설이 원인인 것으로 판정한다.

표 42-2 통풍의 진단

검사명	검사내용 및 판정
활액검사	▪ 활액 속에서 요산결정 확인되면 통풍으로 진단
혈중요산 검사	▪ 남자: 7mg/dL 이상이면 고요산혈증으로 진단 ▪ 여자: 6mg/dL 이상이면 고요산혈증으로 진단
colchicine 시험	▪ 발작성 관절통증에 투여하여 통증이 가라앉으면 통풍으로 진단
소변검사	▪ 24시간 채집된 소변 중 요산의 양 검사 　- 1,000mg 이상이면 요산과잉생산에 의한 통풍 　- 1,000mg 미만이면 요산과소배설에 의한 통풍

3 통풍의 약물치료법

통풍 약물치료 포인트

1. 통풍은 체내에 요산이 축적되어 발생하며 약물치료는 발작성 통증치료와 재발 예방치료로 나누어 실시한다.

2. 발작성 통증치료는 일반적으로 NSAID를 사용하지만 소화성궤양이 있는 환자는 colchicine으로 치료받는다.

3. 재발적 예방치료는 가급적 colchicine, 요산생성저해제 또는 요산배설촉진제를 사용하여 단독요법으로 치료한다.

4. 생선, 간, 콩팥, 술(특히 맥주)을 피해야 한다.

통풍의 약물치료는 통풍발작의 경우와 발작 이후의 경우로 나누어 실시한다(그림 42-2, 그림 42-3). 통풍발작의 경우에는 격심한 통증을 가라앉히는 것을 목표로 하고 발작 이후의 경우에는 발작성 통증이 재발하지 않도록 하는 것을 목표로 한다. 첫 통풍발작이 발생한 다음 재발작 예방치료를 실시하지 않으면 대개 약 6개월에서 2년 사이에 다시 재발하지만, 적절한 예방치료를 하면 2년이 지나도 재발하지 않을 수 있다. 생선이나 동물의 염통, 간, 콩팥 등 퓨린이 많이 함유된 식품을 피하고 술을 마시지 않으면 재발이나 합병증을 예방하는 데 도움이 된다. 특히 맥주와 맥주효모 는 퓨린이 함유되어 있으므로 반드시 피해야 한다.

통풍발작의 치료는 침범된 관절의 수에 따라서 약간 다르지만 비스테로이드성 소염진통제가 일차 선택약이다(그림 42-2). 여러 가지 비스테로이드성 소염진통제 중에서 어떤 약물을 선정하느냐 하는 것은 정해진 가이드라인이 없다. 비스테로이드성 소염진통제로 발작성 통증을 가라앉히기 위해서는 비교적 높은 용량을 사용해야 하는데 만일 환자에게 소화성궤양이 있다면 colchicine을 사용하기도 한다. 그러나 colchicine은 통증이 시작된 후 48시간 이내에 사용해야 진통효과를 기대할 수 있다.

대부분의 경우, 일차적으로 사용한 비스테로이드성 소염진통제나 colchicine으로 통증이 잘 조절되지만 만일 그렇지 못하면 부신피질호르몬제를 사용한다. 통풍발작 이 1개 관절에 국한된 경우라면 해당 관절에 부신피질호르몬(예: triamcinolone)을 관절강 내에 주사기로 주입한다. 만일 2개 이상의 관절이 침범된 경우에는 부신피질호르몬을 복용하거나 근육주사로 투여한다.

일단 발작성통증이 가라앉으면 의료인과 상의하여 재발작 예방치료 여부를 결정하도록 해야 한다. 첫 발작이 경미했거나 혈중 요산농도가 10mg/dL 미만이면 저퓨린 식이요법과 금주만 실천하고 약물치료는 더 이상 실시하지 않아도 된다. 그러나 첫 발작이 격심하고 혈중요산치가 그 이상이었다면 약물을 이용한 예방치료를 실시한다. 예방치료는 일반적으로 colchicine을 6-12개월 동안 0.6mg씩 1일 1-2회 복용하며 이 때 요산생산 저해제인 allopurinol이나 febuxostat 또는 요산배설 촉진제인 probenecid나 sulfinpyrazone를 병용하기도 한다.

예방치료 시 요산생산 저해제를 병용할 것인지 혹은 요산배설 촉진제를 병용할 것인지는 환자의 24시간 요산 배설량이 1,000mg 이상인지에 따라서 판단한다. 일반적으로 요산 배설량이 1,000mg을 넘으면 요산의 과잉생산이 통풍의 원인인 것으로 보고 요산생산 저해제를 사용한다. 반대로 그 이하이면 요산의 배설이 원활하지 못한 것이 원인으로 보고 요산배설 촉진제를 사용한다(그림 42-3). 요산생산 저해제와 요산배설 촉진제를 사용했는데도 개선되지 않는 경우 pegloticase 정맥주사를 고려할 수도 있다. 통풍의 치료 및 재발예방에 사용되는 약물의 용법 및 용량, 작용기전은 표 42-3, 표 42-4, 표 42-5에 요약되어 있다.

표 42-3 통풍의 치료에 사용되는 약물의 용법 및 용량

구분	약물(제품명)	용법, 용량
급성통풍의 치료	colchicine (콜킨®)	▪ 발작성 통증 시 0.6-1.2mg을 복용하고 2시간 간격으로 0.6mg을 복용함(통증이 가라앉거나 부작용으로 설사가 나타나면 중지하고 1일 용량으로 8mg을 초과하지 말 것. 7일 이내 재투여하지 말 것) ▪ 예방목적으로 사용 시에는 첫 발생 후 6-12개월 동안 0.6mg을 1일 1-2회 투여함
	indomethacin 또는 기타 NSAID	▪ indomethacin: 초회용량으로 75mg을 투여하고 6시간마다 50mg씩 2일간 투여하고 이후로는 50mg씩 1일 3회 1-2일간 더 투여함 ▪ 기타 NSAID: 각 약물의 용법, 용량에 준함
	prednisolone (소론도®)	1회 20mg, 1일 3회 복용(통증이 가라앉으면 하루에 5mg씩 줄여 나가면서 복용을 중단함)
	triamcinolone	1회 20-40mg을 관절강 내에 한 번만 주입함

만성통풍의 재발예방	요산생산 저해제	allopurinol (자이로릭®)	1회 300mg, 1일 1회
		febuxostat (페브릭®)	1회 40-80mg, 1일 1회
	요산배설 촉진제	probenecid (베니드®)	1회 500mg, 1일 2회 복용
		sulfinpyrazone (설피존®)	1회 50mg씩 1일 2회 3-4일간 복용 후 1회 100mg, 1일 2회
		benzbromarone (날카리신®)	1회 50mg, 1일 1-3회
	요산대사 촉진제	pegloticase (Krystexxa®) (국내 미허가)	2주 간격으로 8mg을 정맥주사, 치료기간 미확립

NSAID=nonsteroidal antiinflammatory drug (비스테로이드성 소염진통제)

표 42-4 통풍의 치료에 사용되는 약물의 특징적 부작용

약물	특징적 부작용	주의사항
colchicine	설사, 메스꺼움, 구토	■ 설사가 나타나면 복용을 중단하고 즉시 의료인에게 알릴 것 ■ 자몽쥬스를 먹으면 이 약의 혈중농도가 상승하므로 부작용이 잘 발생함
indomethacin 또는 기타 NSAID	소화성 궤양, 위장출혈, 소변량 감소, 심부전증 악화	■ 속 쓰림, 대변색깔이 검은 색으로 변하면 복용을 중단하고 의료인에게 알릴 것 ■ 반드시 식후에 복용할 것 ■ 소변량이 감소하거나 숨이 차는 부작용이 나타나면 즉시 복용을 중단하고 의료인에게 알릴 것(심부전증 악화의 전조조증상임)
prednisolone	부종, 고혈압, 심부전, 저칼륨혈증, 근육량감소, 소화성궤양	■ 반드시 지시된 대로 단기간 동안만 복용할 것 ■ 부종과 호흡곤란이 나타나면 심부전 증상의 악화 때문일 수 있으므로 의료인에게 알릴 것 ■ 두통, 시야몽롱, 이명이 나타나면 혈압상승 때문일 수 있으므로 의료인에게 알릴 것
triamcinolone	주사부위 발적	■ 주사부위가 붓거나 화끈거리면 의료인에게 알릴 것
allopurinol	피부발진	■ 피부발진이 나타나면 즉시 복용을 중단하고 의료인에게 알릴 것 ■ 이 약은 통풍 증상을 치료하는 약이 아니라 재발을 예방하는 약이므로 의료인의 지시에 따라 꾸준히 복용할 것
probenecid	두통, 어지럼증	■ 피부발진이 나타나면 즉시 복용을 중단하고 의료인에게 알릴 것 ■ 이 약은 통풍 증상을 치료하는 약이 아니라 재발을 예방하는 약이므로 의료인의 지시에 따라 꾸준히 복용할 것
sulfinpyrazone	소화성 궤양	■ 속쓰림이 나타나면 식사와 함께 복용할 것
benzbromarone	간독성	■ 이 간독성이 심한 약이므로 소변색이 짙어지거나 황달이 나타나면 즉시 복용을 중단하고 의료인에게 알릴 것 (사용이 중지된 나라가 많음) ■ allopurinol을 사용할 수 없는 경우에 제한적으로 사용할 것

표 42-5 통풍 치료제의 작용기전

구분	작용기전
colchicine	■ 명확하게 밝혀지지 않았지만 중성구(백혈구의 일종)의 운동성을 감소시켜 염증반응을 억제하는 것으로 추정됨 ■ 염증반응이 억제되므로 염증의 진행이 늦어지고 염증으로 인한 통증이 억제됨
부신피질호르몬 및 비스테로이성 소염진통제	■ 부신피질호르몬제: – glucocorticoid 수용체와 결합하여 염증반응 및 면역반응에 필요한 각종 물질의 합성을 방해함 – 이러한 물질들의 합성이 방해되므로 염증반응 및 염증반응으로 인한 통증이 억제됨 ■ 비스테로이드성 소염진통제: – 염증 및 통증유발물질인 프로스타글란딘이 만들어지지 않도록 함으로서 항염증작용 및 진통작용을 나타내는 것으로 여겨짐
요산생산 저해제	■ allopurinol, febuxostat: – xanthine이 요산으로 전환되는 데 필요한 효소인 xanthine oxidase를 저해하여 요산의 생성을 억제함(그림 42-4)
요산배설 촉진제	■ probenecid 등: – 근위세뇨관에서 요산의 재흡수를 억제하여 배설을 촉진함(그림 42-5)
요산 대사 촉진제	■ pegloticase: – 요산을 알란토인으로 대사시켜 요산의 혈중농도를 저하시킴 – 알란토인은 요산에 비해 용해도가 10배 이상 높아 소변으로 배설이 잘 됨

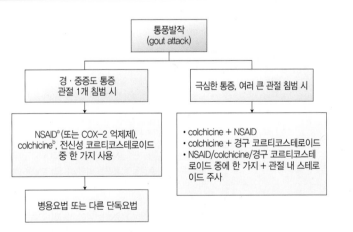

그림 42-2 급성 통풍의 약물치료법(통증 완화를 목적으로 실시함)

ª여러 가지 비스테로이드성 소염진통제 중에서 환자의 상태에 따라 적절한 것을 선정해서 사용함. ᵇcolchicine은 발작성통증 시 작 후 36시간 이내에 사용함.

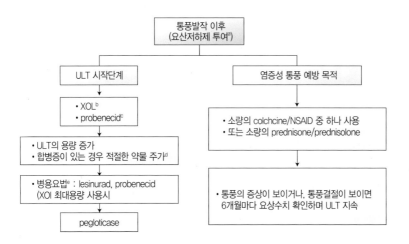

그림 42-3 통풍발작 이후의 약물치료법(재발작 예방을 목적으로 실시함)

ULT=urate lowering therapy. XOI=xanthine oxidase inhibitor.
[a]결절이 있거나, 급성 통풍발작이 자주 나타나는 경우, stage 2 이상의 만성 신부전 환자, 과거 요로결석증의 병력을 가진 환자의 경우 요산저하제 투여를 고려함. [b]XOI는 xanthine이 요산으로 전환되는 것을 촉진하는 효소인 xanthine oxidase를 저해하며 allopurinol과 febuxostat가 주로 쓰임. [c]probenecid는 적어도 한 개의 XOI에 금기 또는 내성이 있는 경우 사용함. [d]고혈압이 합병증일 경우 losartan을, 고중성지질혈증이 합병증일 경우 fenofibrate를 추가함.

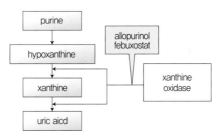

그림 42-4 xanthine oxidase 저해제의 작용기전

xanthine oxidase를 저해하여 요산생성을 억제함

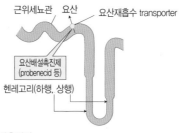

그림 42-5 요산배설촉진제의 작용기전

요산 재흡수를 저해하여 요산배설을 촉진함

강직성 척추염
(Ankylosing spondylitis)

1 개요

1) 정의

강직성 척추염이란 천장관절(천골과 장골 사이의 관절)과 하부 요추관절에 만성적 염증을 일으키는 자가면역성 관절질환이다(그림 43-1). 강직성 척추염은 천장관절에 붙어 있는 인대와 건에도 염증이 생기는 것이 특징이다.

2) 원인

강직성 척추염은 면역기능 이상이 원인으로 여겨지지만 아직 정확한 원인은 밝혀지지 않았다. 최근의 연구에 의하면 유전적으로 HLA-B27라는 물질이 발현되는 체질과 밀접한 관계가 있는 것으로 알려져 있다(표 43-1). 그 밖에도 클렙시엘라 폐렴균과 장내세균 감염도 강직성 척추염 발생과 관련이 있는 것으로 알려지고 있다.

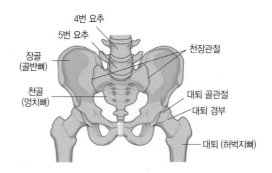

그림 43-1 천골과 장골의 위치
천골과 장골 사이의 관절(천장관절)부터 염증이 시작됨

표 43-1 강직성 척추염의 원인	
유전	HLA-B27라는 물질이 발현되는 체질 이 물질은 환자의 약 90%에서 발견됨
클렙시엘라 폐렴균 (Klebsiella pneumoniae)	클렙시엘라 폐렴균이 갖는 항원성 물질이 HLA-B27와 유사하기 때문에 이 세균이 강직성 척추염과 관련이 있다는 주장이 있지만 아직 정설은 아님
장내세균	일부 장내세균이 갖는 항원성 물질이 HLA-B27와 유사하기 때문에 이 세균이 강직성 척추염과 관련이 있다는 주장이 있지만 아직 정설은 아님

3) 증상

강직성 척추염의 증상은 좌골신경통과 비슷한 하부 요통이다. 요통은 서서히 진행되는데 주로 잠을 자고 난 아침에 허리 아래쪽이 뻣뻣해지고 굳어버린 듯한 강직감과 통증이 나타나지만 아침 활동을 하게 되면 점차 통증이 덜해지거나 사라지는 것이 특징이다.

초기에는 좌골신경통과 증상이 비슷하지만 시간이 흐르면서 강직감과 통증이 점차로 허리 위쪽으로 진행되는 점이 다르다. 좌골신경통은 노인에게 잘 나타나는 증상인데 반하여 강직성 척추염은 청소년기 및 청년기에 잘 발생하는 점도 이 병의 특징이다. 강직성 척추염이 더욱 진행되면 척추 뼈 사이에 있는 인대와 건이 굳어지고 여러 마디가 하나의 뼈로 유합(ankylosis)되어 점차 딱딱한 막대기처럼 변하게 된다(그림 43-2). 자세는 앞으로 구부정하게 변하고, 강직과 통증으로 인해 움직일 때마다 통증을 느끼게 된다.

강직성 척추염은 자가면역질환의 일종이므로 알레르기성 또는 자가면역성 질환과 동반하여 발생하는 경향이 있다. 강직성 척추염 환자에게 흔히 나타나는 척추염

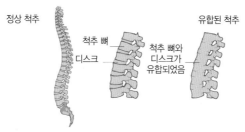

정상 척추   유합된 척추

척추 뼈
디스크
척추 뼈와 디스크가 유합되었음

그림 43-2 정상 척추와 유합된 척추
여러 개의 척추 뼈와 디스크가 하나의 뼈로 유합되어 있음

외 증상은 류마티스 관절염, 아토피성 피부염, 건선, 신장염, 궤양성대장염, 및 안구에 발생하는 포도막염 등이 있다.

4) 진단

현재까지 강직성 척추염을 정확하게 진단할 수 있는 방법은 없지만 일반적으로 간단한 신체검사, 혈액검사와 X-ray 검사를 실시한다(표 43-2). 진단은 환자의 증상을 자세히 청취하고 간단한 신체검사만으로도 할 수는 있지만 정확한 진단을 위하여 X-ray 검사를 실시한다. 더욱 자세한 검사를 위해서 각종 면역항체검사 및 CT와 MRI 등 영상진단장비가 이용되기도 한다. 방사선 검사에서 천장관절의 인대와 건에 병변이 확인되면 강직성 척추염으로 진단한다.

표 43-2 강직성 척추염 진단을 위한 검사	
신체검사	■ 척추의 유연성 감소, 천장관절 주위의 압통 여부를 판단함
X-ray 검사	■ 발병 초기에는 이상 소견이 나타나지 않는 경우가 많음 ■ 천장관절염 소견, 척추 뼈의 유합 여부를 판단함. ■ 천장관절의 인대와 건에 병변이 확인되면 강직성 척추염으로 진단함
혈액검사	■ HLA-B27 양성, 혈침속도 증가, C-reactive protein 양성 여부를 검사함. ■ 검사에서 음성으로 나오는 경우도 많으므로 진단적 가치가 적음.

2. 강직성 척추염의 약물치료법

강직성 척추염 약물치료 포인트

1. 강직성 척추염은 천장관절부위에서 발병하지만 사실은 자가면역현상에 의한 전신질환이므로 비약물치료와 함께 약물치료를 병행한다.

2. 스트레칭과 맨손체조는 강직성 척추염의 진행을 억제하는 효과가 있으므로 매일 꾸준히 실천한다.

3. 소염진통제로 통증이 조절되지 않으면 질환변경제를 추가적으로 사용하여 치료받는다.

4. 질환변경제는 신속한 진통작용은 없지만 비정상적인 자가면역현상을 전반적으로 조절해주는 작용이 있으므로 꾸준히 치료받아야 한다.

강직성 척추염 치료는 약물요법과 함께 비약물치료법을 병행한다. 비약물요법은 운동치료와 재활치료가 있는데 이들 치료는 천장관절 및 척추의 인대와 건이 굳어 유합(ankylosis)되는 현상을 억제하는 효과가 있는 것으로 알려졌다. 허리의 유연성을 증가해주는 스트레칭과 수영, 몸통 돌리기, 가슴운동, 목운동 등 맨손체조는 전신 관절과 인대의 긴장을 풀어주어 강직성 척추염의 진행을 억제하는 효과가 크다. 숨 쉬기 운동을 크게 하는 것도 흉추와 갈비뼈의 유연성을 증진시키는 효과가 있다.

약물치료는 비스테로이드성 소염진통제가 일차 선택약이다(그림 43-3). 여러 가 지 비스테로이드성 소염진통제 중에서 어떤 약물을 선정하느냐 하는 것은 정해진 가 이드라인이 없다. 비스테로이드성 소염진통제로 통증조절이 만족스럽지 않으면 아세 트아미노펜이나 적절한 마약성 진통제를 병용하기도 한다. 강직성 척추염은 자가면 역질환의 일종이므로 질환변경제를 사용하기도 한다. 질환변경제가 강직성 척추염

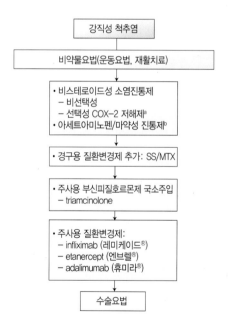

그림 43-3 강직성 척추염의 약물치료법

MTX=methotrexate. SS=sulfasalazine. [a]선택성 COX-2 저해제는 위장장애가 적은 장점이 있으며 celecoxib가 사용됨.
[b]마약성 진통제는 수술요법 대기중이거나 수술 후 단기간에만 사용함

의 진행을 얼마나 효과적으로 억제하는지에 관해서는 아직 밝혀지지 않았다. 그러나 소염진통제로 통증이 조절되지 않는 경우에는 질환변경제도 함께 병용한다.

증상이 심한 경우에는 유합이 진행되고 있는 국소부위에 부신피질호르몬제를 직접 주입하기도 한다. 경구용 질환변경제를 사용해도 유합이 계속 진행되는 것으로 판단되면 주사용 질환변경제를 사용한다. 주사용 질환변경제 중 어느 약물이 특별히 더 효과가 있는지에 대해서는 알려지지 않았지만 adalizumab이 사용법이 간편한 장점이 있다. 각 약물의 자세한 용법, 용량은 류마티스 관절염의 표 39-4에 요약되어 있다.

원칙적으로 강직성 척추염은 수술요법으로 치료하는 질병은 아니다. 그러나 천장관절과 척추에 유합이 상당히 진행되어 보행과 일상생활에 큰 불편이 있으면 인공관절을 이식하는 등 척추교정술을 실시하기도 한다.

약·물·치·료·핸·드·북

Part 08
혈액종양 질환

백혈병
(Leukemia)

1 개요

1) 정의

백혈병이란 백혈구를 비롯한 혈구세포가 골수에서 성숙되는 과정 중에 암세포로 변하여 제대로 성숙하지 못하고 미성숙된 채 대량으로 증식하는 혈액종양을 가리킨다. 주로 백혈구의 숫자가 증가하기 때문에 백혈병이라고 불린다.

2) 원인

백혈병의 원인은 아직 불확실하지만 화학물질, 방사선, 바이러스, 유전과 관계가 있는 것으로 추정되고 있다(표 44-1).

표 44-1 백혈병의 원인	
화학물질	■ 벤젠, 페인트, 농약, 살충제 ■ 항암제 ■ 담배 흡연
방사선	■ 연구용 및 치료용 방사선
바이러스	■ retrovirus (예: human T-lymphotropic virus)
유전	■ 일란성 쌍생아 중 한 명이 백혈병일 경우 다른 한 명이 백혈병에 걸릴 확률: 약 20% 정도임 ■ 백혈병을 앓은 적이 있는 사람의 자녀가 백혈병에 걸릴 확률: 일반인의 약 4배 정도임

3) 증상

백혈병의 증상은 종류와 병기에 따라 다르게 나타난다. 급성인 경우 초기부터 전신 쇠약감, 빈혈, 피부자반, 쉽게 숨이 참, 발열 등의 증상이 나타나기도 하지만 만성인 경우에는 병이 상당히 진행되기까지 아무런 증상이 나타나지 않는 경우도 있다.

백혈병은 조혈줄기세포로부터 백혈구나 림프구로 성숙되는 과정 중에 암화가 일어나는 병이기 때문에 이들 혈구세포의 숫자는 증가하지만 반대로 적혈구와 혈소판의 숫자는 감소된다. 적혈구가 부족해지므로 빈혈 증상과 피로감, 숨이 참 등이 나타난다. 또한 혈소판이 부족해지므로 쉽게 멍이 들고 피부에 자색반점이 생기며 출혈이 잘 일어나고 지혈이 잘 안 된다(표 44-2). 백혈구와 림프구의 숫자는 정상보다 굉장히 높지만 성숙과정의 중간단계에서 암화가 일어났기 때문에 제 기능을 수행하지 못하는 미성숙상태이다. 따라서 백혈병 환자는 세균이나 바이러스, 곰팡이균 등에 대한 면역력이 저하되어 감기는 물론 여러 가지 감염증에 잘 걸리게 된다.

표 44-2 백혈병의 증상	
적혈구 관련	■ 적혈구의 수 감소 – 빈혈 – 전신 쇠약감 – 쉽게 숨이 참
혈소판 관련	■ 혈소판의 수 감소 – 쉽게 멍이 듦 – 피부 자색 반점 – 쉽게 출혈이 되고 지혈이 잘 안 됨
과립백혈구, 림프구 관련	■ 미성숙 과립백혈구/림프구의 수 증가* – 감기에 잘 걸림 – 세균, 바이러스, 곰팡이균에 대한 면역력 감소

*골수성 백혈병은 미성숙 과립백혈구, 림프구성 백혈병은 미성숙 림프구의 수가 증가함

2 백혈병의 진단 및 분류

1) 진단

백혈병의 진단은 혈액검사에서 혈구세포의 수와 혈구세포의 구성비율이 비정상적인 소견을 보이면 의심할 수 있다. 혈구세포의 수와 구성비율은 전혈구검사(complete blood count, CBC)를 통하여 알 수 있는데 이 검사로 적혈구, 혈소판, 백혈구, 림프구들의 성숙단계도 알 수 있다. 백혈병을 정확히 진단하기 위해서는 골수검사와 면역학적 검사를 실시한다. 또한 병의 진행정도를 알기 위해서 CT와 MRI를 비롯한 여러 가지 검사를 실시한다.

2) 분류

백혈병의 분류는 혈구세포가 골수에서 성숙되는 과정 중 어느 단계에서 암세포로 변하는지에 따라서 급성과 만성으로 구분되고, 어떤 혈구세포가 암화 되었는지에 따라서 골수성과 림프구성으로 구분된다(표 44-3). 급성백혈병은 혈구세포가 성숙 과정의 아주 초기단계에서 암세포로 변하기 때문에 병의 진행이 빠르다. 반면에 만성 백혈병은 혈구세포가 비교적 후기단계의 성숙과정에서 암세포로 변하기 때문에 병의 진행이 느린 편이다.

골수성 백혈병은 골수에서 성숙이 완결되는 혈구세포의 암을 가리킨다. 여기에 해당되는 혈구세포는 적혈구, 혈소판, 과립백혈구, 및 단구이다. 따라서 골수성 백혈병 환자의 혈액 속에는 정상적으로 성숙된 적혈구, 혈소판, 과립백혈구 및 단구가 현저히 부족하게 되고 성숙이 덜 된 혈구세포들이 많이 발견된다.

림프구성 백혈병은 림프절에서 성숙이 완결되는 혈구세포의 암을 가리킨다. 여기에 해당되는 혈구세포는 림프구이다. 림프구는 골수에서도 초기 성숙과정을 거치지만 B-림프구, T-림프구, 형질세포 등 면역기능을 수행할 수 있는 세포로 성숙되는 곳은 흉선 등의 림프절이기 때문에 림프성 혈구세포라고 한다(그림 44-1). 따라서 림프구성 백혈병 환자의 혈액과 골수에는 성숙된 림프구는 줄어들고 림프아세포와 전림프구 등 성숙이 덜 된 혈구세포들이 많이 발견된다.

골수성 및 림프구성 백혈병은 해당되는 혈구세포가 어느 성숙단계에서 암화되었는지에 따라서 다시 세분된다. 예를 들어 과립백혈구 성숙과정 중 초기단계인 promyelocyte 단계에서 암화가 되었다면 AML 중에서도 acute promyelocytic leukemia라고 하고, B-림프구 성숙과정 중 초기단계인 precursor B lymphoblast 단계에서 암화가 되었다면 ALL 중에서도 acute precursor B lymphoblastic leukemia라고 한다.

	표 44-3 백혈병의 분류	
급성	급성 골수성 백혈병 (acute myeloid leukemia, AML)	골수성 혈구세포(적혈구, 혈소판, 과립백혈구, 단구가 될 혈구)가 골수에서의 초기 분화단계에서 암으로 됨
	급성 림프구성 백혈병 (acute lymphocytic leukemia, ALL)	림프성 혈구세포(임파구가 될 혈구)가 골수에서의 초기 분화단계에서 암으로 됨

	만성 골수성 백혈병 (chronic myeloid leukemia, CML)	골수성 혈구세포(적혈구, 혈소판, 과립구, 단구가 될 혈구)가 골수에서의 후기 분화단계에서 암으로 됨
만성	만성 림프구성 백혈병 (chronic lymphocytic leukemia, CLL)	림프성 혈구세포(임파구가 될 혈구)가 골수에서의 후기 분화단계에서 암으로 됨

참고: 적혈구, 백혈구, 혈소판, 림프구 등 모든 혈구세포는 골수에 있는 조혈줄기세포 (hematopoietic stem cell)로부터 여러 단계의 분화과정을 거쳐 성숙되는데, 림프구는 골수에서 어느 정도 성숙된 다음 흉선 등의 림프절로 옮겨가서 추가적 성숙과정을 거쳐야 최종적으로 성숙됨(소아 백혈병의 약 80%는 급성백혈병이지만 성인 백혈병의 약 80%는 만성백혈병임)

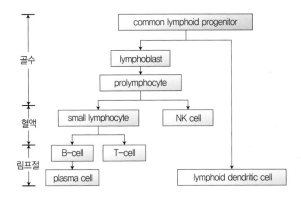

그림 44-1 림프구의 성숙과정

3 백혈병의 약물치료법

백혈병 약물치료 포인트

1. 백혈병은 급성인지 만성인지, 골수성인지 림프성인지에 따라 약물치료법이 다르다.

2. 급성백혈병의 경우 완전관해가 되었어도 죽지 않고 남은 암세포가 아직 많이 있으므로 공고요법과 유지요법을 끈기 있게 실천해야 한다.

3. 만성백혈병의 경우 관해유도요법을 하지 않는 대신 유지요법을 장시간에 걸쳐 실시하므로 의사의 지시에 따라 끈기 있게 실천해야 한다.

4. 항암지료는 상당한 체력소모를 동반하므로 영양공급과 체력관리를 충실히 해야 한다.

5. 항암제는 일반적으로 면역력을 떨어뜨리고 여러 가지 부작용이 있으므로 이상반응이 나타나면 의료인에게 알려야 한다.

6. 근거 없이 유통되는 항암치료 보조제품에 현혹되지 말아야 한다.

백혈병의 약물치료법은 분류와 병기에 따라 다르지만, 급성백혈병은 대개 관해유도요법(remission induction therapy), 유도후요법(post-induction therapy), 공고요법(consolidation therapy), 유지요법(maintenance therapy)으로 나누어 실시하고 만성백혈병은 유지요법만으로 실시한다(그림 44-2).

급성백혈병(AML 및 ALL)의 약물요법에서 관해유도요법과 유도후요법은 항암제로 암화된 혈구세포를 최대한 사멸시켜 완전관해(complete response, CR)에 이르게 하는 것이고, 공고요법과 유지요법은 재발되지 않도록 하는 것이다. 여기서 완전관해란 골수와 말초혈액에서 미성숙세포가 5% 미만이고 조혈기능이 정상으로 회복된 상태가 4주일 이상 지속되는 경우로 정의한다. 완전관해가 되었는데도 공고요법과 유지요법을 실시하는 이유는 죽지 않고 남아 있는 암세포가 다시 증식해서 암으로 재발하는 것을 막기 위함이다. 급성백혈병의 치료에 사용되는 약물의 예시와 용법, 용량은 표 44-3에 요약되어 있다.

만성백혈병(CML 및 CLL)의 약물치료법은 처음부터 유지요법만 실시한다. 만성 골수성 백혈병(CML)의 유지요법에는 imatinib, nilotinib, dasatinib 등 tyrosine kinase 저해제가 사용된다. 이 약물들은 경구로 복용하도록 되어 있고 부작용이 심하지 않아 생존기간 전 기간에 걸쳐 복용할 것이 권장된다.

만성 림프성 백혈병(CLL)의 유지요법에는 세포독성 항암제나 단일클론항체를 사용한다. 이 때 세포독성 항암제로 chlorambucil, cyclophosphamide, fludarabine이 사용되고 단일클론항체로는 rituximab, alemtuzumab이 사용된다. 세포독성 항암제인 플루다라®와 단일클론항체를 병용투여하면 한 가지 약물만 사용하는 경우에 비하여 완치율이 높은 것으로 알려졌다. 만성백혈병의 치료에 사용되는 약물의 예시와 용법, 용량은 표 44-5에 요약되어 있으며 각각의 약물에 대한 특징적 부작용과 작용기전은 표 44-6, 표 44-7에 요약되어 있다.

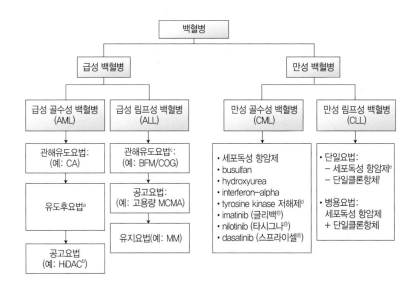

그림 44-2 백혈병의 약물치료법

CA=cytarabine+anthracycline. CMA=methotrexate+cytarabine+6-mercaptopurine+asparaginase.
MM=methotrexate+mercaptopurine. [a]AML의 유도후요법엔 고용량 cytarabine 또는 표준용량 cytarabine+idarubicin+d
aunorubicin이 있다. [b]HiDAC은 고용량 cytarabine요법을 말함. [c]ALL의 관해유도요법에는 BFM/COG요법(vincristine+antr
acycline+corticosteriod+asparagenase), CALGB요법(BFM/COG요법+cyclophosphamide), hyper-CVAD요법(hyper-
fractionated cyclophosphamide+vincristine+doxorubicin+dexametasone)이 있음. [d]tyrosine kinase 저해제의 적정 복
용기간은 현재 알려지지 않았지만 생존기간 동안 복용이 권장됨. [e]만성 림프성 백혈병의 치료에 사용되는 세포독성 항암제는
chlorambucil, cyclophosphamide, fludarabine이 널리 사용됨. [f]만성 림프성 백혈병의 치료에 사용되는 단일클론항체는
rituximab (맙테라®), alemtuzumab (맵캠파스®)이 있음

표 44-4 급성백혈병에 사용되는 약물치료법 예시

		약물명	용량[b] (mg/m²)	투여방법	투여기간
AML의 관해유도요법		cytarabine (싸이토사-유®)	100	정맥주사	1-7일
		daunorubicin (다우노브라스티나®)	45	정맥주사	1-3일
AML의 유도후요법		고용량 cytarabine 또는 표준용량 cytarabine + idarubicin + daunorubicin			
AML의 공고요법	1회차	cytarabine (싸이토사-유®)	200	정맥주사	1-5일
		daunorubicin (다우노브라스티나®)	60	정맥주사	1-2일
	2회차	cytarabine (싸이토사-유®)	200, 1일 2회	정맥주사	1-3일
		etoposide (라스텟트®)	100	정맥주사	1-2일
	3회차	1회차와 동일			
AML의 유지요법		etoposide (라스텟트®)	50mg	경구투여	1-21일(1-2주 휴약 후 반복)

	약물명	용량	투여방법	투여기간
ALL의 관해유도요법	prednisolone (소론도®)	60	경구투여	1–28일
	vincristine (온코빈®)	1.5	정맥주사	1,8,15,22일째
	daunorubicin (다우노브라스티나®)	25	정맥주사	1,8,15,22일째
	asparaginase (로이나제®)	5,000단위/m²	정맥주사	1–14일
	cyclophosphamide (알키록산®)	650	정맥주사	29,43,57일째
	cytarabine (싸이토사–유®)	75	정맥주사	31–34, 38–41, 41–48, 52–55일째
ALL의 공고요법	dexamethasone (덱사소론®)	10	경구투여	1–28일
	vincristine (온코빈®)	1.5	정맥투여	1,8,15,22일째
	doxorubicin (아드리아마이신®)	25	정맥투여	1,8,15,22일째
	cyclophosphamide (알키록산®)	650	정맥투여	29일째
	cytarabine (싸이토사–유®)	75	정맥투여	31–34일째, 38–41일째
	thioguanine (국내생산 중단)	60	경구투여	29–42일째
ALL의 유지요법	methotrexate (엠티엑스®)	20 (매주 1회)	경구투여	10–18주째, 6개월째–3년간
	mercaptopurine (푸리네톤®)	60(매일)	경구투여	2–3년

ALL=acute lymphocytic leukemia (급성 림프성 백혈병), AML=acute myeolocytic leukemia (급성 골수성 백혈병), ᵃ용량: 체표면적(m²) 당으로 계산함

표 44-5 만성백혈병에 사용되는 약물치료법 예시

구분		약물명	용법, 용량	투여방법	투여기간
CML	**세포 독성 항암제**	busulfan (부설펙스®)	0.8mg/kg을 6시간 간격으로 4일간 연속투여	정맥주사	4주 간격으로 2-4회 반복투여함
		hydroxyurea (하이드리아®)	20–30mg을 1일 1회	경구로 복용	생존기간ᵃ
		catarabine (싸이토사–유®)	100mg/m²을 5일간 연속투여	정맥주사	4주 간격으로 2-4회 반복투여함
	인터 페론	interferon–알파 (휴미론알파®)	250–1,000만 단위를 주1–7회 투여	피하주사	1–3년간
	tyrosine kinase	imatinib (글리벡®)	1회 400mg, 1일 1회	경구로 복용	생존기간ᵃ
		nilotinib (타시그나®)	1회 400mg, 1일 2회	경구로 복용	생존기간ᵃ
		dasatinib (스프라이셀®)	1회 100mg, 1일 1회	경구로 복용	생존기간ᵃ
		bosutinib	1회 500mg, 1일 1회	경구로 복용	
		ponatinib (아이클루시그®)	1회 45mg, 1일 1회	경구로 복용	

CLL	세포 독성 항암제	chlorambucil (류케란®)	총백혈구수가 10,000개/mm³ 이하로 감소될 때까지 0.15mg/kg을 1일 1회 복용하고 4주간 휴약한 다음, 0.1mg/kg을 1일 1회 계속 복용	경구로 복용	투여기간 정해지지 않았음
		cyclophosphamide (알키록산®)	1~5mg/kg을 1일 1회	경구로 복용	투여기간 정해지지 않았음(백혈구수 검사로 용량 조절ᵇ)
		fludarabine (플루다라®)	25mg/m²을 5일간 연속투여	정맥주사	4주 간격으로 2~4회 반복투여함
		bendamustine (심벤다®)	100g/m²을 4주 간격으로 1일 및 2일째 투여	정맥주사	투여기간 정해지지 않았음
		ibrutinib (임브루비카®)	420mg을 1일 1회	경구로 복용	투여기간 정해지지 않았음
		idelalisib (자이델릭®)	150mg을 1일 2회	경구로 복용	투여기간 정해지지 않았음
	단일 클론 항체	rituximab (맙테라®)	제1주기: 375mg/m², 단회투여 제2주기 이후: 500mg/m², 단회투여	정맥주사	4주 간격으로 2~6회 반복투여함
		alemtuzumab (맵캠파스®)	첫날 3mg, 둘째날 10mg, 셋째날 30mg으로 증량한 다음 주 3회 30mg을 투여	정맥주사	주3회 최대 12주간 투여함
		ofatumumab (오파투무맙®)	첫날 300mg, 8일차 1,000mg, 이후로는 28일 간격으로 1,000mg	정맥주사	최대 1년간 투여함

CLL=chronic lymphocytic leukemia (만성 림프성 백혈병). CML=chronic myeolocytic leukemia (만성 골수성 백혈병). ᵃ적정 복용기간은 현재 알려지지 않았지만 생존기간 동안 복용이 권장됨. ᵇ백혈구수가 3,000개/mm³ 미만으로 감소하지 않도록 용량을 조절하면서 생존기간 동안 복용함

표 44-6 백혈병 치료제의 특징적 부작용

약물명	특징적 부작용	주의사항
cytarabine 등 세포독성 항암제	골수기능억제(적혈구, 백혈구, 혈소판 감소증), 메스꺼움, 탈모증, 심장독성 (daunorubicin)	■ 주사투여 중 주사부위가 붓거나 통증이 나타나면 즉시 　의료인에게 연락할 것(주사액이 혈관밖으로 새어나오면 　주변조직이 괴사될 수 있음) ■ 전염성질환에 감염된 사람과 접촉을 피할 것 ■ 외출 시에는 마스크를 착용할 것 ■ 생백신(황열, 홍역 등)을 사용하는 예방접종을 하지 말 것 ■ Daunorubicin의 경우, 숨이 차거나 부종이 나타나면 　의료인에게 알릴 것(심장독성의 전조증상임)
asparaginase	두드러기, 쇼크, 췌장염	■ 심한 복통이나 두드러기 등 알레르기 현상이 나타나면 즉시 　의료인에게 알릴 것

interferon 알파	감기몸살증상(발열, 오한, 근육통), 우울증	■ 발열, 오한, 근육통의 완화를 위하여 비스테로이성 소염진통제를 사용하고자 할 때는 의료인의 지시에 따를 것
imatnib 등 tyrosine kinase 저해제	부종, 체중증가, 메스꺼움, 구토	■ 심부전이 합병된 환자는 이 약 복용 시 체중증가를 면밀히 관찰하고 숨이 차거나 부종이 나타나면 의료인에게 알릴 것(심부전 악화의 전조증상임) ■ 반드시 식후에 복용할 것
rituximab 등 단일 클론 항체	발열, 오한, 근육통, 괴사성 피부염, 급성신부전	■ 주사투여 중 발열, 오한, 근육통이 나타나면 즉시 의료인에게 알릴 것 ■ 피부가 가렵거나 물집이 생기면 즉시 의료인에게 알릴 것(괴사성 피부염의 전조증상임) ■ 소변량이 갑자기 줄면 즉시 의료인에게 알릴 것(급성신부전의 전조증상임)

표 44-7 백혈병 치료제의 작용기전

구분	작용기전
세포독성 항암제	■ cytarabine 등: – 세포독성으로 세포를 파괴시킴 – 암세포는 정상세포에 비하여 세포분열이 빠르게 일어나기 때문에 정상세포에 비하여 잘 사멸됨 – 정상세포 중에서 혈구세포와 점막세포, 모근세포처럼 세포분열이 비교적 빠르게 일어나는 세포도 이 약물에 의하여 사멸되는 부작용이 있음
asparaginase	– asparagine을 aspartic acid로 가수분해시켜 asparagine 결핍을 일으킴(그림 44-3) – 급성 림프구성 백혈병(ALL)의 암세포는 asparagine을 합성하는 능력이 없거나 저하되어 있으므로 asparagine이 필요한 단백질이 합성되지 않아 죽게 됨
interferon 알파	– natural killer cell (NK cell)을 활성화하여 암세포의 사멸을 유도함
tyrosine kinase 저해제	■ imatinib 등: – tyrosine kinase와 결합하여 이 효소의 입체적 구조에 변화를 일으켜 기능을 방해함 – 이 효소가 방해되면 세포 안에서의 각종 신호전달에 필요한 단백질이 활성화되지 않아 세포의 성장 및 분화가 억제됨(암세포는 성장속도가 빠르기 때문에 특히 취약함, 그림 44-4)
단일클론항체	■ rituximab 등: – B-cell의 초기분화 단계에서 발현되는 CD20에 결합하여 apoptosis를 유도함 – 따라서 림프성 백혈병과 림프종의 치료에 사용됨(B-cell과 관련이 있는 자가면역질환 및 장식이식 시 거부반응에도 사용됨)

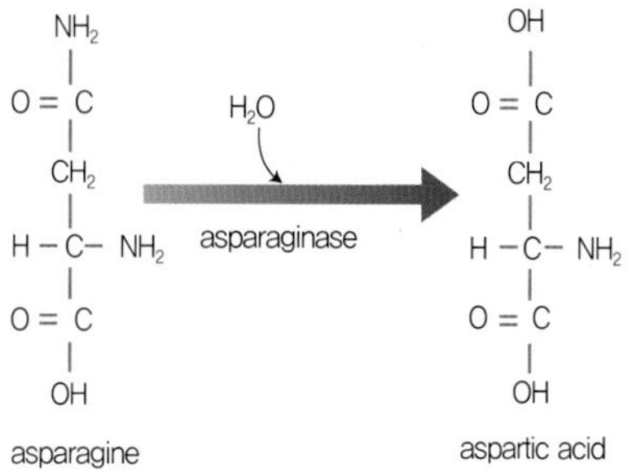

NH₂
|
O = C   OH
| |
CH₂   H₂O   O = C
| ↓ |
H – C– NH₂ asparaginase   CH₂
| |
O = C   H – C– NH₂
| |
OH   O = C
|
asparagine   OH

aspartic acid

그림 44-3 asparaginase의 작용기전 ——————————————————

asparagine을 aspartic acid로 가수분해시켜 암세포에 asparagine 결핍을 일으킴. 따라서 asparagine을 필요로 하는 단백질
이 합성되지 않아 암세포가 죽게 됨

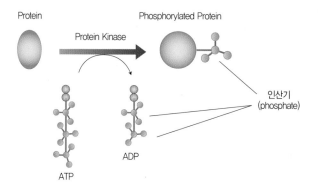

그림 44-4 Protein kinase의 역할 ——————————————————

protein kinase는 ATP에 있는 인산기를 단백질에 옮겨 단백질을 인산화시키는 효소로써 수많은 생화학적 반응에 필요함.
tyrosine kinase는 protein kinase의 일종으로서 단백질의 tyrosine 잔기를 인산화하는 효소이며 imatinib은 tyrosine
kinase의 작용을 방해함

림프종
(Lymphoma)

1 개요

1) 정의

림프종이란 림프구가 골수에서의 분화과정을 마친 다음 림프기관에서 성숙되는 과정 중에 암세포로 변하는 혈액종양을 가리킨다. 백혈병은 혈구세포가 골수에서 분화되는 과정에서 암으로 변하지만, 림프종은 골수에서 분화과정을 마친 다음 림프기관에서 성숙되는 과정에서 암으로 변하는 점이 다르다. 따라서 림프종은 암이 림프성 혈구세포에만 국한되는 특징이 있으며, 이 때문에 림프종이라고 부른다.

2) 원인

림프종의 원인은 아직 자세히 밝혀지지 않았지만 방사선, 발암성 화학물질, 면역기능 이상, 박테리아나 바이러스 감염, 항암제 치료 등이 원인인 것으로 추정되고 있다. 특히 장기이식 후 거부반응을 예방하기 위해 면역억제제를 복용하는 경우 잘 발생된다. 소화성궤양을 일으키는 세균으로 잘 알려진 헬리코박터 파일로리(Helicobacter pylori)는 위에서 발생하는 악성 림프종과 관련이 있는 것으로 밝혀졌다.

3) 증상

림프종의 증상은 호지킨 림프종과 비호지킨 림프종에서 다르게 나타난다. 호지킨 림프종은 수년에 걸쳐 오랫동안 지속되면서 서서히 자라는 종양이므로 초기에는 증상이 나타나지 않는 경우가 많다. 호지킨 림프종의 경우, 최초 증상은 림프절 특히, 목에 있는 경부 림프절이 만져질 만큼 커지고 차차 겨드랑이, 사타구니에 있는 림프절로 파급된다. 림프절이 커지고 종창이 나타나지만 통증은 없다. 호지킨 림프종은 골수로 전이되는 경우가 드물기 때문에 빈혈이나 출혈 관련 증상은 나타나지 않는다. 비호지킨 림프종의 증상은 어떤 림프구가 암화되었는가, 어떤 장기로 전이되었는가에 따라서 다양하게 나타난다(비호지킨 림프종 참조).

2 림프종의 진단, 분류 및 병기 구분

1) 진단

림프종의 진단은 호지킨 림프종인지 비호지킨 림프종인지에 따라 다르다. 비호지킨 림프종은 다음 장에서 별도로 다루게 되므로 여기에서는 호지킨 림프종에 대해서만 설명하기로 한다. 호지킨 림프종의 진단은 호지킨 림프종의 전형적인 특징인 Reed-Sternberg 세포를 확인하여 확진한다. 이 세포는 호지킨 림프종 환자의 림프절 조직을 채취하여 현미경으로 검사 시 발견되는 B-cell 기원의 세포로서 정상적인 림프구와 다르게 세포가 크고 핵의 모양이 둥글지 않고 두 개로 구분되어 있는 특징이 있다(그림 45-1).

백혈병 및 비호지킨 림프종과의 감별진단을 위하여 전혈구검사(complete blood count, CBC), 면역학적 검사, 방사선 검사, CT, MRI 등을 실시한다. 특히 CT와 MRI 검사는 폐와 흉막, 심장 및 기타 복부장기나 림프절을 침범했는지 알아내는 데 도움이 된다. 림프종이 골수에 침범했는지를 알아내기 위해서는 엉덩이뼈(장골)를 천자하여 골수검사를 실시한다.

2) 분류

림프종은 호지킨 림프종과 비호지킨 림프종으로 대별된다. 호지킨 림프종은 암세포로 변한 림프구가 특정 림프절에 머물면서 다른 장기로 전이되지 않는 특성이 있기 때문에 호지킨병(Hodgkin's disease)이라고도 불린다. 또한 호지킨 림프종은 인접한 림프절로 전이되는 양상이 순차적으로 진행되는 데 비하여 비호지킨 림프종은 전이양상이 예측할 수 없이 진행되고 또한 주변 림프절과 다른 장기로 전이가 잘 되기 때문에 호지킨병과는 달리 악성도가 높은 혈액종양이다(표 45-1).

표 45-1 림프종의 분류

분류	특징
호지킨 림프종 (호지킨병)	■ 암화된 림프구가 림프절에 머물면서 다른 장기로 전이가 잘 안됨 ■ 전이가 일어날 경우, 인접 림프절로 순차적으로 진행되므로 예측이 가능함 ■ Reed-Sternberg 세포(B-cell 기원)라는 특징적 세포가 나타남 ■ 악성도가 낮음
비호지킨 림프종	■ 암화된 림프구가 주변 림프절과 다른 장기로 전이가 잘 됨 ■ 전이되는 양상이 예측 불가능함 ■ 골수로 전이되면 백혈병과 증상이 매우 유사함 ■ 악성도가 높음

3) 병기구분

호지킨 림프종의 병기는 표 45-2에 나타낸 것처럼 1기부터 4기로 나눈다. 림프종이 한 영역에만 국한되어 있는 경우는 1기, 두 영역 이상으로 전이 되었지만 가로막을 기준으로 상반신 또는 하반신에만 있으면 2기라고 한다. 가로막을 기준으로 상반신에도 있고 하반신에도 있으면 3기라고 한다. 림프종의 개수와 관계없이 비장이나 간 등 장기 또는 혈액 중으로 전이된 경우는 4기라고 한다(그림 45-2)

그림 45-1 Reed-Sternberg 세포

세포가 매우 크고 핵이 둥글지 않고 쪼개져 있는 특징이 있음

표 45-2 호지킨 림프종의 병기 구분[a,b]	
1기	경부, 겨드랑이 등 한 영역의 림프절만 침범된 경우
2기	경부와 겨드랑이 등 두 영역 이상의 림프절이 침범된 경우 (단 침범된 영역이 가로막을 기준으로 모두 상반신 또는 하반신에 국한되어야 함)

3기	침범된 림프절이 가로막을 기준으로 상반신에도 있고 하반신에도 있는 경우
4기	암세포로 변한 림프구가 림프절 이외의 주변 장기나 혈액 중으로 전이된 경우

[a]호지킨 림프종의 병기구분은 비호지킨 림프종과 같음. [b]호지킨 림프종은 림프구의 종류로는
B-림프종임(비호지킨 림프종은 B-림프종도 있고 T-림프종도 있는데 B-림프종이 T-림프종보다 약 세 배
정도 많음)

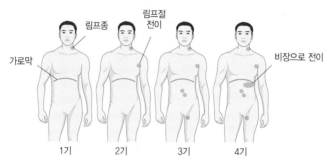

그림 45-2 호지킨 림프종의 병기 구분

3 호지킨 림프종의 약물치료법

호지킨 림프종 약물치료 포인트

1. 림프종은 호지킨 림프종인지 비호지킨 림프종인지에 따라 치료법이 다르다.

2. 호지킨 림프종에서 유증상 2기 이후이면 항암치료를 받아야 한다.

3. 림프종 치료는 세포독성 항암제가 사용되므로 영양공급과 체력관리를 충실히 하고
   이상반응이 나타나면 의료인에게 알려야 한다.

4. 항암지료를 실시했는데도 결과가 양호하지 않으면 조혈모세포이식술을 받아야 한다.

5. 근거 없이 유통되는 항암치료 보조제품에 현혹되지 말아야 한다.

림프종의 약물치료법은 호지킨 림프종인지 비호지킨 림프종인지에 따라 다르고,
또한 병이 어느 정도 진행되었는지에 따라서 다르게 실시한다.

호지킨 림프종은 방사선요법과 약물치료법으로 완치되는 확률이 매우 높은 종양

이다. 병기가 1기이거나 발열, 야간발한, 체중감소(10% 이상) 등의 증상이 나타나지
않는 무증상 2기(발열, 야간발한, 10% 이상 체중감소가 없는 경우)의 호지킨 림프종
은 항암요법이나 방사선요법 중 한 가지로 치료한다(그림 45-3). 그러나 증상이 나타
나는 2기 이상(발열, 야간발한, 10% 이상 체중감소가 있는 경우)이면 방사선요법과
함께 복합항암요법을 받아야 한다. 이 때 사용되는 약물치료법은 몇 가지 항암제를
복합해서 사용하는데 대표적인 처방예는 ABVD, Standord V, BEACOPP 등이 있다.
ABVD 처방은 4주 간격으로 투여하며 환자의 체력에 따라 보통 약 4-6회 정도 반복
하여 투여한다. 3/4기이거나 결절성 림프구 우세형의 경우에는 복합항암제(ABVD)가
우선적으로 사용된다. 또한 결절성 림프구 우세형에서 ABVD로 치료해도 반응이 좋
지 않으면 COPD와 단일항체(rituximab)를 추가하는 치료법을 고려한다.

　복합항암요법으로 치료했는데도 결과가 양호하지 않으면 항암제를 고용량으로 투
여하여 암세포는 물론 정상 혈구세포와 림프구까지 거의 사멸시킨 다음 조혈모세포
이식술을 실시하는 치료법을 시행한다. 최근에는 rituximab을 추가하는 항체요법도
실시된다. 호지킨 림프종에 사용되는 약물치료법 예시는 표 45-3에 요약되어 있다.

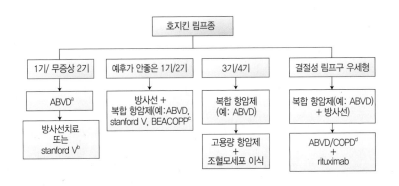

그림 45-3 호지킨 림프종의 약물치료법

[a]ABVD: doxorubicin (Adriamycin®), bleomycin, vinblastine, dacarbazine을 병용하는 항암요법으로 4주 간격으로 4-6회
반복함. [b]Stanford V=doxorubicin+vincristine+mechlorethamine+etoposide+vincristine+bleomycin+prednisolone.
[c]BEACOPP=bleomycin+etoposide+doxorubicin+cyclophosphamide+vincristine+procarbazine+prednisone요법.
[d]COPD=cyclophosphamide+doxorubicin+vincristine+prednisone요법

표 45-3 호지킨 림프종에 사용되는 약물치료법 예시

처방명	약물명	용량[a](mg/m^2)	투여방법	투여기간
ABVD[b]	doxorubicin (아드리아마이신®)	25	정맥주사	1,15일째
	bleomycin (브레오신®)	10	정맥주사	1,15일째
	vinblastin (벨바스틴®)	6	정맥주사	1,15일째
	dacarbazine (디티아이®)	375	정맥주사	1,15일째
Stanford V	doxorubicin (아드리아마이신®)	25	정맥주사	1,15일째
	vinblastine (벨바스틴®)	6	정맥주사	1,15일째
	mechlorethamine (Mustargen®)	6	정맥주사	1일째
	etoposide (라스텟트®)	60	정맥주사	15,16일째
	vincristine (Oncovin®)	1.4(최대: 2.0)	정맥주사	8,22일째
	bleomycin (브레오신®)	5unit/m^2	정맥주사	8,22일째
	prednisolone	40	경구투여	2일 간격
BEACOPP[c]	bleomycin (브레오신®)	10	정맥주사	8일째
	etoposide (라스텟트®)	100	정맥주사	1–3일째
	doxorubicin (아드리아마이신®)	25	정맥주사	1일째
	cyclophosphamide	650	정맥주사	1일째
	vincristine (Oncovin®)	1.4(최대: 2)	정맥주사	8일째
	procarbazine	100	경구투여	1–7일째
	prednisolone	40	경구투여	1–14일째

[a]용량: 체표면적(m^2) 당으로 계산함
[b]ABVD: doxorubicin (Adriamycin®), bleomycin, vinblastine, dacarbazine의 첫 글자를 딴 약자임. 초기 병기에 사용되며 보통 4주 간격으로 4–6회 반복투여함
[c]BEACOPP: bleomycin, etoposide, doxorubicin (Adriamycin), cyclophosphamide, vincristine (Oncovin), procarbazine, prednisone의 첫 글자를 딴 약자임

표 45-4 호지킨 림프종 치료제의 작용기전

구분	작용기전
세포독성 항암제	■ ABVD, Stanford V, BEACOPP 등: – 세포에 독성을 발휘하여 세포가 증식되지 못하고 사멸되도록 함 – 암세포는 정상세포에 비하여 세포분열이 빠르게 일어나기 때문에 세포독성 항암제에 민감하게 반응하여 사멸됨
prednisolone	– 고용량으로 사용 시 혈구세포의 glucocorticoid 수용체 단백질과 결합하여 변성을 일으켜 세포자살(apoptosis)을 유도함

ABVD: adriamycin bleomycin, vinblastine, dacarbazine의 약자, BEACOPP: bleomycin, etoposide, doxorubicin (Adriamycin), cyclophosphamide, vincristine (Oncovin), procarbazine, prednisone의 약자

비호지킨 림프종
(Non-Hodgkin's lymphoma)

1 개요

1) 정의
비호지킨 림프종이란 림프구가 림프기관에서 성숙되는 과정 중에 암세포로 변하여 다른 림프절과 장기(organ)로 무차별적으로 전이되는 악성도 높은 림프종을 가리킨다. 호지킨 림프종은 전이가 잘 되지 않는데 비해 비호지킨 림프종은 악성도가 높다.

2) 원인
비호지킨 림프종의 원인은 아직 자세히 밝혀지지 않았지만 환경적 요인, 면역결핍, 바이러스 감염 등이 원인인 것으로 추정되고 있다(표 46-1). 특히 장기이식 후 거부반응을 예방하기 위해 면역억제제를 복용하는 경우 잘 발생한다.

표 46-1 비호지킨 림프종의 원인

환경적 원인	■ 농약, 살충제, 석유화학물질에 노출될 경우 ■ 방사선
면역결핍	■ 선천적 면역결핍 ■ 후천적 면역결핍(면역억제제 복용 등) ■ 자가면역질환
바이러스 감염	■ 엡스타인-바 바이러스(Epstein–Barr virus) ■ 에이즈 바이러스(Human Immunodeficiency virus) ■ C형 간염 바이러스
기타	■ 헬리코박터균(Helobacter pylori)

3) 증상
비호지킨 림프종의 대표적 증상은 원인 모를 발열, 체중감소, 야간에 식은땀이 나는 것이다(표 46-2). 그러나 어떤 림프구가 암화되었는가, 어떤 장기로 전이되었는가에 따라서 증상은 다양하게 나타날 수 있다. 예를 들어 B-림프구가 암화된 경우에는 B-림프구가 림프절, 비장, 골수에서 증상이 나타나는 경우가 많고 T-림프구가 암화된 경우에는 피부와 폐에서 증상이 나타나는 경우가 많다. 암화된 B-림프구가 골수로 전이가 되면 조혈기능이 영향을 받아 빈혈 및 출혈 관련 증상 등이 나타나므로 증상이 림프구성 백혈병과 매우 유사하다. 비장이나 복부 소화기로 전이되면 메스꺼움, 소화불량, 복통 등이 나타난다. 암화된 T-림프구가 피부로 전이되면 가려움증과 발진이, 폐로 전이되면 호흡곤란이 나타날 수 있다.

표 46-2 비호지킨 림프종의 증상		
비호지킨 림프종	B-림프종*	■ 원인 모를 발열, 체중감소, 야간 발한 ■ 기관종대(림프절, 간, 비장) ■ 빈혈 ■ 쉽게 멍이 듦, 출혈경향
	T-림프종	■ 원인 모를 발열, 체중감소, 야간 발한 ■ 기관종대(림프절, 간, 비장) ■ 피부로 전이되면 가려움증, 발진 ■ 폐로 전이되면 호흡곤란

*B-림프종의 증상은 림프구성 백혈병과 유사함

2 비호지킨 림프종의 진단 및 분류

1) 진단

호지킨 림프종에서는 경부, 겨드랑이, 서혜부(몸과 다리가 연결되는 부위)의 림프절이 붓기 때문에 잘 만져지고 빨리 발견되지만, 비호지킨 림프종에서는 악성 림프구가 주변 림프절과 다른 내부 장기로 잘 전이되기 때문에 발견이 늦다. 비호지킨 림프종의 진단은 부어있는 림프절과 종괴의 일부를 채취한 다음 조직검사를 통하여 실시한다. 조직검사로 어떤 유형의 림프종인지를 구별하고 종양의 악성도를 판정한다. 또한 조직검사, 면역학적 검사, 유세포분석(flow cytometry) 등을 실시하여 암세포로 변한 림프구가 T-림프구인지 B-림프구인지를 판별한다(표 46-3). CT와 MRI 검사는 암세포가 어느 림프절까지 퍼졌는지, 암조직이 얼마나 큰지를 알아내어 병기를 판정하는 데 필요한 검사이다.

비호지킨 림프종은 유형이 다양하고 유형과 병기에 따라서 치료법이 다르기 때문에 보다 정확한 진단을 위하여 위 검사 이외에도 X-ray 검사, 내시경 검사, 염색체검사, 초음파 검사 등 여러 가지 검사를 실시한다.

표 46-3 유세포분석을 이용한 암화된 림프구의 판별		
비호지킨 림프종	B-림프종	■ CD19 양성 림프구가 확인됨 ■ CD20 양성 림프구가 확인됨
	T-림프종	■ CD3 양성 림프구가 확인됨 ■ CD4 양성 림프구가 확인됨 ■ CD8 양성 림프구가 확인됨

2) 분류

비호지킨 림프종의 분류는 병의 진행 정도(병기, staging)에 따른 분류와 암세포로 변한 림프구의 종류에 따른 분류가 있다(표 46-4). 병기에 따른 분류는 호지킨 림프종의 경우와 같고 림프구의 종류에 따른 분류는 B-림프종과 T-림프종으로 구분된다. 암화된 림프구가 B-림프구인 것으로 확인되면 B-림프종, T-림프구로 확인되면 T-림프종이라고 한다. T-림프종은 B-림프종보다 드물지만 전이가 빠르고 악성도가 높다.

표 46-4 비호지킨 림프종의 분류*		
병기 (staging)에 따른 분류	1기	■ 경부, 겨드랑이 등 한 영역의 림프절만 침범된 경우
	2기	■ 경부와 겨드랑이 등 두 영역 이상의 림프절이 침범된 경우 ■ (단 침범된 영역이 횡격막을 기준으로 모두 상반신 또는 하반신에 국한되어야 함)
	3기	■ 침범된 림프절이 횡격막을 기준으로 상반신에도 있고 하반신에도 있는 경우
	4기	■ 암세포로 변한 림프구가 림프절 이외의 주변 장기나 혈액 중으로 전이된 경우
림프구의 종류에 따른 분류	B-림프종	■ 비교적 전이가 안 되고 악성도가 낮음 ■ 비호지킨 림프종 환자의 3/4 이상을 차지함
	T-림프종	■ 전이가 잘 되는 편이고 악성도가 높음 ■ 비호지킨 림프종 환자의 1/4 미만임

*비호지킨 림프종의 병기구분은 호지킨 림프종과 같음(호지킨 림프종은 B-림프종에 해당됨)

3. 비호지킨 림프종의 약물치료법

비호지킨 림프종 약물치료 포인트

1. 비호지킨 림프종은 호지킨 림프종과 달리 다른 장기로 전이가 잘 되기 때문에 악성도가 높은 혈액종양이다.
2. T-림프종의 경우 발열, 야간발한, 체중감소(10% 이상) 등 증상이 나타나면 병기에 상관없이 곧바로 항암치료를 받아야 한다.
3. 항암지료를 실시했는데도 결과가 양호하지 않으면 조혈모세포이식술을 받아야 한다.
4. 근거 없이 유통되는 항암치료 보조제품에 현혹되지 말아야 한다.

비호지킨 림프종의 약물치료법은 병기와 암세포로 변한 림프구의 종류에 따라서 다르다. 병기가 B-림프종 1-2기인 경우에는 방사선요법만으로 치료하며 항암제를 이용한 약물치료는 실시하지 않는다. 그러나 만일 병기가 3-4기이거나 T-림프종인 경우에는 항암제를 사용하는 약물요법을 실시한다(그림 46-1).

병기가 3기 이상이어도 환자가 노인이거나 발열, 체중감소(10% 이상), 야간발한 등의 증상이 없으면 특별한 치료를 하지 않고 기다리면서 경과를 관찰하도록 한다. 이 기간 동안 환자는 2-3개월마다 정기적으로 검진을 받으면서 암조직의 전이 여부를 주의 깊게 모니터링해야 한다. 의료기관에 따라 기다리지 않고 곧바로 방사선요법과 항암제를 이용한 약물치료법을 실시하기도 하는 경우도 있는데, 약물치료를 실시하는 것이 유익한지 아니면 일정기간 기다려 보는 것이 유익한지에 대해서는 논란이 있다. 이 때 사용되는 항암제는 chlorambucil, cyclophosphamide 등이 사용된다(표 46-5).

병기가 3기 이상이고 앞에 언급한 증상이 있으면 약물치료를 실시한다. 이 때 약물치료법은 rituximab 단독요법 또는 cyclophosphamide, doxorubicin (다른 이름: hydroxydaunorubicin), vincristine (Oncovin®), prednisolone을 병용하는 복합항암요법이 널리 사용된다. 이 복합 항암제는 각 항암제의 첫 글자를 따서 CHOP 요법이라고도 한다. 의료기관에 따라서 rituximab과 CHOP 요법을 병용하기도 한다. 비호지킨 림프종의 치료에 사용되는 약물치료법 예시, 작용기전은 표 46-5, 표 46-6에 요약되어 있다.

표 46-5 비호지킨 림프종에 사용되는 약물치료법 예시

처방명	약물명	용량	투여방법	투여기간
알킬화제	bendamustine (심벤다®)	90mg/m²(체표면적)을 1일 및 2일째	주사제	4주간격으로 최대 6주기
없음	chlorambucil (류케란®)	0.1-0.2mg/kg을 1일 1회	경구로 복용	4-8주간
없음	cyclophosphamide (알키록산®)	1.5-2.5mg/kg을 1일 1회	경구로 복용	4-8주간
퓨린 유사체	fludarabine (플루다라®)	25mg/m²을 1일 1회	정맥주사	5일간
없음	rituximab (맙테라®)	1주 1회 375mg/m²	정맥주사	4-8주간
CHOP	cyclophosphamide (알키록산®)	750mg/m²	정맥주사	1일째
	doxorubicin (hydroxydaunorubicin, 아드리아마이신®)	50mg/m²	정맥주사	1일째
	vincristine (온코빈®)	1.4mg/m²	정맥주사	1일째
	prednisolone (소론도®)	100mg/m²	경구로 복용	1-5일째

CHOP: cyclophosphamide, doxorubicin (hydroxydaunorubicin), vincristine (Oncovin®), prednisolone의 첫 글자를 딴 약자임. 보통 3주 간격으로 4-6회 반복투여함

표 46-6 비호지킨 림프종 치료제의 작용기전

약물명	작용기전
bendamustine	– DNA 염기에 알킬화반응을 일으킴 – 알킬화반응의 결과로 염기들 사이에 cross-link가 일어나 세포가 사멸하게 됨
cyclophosphamide	– 간에서 4-hydroxycyclophosphamide, aldophosphamide, phosphoramide mustard 등 세포독성물질로 대사되어 항암작용을 나타냄(그림 46-2) – DNA끼리 서로 결합되어 기능이 방해되므로 세포가 사멸됨
hydroxydaunorubicin	– DNA strand 사이에 끼어들어가 DNA 구조에 변성을 일으킴(그림 46-3) – 변성된 DNA는 topoisomerase와 매우 안정한 결합을 형성하므로 복제가 안 됨

vincristine	– tubulin에 결합하여 세포분열에 필요한 미세소관(microtubule)이 형성되지 못하게 함
prednisolone	– glucocorticoid 수용체 단백질에 결합하여 변성을 일으킴
chlorambucil	– DNA와 결합하여 세포분열을 방해함
fludarabine	– ribonucleotide reductase와 DNA polymerase를 방해하여 DNA가 합성되지 못하게 함 – 인산화된 화학구조로 되어 있어 주사로 투여시 혈관속에 머무는 경향이 있으므로 혈구세포에 대하여 독성을 발휘하는 특성이 있음
rituximab	– 분화초기단계의 림프구 표면에 있는 CD20에 결합하여 세포자살을 유도함(CD20은 분화가 완료된 형질세포에는 없는 물질임)

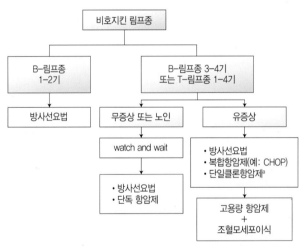

그림 46-1 비호지킨 림프종의 약물치료법

CHOP=cyclophosphamide, doxorubicin (hydroxydaunorubicin), vincristine (Oncovin®), prednisolone의 첫 글자를 딴 약자임. 보통 3주 간격으로 4-6회 반복투여함. ªB-림프종의 경우 CHOP와 병용요법으로 단일클론항암제인 rituximab (맙테라®)이 사용됨

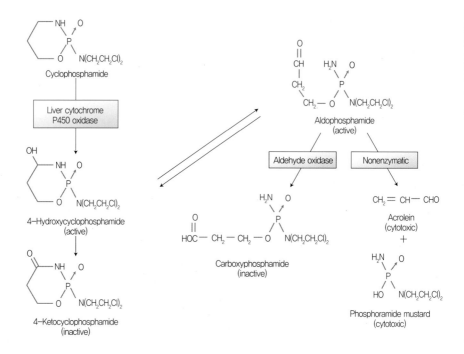

그림 46-2 Cyclophosphamide의 대사

간에서 대사되어 4-hydroxycyclophosphamide, aldophosphamide, phosphoramide mustard 등 세포독성물질로 변하여 항암작용을 나타냄

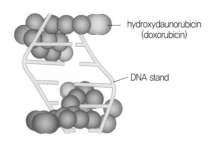

그림 46-3 Hydroxydaunorubicin의 작용기전

Hydroxydaunorubicin (doxorubicin)은 DNA strand와 결합하여 DNA의 구조에 변성을 일으킴

다발성골수종
(Multiple myeloma)

1 개요

1) 정의

다발성골수종이란 백혈병, 림프종과 더불어 3대 혈액종양의 하나로서 형질세포가 암세포로 변하는 혈액종양이다. 형질세포(plasma cell)는 B-림프구가 최종적으로 분화되어 항체(감마글로불린)를 생산하는 세포이다.

2) 원인

다발성골수종의 원인은 아직 자세히 밝혀지지 않았지만 방사선, 농약, 살충제, 석유화학물질에 노출, 유전적 요소 등이 원인인 것으로 추정되고 있다.

3) 증상

다발성골수종의 증상은 피로감, 두통, 요통, 척추골절, 갈비뼈 통증 등 다양하게 나타난다. 대표적인 증상은 고칼슘혈증(hyperCalcemia), 신기능장애(Renal insufficiency), 빈혈(Anemia), 뼈 통증(Bone pain)인데 각 증상에 해당하는 영문자를 따서 'CRAB'이라고 한다. 고칼슘혈증과 뼈 통증은 골수 안에서 형질세포가 증식함에 따라 뼈가 물렁해지고 녹기 때문이며 빈혈은 골수기능장애와 신기능장애 때문이다. 이 질환은 골수에서 발생한 암이기 때문에 골절이 잘 일어난다. 신기능장애는 고칼슘혈증으로 인하여 칼슘이 신장에 축적되기 때문인 것으로 여겨진다. 또한 다발성골수종은 형질세포 종양이므로 이 세포에서 분비되는 감마글로불린과 M-단백의 혈중 농도가 매우 높게 나타난다.

2 다발성골수종의 진단 및 병기 구분

1) 진단

다발성골수종의 진단은 혈액검사, 골수검사, 뼈 촬영 등을 통하여 실시한다. 혈액검사는 암세포로 변한 형질세포에서 생산되는 β2 microglobulin 수치를 측정한다. 골수검사는 엉덩이뼈(장골)를 천자하여 골수를 채취한 다음, 전체 세포 중에서 형질세포가 차지하는 비율을 측정한다. 다발성골수종 환자의 골수에는 형질세포의 비율이 크게 증가되어 있다. 뼈 촬영은 전신의 뼈에 대하여 실시하며 뼈가 녹는 골용해현상을 관찰한다.

2) 병기 구분

다발성골수종의 병기는 혈액검사에서 측정한 β2 microglobulin 및 알부민 수치를 기준으로 1기, 2기, 3기로 구분한다(표 47-1). 1기는 혈청 β2 microglobulin 수치가 3.5mg/mL 미만이고 혈청알부민이 거의 정상에 가까운 3.5g/dL 이상인 상태를 가리킨다. 만일 혈청 β2 microglubulin 수치가 5.5mg/mL 이상이면 혈청 알부민 수치에 상관없이 3기로 분류한다. 1기도 아니고 3기도 아닌 상태는 2기로 구분한다.

표 47-1 다발성골수종의 병기 구분	
1기	혈청 β2 microglobulin <3.5mg/mL 이고 혈청알부민≥3.5g/dL
2기	1기도 아니고 3기도 아닌 상태
3기	혈청 β2M 단백질≥5.5mg/mL

③ 다발성골수종의 약물치료법

다발성골수종 약물치료 포인트
1. CRAB 증상이 나타나면 항암치료와 함께 각 증상에 대한 대증치료를 병행한다.
2. 항암치료는 상당한 체력소모를 동반하므로 영양공급과 체력관리를 충실히 해야 한다.
3. 근거 없이 유통되는 항암치료 보조제품에 현혹되지 말아야 한다.

다발성골수종은 자가줄기세포 이식이 가능한지 여부에 따라서 항암요법을 정한다(그림 47-1). 대증치료는 고칼슘혈증(hypercalcemia), 신기능장애(renal insufficiency), 빈혈(anemia), 뼈 통증(bone pain)에 대하여 실시한다.

고칼슘혈증은 주사제로 된 bisphosphonate 계열 골다공증치료제를 사용하는데 zoledronate는 1년에 한 번만 투여하기 때문에 편리하다. 신기능장애는 신부전이 나타나지 않도록 예방하는 선에서 치료한다. 비스테로이드성 소염진통제와 아미노글리코사이드 계열의 항생제는 신부전 유발 부작용이 있으므로 반드시 피해야 한다. 다발성골수종 환자의 신기능장애는 고칼슘혈증으로 인하여 칼슘이 신장에 축적되는 것과 관련이 있다. 따라서 bisphosphonate 계열의 주사제 투여가 신부전의 예방에도 도움이 된다. 빈혈은 골수장애와 신기능장애 때문에 발생하기 때문에 erythropoietin을 주사로 투여해야 한다. 일반적인 경구용 빈혈치료제로는 효과를 기대할 수 없다.

뼈 통증도 뼈에서 칼슘이 혈중으로 녹아 나오는 것과 관련이 있으므로 골다공증치료제를 정기적으로 투여하는 것이 뼈 통증의 예방에 도움이 된다. 뼈 통증이 나타나면 acetaminophen 같은 단순진통제나 tramadol을 사용한다. 그러나 비스테로이드성 소염진통제는 신부전을 가속화시키는 부작용이 있으므로 사용하지 말고 부득이하게 사용해야할 경우에는 신장기능을 측정하면서 조심스럽게 사용해야 한다.

다발성골수종의 치료에 사용되는 처방과 약물치료법 예시와 작용기전은 표 47-2, 표 47-3에 요약되어 있다.

표 47-2 증후성 다발성골수종 치료에 사용되는 약물치료법 예시

구분	처방명	약물명	용량	투여방법	투여기간
일차 항암 요법	VMP (35일 주기)	bortezomib (벨케이드®)	1일 1회 1.3mg/m²	피하주사	1,8,15,22일째
		melphalan (알케란®)	1일 1회 9mg/m²	경구로 복용	1-4일째
		prednisone (소론도®)	1일 1회 60mg/m²	경구로 복용	1-4일째
	VCD (4주 주기)	bortezomib (벨케이드®)	1일 1회 1.3mg/m²	정맥주사	1,8,15,22일째
		cyclophosphamide (알키록산®)	300mg/m²	경구로 복용	1,8,15,22일째
		dexamethasone (덱사소론®)	1일 1회 40mg	경구로 복용	1,8,15,22일째
	Rd (4주 주기)	lenalidomide (Revlimid®)	1일 1회 25mg	경구로 복용	1-21일째
		저용량 dexamethasone (덱사소론®)	1일 1회 40mg	경구로 복용	1,8,15,22일째
	VRd (3주 주기)	bortezomib (벨케이드®)	1일 1회 1.3mg/m²	피하주사	1,8,15일째
		lenalidomide (Revlimid®)	1일 1회 25mg	경구로 복용	1-14일째
		저용량 dexamethasone (덱사소론®)	1일 1회 20mg	경구로 복용	1,2,8,9,15,16일째
	VTD (3주 주기)	bortezomib (벨케이드®)	1일 1회 1.3mg/m²	피하주사	1,8,15일째
		lenalidomide (Revlimid®)	1일 1회 25mg	경구로 복용	1-14일째
		저용량 dexamethasone (덱사소론®)	1일 1회 20mg	경구로 복용	1,2,8,9,15,16일째
	MPT (6주 주기)	melphalan (알케란®)	1일 1회 0.25mg/kg	경구로 복용	1-14일째
		prednisolone (소론도®)	1일 1회 2mg/kg	경구로 복용	1-14일째
		thalidomide (탈리도마이드®)	1일 1회 100-200mg	경구로 복용	1-28일째
치료불응 항암요법	KRd (4주 주기)	carfilozomib (카이프롤리스®)	1일 1회 27mg/m² (첫 주기는 20mg/m²)	정맥주사	1,2,8,9,15,16일째
		lenalidomide (Revlimid®)	1일 1회 25mg	경구로 복용	1-21일째
		저용량 dexamethasone (덱사소론®)	1일 1회 40mg	경구로 복용	1,8,15,22,28일째

표 47-3 다발성골수종 치료제의 작용기전

구분		작용기전
대증 요법제	고칼슘혈증 치료제	■ bortezomib, carfilozomib: – 형질세포 안에 있는 proteasome에 결합하여 세포내 단백질 분해활동을 　저해함 – 단백질이 분해되지 못하고 계속 축적되면 세포성장 및 분화 이상으로 　사멸됨(apoptosis)
	빈혈치료제	■ erythropoietin 등: – 신장에서 생성되는 물질이지만 골수에 작용하여 적혈구의 성숙을 　촉진함(그림 47-2)
	뼈 통증 치료제	■ acetaminophen, tramadol 등: – 중추신경계에 작용하여 통각을 억제함
항암요법제		■ melphalan: – 암세포에 독성을 발휘하여 세포가 증식되지 못하고 사멸되도록 함 – 암세포는 정상세포에 비하여 세포분열이 빠르게 일어나기 때문에 　세포독성 항암제에 민감하게 반응하여 사멸됨
		■ thalidomide, lenalidomide: – 암세포에 직접 작용하여 사멸시킴 – 면역조절작용으로 암세포의 세포자살을 유도함(그림 47-3)
		■ prednisolone, dexamethasone – 암세포의 유전자 발현을 방해하여 세포자살을 유도함

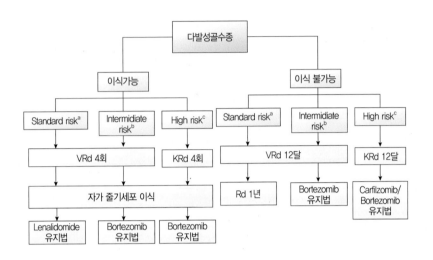

그림 47-1 증후성 다발성골수종의 약물치료법

[a]standard risk=t (11;14), t (6;14), 상염색체의 경우. [b]intermediate risk=t (4;14)인 경우. [c]high risk=Del 17p, t (14;15), t (14;20)인 경우

VRd=bortezomib+lenalidomide+dexamethasone. KRd=Carfilzomib+lenalidomide+dexamethasone. Rd=lenalidomide+dexamethasone

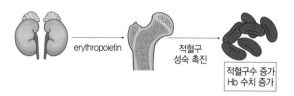

그림 47-2 Erythropoietin의 작용기전

적혈구의 성숙을 촉진하여 빈혈증상을 개선함

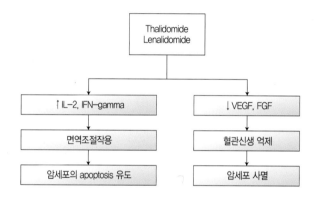

그림 47-3 Thalidomide와 lenalidomide의 작용기전

IL=interleukin. IFN=interferon. VEGF=vascular endothelial growth factor. FGF=fibroblast growth factor.
혈관신생을 억제하여 암세포를 사멸하며 동시에 면역조절작용으로 암세포의 자살을 유도함

Part 09
감염성 질환

폐결핵
(Tuberculosis)

1 개요

1) 정의

폐결핵은 결핵균(Mycobacterium tuberculosis)에 감염되어 발병하는 감염성질환이다. 결핵균은 공기로 전염되기 때문에 폐결핵이 가장 많지만 기관지 등 신체의 다른 부위에 전파되기도 한다.

2) 원인

폐결핵은 결핵균에 걸린 사람이 기침이나 재채기를 할 때 결핵균이 공기중으로 나와 다른 사람의 폐로 전파되어 발생한다. 건강한 사람은 소량의 결핵균이 폐로 들어와도 면역기전에 의하여 자연치유되지만, 영양상태가 불량하거나 면역기능이 저하되어 있는 사람은 결핵균이 폐에 병소를 만들어 폐결핵에 걸리게 된다.

3) 증상

폐결핵은 초기는 물론 어느 정도 진행된 경우에도 피로감 이외에 특별한 증상이 나타나지 않는 경우가 많다. 폐결핵이 상당히 진행되면 기침 등 호흡기 증상이 나타난다. 특히 기침은 폐결핵의 가장 특징적인 증상이며, 기침할 때 화농성의 짙은 가래나 피가 섞인 가래가 나오기도 하지만 가래 없이 마른기침만 하는 경우도 많다. 폐결핵은 호흡기 증상 이외에도 전신 증상도 나타난다(표 48-1).

표 48-1 폐결핵의 증상

구분		증상
초기 폐결핵		피로감
진행된 폐결핵	호흡기 증상	기침, 화농성 가래, 피가 섞인 가래, 흉통, 호흡곤란
	전신 증상	전신쇠약감, 식욕부진, 체중감소

2 폐결핵의 진단 및 분류

1) 진단

폐결핵의 진단은 피부반응검사, 가래배양검사, 흉부X-ray 검사를 통하여 판정한다. 보통은 피부반응검사만으로 폐결핵을 판정하지만 정확한 진단을 위하여 가래배양검사와 흉부X-ray 검사도 실시한다. 피부반응검사는 과거에 폐결핵균에 감염된 적이 있는지 알아보는 검사일 뿐 현재 폐결핵균이 신체 내에서 활동하고 있는지 여부는 알 수 없다. 활동성 폐결핵인지를 알기 위해서는 가래배양검사와 약 6개월 정도 간격으로 흉부 X-ray 검사를 받아야 한다.

피부반응검사는 보통 PPD test라고 하는데 이 검사법을 처음 개발한 프랑스 의사 Mantoux의 업적을 기리기 위하여 Mantoux test라고 부르기도 한다. PPD test (purified protein derivative)라는 이름은 이 검사가 결핵균 배양물을 멸균한 다음 여기서 추출된 단백질을 정제하여 사용하기 때문에 붙여진 이름이다. 피부반응검사는 간단한 검사이지만 정량성이 매우 높아 우리나라를 비롯하여 전세계적으로 폐결핵의 진단에 널리 사용되고 있다(그림 48-1). 각 검사에 대한 자세한 사항은 표 48-2에 나타내었다.

2) 분류

폐결핵은 비활동성 폐결핵과 활동성 폐결핵으로 분류된다(표 48-3). 비활동성 폐결핵은 결핵균이 신체 밖으로 나오지 않기 때문에 전염성이 없다. 활동성 결핵이란 현재 결핵균이 신체 안에서 증식할 뿐만 아니라 신체 밖으로 나와 다른 사람에게 전염될 수 있는 상태를 가리킨다. 활동성 폐결핵으로 진단하기 위해서는 가래배양검사에서 결핵균이 발견되거나 과거에 촬영한 흉부방사선사진과 현재 촬영한 사진을 비교하여 폐결핵이 진행되고 있음을 확인해야 한다.

그림 48-1 피부반응검사

왼쪽 사진은 PPD를 팔뚝에 주입하는 장면이고 오른쪽 사진은 경결부위 직경을 측정하는 장면임

표 48-2 폐결핵의 진단

검사	결과	
피부반응검사	■ 피부반응 검사는 과거에 폐결핵균에 감염된 적이 있는지 알아보는 검사임 ■ 팔뚝 안쪽에 투베르쿨린의 정제단백질 5단위를 피하에 주입한 다음 48-72시간 사이에 경결부위(발적부위 직경이 아님) 직경을 측정하여 아래의 기준으로 판정함	
	■ 후천성면역결핍환자 ■ 최근에 결핵환자와 신체적 접촉한 사람 ■ 흉부X-ray 검사에서 섬유화 반흔이 발견된 사람 ■ 장기이식 후 면역억제제를 복용 중인 사람 ■ 면역억제제를 prednisolone 기준으로 매일 15mg 이상씩 1개월 이상 복용한 사람	5mm 이상이면 폐결핵
	■ 폐결핵이 만연되고 있는 나라에서 5년 이내에 이민 온 사람 ■ 정맥주사용 마약을 사용하는 사람 ■ 폐결핵균이 노출되기 쉬운 장소에서 거주하거나 근무하는 사람	10mm 이상이면 폐결핵
	■ 기타 정상인	15mm 이상이면 폐결핵
가래배양검사	3일 동안 매일 아침 첫 가래를 모아 배양한 결과 결핵균이 발견되면 활동성 폐결핵임	
흉부 X-ray 검사	폐에 섬유화 반흔이 있거나 결핵성 구멍이 발견되면 폐결핵에 감염된 적이 있음	

표 48-3 폐결핵의 분류	
비활동성 폐결핵	▪ 과거에 결핵에 감염된 적이 있지만 이미 치료가 되었거나 혹은 결핵균이 증식하지 않는 상태 ▪ 전염성 없음 ▪ 피부반응검사는 양성이지만 가래배양검사는 음성임 ▪ 과거에 촬영한 흉부방사선 사진과 현재 촬영한 사진을 비교할 때 폐결핵이 진행되고 있는 것이 확인되지 않음 ▪ 폐결핵의 임상적 증상 없음
활동성 폐결핵	▪ 현재 결핵균이 신체 안에서 증식하는 상태 ▪ 전염성 있음 ▪ 피부반응검사와 가래배양검사 모두 양성임 ▪ 과거에 촬영한 흉부방사선 사진과 현재 촬영한 사진을 비교할 때 폐결핵이 진행되고 있는 것이 확인됨 ▪ 폐결핵의 임상적 증상 있음(기침, 식욕부진, 체중감소, 야간 식은 땀)

3 폐결핵의 약물치료법

폐결핵 약물치료 포인트

1. 폐결핵은 활동성인지 비활동성인지에 따라 약물치료법이 다르다.

2. 비활동성의 경우 isoniazid를 9개월 동안 매일 복용하는 치료를 받고 그 기록을 잘 보관하여 두었다가 훗날 면역억제 치료를 받아야 할 때 의사에게 보여주어야 한다.

3. 활동성의 경우 IRPE로 구성되는 표준치료법으로 6개월 동안 반드시 치료를 받아야 한다.

4. 식사는 고열량, 고단백음식을 먹고 고단위 종합비타민제(특히 비타민-B6)를 복용해야 한다.

폐결핵은 비활동성 폐결핵의 경우와 활동성 폐결핵의 경우에 따라 약물치료법이 다르다(그림 48-2). 비활동성 폐결핵의 표준약물치료법은 9개월간 매일 isoniazid 300mg을 복용하는 것이다. 비활동성 폐결핵의 경우 약물치료를 실시하지 않고 방치하는 경우가 많은데 이는 잘못된 것이다. 왜냐하면 노인이 되거나, 당뇨병, 영양결핍, 항암요법 또는 면역억제제를 복용해야 하는 상황이 되면 비활동성이던 결핵균이 활동성으로 변하기 때문이다. 특히 최근에는 바이오 의약품이 많이 개발되어 면역억제제를 이용하는 약물치료법이 널리 사용되기 때문에 비활동성 폐결핵이더라도 반드시 9개월 동안 isoniazid를 매일 복용하여 훗날을 대비하도록 해야 한다. 누구나 노인이 되면 면역억제제로 치료해야 되는 질환이 잘 발생하기 때문이다.

활동성 폐결핵의 표준약물치료법은 isoniazid, rifampicin, pyrazinamide, ethambutol로 구성되는 네 가지 항결핵제를 6개월간 매일 복용하는 것이다(그림 48-2). 처음 2개월 동안은 이들 네 가지 약물을 모두 하루에 한 번 매일 복용하지만 나중 4개월 동안은 isoniazid과 rifampicin 두 가지 약물만 복용한다. 만일 가래배양검사에서 검출된 결핵균이 여러 가지 항결핵제에 대하여 이미 내성이 있는 경우에는 2-3년간 복용해야 한다. 폐결핵의 치료에 사용되는 표준약물치료법에서 각 약물의 용법, 용량 및 특징적 부작용과 작용기전은 표 48-4, 표 48-5, 표 48-6에 요약되어 있다.

표준약물치료법은 매일 한 번 복용하는 간단한 방법임에도 불구하고 환자가 약의 복용을 게을리하는 경우가 많다. 결핵은 전염력이 강하고 일단 감염되면 타인의 생명까지도 위협할 수 있는 중대한 질환이기 때문에 선진국의 경우 의료인의 직접 감독하에서 약을 복용하도록 하는 직접감독치료(directly observed therapy, DOT)를 제도화 하고 있는 국가도 있다. 이 경우 표준약물치료법은 매일 의료기관에 방문해야 하는 불편이 있기 때문에 복용방법을 약간 변형하여 1주일에 3일만 복용하는 약물치료법도 있다.

활동성 폐결핵의 치료는 영양상태를 양호하게 유지하는 것이 매우 중요하다. 일반적으로 열량이 높고 단백질이 많은 음식이 추천되며 여러 가지 비타민(특히 비타민-B6)과 미네랄이 균형있게 함유된 고단위 종합비타민제를 복용해야 한다.

표 48-4 폐결핵 치료에 사용되는 약물의 용법 및 용량

구분	약물명	성인기준 용량
비활동성 폐결핵치료	isoniazid (아이나®)	1일 1회 300mg 9개월 복용
1차 활동성 폐결핵치료[a]	isoniazid (아이나®)	1일 1회 300mg 6개월 복용
	rifampicin (리팜핀®)	1일 1회 600mg 6개월 복용
	pyrazinamide (피라진아미드®)	1일 1회 아래의 용량을 2개월 복용 체중 40–55kg: 1,000mg 체중 56–75kg: 1,500mg 체중 76–90kg: 2,000mg
	ethambutol (마이암부톨®)	1일 1회 아래의 용량을 2개월 복용 체중 40–55kg: 800mg 체중 56–75kg: 1,200mg 체중 76–90kg: 1,600mg
2차 폐결핵치료	p–aminosalicylic acid	1일 150mg/kg
	cycloserine (크로세린®)	1일 15–20mg/kg
	kanamycin	1일 15–30mg/kg
	amikacin	1주일 5회 15mg/kg
	levofloxacin	1일 500mg

[a]네 가지 약물을 정해진 스케줄에 따라 복용함(그림 48–2 참조)

표 48-5 폐결핵 치료에 사용되는 약물의 특징적 부작용

약물명	특징적 부작용	주의사항
isoniazid, rifampicin, pyrazinamide, ethambutol	간독성	■ 증상이 호전되어도 복용을 중단하지 말고 정해진 기간 동안 계속 복용할 것 ■ 소변색이 검게 변하거나 황달이 나타나면 복용을 중단하고 즉시 의료인에게 알릴 것 ■ 정기적으로 간기능검사를 받을 것 ■ rifampicin 복용중에는 소변색이 적황색으로 변하는데 이는 혈뇨가 아니라 약물이 소변으로 배설되기 때문이므로 놀라지 않아도 됨 ■ ethambutol 복용 중에는 시야혼탁, 청적색맹이 나타날 수 있는데 이 경우 즉시 의료인에게 알릴 것 ■ 항결핵제 복용 중에는 고열량, 고단백 식사를 하고 비타민–B6를 보충할 것

표 48-6 폐결핵 치료제의 작용기전

약물명	작용기전
isoniazid	– 결핵균의 세포벽 구성물질인 mycolic acid 합성을 방해함(그림 48-3) – 활동기에 있는 결핵균에는 살균적으로 작용하지만 비활동성인 결핵균에는 　정균적으로 작용함
rifampicin	– 결핵균의 RNA polymerase와 결합하여 DNA가 m-RNA로 전사(transcription)되는 　것을 방해함(그림 48-4) – RNA가 정상적으로 만들어지지 않기 때문에 각종 단백질 합성이 방해되어 　살균적으로 작용됨
pyrazinamide	– 작용기전이 밝혀지지 않았지만 결핵균에 의하여 pyrazinoic acid로 변화되어 　작용을 나타내는 것으로 여겨짐 – pyrazinoic acid는 결핵균의 세포막에 축적되어 막전위를 교란시키고 이로 인하여 　세균의 생존에 필요한 에너지 생산이 방해되어 살균적으로 작용됨
ethambutol	– arabinosyl transferase를 방해하여 결핵균의 세포벽의 구성물질인 　arabinogalactan이 합성되지 못하게 함 – 결핵균의 세포벽 구조가 취약해지게 하여 정균적으로 작용됨

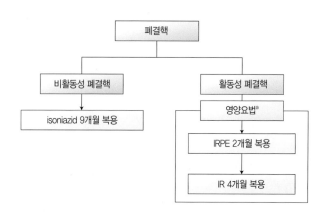

그림 48-2 폐결핵의 약물치료법

INH=isoniazid. RIF=rifampicin. EMB=ethambutol. PZA=pyrazinamide. CXR=chest x-ray. AFB=acid fast bacilli.
RPT=rifapentine. [a]CXR시 공동이 발견되거나, 결핵피부 반응 시 양성이 나타나는 경우.

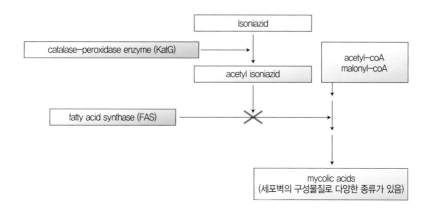

그림 48-3 Isoniazid의 작용기전

fatty acid synthase의 작용을 방해하여 mycolic acid가 합성되지 못하게 함

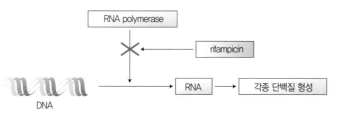

그림 48-4 Rifampicin 작용기전

결핵균의 RNA polymerase의 beta-subunit에 결합하여 작용을 방해함으로서 RNA가 만들어지지 못하게 함

폐렴
(Pneumonia)

1 개요

1) 정의
폐렴은 허파꽈리(폐포)에 병원균이 감염되어 발병하는 감염성질환이다.

2) 원인
폐렴은 박테리아나 곰팡이 같은 병원균이 원인이다. 건강한 사람은 소량의 병원균이 폐로 들어와도 면역기전에 의하여 병원균이 사멸되기 때문에 폐렴에 걸리지 않지만, 영양상태가 불량하거나 면역기능이 저하되어 있는 사람은 쉽게 폐렴에 걸리게 된다. 폐렴을 일으키는 원인균은 수 없이 많지만 전체 폐렴환자의 약 70%는 폐렴구균(Streptococcus pneumoniae)이라는 박테리아가 원인이고 그 다음으로는 Mycoplasma pneumoniae, Chlamydia pneumoniae, Legionella pneumoniae 등이 있다.

3) 증상
폐렴의 증상은 기침, 가래, 두통, 발열, 오한, 전신근육통, 관절통 등으로 감기 몸살과 매우 비슷하다.

4) 진단
폐렴의 진단은 오한과 발열 등의 임상증상, 청진기를 통하여 허파꽈리에 물이 차 있을 때 들리는 소리, 흉부방사선사진 등을 통하여 진단한다. 일단 폐렴으로 진단되면 가래검사를 실시하여 병원균이 무엇인지 확인한다. 또한 병원균이 확인되면 항생제 감수성검사를 실시하여 어떤 항생제로 잘 사멸되는지 검사한다.

2 폐렴의 분류

폐렴은 감염증이 어디에서 획득되었는지에 따라서 지역사회획득성 폐렴과 병원획득성 폐렴으로 분류한다(표 49-1). 지역사회획득성 폐렴은 환자가 병원 이외의 장소에서 감염되어 폐렴으로 진단된 경우를 가리킨다. 병원획득성 폐렴은 환자가 다른 질병으로 병원에 입원해 있는 기간 중에 폐렴에 감염된 경우를 가리킨다. 우리나라에서는 아직까지 폐렴을 지역사회획득성과 병원획득성으로 별도로 구분하여 명명하지 않는 경우가 많다. 그러나 환자의 폐렴이 어디에서 획득되었는가에 따라서 약물치료법을 다르게 실시해야 하므로 최근에는 폐렴을 이처럼 구분하는 의료기관이 점차 늘고 있다.

표 49-1 폐렴의 분류	
지역사회획득성 폐렴	■ 환자가 병원 이외의 장소에서 폐렴에 감염된 경우 ■ 치료가 비교적 쉬움
병원획득성 폐렴	■ 환자가 병원에 입원해 있는 기간 중에 폐렴에 감염된 경우 ■ 치료가 비교적 어려움 ■ 병원균이 여러 가지 항생제에 대하여 내성을 가지고 있는 경우가 많음

3 폐렴의 약물치료법

폐렴 약물치료 포인트

1. 폐렴은 지역사회획득성인지 병원획득성인지에 따라 약물치료법이 다르다.

2. 페니실린계열 항생제에 과민한 환자는 이 약을 사용하기 전에 의사에게 알려야 한다.

3. 신장기능이 저하된 환자는 의사에게 미리 알려 신부전을 악화시킬 수 있는 약물이 처방되지 않도록 해야 한다.

4. Fluoroquinolone 계열 항생제로 치료받는 환자는 복용도중 관절이 붓거나 통증이 있으면 복용을 중단하고 의료인에게 알려야 한다.

폐렴은 지역사회획득성 폐렴인지 병원획득성 폐렴인지에 따라서 약물치료법이 다르다(그림 49-1). 지역사회획득성 폐렴은 병원균이 항생제에 내성이 없는 경우가 많으므로 비교적 치료가 용이하다. 반면에 병원획득성 폐렴은 병원균이 병원에 상주하는 세균이거나 항생제치료를 받고 있는 환자로부터 온 세균이기 때문에 여러 가지 항생제에 내성을 가지고 있는 경우가 많아 치료가 어렵다.

지역사회획득성 폐렴의 약물치료법은 ceftriaxone 같은 제3세대 세팔로스포린 계열 항생제를 정맥주사로 1주일 정도 치료한 다음 cefuroxime 같은 제2세대 세팔로스포린 계열 항생제로 바꾸어 1주일 정도 더 복용하는 것이 표준치료법이다(표 49-2). 최근에는 폐렴의 원인균인 폐렴구균, 미코플라스마, 클라미디아, 레지오넬라에 대하여 살균력이 우수한 신규 fluoroquinolone 계열의 항생제 및 azithromycin이 개발되어 폐렴 치료에 사용되고 있다. 이 항생제들은 정맥주사제가 아니라 경구로 복용할 수 있도록 제제화되어 있어 환자의 건강상태가 양호하면 입원하지 않아도 되는 장점이 있다.

병원획득성 폐렴의 약물치료법은 ceftriaxone 같은 제3세대 세팔로스포린 계열 항생제를 정맥주사로 1-2주일 정도 투여하는 것이 표준치료법이다. 이 표준치료법은 항생제를 정맥주사로 투여하기 때문에 입원하는 것이 권장되지만 환자의 나이와 건강상태에 따라서 입원하지 않고 통원치료를 하기도 한다. 병원획득성 폐렴은 항생제에 내성이 있는 박테리아가 원인균인 경우가 있기 때문에 반드시 항생제 감수성검사 결과를 약물치료법에 반영해야 한다. 제3세대 세팔로스포린 계열 항생제에 이미 내성이 있는 박테리아로 판명되면 vancomycin을 기본으로 하고 여기에 제4세대 세팔로스포린 계열 항생제인 cefepime 또는 piperacillin/tazobactam 혼합제제를 추가로 사용하는 항생제 병용요법을 실시한다. 항생제 감수성검사 결과에 따라서 vancomycin, cefepime, amikacin의 병용 또는 vancomycin, piperacillin/tazobactam, amikacin의 병용 등 3제 병용요법이 사용되기도 한다.

병원획득성 폐렴은 병원에 상주하는 세균이나 항생제치료를 받고 있는 환자로부터 온 세균이기 때문에 여러 가지 항생제에 이미 내성이 있는 경우가 많아 약물치료법 설계시 적극적인 모니터링과 세심한 관찰이 필요하다. 특히 항생제 감수성검사 시에는 최근에 개발된 항생제를 포함시켜 검사함으로써 다제 내성 박테리아(multidrug resistant bacteria)나 슈퍼박테리아에 의한 폐렴의 경우에 사용할 수 있도록 해야 한다. 병원균이 곰팡이인 것으로 판명되면, itraconazole 또는 amphotericin B로 치료한다. 폐렴 치료에 사용되는 약물의 특징적 부작용과 작용기전은 표 49-3, 표 49-4, 그림 49-2에 요약되어 있다.

표 49-2 폐렴치료에 사용되는 약물치료법 예시

구분	병원균	약물치료법
지역 사회 획득성 폐렴	박테리아	입원 또는 입원하지 않고 ceftriaxone (로세핀®) 1g을 1일 1회 1주일간 정맥주사한 다음 퇴원하여 cefuroxime 500mg을 1일 2회 1주일간 복용
		입원하지 않고 levofloxacin (레보펙신®) 500mg을 1일 2회 1–2주일간 경구로 복용(levofloxacin 대신에 gemifloxacin (팩티브®) 등 신규 flouroquinolone 계열 항생제를 사용하기도 함)
		입원하지 않고 첫날에는 azithromycin (지스로맥스®) 500mg을 1일 1회 복용하고 둘째날부터는 250mg을 1일 1회 4일간 복용
	곰팡이	입원하여 itraconazole (스포라녹스®) 200mg을 1일 2회 이틀간 정맥주사 한 다음 1일 1회로 줄여 총 1–2주일간 치료
		입원하여 amphotericin B (훈기존®) 1mg/kg을 격일로 1–2주일간 정맥주사
병원 획득성 폐렴	박테리아	입원 또는 입원하지 않고 ceftriaxone (로세핀®) 1g을 1일 1회 1–2주일간 정맥주사
		입원하여 vancomycin 1g+cepefime (맥스핌®) 2g을 1일 2회 1–2주일간 정맥주사
		입원하여 vancomycin 1g을 1일 2회, piperacillin/tazobactam 4.5g을 1일 3–4회 1–2주일간 정맥주사
		입원하여 vancomycin 1g+amikacin (아미킨®) 500mg을 1일 2회 1–2주일간 정맥주사
	곰팡이	지역사회획득성의 경우와 동일
비정형 폐렴	박테리아	fluoroquinolone, doxycycline 또는 azithromycin을 경구로 투여

표 49-3 폐렴치료에 사용되는 약물의 특징적 부작용

약물명	특징적 부작용	주의사항
ceftriaxone, cefuroxime, cefepime, piperacillin	설사, 질소양감	■ 페니실린 계열 항생제에 과민한 사람은 이 약을 사용하기 전에 의료인에게 말할 것 ■ 설사가 물처럼 나오거나 질소양감이 심하면 의료인에게 알릴 것
levofloxacin, gemifloxacin	인대염, 건염	■ 어깨, 팔꿈치, 발목 등 관절이 붓거나 통증이 있으면 복용을 중단하고 즉시 의료인에게 알릴 것
azithromycin	두드러기, 청각이상	■ 에리스로마이신 계열 항생제에 과민한 사람은 이 약을 사용하기 전에 의료인에게 말할 것 ■ 두드러기나 이명현상이 나타나면 의료인에게 알릴 것 ■ 이 약은 공복 시(식전 1시간 또는 식후 2시간)에 복용할 것 ■ 제산제(겔포스 등)는 이 약의 흡수율을 저하시킬 수 있으므로 병용하지 말 것
itraconazole	심부전증 악화, 간독성	■ 심부전 환자는 이 약을 복용하기 전에 의료인에게 말할 것 ■ 이 약은 약물대사효소계를 방해하여 다른 약물의 혈중농도와 약효를 증강시킬 수 있음
amphotericin B	발열, 오한, 근육통, 급성신부전	■ 신부전 환자는 의료인에게 알리고 이 약을 사용하지 말 것 ■ 주사투여 중 신체에 이상반응이 느껴지면 즉시 의료인에게 알릴 것
vancomycin, amikacin	급성신부전, 청각독성	■ 신부전 환자는 의료인에게 알리고 이 약을 사용하지 말 것 ■ 소변량이 줄거나 이명현상이 나타나면 즉시 의료인에게 알릴 것(급성신부전, 청각독성의 전조증상임) ■ 주사투여 중 숨이 차거나 피부가려움증이 나타나면 즉시 의료인에게 알릴 것(쇼크 전조증상임)

표 49-4 폐렴 치료제의 작용기전

구분	작용기전
세팔로스포린 계열 항생제	■ ceftriaxone 등: – 박테리아의 세포벽 구성물질인 peptidoglycan의 교차결합(cross-linking)을 방해함 – peptidoglycan이 교차결합되지 않으면 세포벽이 느슨해지고 쉽게 터지기 때문에 살균적으로 작용함
fluoroquinolone 계열 항생제	■ levofloxacin 등: – 박테리아의 DNA gyrase를 방해하여 세포분열이 되지 않아 살균적으로 작용함

macrolide 계열 항생제	■ azithromycin 등: – 박테리아 리보솜의 50S subunit에 결합하여 각종 단백질합성을 방해함 – 단백질이 만들어지지 않으면 생존할 수 없으므로 살균적으로 작용함
glycopeptide 계열 항생제	■ vancomycin 등: – 그람 양성 박테리아의 세포벽 구성물질인 NAM–NAG peptide의 교차결합(cross-linking)을 방해함 – NAM–NAG peptide가 교차결합되지 않으면 세포벽이 느슨해지고 쉽게 터지기 때문에 세균에게 살균적으로 작용함
azole 계열 항진균제	■ itraconazole 등: – 곰팡이의 세포막 구성물질인 ergosterol 합성을 방해함 – ergosterol이 없으면 세포막이 쉽게 터지기 때문에 살균적을 작용함
amphotericin B	– 곰팡이 세포막 구성물질인 ergosterol과 결합하여 세포막에 구멍을 형성함 – 이 구멍을 통하여 세포내부에 있는 물질들이 빠져나가므로 살균적으로 작용함

NAM–NAG peptide: N–acetylmuramic acid (NAM)와 N–acetylglucosamine (NAG)이 교대로 중합되어 이루어진 선형(linear)의 단백질로서 세포벽의 구성물질임

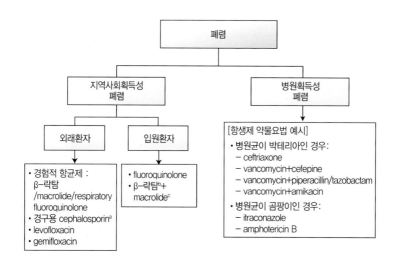

그림 49–1 폐렴의 약물치료법

[a]경구용 cephalosporin에는 cefpodoxime, cefditoren이 국내 지침에서 권고되고 있음. [b]β-락탐 항생제로는 cefotaxime, ceftriaxone, ampicillin,ertapenem이 사용됨. [c]macrolide는 doxycycline으로 대체 가능함.

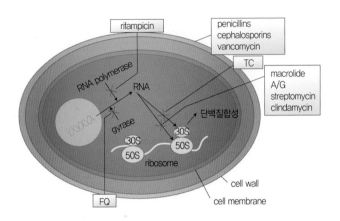

그림 49-2 여러 가지 항생제의 작용기전

FQ= fluoroquinolone 계열. TC= tetracycline 계열. A/G=aminoglycoside 계열

뇌수막염
(Meningitis)

1 개요

1) 정의

뇌수막염은 뇌와 척수를 둘러싸고 있는 뇌수막이 박테리아, 바이러스, 곰팡이 등 병원균에 감염되어 발생하는 감염성질환이다. 병원균이 바이러스인 경우에는 '바이러스성 뇌수막염' 또는 '무균성 뇌수막염'이라고 부른다.

2) 원인

뇌수막염은 박테리아나 바이러스 같은 병원균이 혈액 속으로 들어온 다음 뇌수막에 감염되는 것이 원인이며 주로 소아에게 잘 발생한다. 건강한 사람은 소량의 병원균이 혈액으로 들어와도 백혈구와 임파구 등에 의하여 곧 사멸되지만, 면역기능이 아직 충분히 발달되지 않은 소아의 경우에는 병원균이 혈액 속에서도 생존해 있다가 뇌수막에 염증을 일으킨다.

박테리아에 의한 뇌수막염은 폐렴구균(Streptococcus pneumoniae)이 가장 많고 다음으로 뇌수막구균(Nisseria meningitidis), Listeria monocytogenes, Hemophilus influenzae 등의 순이다(표 50-1). 과거에는 Haemophilus influenzae B가 뇌수막염 병원균의 대부분을 차지했었는데 최근에는 이 박테리아에 대한 예방접종(콤박스®)이 실시됨에 따라 증례가 전체 환자의 10% 미만으로 줄어들었다.

바이러스에 의한 뇌수막염에서는 콕사키바이러스 A 또는 B, 에코바이러스 등의 장바이러스(enterovirus)가 많이 발견된다. 그밖에도 아데노 바이러스, 인플루엔자 바이러스, 볼거리 바이러스, 단순포진 바이러스 등도 뇌수막염을 일으키는 경우가 있다. 곰팡이에 의한 뇌수막염은 Cryptococcus, Histoplasma 등이 병원균이다. 곰팡이가 병원균으로 판명되면 면역기능이 매우 저하되어 있거나 후천성면역결핍자인 경우가 많아 매우 난치성이다.

이들 병원균이 뇌수막에 감염되는 경로는 잘 알려지지 않았지만 뇌척수액을 채취하는 시술을 받았거나, 혈액과 뇌조직을 경계 짓는 특별한 구조인 혈액뇌관문(blood brain barrier)이 손상되었거나, 뇌수막염이 유행하는 지역을 여행했거나, 면역결핍증 때문인 것으로 추정되고 있다. 면역력이 정상인 소아나 어른은 이러한 병원균이 혈액 속으로 소량 유입되어도 뇌수막염에 걸리지 않는다.

표 50-1 뇌수막염의 원인균*	
박테리아 (세균성 뇌수막염)	■ 폐렴구균(Streptococcus pneumoniae) ■ 뇌수막구균(Nisseria meningitidis) ■ Listeria monocytogenes ■ Haemophilus influenzae B (최근엔 콤박스® 예방접종으로 많이 감소) ■ 결핵균(결핵성 뇌수막염으로 별도로 분류함)
바이러스 (바이러스성 뇌수막염, 무균성 뇌수막염)	■ 장바이러스(enterovirus) 　– 콕사키바이러스 A 또는 B (coxsakievirus) 　– 에코바이러스(echovirus) ■ 아데노 바이러스 ■ 인플루엔자 바이러스 ■ 로타 바이러스/코로나 바이러스 ■ 볼거리 바이러스 ■ 단순포진/대상포진 바이러스 등
곰팡이 (진균성 뇌수막염)	■ Cryptococcus, Histoplasma 등

*뇌척수액을 채취하는 시술을 받았거나, 혈액과 뇌조직을 경계 짓는 특별한 구조인 혈액뇌관문(blood brain barrier)이 손상되었거나, 뇌수막염이 유행하는 지역을 여행했거나, 면역결핍증이면 뇌수막염에 잘 걸림

3) 증상

뇌수막염은 뇌와 척수를 둘러싸고 있는 뇌수막이 박테리아, 바이러스, 곰팡이 등 병원균에 감염되어 발생하는 감염성질환이다. 병원균이 바이러스인 경우에는 '바이러스성 뇌수막염' 또는 '무균성 뇌수막염'이라고 부른다.

2 뇌수막염의 진단

뇌수막염의 진단은 요추천자로 얻은 뇌척수액에 대하여 일반화학검사, 미생물학적 검사, 혈액학적 검사를 통하여 실시한다. 일반적으로 임상적 증상과 뇌척수액 검사만으로도 뇌수막염을 확진할 수 있지만, 병원균을 정확하게 감별하기 위하여 PCR (polymer chain reaction) 또는 EIA (enzyme immunoassay) 검사를 실시하기도 한다.

요추천자는 주사바늘로 척추 안에서 뇌와 연결되어 있는 액체(뇌척수액, cerebro-spinal fluid)를 채취하는 시술이다(그림 50-1). 뇌척수액은 뇌와 연결되어 있기 때문에 뇌수막염에 감염되면 뇌척수액에서도 병원균이 발견된다. 이 시술은 철저한 무균상태에서 시행해야 한다.

뇌척수액은 병원균이 없어야 되는 것은 물론 백혈구수도 1mm³당 5개 미만이어야 하고 그것도 대부분이 단구이어야 한다. 세균성 뇌수막염의 경우에는 뇌척수액에서 백혈구가 많이 발견되는데 단구는 거의 없고 중성구가 80% 이상을 차지하는 특징이 있다. 바이러스성 뇌수막염의 경우에도 백혈구가 많이 발견되지만 세균성의 경우에 비하여 훨씬 적은 편이고 중성구보다는 임파구가 많이 증가한다. 뇌척수액 검사 결과에 대한 자세한 사항은 표 50-2에 요약되어 있다.

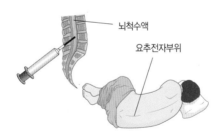

뇌척수액

요추전자부위

그림 50-1 요추천자

주사바늘로 요추의 척수액을 채취함

표 50-2 뇌수막염 환자의 뇌척수액 검사 결과

구분		정상	세균성	바이러스성	진균성	결핵성
일반 화학검사	단백질(mg/dL)	50 미만	100 이상	50–100	50–100	50–100
	포도당(mg/dL)	50–70	50 미만	변화 없음	변화 없음	변화 없음
미생물학적 검사	병원균	음성	박테리아 있음	바이러스 있음[a]	곰팡이 있음	결핵균 있음
혈구학적 검사	백혈구수 (개/mm³)	5 미만	1,000 이상	100–1,000	50–500	100–500
	전혈구검사	단구가 90% 이상	중성구가 80% 이상으로 증가	임파구가 50% 이상으로 증가	임파구가 50% 이상으로 증가	임파구가 50% 이상으로 증가[b]

[a]바이러스성 뇌수막염의 경우, 일반적으로 사용되는 현미경 검사에서는 바이러스가 확인되지 않기 때문에 무균성 뇌수막염이라고도 함. [b]발병 초기에는 중성구가 70% 이상으로 증가하고 점차로 중성구가 적어지고 임파구가 증가함

3 뇌수막염의 약물치료법

뇌수막염 약물치료 포인트

1. 뇌수막염은 원인균에 따라 약물요법이 다르다.

2. 세균성 뇌수막염의 경우 항생제 치료를 시작했는데도 열이 떨어지지 않고 심하게 울거나 보채면 의료인에게 알려야 한다(세균이 사용 중인 항생제에 대하여 내성이 있을 수 있음).

3. 치료 도중 증상이 개선되어도 정해진 치료기간 동안 약물치료를 중단하지 말아야 한다.

4. 영유아 환자는 의사표현을 잘 못하므로 환자의 상태를 잘 관찰하고 이상반응이 나타나면 즉시 의료인에게 알려야 한다.

뇌수막염의 약물치료는 병원균을 사멸시키는 작용이 있는 살균성(bactericidal) 항생제를 사용해야 하며 병원균의 증식만 억제하는 정균성(bacteristatic) 항생제를 사용해서는 안 된다. 또한 뇌수막염은 혈액뇌관문 안쪽에서 발생된 감염증이므로 핼액뇌관문을 잘 투과하는 항생제를 사용해야 한다. 따라서 뇌수막염 환자는 가급적 병

원에 입원하여 혈액뇌관문을 투과할 수 있는 살균성 항생제를 고용량으로 하여 적어도 1주일 이상 약물치료를 받아야 한다.

뇌수막염 치료는 기본적으로 입원하는 것이 원칙이고 약물치료법과 함께 두통, 고열 등에 대한 대증요법도 병행하여 실시해야 하며, 원인 균주가 판정될 때까지 경험적 항균요법이 권장된다. 원인 균주가 판정되면 그 균주에 살균력이 있는 항균제로 변경해서 투여한다.

원인균이 박테리아인 경우, 살균성 항생제 중에서 혈액뇌관문을 투과할 수 있는 제3세대나 제4세대 세팔로스포린 계열 항생제 또는 imipenem 계열 항생제가 사용된다. 원인균이 바이러스인 경우에는 항바이러스제를 사용하고, 원인균이 진균인 경우에는 항진균제를 사용한다. 결핵균이 원인인 경우에는 항결핵제를 사용한다.

뇌수막염의 치료경험을 바탕으로 하여 많은 의료기관에서 널리 사용되는 경험적 약물치료법을 그림 50-2와 표 50-3에 나타내었다. 세균성 뇌수막염 및 결핵성 뇌수막염의 경우에는 부신피질호르몬제(dexamethasone)를 항생제와 함께 투여하면 tumor necrosis factor (TNF)와 interleukin-1 등 염증매개인자의 분비를 줄여주기 때문에 증상이 신속하게 완화되는 효과가 있으며 또한 합병증과 후유증이 경감되는 효과도 있다.

바이러스성 뇌수막염으로 여겨지는 경우에도 바이러스성인 것이 확실하게 판정될 때 까지는 항생제를 이용한 약물치료법을 실시해야 한다. 바이러스성 뇌수막염으로 확진하기 위해서는 비용이 비싸더라도 첨단진단장비를 동원해야 한다. 바이러스성으로 판정되면 항생제요법을 중단하고 항바이러스제로 전환한다. 그러나 일반적으로 바이러스성 뇌수막염은 acetaminophen이나 ibuprofen 같은 해열제로 고열과 두통을 가라앉히고 수액제로 수분을 공급하고 안정을 유지하면 항바이러스제를 투여하지 않아도 저절로 회복되는 경우가 많다.

결핵성 뇌수막염은 폐결핵의 경우처럼 isoniazid, rifampicin, pyrazinamide, ethambutol로 구성되는 4제 요법이 표준치료법이다. 이 표준치료법에 의하면 처음 2개월 동안은 4제 요법을 실시하고, 나머지 7개월은 isoniazid, rifampicin로 구성되는 2제요법을 실시한다. 각 약물의 용량은 폐결핵의 경우보다 고용량을 사용한다. 뇌수막염 치

료에 사용되는 약물의 특징적 부작용과 작용기전은 표 50-4, 표 50-5에 요약되어
있다.

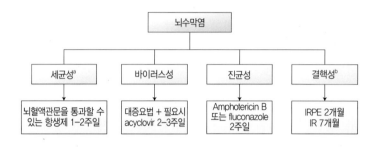

그림 50-2 뇌수막염의 약물치료법

IRPE=isoniazid, rifampicin, pyrazinamide, ethambutol로 구성되는 4제 요법. IR=isoniazid과 rifampicin으로 구성되는 2
제 요법. [a]Haemophilus influenzae B가 병원균인 경우, dexamethasone을 4일간 병용투여함. [b]결핵성 뇌수막염의 경우,
prednisolone 1-2mg/kg을 4-8주간 병용투여함

표 50-3 뇌수막염 치료에 사용되는 경험적 약물치료법[a]

원인균	약물명	용량	약물치료기간
박테리아[a]	ceftriaxone[b] (로세프®)	100mg/kg을 1일 1회 정맥주사	10–14일
	piperacillin/tazobactam[b] (타조신®)	piperacillin/tazobactam 112.5mg/kg을 1일 3회 정맥주사	1–2주일
	meropenem (메로펜®)	40mg/kg을 1일 3회 정맥주사	1–2주일
	cefepime (맥스핌®)	50mg/kg을 1일 2회 정맥주사	1–2주일
	linezolid (자이복스®)	성인의 경우, 600mg/kg을 1일 2회 정맥주사(소아용량은 적절히 조절해야 함)	1–2주일
바이러스	acyclovir (조비락스®)	10mg/kg을 1일 3회 정맥주사	2–3주일
	foscarnet	60mg/kg을 1일 2–3회	2–3주일
곰팡이 (진균)	fluconazole (원플루®)	6mg/kg을 1일 1회 정맥주사	2주일
	amphotericin B (훈기존®)	1mg/kg을 격일로 정맥주사	2주일

결핵균[c,d]	isoniazid (아이나®)	10–15mg/kg을 1일 1회 경구투여	9개월
	rifampicin (리팜핀®)	10–20mg/kg을 1일 1회 경구투여	9개월
	pyrazinamide (피라진아미드®)	15–30mg/kg을 1일 1회 경구투여	처음 2개월
	ethambutol (마이암부톨®)	15–20mg/kg을 1일 1회 경구투여	처음 2개월

[a]박테리아, 특히 Haemophilus influenzae B가 병원균인 경우, dexamethasone 0.15mg/kg을 1일 4회, 4일간 정맥주사하면 염증매개인자의 분비가 억제되므로 합병증과 후유증이 감소됨

[b]만일 환자가 penicilline 계열 항생제에 과민반응 경력이 있으면 vancomycin으로 대체하여 60mg/kg을 하루에 4회로 분할하여 정맥주사함

[c]처음 2개월은 isoniazid, rifampicin, pyrazinamide, ethambutol로 구성되는 4제 요법을 실시하고, 나머지 7개월은 isoniazid, rifampicin로 구성되는 2제요법을 실시함

[d]결핵성 뇌수막염의 경우, prednisolone 1–2mg/kg을 1일 1회 경구로 복용하면 염증매개인자의 분비가 억제되므로 합병증과 후유증이 감소됨(4–8주간 복용하되 점감요법으로 약을 끊어야 함)

표 50-4 뇌수막염 치료에 사용되는 약물의 특징적 부작용

약물명	특징적 부작용	주의사항
ceftriaxone, cefepime, piperacillin, meropenem: 폐렴 참조(표 49-3)		
linezolid	설사, 질소양감	이 약은 골수기능장애를 일으킬 수 있으므로 빈혈 등 부작용이 나타나면 즉시 의료인에게 알릴 것
acyclovir	피로감, 메스꺼움, 출혈경향, 신부전	소변량이 줄거나 출혈경향이 나타나면 즉시 의료인에게 알릴 것

fluconazole, amphotericin B: 폐렴 참조(표 49-3)

isoniazid, rifampicin, pyrazinamide, ethambutol: 폐결핵 참조(표 48-5)

표 50-5 뇌수막염 치료제의 작용기전

구분	작용기전
박테리아 살균제	■ ceftriaxone 등: – peptidoglycan의 교차결합(cross-linking)을 방해하여 박테리아의 세포벽에 결합을 일으켜 살균적으로 작용함(표 49-4 참조) ■ meropenem: – 세팔로스포린 계열 항생제와 작용기전이 같지만 내성이 있는 세균에게도 살균적으로 작용하는 장점이 있음 ■ linezolid: – 박테리아 리보솜의 50S subunit에 결합하여 각종 단백질 합성을 방해하기 때문에 살균적으로 작용함 – 이 약이 50S subunit에 결합하면 입체구조에 변화를 일으켜 t-RNA가 리보솜에 접근하지 못하게 되어 단백질을 합성하지 못하게 됨 – 단백질 합성의 시작단계(initiation)를 방해하는 것이 이 약의 특징임
바이러스 증식억제제	■ acyclovir 등: – 핵산 성분인 nucleoside와 구조가 비슷하기 때문에 바이러스의 DNA 복제를 방해하여 바이러스 증식이 정지됨 – 바이러스의 thymidine kinase에 의하여 인산화되면 DNA 합성방해능력이 훨씬 강해짐
항진균제	■ fluconazole 등: – 곰팡이의 세포막에서 ergosterol 합성을 방해하여 살균적으로 작용함(표 49-4 참조) ■ amphotericin B: – 곰팡이 세포막에 있는 ergosterol과 결합하여 구멍을 형성하여 살균적으로 작용함(표 49-4 참조)
항결핵제	■ isoniazid 등: – 결핵균의 세포벽 합성방해, 단백질 합성 방해 등을 통하여 살균적으로 작용함(표 48-6 참조)

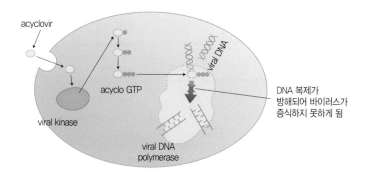

그림 50-3 Acyclovir의 작용기전

바이러스의 thymidine kinase에 의하여 인산화 된 다음 바이러스 DNA polymerase와 결합하여 바이러스의 DNA 복제를 방해함

감염성 심내막염
(Infective endocarditis)

1 개요

1) 정의

감염성 심내막염이란 심장 안쪽에 있는 얇은 막이 병원균에 감염되어 발생하는 감염성질환으로서 주로 심장판막에서 발생된다.

2) 원인

감염성 심내막염은 심내막 특히 심장판막에 박테리아나 곰팡이 같은 병원균이 감염되는 것이 원인이다. 건강한 심장을 가진 사람은 소량의 병원균이 심장에 들어와도 병원균이 심내막에 붙을 수 없기 때문에 심내막염이 발생하지 않지만, 심내막 특히 판막에 상처가 있거나 혈전이 붙어 있으면 병원균이 그 곳에 달라붙어 염증을 일으킨다(그림 51-1).

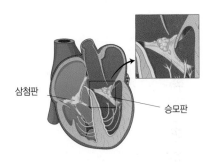

삼첨판   승모판

그림 51-1 승모판에 발생한 심내막염
작은 그림은 승모판 주변을 확대한 것으로 병원균이 달라붙어 덩어리를 형성한 모습임.

판막에 상처가 잘 생기는 경우는 승모판 탈출증이나 대동맥판 협착증이 대표적이다(표 51-1). 판막에 혈전이 잘 생기는 경우는 인공판막시술(기계판막 또는 조직판막)을 받은 경우가 대표적이다. 그밖에도 심부전증이나 심방세동 환자의 경우, 심방에 있는 혈액이 심실로 잘 내려가지 않고 심방내에서 와류가 형성되기 때문에 혈전이 잘 생긴다.

판막에 달라붙어 심내막염을 일으키는 병원균은 녹색연쇄상구균(Streptococcus viridans)이 전체 환자의 약 60%를 차지할 정도로 가장 흔하고 다음으로 황색포도상구균(Staphylococcus aureus), 장내구균(Enterococcus)의 순이다. 장내구균은 원래 우리 몸에 상주하는 박테리아로 병원균이 아니었는데 최근들어 여기에 속하는 Enterococcus faecalis와 Enetercoccus faecium이 심내막염을 일으키는 사례가 증가하고 있다.

이들 병원균이 혈액 속으로 들어오게 되는 경로는 외상으로 인한 상처 또는 수술이나 치과처치 등 병원 치료과정 중에 발생하는 상처를 통한 것으로 알려져 있다. 위내시경이나 기관지내시경 등 검사과정 및 칫솔질이나 치실을 사용하는 중에도 이들 병원균이 혈액 속으로 유입될 수 있다.

표 51-1 감염성 심내막염의 원인[a]	
판막에 상처가 잘 생기는 경우	■ 선천성 또는 후천성 판막질환[b] – 승모판 탈출증 – 대동맥판 협착증 – 삼첨판 협착증 – 폐동맥판 협착증
판막에 혈전이 잘 생기는 경우	■ 인공판막(기계판막, 조직판막) ■ 심부전증 ■ 심방세동

[a]혈액 속으로 유입된 병원균이 상처가 있거나 혈전이 붙어있는 판막에 들러붙어 심내막염을 일으킴. [b]감염성 심내막염이 잘 발생하는 곳은 승모판막, 대동맥판막, 삼첨판막, 폐동맥판막의 순서임

3) 증상

감염성 심내막염은 증상이 뚜렷한 경우도 있지만 대개는 피로감, 식욕부진, 체중감소, 관절통, 근육통, 두통, 피부 및 점막의 출혈반 등으로 애매모호한 경우가 많다.

급성 심내막염은 외상이나 외과수술, 치과처치 후 약 6주 정도 이내에 발열, 두통,

근육통, 사지관절통 등 감기몸살 같은 전신 증상이 나타난다(표 51-2). 심한 경우에는 판막이 열리고 닫히는 것이 제대로 되지 않아 청진기로 심장 소리를 들을 때 심잡음이 들린다. 또한 급성 심내막염의 경우, 판막에 들러붙어 있던 세균덩어리(vegetation, 우종이라고도 함)가 심장 밖으로 떨어져 나가 혈액 전체가 병원균으로 오염되는 균혈증과 패혈증을 일으키기도 한다.

아급성 심내막염은 오랜 기간에 걸쳐 증상이 서서히 진행되기 때문에 허약체질로 간주되거나 다른 질환으로 오인되는 경우가 있다. 아급성 심내막염의 경우는 감기몸살 같은 심한 전신증상은 잘 나타나지 않고, 심잡음 같은 심장 증상과 피부 증상 및 안과 증상이 주로 나타난다. 아급성 심내막염에서 나타나는 피부증상과 안과 증상은 아래의 표 51-2에 나타내었다.

표 51-2	감염성 심내막염의 증상
전신 증상	■ 발열, 두통, 근육통, 사지관절통, 피로감, 식욕부진, 체중감소 ■ 균혈증(bacteremia), 패혈증(sepsis)
심장 증상	■ 심잡음
피부 증상	■ 점상출혈반(petechiae): 손가락이나 발바닥에 나타나는 출혈성 반점 ■ 선상출혈반(splinter hemorrhage): 손톱이나 발톱 밑에 나타나는 직선 모양의 출혈성 반점 ■ Osler 결절(Osler node): 손가락이나 발바닥에 나타나는 출혈성 반점주변이 단단해지면서 결절로 변함(통증이 수반되기도 함)
안과 증상	■ Roth 반점: 망막에 나타나는 출혈반으로 중심부위가 백색임

2 감염성 심내막염의 진단 및 분류

1) 진단

감염성 심내막염의 진단은 1994년에 미국 듀크대학교병원에서 제안한 Duke Criteria에 의해 실시한다. 이 진단기준은 주판정 기준 2개 항목과 부판정 기준 5개 항목으로 구성되어 있다(표 51-3). 이 기준에 의하면 (1) 주판정 기준 2개 항목에 모두 해당하거나 (2) 주판정 기준 1개 항목에 해당하면서 부판정 기준 3개 이상에 해당하거나 (3) 부판정 기준 5개 항목에 모두 해당하면 감염성 심내막염으로 확진한다. 이 기준은 또한 (1) 주판정 기준 1개 항목에 해당하면서 부판정 기준 1개 항목에 해당하거나 (2) 부판정 기준 3-4개 항목에 해당하는 경우는 감염성 심내막염 가능자로 간주한다. 심내막염 가능자로 간주되면 주의깊은 관찰과 지속적인 검사를 실시하여 심내막염으로 발전되는 것에 대비해야 한다.

2) 분류

감염성 심내막염은 급성과 아급성으로 나눈다(표 51-4). 급성 심내막염은 원인균이 혈액에 유입된 다음 판막에 붙어 비교적 빨리 증식하기 때문에 붙여진 이름이며 황색포도상구균이 원인균인 경우가 많다. 반면에 아급성 심내막염은 원인균이 녹색연쇄상구균인 경우가 대부분이고 판막에 들러붙어 증식하는 데 걸리는 시간이 비교적 길다. 아급성 심내막염은 임상증상이 나타나는 데까지 수개월이 걸리기도 한다.

감염성 심내막염의 분류는 이처럼 원인균이 판막에 들러붙어 증식하는 데 걸리는 시간을 기준으로 한 것이다. 그러나 다른 질환의 경우 '급성'이라는 표현은 증상발현이 매우 빠름을 의미하는데 비하여 심내막염의 경우에는 급성 심내막염이라고 해도 증상발현 속도는 그다지 빠른 편은 아니다. 따라서 '급성', '아급성'이라는 표현보다는 'short incubation type', 'long incubation type'라는 표현이 적합한 용어이다.

표 51-3 감염성 심내막염의 진단기준(Duke Criteria)	
주판정 기준	1. 혈액배양검사 증거: 혈액배양검사에서 심내막염의 대표적 병원균이 확인됨
	2. 심초음파검사 증거: 심초음파검사에서 판막역류 등 심내막염의 대표적 현상이 확인됨
부판정 기준	1. 심장질환 환자 또는 정맥주사용 마약사용자임
	2. 체온이 38℃ 이상임
	3. 혈관이상 있음(예: 동맥색전증, 폐색전증, 동맥류, 결막출혈 등)
	4. 면역이상 있음(예: 류마티스인자 양성, 사구체신염, Osler 결절, Roth 반점)
	5. 혈액배양검사 이상(심내막염의 대표적 병원균은 아니지만 기타 병원균이 발견됨)

[아래의 세 가지 경우는 감염성 심내막염으로 확진함]
1. 주판정 기준 2개 항목에 모두 해당
2. 주판정 기준 1개 항목에 해당하면서 부판정 기준 3개 이상에 해당
3. 부판정 기준 5개 항목 모두 해당
[아래의 두 가지 경우는 감염성 심내막염 가능자로 간주함]
1. 주판정 기준 1개 항목에 해당하면서 부판정 기준 1-2개 항목에 해당
2. 부판정 기준 3-4개 항목에 해당

표 51-4 감염성 심내막염의 분류	
급성 감염성 심내막염 (acute infective endocarditis)	■ 대부분 황색포도상구균이 원인균임 ■ short incubation type라고도 불림 ■ 원인균이 혈액에 유입된 후 6주일 안에 발병하며 판막손상이 빠르게 진행됨 ■ 판막에 들러붙어 증식한 세균덩어리(vegetation)가 떨어져 심장 밖으로 나가 뇌동맥, 관상동맥, 폐동맥 및 기타 말초혈관에 폐색을 잘 일으킴
아급성 감염성 심내막염 (subacute infective endocarditis)	■ 대부분 녹색연쇄상구균이 원인균임 ■ long incubation type라고도 불림 ■ 원인균이 혈액에 유입된 후 6주일 이상이 경과한 다음에 발병하며 증상이 완만함

3 감염성 심내막염의 약물치료법

감염성 심내막염 약물치료 포인트

1. 감염성 심내막염은 판막이식수술을 받았는지 원인균이 무엇인지에 따라 치료법이 다르다.

2. 신장기능이 저하된 환자는 신부전을 악화시킬 수 있는 약물이 처방되지 않도록 의사에게 미리 말해야 한다.

3. 치료 도중 증상이 개선되어도 정해진 치료기간 동안 약물치료를 중단하지 말아야 한다.

4. 판막이식수술을 받은 환자는 그 판막에 병원균이 달라붙어 감염성 심내막염을 잘 일으키고 치료 후에도 재발이 잘 된다.

5. 이러한 환자는 외상으로 인한 상처나 수술, 치과처치, 위내시경, 기관지 내시경 등 세균이 인체로 들어올 수 있는 상황에서는 반드시 예방적 항생제요법을 받아야한다.

감염성 심내막염의 약물치료는 병원균을 사멸시키는 작용이 있는 살균성(bactericidal) 항생제를 사용해야 하며 병원균의 증식만 억제하는 정균성(bacteristatic) 항생제를 사용해서는 안 된다. 또한 감염성 심내막염을 일으키는 병원균은 손상된 판막에 들러붙어 덩어리(vegetation, 우종)를 형성하는데 이 세균덩어리의 껍질에는 피브린 등 혈장 단백질이 침착되어 있기 때문에 항생제가 껍질 안쪽으로 잘 침투되지 않는다는 점을 감안해야 한다. 따라서 감염성 심내막염 환자는 가급적 병원에 입원하여 살균성 항생제를 고용량으로 적어도 2주일 이상 약물치료를 받아야 한다.

감염성 심내막염의 약물치료법은 기본적으로 penicillin G나 제3세대 세팔로스포린 계열의 항생제가 사용된다.

이들 항생제는 단독요법으로도 사용되지만 gentamicin과 병용되기도 한다. Gentamicin은 아미노글리코사이드 계열의 항생제에 속하기 때문에 감염성 심내막염의 주요 병원균인 그람양성 박테리아에는 항균력이 없으므로 단독으로는 사용되지 않는다. 일단 병원균이 확인되면 의료기관마다 경험을 근거로 하여 약물치료를 시작한다. 만일 환자가 penicilline 계열 항생제에 과민반응 경력이 있으면 vancomycin으로 대체한다. 며칠 후 항생제 감수성시험 결과가 나오면 그 결과에 따라 항생제 처방을 변경해야 한다.

병원균이 연쇄상 구균으로 판명되면 일반적으로 penicilline G나 ceftriaxone을 단독요법으로 4주일 동안 정맥주사로 치료한다(그림 51-2). 경우에 따라서는 이들 두 가지 항생제 중 한 가지와 gentamicin을 병용하여 2주일 동안 치료한다.

병원균이 포도상 구균으로 판명되면 한 가지 항생제를 이용하는 단독요법보다는 두 가지 이상의 살균성 항생제를 이용하는 병용요법이 사용된다. 이는 포도상 구균이 대개 급성 심내막염을 일으켜 판막손상이 빠르게 진행될 뿐만 아니라 세균덩어리가 심장 밖으로 떨어져 나가 합병증을 일으키기 쉽기 때문이다. 또한 포도상 구균에 의한 급성 심내막염은 환자의 판막이 원래 자기 판막인지 기계판막 또는 조직판막인지에 따라서 병의 진행에 차이가 있으므로 치료법도 달리하여 실시한다. 원래 자기판막은 우종이나 혈전이 잘 생기지 않지만 기계판막이나 조직판막은 잘 생긴다. 조직판막은 보통 돼지의 판막으로 만들기 때문에 우종이나 혈전이 잘 생기는 편이지만 금속재료로 만든 기계판막에 비하면 덜 생기는 편이다.

환자의 판막이 원래 자기 판막인 경우에는 일반적으로 ceftriaxone 같은 제3세대 세팔로스포린 계열 항생제와 gentamicin을 병용하여 4-6주간 주사로 치료하는데 gentiamicin은 장기간 투여 시 부작용으로 청각장애와 신기능부전이 발생할 수 있으므로 가급적 투여기간을 2주 이내로 한다. 기계판막이거나 조직판막인 경우에는 제

3세대 세팔로스포린 계열 항생제에 gentamicin과 rifampicin을 추가로 병용하는 3제 요법이 사용된다. Rifampicin을 추가하는 이유는 아직 정확히 밝혀지지는 않았지만 이 항생제가 인공판막환자의 심내막염 치료성적을 향상시키는 것으로 알려져 있다.

병원균이 장내구균인 것으로 판명되면 penicilline G를 1일 3,000만 단위 정도의 매우 고용량으로 하고 gentamicin과 함께 병용하여 4-6주일 동안 치료한다. 장내구균은 원래 우리 몸에 상주하는 연쇄상 구균의 일종으로 병원성이 없었는데 최근들어 병원성을 나타내는 변종들이 발견되면서 장내구균이라는 이름으로 별도로 분류되었다. 여기에 속하는 박테리아 중에서 특히 E. faecalis는 대부분의 항생제에 내성을 갖추고 있어 치료가 어려운 경우가 많다.

병원균이 HACEK인 것으로 판명되면 ceftriaxone 단독요법으로 하거나 gentamicin과 함께 병용요법으로 치료한다. 이들 박테리아는 그람음성 간균에 속하는 세균으로 심내막염을 일으키는 빈도수가 적은 편이다. 또한 HACEK에 의한 심내막염은 병의 진행이 늦은 아급성 형태를 보이며 ceftriaxone과 gentamicin의 4주간 병용요법으로 치료가 잘 된다.

치과시술이나 위내시경 등 심내막염을 일으킬 수 있는 시술 시 예방목적으로 항생제를 사용할 경우에는 일반적으로 amoxicillin 2g을 시술 1시간 전에 경구로 투여하는 것이 권장된다. 페니실린계열 항생제에 과민한 환자에게는 cephalexin 2g을, 이약에도 과민한 경우에는 azithromycin 500mg을 1회 복용한다. 감염성 심내막염 치료에 사용되는 경험적 약물치료법의 용법, 용량 및 특징적 부작용과 작용기전은 표 51-5, 표 51-6, 표 51-7에 요약되어 있다.

표 51-5 감염성 심내막에 사용되는 경험적 약물치료법[a]

원인균	약물명	성인기준 용량	약물치료기간
연쇄상구균	PG	1일 1,800만 단위를 점적정맥주사하거나 1일 6회로 분할하여 주사	4주일
	CTR	1일 1회 2,000mg을 정맥주사 또는 근육주사	4주일
	PG 또는 CTR + GM	PG 또는 CTR: 위와 동일 용량 GM: 1mg/kg을 1일 3회 주사	2주일
	VM	1일 2회 또는 3회 15~20mg/kg 정맥주사	2주일

포도상구균 (자연판막 환자의 경우)	NC+GM	NC: 2,000mg을 1일 6회 주사 GM: 위와 동일 용량	4–6주일 (GM은 2주일)[b]
포도상구균 (자연판막 환자의 경우)	CTR+GM	CTR: 위와 동일 용량 GM: 위와 동일 용량	4–6주 (GM은 2주일)[b]
포도상구균 (인공판막 환자의 경우)	CTR+GM+RF	CTR: 위와 동일 용량 GM: 위와 동일 용량 RF: 300mg을 1일 3회 경구로 복용	6주 이상 (GM은 2주일)[b]
장내구균[c]	PG+GM	PG: 1일 3,000만 단위를 점적정맥주사하거나 1일 6회로 분할하여 주사 GM: 1mg/kg을 1일 3회 주사	4–6주일 (GM은 2주일)[b]
	linezolid	1일 2회 600mg을 정맥주사하거나 경구투여	6주 이상
	daptomycin	1일 1회 8mg/kg이상 정맥주사	6주 이상
HACEK[d]	CTR	위와 동일 용량	4주일
	CTR+GM	CTR: 위와 동일 용량 GM: 위와 동일 용량	4주일 (GM은 2주일)[b]

PG=penicilline G; CTR=ceftriaxone; GM=gentamicin; NC=nafcillin; RF=rifampicin VM=vancomycin

[a]만일 환자가 penicilline 계열 항생제에 과민반응 경력이 있으면 vancomycin 30mg/kg을 하루에 2회로 분할하여 정맥주사함(1일 2000mg을 초과하지 않음)

[b]gentamicin은 장기간 사용 시 청각장애, 신장장애 등 부작용이 발생할 수 있으므로 단기간만 사용함

[c]Enterococcus faecalis와 Enetercoccus faecium가 심내막염의 주요 원인균인데 특히 E. faecalis는 대부분의 항생제에 내성을 갖추고 있으므로 매우 고용량의 penicilline G를 투여해야 함

[d]HACEK: Haemophilus species, Actinobacillus actinomycetemcomitans, Cardiobacterium hominis, Eikenella corrodens, Kingella kingae의 첫 글자를 줄인 약자임

표 51-6 감염성 심내막에 사용되는 약물의 특징적 부작용

약물명	특징적 부작용	주의사항
penicillin G, ceftriaxone, nafcillin	설사, 질소양감	■ 페니실린 계열 항생제에 과민한 사람은 이 약을 사용하기 전에 의료인에게 말할 것 ■ 설사가 물처럼 나오거나 질소양감이 심하면 의료인에게 알릴 것

gentamicin	급성신부전, 청각독성	▪ 주사투여 중 숨이 차거나 피부가려움증이 나타나면 즉시 의료인에게 알릴 것(쇼크 전조증상임) ▪ 소변량이 줄거나 이명현상이 나타나면 즉시 의료인에게 알릴 것(급성신부전, 청각독성의 전조증상임)
rifampicin	간독성, 소변색이 적황색으로 변함	▪ rifampicin 복용 중에는 소변색이 적황색으로 변하는데 이는 약물이 소변으로 배설되기 때문이므로 놀라지 않아도 됨

표 51-7 감염성 심내막염 치료제의 작용기전

약물명	작용기전
페니실린 계열, 세팔로스포린 계열 항생제	– peptidoglycan의 교차결합(cross-linking)을 방해하여 박테리아의 세포벽에 결함을 일으켜 살균적으로 작용함 – peptidoglycan은 세포벽 구성물질로서 교차결합 되지 않으면 느슨해져 세포가 쉽게 터지게 됨
gentamicin	– 그람 음성 박테리아 리보솜의 30S subunit에 결합하여 단백질 합성을 방해함 – 단백질이 만들어지지 않으면 생존할 수 없기 때문에 살균적으로 작용함
rifampicin	– 결핵균과 그람 양성 박테리아의 RNA polymerase라는 효소의 beta-subunit와 결합하여 m-RNA 합성을 방해함 – 이 효소는 DNA의 유전정보가 m-RNA로 전사되어 단백질이 합성되도록 함 – 결국 단백질이 만들어지지 않기 때문에 세균에게 살균적으로 작용됨

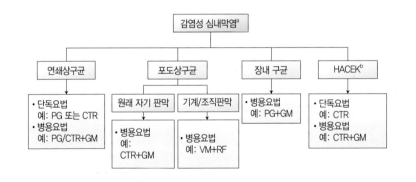

그림 51-2 감염성 심내막염의 약물치료법

PG=penicilline G. CTR=ceftriaxone. GM=gentamicin. RF=rifampicin. VM=vancomycin
[a]만일 환자가 penicilline 계열 항생제에 과민반응 경력이 있으면 vancomycin으로 대체함. [b]HACEK: Haemophilus species, Actinobacillus actinomycetemcomitans, Cardiobacterium hominis, Eikenella corrodens, Kingella kingae의 첫 글자를 줄인 약자임

신우신염
(Pyelonephrititis)

1 개요

1) 정의
신우신염이란 신장이 세균에 감염된 것을 가리킨다.

2) 원인
신우신염은 세균감염이 원인이다. 특히 대장균이 원인균인 경우가 대부분이며 그 밖에도 Klebsiella, Proteus 같은 그람음성간균이 원인인 경우도 많다. 세균이 신장으로 침입할 수 있는 경로는 혈관과 요관이지만, 신우신염의 경우 세균은 대부분 요관을 통하여 침입하는 것으로 여겨진다. 특히 방광염이나 요도염이 있는 사람에서 소변이 신장 쪽으로 역류하면 세균이 신장으로 역행하여 급성 신우신염을 일으키게 된다.

3) 증상
신우신염의 주요 증상은 발열과 허리와 등의 통증이지만 나이에 따라 다르게 나타난다(표 52-1). 어린이의 경우, 급성 신우신염은 발열과 함께 심하게 울고 보채거나 탈수증세가 나타날 수 있다. 성인의 경우에는 오한, 발열, 요통이 주요증상이기 때문에 감기 몸살로 오진되는 경우가 많다. 노인의 경우에는 열이 심하게 오르지 않아 신우신염의 특징적인 증상이 나타나지 않는다.

표 52-1 신우신염의 증상

구분	주요증상	기타 증상
어린이	발열, 허리와 등의 통증	심하게 울고 보챔, 오심, 구토, 식욕부진, 경련, 보챔
성인	발열, 허리와 등의 통증	오한, 전신권태, 빈뇨, 탁뇨, 혈뇨
노인	특징적 증상 없음	구토, 탈수 등 환자에 따라 다양함

4) 진단

신우신염의 진단은 병력 청취와 혈액검사, 소변검사, X-ray, 신장 초음파검사를 통해서도 어느 정도 예측을 할 수 있다. 혈액검사에서 백혈구 수치와 적혈구 침강속도(ESR), C-반응성단백(CRP) 등이 정상보다 높게 나타난다. 소변검사에서는 단백뇨, 세균뇨, 백혈구뇨가 발견된다. 그러나 이 검사결과는 다른 질환에서도 발견되기 때문에 신우신염을 진단하는 데 특이성이 없다.

신우신염을 정확히 진단하기 위해서는 방광요도조영술, Technetium-99m-labeled dimercaptosuccinic acid (DMSA)를 이용한 신스캔을 실시한다. 방광요도조영술은 소변이 신장 쪽으로 역류하는 현상을 진단하는 데 유용하고 DMSA는 세균감염에 의한 염증이 신장 실질조직을 침범했는지를 진단하는 데 특이성이 높다.

2 신우신염의 약물치료법

신우신염은 대개 급성으로 진행되고 구토와 발열 때문에 탈수에 이르는 경우가 많으므로 1-2주간의 입원치료가 필요하다. 그러나 평소 체력이 튼튼하고 음식물 섭취에 지장이 없는 환자라면 입원하지 않고 재택치료를 실시해도 된다. 신우신염은 발열 때문에 탈수현상이 잘 오는 질환이므로 수분을 많이 섭취하고 안정을 취해야한다. 수분섭취를 충분히 하면 소변 양이 많아져 신장에서 세균을 씻어내는 효과도 있다.

신우신염으로 확인되었지만 합병증이 없는 경우에는 sulfamethoxazole-trimethoprim 복합제 또는 fluoroquinolone 계열 항생제를 단독요법으로 2주간 복용한다(그림 52-1). 합병증이 있는 경우에는 fluoroquinolone 계열 항생제 또는 광범위 cephalosporin 계열 항생제를 주사제로 투여한다. 이 경우 항생제를 주사로 3-7일간 투여하면 대부분의 경우 발열증상이 가라앉는다. 발열이 사라진 후 24시간이 경과하면 주사 대신 경구용으로 바꾸어서 투여하는데 주사제 투여기간과 경구용 투여기간을 합쳐서 2주간 항생제요법을 실시한다.

신우신염 치료에 널리 사용되는 fluroquinolone 계열 항생제로는 ciprofloxacin,

gemifloxacin, levofloxacin, moxifloxacin 등이 있으며, 광범위 cephalosporin 계열 항생
제로는 cefotaxime, cefpodoxime, ceftriaxone, cefuroxime 등이 있다(표 52-2). 신우신
염 치료에 사용되는 약물의 특징적 부작용과 작용기전은 표 52-3, 표 52-4에 요약되
어 있다.

표 52-2 신우신염 치료에 사용되는 약물의 용법 및 용량

구분	약물계열	약물명	용량(투여기간)
경증에서 중증도 외래환자	quinolones계 quinolones계	ciprofloxacin (씨프로바이®)	250–500mg을 1일 2회 복용(2주간)
		levofloxacin (레복사신®)	750mg을 1일 1회 복용(5–7일)
	sulfonamides계	sulfamethoxazole-trimethoprim 복합제(티에스®)	trimethoprim 기준 160mg을 1일 2회 복용(2주간)
입원환자, 초기치료	aminoglycoside계 aminoglycoside계	tobramycin	5mg/kg을 1일 1회 정맥주사
		gentamicin	5mg/kg을 1일 1회 정맥주사
	quinolones계 quinolones계	ciprofloxacin (씨프로바이®)	250–500mg을 1일 2회 복용(2주간)
		levofloxacin (레복사신®)	750mg을 1일 1회 복용(5–7일)
	cephalosporin계	ceftriaxone (로세핀®)ª	1,000–2,000mg을 1일 1회 정맥주사 또는 근육주사
입원환자에서 초기치료 후 step down	quinolones계 quinolones계	ciprofloxacin (씨프로바이®)	250–500mg을 1일 2회 복용(2주간)
		levofloxacin (레복사신®)	750mg을 1일 1회 복용(5–7일)
	sulfonamide계	sulfamethoxazole-trimethoprim 복합제(티에스®)	trimethoprim 기준 160mg을 1일 2회 복용(2주간)

표 52-3 신우신염 치료에 사용되는 약물의 특징적 부작용

약물명	특징적 부작용	주의사항
sulfamethoxazole-trimethoprim 복합제	두드러기, 피부염	■ 증상이 호전되어도 지시된 대로 정해진 기간 동안 복용할 것 ■ 눈 또는 입술 주변이 따끔거리거나 두드러기가 나타나면 즉시 복용을 중단하고 의료인에게 알릴 것

baclofoxacin 등 floxacin 계열 항생제	인대염, 건염	▪ 어깨, 팔꿈치, 발목 등 관절이 붓거나 통증이 있으면 복용을 중단하고 즉시 의료인에게 알릴 것
cefuroxime, ceftriaxone, cefotaxime	설사, 질소양감	▪ 페니실린 계열 항생제에 과민한 사람은 이 약을 사용하기 전에 의료인에게 말할 것 ▪ 설사가 물처럼 나오거나 질이나 외음부 가려움증이 심하면 의료인에게 알릴 것

표 52-4 신우신염 치료제의 작용기전

약물명	작용기전
sulfamethoxazole- trimethoprim 복합제(그림 52-2)	▪ sulfamethoxazole: 　– PABA와 화학구조가 비슷하면서 dihydropteroate synthetase에 친화력이 강력하므로 dihydropteroate diphosphate와 PABA를 재료로 하여 엽산이 합성되는 과정을 차단함 　– 엽산이 만들어지지 않으면 박테리아는 생존할 수 없음 ▪ trimethoprim: 　– dihydrofolate reductase에 결합하여 dihydrofolic acid가 tetrahydrofolic acid (THF)로 환원되는 것을 방해함 　– THF는 엽산의 일종이므로 DNA 합성, 세포분열 등 생명유지에 필요한 물질임 　– THF가 만들어지지 않으면 박테리아는 생존할 수 없음
baclofoxacin 등 floxacin 계열 항생제	– 박테리아의 DNA gyrase에 결합하여 세포분열을 방해함 – 세균에게 살균적으로 작용함 – 표 49-4 참조
cefuroxime, ceftriaxone, cefotaxime	– peptidoglycan의 교차결합(cross-linking)을 방해하여 박테리아의 세포벽에 결합을 일으켜 살균적으로 작용함 – 표 49-4 참조

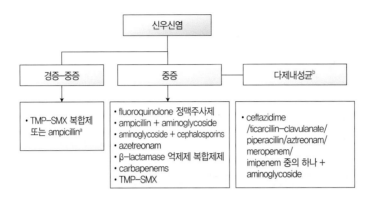

그림 52-1 신우신염의 약물치료법

TMP-SMX=sulfamethoxazole-trimethoprim 복합체.
[a]그람 음성 세균감염에는 TMP-SMX 또는 ampicillin을 사용하고, 그람 양성 구균에는 ampicilln을 사용한다. [b]P.aeruginosa 와 enterococci 분만 아니라 다제내성균이 원인균이 되는 상황에 적용 함

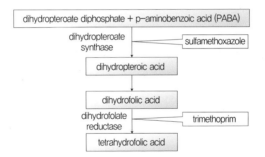

그림 52-2 sulfamethoxazole-trimethoprim 복합제의 작용기전

급성 방광염
(Acute cystitis)

1 개요

1) 정의

급성 방광염은 방광 안쪽에 있는 얇은 막이 세균에 감염되어 발생하는 감염성질환으로서 주로 여성에게 발병된다. 급성 방광염은 소변 볼 때 심한 요도작열감이 나타나므로 오줌소태병이라고 한다. 급성 방광염과 증상이 같지만 소변검사에서 세균이 발견되지 않으면 간질성 방광염(interstitial cystitis)이라고 한다.

2) 원인

급성 방광염의 원인은 그람음성 간균인 대장균 단독감염이 전체의 약 76%를 차지하고, 대장균을 포함한 복합감염이 약 12%인 것으로 알려져 있다(그림 53-1). 대장균 단독감염과 복합감염을 합치면 대장균이 급성 방광염의 약 90%를 차지하는 셈이 되고, 대장균 이외의 세균에 의한 경우는 10% 정도에 불과하다.

여성의 경우 요도는 항문과 가까워 대장균이 쉽게 방광에 다다를 수 있기 때문에 여성에게 급성 방광염이 빈번하게 발생하는 것으로 여겨진다. 그러나 대장균이 어떻

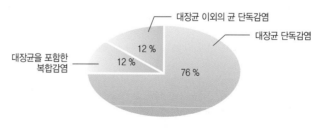

그림 53-1 급성 방광염의 원인균 분포

게 방광까지 올라가서 감염증을 일으키는지에 대해서는 자세히 밝혀지지 않았다. 아마도 과로와 스트레스 등으로 인한 일시적 면역기능약화가 급성 방광염과 발병과 관계가 있는 것으로 추정된다.

3) 증상

급성 방광염의 증상은 갑자기 나타나는데 소변이 참을 수 없을 정도로 자주 마렵고, 소변 볼 때 요도작열감이 특징이다. 때로는 소변에 피가 섞여 나오기도 하지만 전신 발열은 없다.

4) 진단

급성 방광염은 병력을 자세히 청취하는 것만으로도 예측이 가능하지만 정확한 진단을 위하여 소변검사를 실시한다. 소변검사는 소변 속에 세균이 있는지 현미경으로 확인하는 것으로서 급성 방광염 증상과 함께 소변 1ml당 세균수가 100,000개 이상 존재하는 것이 확인되면 급성 방광염으로 확진한다. 신장이나 요로계의 다른 부분까지 감염증이 확산되었는지 확인하기 위하여 혈액검사, X-ray 검사, 신장기능검사 등을 실시하기도 한다.

2 급성 방광염의 약물치료법

급성 방광염 약물치료 포인트

1. 급성 방광염은 간질성 방광염과 증상이 같기 때문에 소변 1ml당 세균이 100,000개 이상인지 확인하고 항생제요법을 받아야 한다.

2. 간질성 방광염은 항생제요법 없이 소염진통제를 복용하면서 충분한 휴식과 안정을 취해야 한다.

3. 항생제에 과민반응을 겪은 적이 있는 환자는 치료를 시작하기 전에 의사에게 말해야 한다.

4. 증상이 완화된 다음에도 의사의 처방에 따라 정해진 항생제를 끝까지 복용해야 한다.

5. 방광염은 과로나 지나친 스트레스, 과도한 성행위에 의해서 재발이 잘 되는
   질환이므로 생활습관개선을 통하여 예방해야 한다.

급성 방광염의 약물치료는 병원균을 사멸시키는 살균성 항생제를 사용하며, 병원균이 방광에 국한되어 있는 경우이므로 신체에서 대사되지 않고 소변으로 바로 배설되는 항생제가 유리하다. 급성 방광염은 항생제를 복용하면 잘 치료되는 질환이므로 굳이 병원에 입원하지 않고 '3일 요법', '5일 요법' 또는 '7일 요법'으로 치료한다(그림 53-2).

3일 요법은 sulfamethoxazole과 trimethoprim이 복합된 제제가 널리 이용되어 왔지만 내성균이 많이 출현되어 최근에는 잘 사용되지 않고 levofloxacin 등의 fluoro-quinolone 제제가 널리 이용된다(표 53-1).

5일 요법은 nitrofurantoin을 이용하는데, 3일 요법만큼 효과가 있으므로 대체치료법으로 사용된다. 7일 요법은 amoxicillin과 clavulanate이 복합된 제제(오구멘틴®) 또는 제3세대 세팔로스포린 제제가 사용된다.

어느 방법이나 급성 방광염의 치료에 유용한 치료법이지만 3일 요법이 권장되는 방법이다. 단기간 치료법은 환자순응도 향상, 부작용 및 비용 경감, 약물내성 발현을 감소시킬 수 있는 점 등 여러 가지 측면에서 유리한 방법이다. 급성 방광염 치료에 사용되는 약물의 특징적 부작용과 작용기전은 표 53-2, 표 53-3에 요약되어 있다.

표 53-1 급성 방광염에 사용되는 경험적 약물치료법

구분	약물명	성인기준 용량
3일 요법	sulfamethoxazole과 trimethoprim 복합제제(티에스®)	trimethoprim 기준으로 160mg을 1일 2회 복용
	levofloxacin (크라비트®)	250-500mg을 1일 1회 복용
	moxifloxacin (아벨록스®)	400mg을 1일 1회 복용
	lomefloxacin (로맥사신®)	100-200mg을 1일 2-3회 복용
	ciprofloxacin (씨프로바이®)	250-500mg을 1일 2회 복용
	pefloxacin (유로펙스®)	400mg을 1일 2회 복용
5일 요법	nitrofurantoin	100mg을 1일 2회 복용

7일 요법	amoxicillin과 clavulanate 복합제제(오구멘틴®)	amoxicillin 기준으로 250mg을 1일 3회 복용
	cefixime (슈프락스®)	100–200mg을 1일 2회 복용
	ceftibuten (세텐®)	400mg을 1일 1회 복용
	cefdinir (옴니세프®)	300mg을 1일 2회 복용

표 53-2 급성 방광염에 사용되는 약물의 특징적 부작용

약물명	특징적 부작용	주의사항
sulfamethoxazole과 trimethoprim 복합제제	두드러기, 피부염	■ 증상이 호전되어도 지시된 대로 모두 복용할 것 ■ 눈 또는 입술 주변이 따끔거리거나 두드러기가 나타나면 즉시 복용을 중단하고 의료인에게 알릴 것
levofloxacin 등 floxacin 계열 항생제	인대염, 건염	■ 어깨, 팔꿈치, 발목 등 관절이 붓거나 통증이 있으면 복용을 중단하고 즉시 의료인에게 알릴 것
nitrofurantoin	메스꺼움, 두통, 복부팽만	■ 증상이 호전되어도 지시된 대로 모두 복용할 것 ■ 소변색이 갈색으로 변하게 되는데 이는 약물이 소변으로 배설되기 때문으로 자연스러운 현상임
amoxicillin과 clavulanate 복합제, cefixime, ceftibuten, cefdinir	설사, 질소양감	■ 페니실린 계열 항생제에 과민한 사람은 이 약을 사용하기 전에 의료인에게 말할 것 ■ 설사가 물처럼 나오거나 질소양감이 심하면 의료인에게 알릴 것

표 53-3 방광염 치료제의 작용기전

약물명	작용기전
sulfamethoxazole과 trimethoprim 복합제제	신우신염 참조(표 52-4)
levofloxacin 등 floxacin 계열 항생제	
nitrofurantoin	■ 박테리아 세포 안에서 환원되어 활성이 강력한 물질로 변화됨 ■ DNA, ribosome protein 등 고분자물질에 결합하여 그 기능을 방해함
cefixime, ceftibuten, cefdinir 등 세팔로스포린 계열 항생제	폐렴 참조(표 49-4)

amoxicillin과 clavulanate 복합제	■ amoxicillin의 작용기전: 폐렴 참조(표 49-4)
	■ clavulanate의 작용기전(그림 53-3):
	   – clavulanate는 항균력이 없지만 beta-lactamase의 활성부위에 결합하여 효소활성을 억제함
	   – amoxicillin이 이 효소에 의하여 파괴되지 않도록 하여 항균력을 유지시킴

```
                    ┌──────────────────┐
                    │    급성 방광염    │
                    └──────────────────┘
                              │
                              ▼
  ┌──────────────────────────────────────────────────────────┐
  │ • 3일 요법: – sulfamethoxazole/trimethoprim 복합제          │
  │            – fluoroquinolone 계열 항생제                    │
  │ • 5일 요법: – nitrofurantoin                                │
  │ • 7일 요법: – amoxicillin/clavulanate 복합제                │
  │            – 3세대 세팔로스포린 계열 항생제                 │
  └──────────────────────────────────────────────────────────┘
```

그림 53-2 급성 방광염의 약물치료법

급성 방광염은 표재성 감염으로서 훨씬 짧은 치료법(3일)으로도 제거될 수 있음.

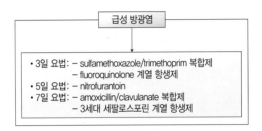

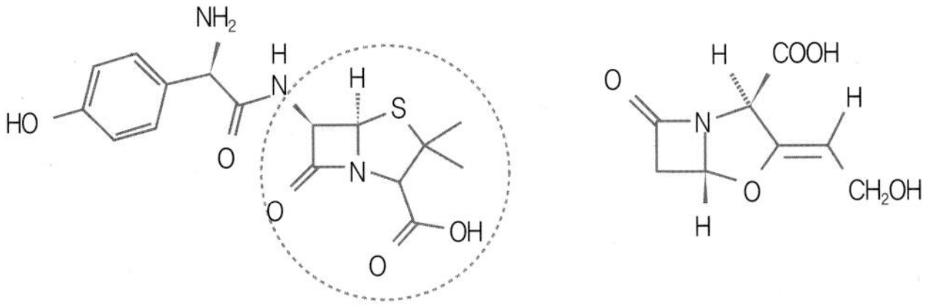

amoxicillin   clavulanic acid

그림 53-3 Amoxicillin과 clavulanate의 화학구조와 작용기전

clavulanic acid는 항균력은 없지만 beta-lactam 구조를 가지고 있으면서 beta-lactamase에 대하여 친화력이 크기 때문에 이 효소가 amoxicillin을 파괴하지 못하게 함

급성 중이염
(Acute otitis media)

1 개요

1) 정의
급성 중이염은 고막 안쪽에 있는 중이(middle ear)에 병원균이 감염되어 발생하는 감염성질환이다.

2) 원인
급성 중이염은 어린이가 감기에 걸릴 때 잘 발생한다. 감기 바이러스는 주로 코안에 있는 점막이나 상기도 점막에 부착되어 감염증을 일으키는데, 어린의 경우 중이와 비인두(pharynx) 사이를 연결하는 이관(eustachian tube)이 짧고 수평에 가까운 각도로 되어 있기 때문에 바이러스가 이관을 통하여 중이에 감염되기가 쉽다(그림 54-1).

감기 바이러스가 이관을 통하여 중이에 염증반응을 일으키면 바이러스성 급성

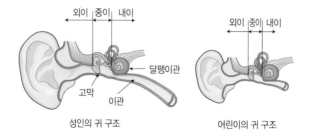

외이 중이 내이

외이 중이 내이

달팽이관

고막
이관

성인의 귀 구조

어린이의 귀 구조

그림 54-1 귀의 구조

중이는 이관을 통하여 비인두와 연결되는데 어린이의 이관은 성인보다 길이가 짧고 각도가 적음

중이염이라고 한다. 바이러스성 급성 중이염은 인체의 면역기전에 의하여 대개는 자연히 치유되지만 면역기능이 취약한 어린이의 경우 이차적으로 박테리아에 감염되어 세균성 급성 중이염으로 발전하기도 한다. 세균성 급성 중이염을 일으키는 박테리아는 폐렴구균, Hemophilus influenzae, Moraxella catarrhalis가 전체의 약 75%를 차지하고 기타 그람음성간균이 나머지를 차지하는 것으로 알려져 있다(그림 54-2).

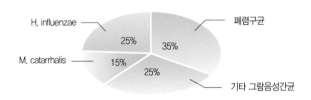

H. influenzae — 25%
M. catarrhalis — 15%
폐렴구균 — 35%
25% — 기타 그람음성간균

그림 54-2 급성 중이염의 원인균 분포

3) 증상

급성 중이염은 바이러스성 급성 중이염과 세균성 급성 중이염으로 구분할 수 있다. 바이러스성 급성 중이염은 어린이가 감기에 걸리고 처음 약 2일 동안의 기간에 해당되는데 이 기간에는 주로 감기관련증상과 중등도의 이통(ear pain)이 나타난다. 따라서 환자가 말을 하지 못하는 어린이의 경우 보호자가 귀에 대한 특별한 주의를 기울이지 않으면 감기로만 여겨지는 경우가 많다. 검이경(otoscope)으로 고막을 자세히 관찰해 보면 고막이 빨갛게 부어 있는 것을 발견할 수 있다(표 54-1).

세균성 급성 중이염은 감기에 걸리고 약 3일이 지난 다음에 나타난다. 이 기간에 나타나는 증상은 격심한 이통이다. 이통은 주로 야간에 심해져 어린이가 잠을 자지 못하고 밤새 우는 경우가 많다. 이통은 고막안에 고름이 차여 압력이 높아짐에 따른 것인데 압력을 견디지 못하고 고막이 찢어지면 고름이 귀 밖으로 배출되면서 통증이 줄어든다. 그러나 고름이 말라 끈적거리게 되면 찢어져 열려 있던 부분이 다시 막혀 고름이 배출되지 못하고 격심한 이통은 반복적으로 나타난다.

표 54-1 급성 중이염의 증상

구분	증상
바이러스성 급성 중이염	■ 감기증상(발열, 두통, 피로감 등) ■ 난청, 고막이 붓고 빨갛게 됨, 중이강 충혈 ■ 귀가 멍멍함, 중등도의 이통(ear pain)
세균성 급성 중이염	■ 격심한 이통(주로 야간) ■ 고막이 찢어지고 고름이 밖으로 나옴 ■ 고름이 나오면 통증이 덜해짐

4) 진단

급성 중이염은 감기증상과 이통이 특징이기 때문에 병력을 자세히 청취하는 것만으로도 어느 정도 예측이 가능하다. 그러나 정확한 진단을 위해서는 소아과학회에서 제안한 가이드라인을 사용한다. 이 진단기준은 고가 장비나 검사 없이 검이경 (otoscope)만으로도 간단하게 실시할 수 있도록 되어 있어 편리하다(표 54-2). 이 기준에 의하면 환자에게서 감기증상과 동반된 갑작스런 이통, 급성 중이염 관련 증상 및 증후, 중이 삼출액 소견 등 3가지 요건이 모두 해당될 때 급성 중이염으로 진단하도록 하고 있다. 경우에 따라서는 염증이 얼마나 퍼졌는지를 알아내기 위하여 청력검사, X-ray 검사, CT 검사를 실시하며 고막에서 나온 고름에 대하여 미생물학적검사를 실시하기도 한다.

표 54-2 급성 중이염의 진단기준

A	갑작스런 이통	■ 감기증상에 동반된 갑작스런 이통
B	급성 중이염 관련 증상, 증후 (오른쪽 2가지 중 하나 이상)	■ 이통이 심해서 일상생활이나 수면을 방해함 ■ 고막이 부어 있음
C	중이 삼출액 소견 (오른쪽 4가지 중 하나 이상)	■ 고막이 빨갛게 되어 있음 ■ 고막의 운동성이 감소되었거나 소실되어 있음 ■ 고막 안쪽에 액체가 고여 있는 층이 보임 ■ 고막이 부어 있음 ■ 이통이 심해서 일상생활이나 수면을 방해함

상기 A, B, C 기준에 모두 해당되면 급성 중이염으로 진단함

2 급성 중이염의 약물치료법

급성중이염 약물치료 포인트

1. 급성중이염은 원인균이 바이러스인지 세균인지에 따라 치료법이 다르다.

2. 바이러스성 급성중이염은 항생제를 사용하지 않고 타이레놀이나 NSAID로
   대증치료만 실시하므로 이통(ear pain)의 정도에 대하여 주의깊게 관찰해야 한다.

3. 세균성 급성중이염은 항생제요법이 사용되므로 항생제에 과민반응이 있는 환자는
   의사에게 미리 알려야 한다.

4. 영유아 환자는 의사표현을 잘 못 하므로 보호자에게 환자의 상태를 잘 관찰하고
   이상반응이 나타나면 즉시 의료인에게 알려야 한다.

5. 치료 도중 증상이 완화되어도 항생제는 정해진 처방대로 끝까지 복용해야 한다.

급성중이염은 원인균이 바이러스인지 세균인지에 따라 약물치료법이 다르다. 바이러스성 급성 중이염은 갑작스런 이통과 감기증상이 나타나는 질병으로써 아직 세균에 의한 이차감염이 없는 상태이다. 따라서 이 경우에는 항생제를 사용하지 않고 대증치료만 실시한다. 대증치료는 acetaminophen이나 ibuprofen 등 비스테로이드성 소염진통제로 이통을 완화시키면서 상태의 진행을 관찰해야 한다(그림 54-3). 이통이 격심하고 대증치료만으로는 통증이 완화되지 않을 경우에는 고막천자를 실시한다. 고막천자는 이통을 신속하게 가라앉혀주지만 이틀 정도 지나면 뚫린 구멍이 다시 막힌다. 또한 중이에 세균감염을 일으킬 수 있으므로 신중히 판단해야 한다.

세균에 의한 급성중이염으로 확진되면, 매우 격심한 이통이 있는지를 확인하고 적절한 항생제요법을 실시해야 한다(그림 54-3). 밤에 잠을 자지 못할 정도로 이통이 심하면 amoxicilline과 clavulanate가 복합되어 있는 오구멘틴®을 고용량으로 투여하든지 ceftriaxone을 정맥주사 또는 근육주사로 투여한다. 만일 환자가 페니실린 계열 항생제에 과민한 체질로 type 1 allergy이면 macrolide계 약물 혹은 clindamycin을 사용한다. Type 1 allergy가 아닌 경우에는 cephalosporin계 약물을 사용한다. 각각의 약물에 용법, 용량 및 특징적 부작용은 표 54-3, 표 54-4에 요약되어 있다.

표 54-3 급성 중이염에 사용되는 경험적 약물치료법[a]

약물명	용량
amoxicilline (곰실린®)	80–90mg/kg을 1일 3회로 분할하여 복용
amoxicilline/clavulanate 복합제(오구멘틴®)	amoxicilline으로서 90mg/kg을 1일 2–3회로 분할하여 복용
cefdinir (옴니세프®)	14mg/kg을 1일 1–2회로 분할하여 복용
cefpodoxime (바난®)	10mg/kg을 1일 1회 복용
cefuroxime (올세프®)	30mg/kg을 1일 2회로 분할하여 복용
clindamycin (네오타신®)	10–25mg/kg을 1일 3회로 분할하여 복용
azithromycin (지스로맥스®)	10mg/kg을 첫째날에 1회 복용한 다음 5mg/kg을 1일 1회 4일간 복용
clarithromycin (씨크라린®)	15mg/kg을 1일 2회로 분할하여 복용
ceftriaxone (로세핀®)	50mg/kg을 1일 1회 3일간 정맥주사 또는 근육주사
erythromycin–sulfisoxazole	50mg/kg을 1일 3–4회로 분할하여 복용

표 54-4 급성 중이염 치료제의 특징적 부작용

약물명	특징적 부작용	주의사항
amoxicilline, amoxicilline과 clavulanate 복합제(오구멘틴®)	설사, 구토	■ 페니실린 계열 항생제에 과민한 사람은 이 약을 사용하기 전에 의료인에게 말할 것 ■ 약을 복용해도 이통이 진정되지 않아 어린이가 심하게 울거나, 열이 떨어지지 않으면 의료인에게 알릴 것 ■ 대변 냄새가 고약하거나 설사가 물처럼 나오면 의료인에게 알릴 것
azithromycin, clarithromycin	두드러기	■ 에리스로마이신 계열 항생제에 과민한 사람은 이 약을 사용하기 전에 의료인에게 말할 것 ■ 약을 복용해도 이통이 진정되지 않아 어린이가 심하게 울거나, 열이 떨어지지 않으면 의료인에게 알릴 것 ■ 이 약은 공복 시(식전 1시간 또는 식후 2시간)에 복용할 것

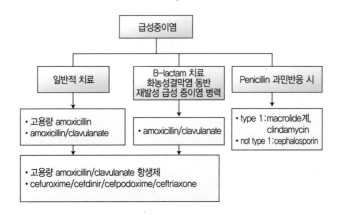

그림 54-3 급성 중이염의 약물치료법

질염
(Vaginitis)

1 개요

1) 정의
질염은 여성의 질에 가렵고 따가운 증상을 일으키는 감염성질환이다.

2) 원인
질염은 질에 병원균이 감염되어 발생한다. 여성의 질은 냄새가 없고 맑은 액체를
분비하는데 이 분비물은 질내부에 살고 있는 유산균에 의하여 젖산으로 변하여 액
성이 약산성(pH 3.8-4.5)으로 된다. 대부분의 병원균은 약산성 환경에서는 자랄 수
없기 때문에 결국 질분비물은 질벽을 보호하는 역할을 한다.

당뇨병이나 폐경후 여성, 항생제나 피임약을 복용하는 여성의 경우에는 질 내부의
환경이 변하여 유산균이 잘 살지 못하고 그 수가 감소된다. 꽉 조이는 속옷이나 통기
가 안 되는 옷을 오랫동안 입거나 질세정제를 지나치게 자주 사용해도 유산균의 수
가 감소될 수 있다.

질 내부 유산균의 수가 약간 감소되는 것은 문제가 없지만 어느 정도 미만으로 감
소하면 질 내부의 환경이 약산성을 유지하지 못하고 중성으로 변한다. 이렇게 되면
세균이나 칸디다(곰팡이의 일종), 트리코모나스(남성에게도 감염되어 여성 배우자
에게 재발성 트리코모나스 질염을 일으킴) 등 병원균이 자랄 수 있는 환경으로 변하
여 질염이 발생된다. 세균 중에는 가드네렐라(Gardnerella vaginalis), 곰팡이 중에는
칸디다(Candida albicans)가 특히 질염을 잘 일으킨다(표 55-1).

표 55-1 질염의 원인

구분	주요 원인균	병원균이 감염되기 쉬운 상황
세균성 질염 (bacterial vaginosis)	Gardnerella vaginitis Mycoplasma hominus Ureaplasma urealyticum	■ 당뇨병 환자 ■ 폐경 후 여성 ■ 항생제 복용 ■ 질세정제 과용 ■ 피임약 복용
칸디다성 질염 (vulvovaginal candidiasis)	Candida albicans Candida glabrata Candida tropicalis	
트리코모나스 질염 (trichomoniasis)	Trichomonas vaginalis	

3) 증상

질염의 증상은 병원균의 종류와 감염증의 정도에 따라서 다양하게 나타난다. 일반적으로 질염은 질 내부와 입구 주변에 가려움증이 나타나고 질분비물에서 평상시와 달리 불쾌한 냄새가 난다. 때로는 가려운 부분을 긁어 화끈거리고 쓰라린 통증이 오기도 한다. 분비물의 색깔이 변하는 경우가 있는데 트리코모나스 질염에서는 분비물이 황색 또는 연두색으로 변하고 악취가 심하게 나는 경우가 많다. 또한 트리코모나스 질염에서 분비물의 양은 팬티가 젖을 정도로 많이 나와 하루 중에도 팬티를 갈아입어야 하는 경우도 있다. 칸디다성 질염은 심한 가려움증이 특징이며 분비물의 양에는 큰 변화가 없다. 또한 분비물에 백색의 작은 입자들이 섞여 나오는 경우도 있다. 병원균의 종류에 따른 증상 비교는 표 55-2에 요약되어 있다.

표 55-2 질염의 비교

	세균성 질염	칸디다성 질염	트리코모나스 질염
가려움증	중등도	심함	중등도
질분비물 냄새	비린내(비린내)	특징 없음	심한 악취
질분비물 색깔	백색~회색	백색	황색~연두색
질분비물의 양	큰 변화 없음	큰 변화 없음	매우 많음
질분비물의 pH	4.5 이상	정상(3.8-4.5)	4.5 이상

2 질염의 진단

질염의 진단은 환자의 증상호소를 통해서도 어느 정도 확실한 진단을 할 수 있다. 그러나 정확한 진단을 위해서는 검사를 실시한다. 질염 확진을 위한 검사는 추정되는 원인균에 따라 각각 다르다. 세균성 질염으로 추정되면 표 55-3에 나타낸 Amsel 기준에 따라 검사를 실시한다. 질분비물의 pH가 4.5 이상이면서 표면에 세균이 붙어 있어 경계가 뚜렷하지 않은 질상피세포(clue cell이라고 함)의 존재는 세균성 질염의 특징이다.

칸디다성 질염으로 추정되면 수산화칼륨 도말검사를 실시한다. 이 검사는 즉석에서 검사결과를 알 수 있는 간단하고 비용이 저렴한 검사법이다. 칸디다성 질염은 질분비물의 pH가 정상(3.8-4.5)이면서 악취가 나지 않고 심한 가려움증을 호소하기 때문에 특별한 검사를 실시하지 않고도 감별이 되는 경우가 많다.

트리코모나스 질염으로 추정되면 질분비물에서 움직이는 트리코모나스 균을 확인하는 현미경 검사를 실시한다. 그러나 이 방법은 감도가 60-70% 정도밖에 되지 않아 배양검사를 별도로 실시해야 하는 경우가 많다. 최근에는 트리코모나스 균에 대한 항체를 이용하여 간편하게 진단할 수 있는 키트가 개발되어 있다. 트리코모나스 질염은 질분비물의 양이 많고 색깔이 노란색 또는 심한 경우 녹색을 띠기 때문에 이러한 검사를 실시하지 않고도 감별이 되는 경우가 많다.

표 55-3 질염의 진단[a]

세균성 질염	칸디다성 질염	트리코모나스 질염
Amsel 기준: 아래의 4개 항목 중 3개 이상에 해당됨 　1. 질분비물의 pH가 4.5 이상 　2. 질분비물에 있는 질상피세포의 20% 이상이 clue cell[b] 　3. 질분비물이 뿌옇고 끈적임 　4. Whiff 시험[c]에서 비린내가 남	수산화칼륨 도말검사[d]시 양성	움직이는 트리코모나스 균 확인

[a]환자의 증상호소를 통해서도 병원균을 예측할 수 있지만 정확한 진단을 위해서 실시함. [b]clue cell: 표면에 세균이 붙어 있어 경계가 뚜렷하지 않은 질상피세포. [c]Whiff 시험: 질분비물에 10% 수산화칼륨 용액 소량을 가했을 때 비린내가 나는지를 확인하는 시험. [d]수산화칼륨 도말검사: 질분비물에 10% 수산화칼륨 용액 소량을 가하여 칸디다균을 확인하는 시험(무좀의 진단 참조)

3 질염의 약물치료법

질염 약물치료 포인트

1. 질염은 원인균에 따라 약물치료법이 다르다.

2. 질세정제는 질 속에 살고 있는 유익한 균을 죽여 질염을 일으킬 수 있으므로 너무 자주 사용하지 말아야 한다.

3. 국소용 제제를 사용할 때는 취침 직전에 질 안으로 깊숙이 삽입해야 한다.

4. 트리코모나스 질염은 부부가 동시에 치료를 받아야 한다.

　질염의 약물치료법은 원인균에 따라서 다르게 실시한다(그림 55-1). 세균성 질염을 일으키는 박테리아는 대부분 혐기성 박테리아인 가드네렐라균이 원인인 경우가 많다. 따라서 일반적인 항생제를 사용해서는 안 되고 반드시 metronidazole이나 clindamycin을 사용하여 치료해야 한다. 증상이 심하지 않은 경우는 이 약물이 함유된 국소용 제제를 약 1주일 정도 취침 직전에 질내에 깊숙이 삽입한다. 증상이 비교적 심한 편이면 국소용 제제와 경구용 제제를 병용하여 1주일 정도 사용한다.

　칸디성 질염을 일으키는 병원균은 대부분 곰팡이의 일종인 Candida albicans가 원인균이다. 이 경우에도 증상이 심하지 않으면 국소용 제제를 사용하지만, 심한 경우에는 국소용과 경구용 제제를 병용한다. 카네스텐®이나 자이나졸®은 한 번만 질내에 삽입해도 약효가 1주일 정도 지속될 수 있도록 개발되어 있어 편리하다. 그러나이 약을 삽입한 다음에 질세정을 하게 되면 약물이 빠져나가 약효를 발휘할 수 없게되므로 질세정은 하지 말아야 한다.

트리코모나스 질염을 일으키는 병원균은 원충류에 속하는 미생물이므로 세균성질염의 경우와 마찬가지로 일반적인 항생제를 사용하지 않고 metronidazole이나 clindamycin을 사용한다. 트리코모나스는 질 내부뿐만 아니라 요로에도 감염되어 있는경우가 많으므로 국소용 제제만 사용하게 되면 재발이 잘 된다. 뿐만 아니라 이 병원균은 남성 배우자의 요로에 감염되어 있을 수 있다. 따라서 트리코모나스 질염의 치료는 반드시 경구용 제제를 사용하여 부부가 동시에 치료를 하여 재발을 막도록 해야 한다. 질염의 치료에 사용되는 약물의 용법, 용량 및 특징적 부작용과 작용기전은표 55-4, 표 55-5, 표 55-6에 요약되어 있다.

표 55-4 질염 치료제의 용법 및 용량

구분	약물명	용법, 용량	약물치료기간
세균성 질염	metronidazole (메나신®)	500mg을 1일 2회 복용	7일간
	metronidazole 0.75% 겔(메로겔®)	취침 전 질내에 주입	5일간
	clindamycin 2% 크림(크레오신®)	취침 전 질내에 투여	7일간
칸디다성 질염	fluconazole (디푸루칸®)	150mg을 1회 복용	1일간
	clotrimazole (카네스텐®)	취침 전 500mg을 질내에 투여	1일간
	clotrimazole (카네스텐®)	취침 전 100mg을 질내에 투여	7일간
	butoconazole 2% 크림(자이나졸®)	취침 전 100mg을 질내에 투여	1일간
트리코모나스 질염[a]	metronidazole (메나신®)	500mg을 1일 2회 복용	7일간
	metronidazole (메나신®)	2,000mg을 1일 1회 복용	1일간
	tinidazole (티니다진®)	2,000mg을 1일 1회 복용	1일간

[a]트리코모나스는 남성 배우자에게도 감염되므로 부부가 동시 치료해야 함

표 55-5 질염 치료제의 특징적 부작용

약물명	특징적 부작용	주의사항
metronidazole 경구용	메스꺼움, 두통, 안면홍조	■ 이 약을 복용 중에는 물론 다 복용한 다음에도 적어도 48시간 동안은 술을 마시지 말 것(부작용이 증강됨) ■ 트리코모나스 질염 때문에 이 약을 복용하는 경우에는 남성 배우자와 함께 치료를 받을 것
metronidazole, clindamycin, butoconazole 외용제	질 따끔거림	■ 질 주입방법을 숙지한 다음 사용할 것 ■ 질 따끔거림이 심하면 의료인에게 알릴 것
fluconazole	간독성, 부정맥	■ 심부전이나 부정맥 환자는 의료인에게 미리 말할 것 ■ 이 약은 한 번만 먹는 약임

표 55-6 질염 치료제의 작용기전

약물명	작용기전
metronidazole, tinidazole	■ metronidazole: – 혐기성 세균이나 protozoa 세포에 들어간 다음 ferredoxin과 반응하여 반응성이 높은 자유기와 활성산소로 변하여 세균에 독성을 나타냄(그림 55-2) – 세균의 DNA 이중나선구조에도 손상을 입힘 ■ tinidazole: – metronidazole과 작용기전이 유사함 – 이 약은 주로 protozoa에 대하여 항균력을 나타냄
clindamycin	– 혐기성 세균이나 protozoa 세포에 들어간 다음 macrolide 계열 항생제와 유사한 작용을 나타냄 – 박테리아 리보솜의 50S subunit에 결합하여 각종 단백질합성을 방해함 – 정균적으로 작용함
fluconazole, clotrimazole 등 항진균제	– 칸디다균의 세포막 구성물질인 ergosterol 합성을 방해하여 세포막이 불완전해져 정상적인 기능을 하지 못하게 함 – 세포막이 쉽게 터지거나 세포내 물질들이 세포 바깥으로 새어나가게 되어 죽게 됨

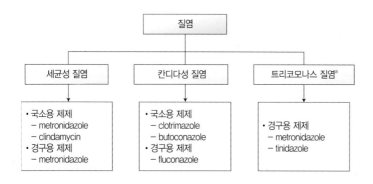

그림 55-1 질염의 약물치료법

[a]트리코모나스 질염은 국소용 제제를 사용하지 않고 반드시 경구용 제제로 치료해야 하며 부부가 동시에 치료를 해야 재발을 막을 수 있음

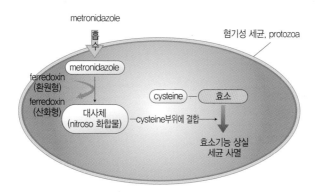

그림 55-2 질염 치료제의 작용기전

혐기성 세균이나 protozoa에 들어가 환원된 다음 cysteine이 함유된 효소에 결합하여 효소기능을 정지시킴

56 Chapter

무좀
(Athelete's foot)

1 개요

1) 정의

무좀은 손바닥, 발바닥, 손가락 사이, 발가락 사이에 피부사상균 등이 감염되어 나타나는 피부질환의 일종으로 주로 청소년기 이상의 연령층에서 발가락 사이에 잘 발생한다.

2) 원인

무좀을 일으키는 병원균은 피부사상균, 효모균, 진균 등 매우 다양하다. 발에 땀이 많이 나거나 통풍이 잘 되지 않는 양말을 신고 오랫동안 생활하게 되면 이들 병원균이 피부 각질층에 부착되어 기생하기 때문에 무좀이 발병된다.

3) 증상

무좀을 일으키는 병원균이 피부 각질층에 기생하게 되면 피부 각질이 진무르고 벗겨지면서 가려움증이 나타난다. 긁으면 주위에 피부발적이 일어나고 물집이 생긴다. 물집이 터지고 세균에 의한 이차감염증까지 겹치면 물집이 고름집으로 변하는 등 다양한 증상이 나타난다(표 56-1). 이러한 증상은 병원균이 분비하는 효소의 작용 때문이기도 하지만, 병원균에 대한 면역반응 및 이차감염증 때문이기도 하다. 특히 무좀이 발생한 부위를 긁거나 부비면 가려움증이 더욱 심해질 뿐만 아니라 물집이 생기고 세균에 의한 이차감염증이 잘 발생한다.

4) 진단

무좀은 육안으로도 쉽게 식별할 수 있지만 정확한 진단을 위해서는 수산화칼륨 도말검사(진균 도말검사)와 진균 배양검사를 실시한다. 수산화칼륨 도말검사는 즉석에서 검사결과를 볼 수 있는 간단하고도 경제적인 검사이다. 진균배양검사는 검사결과를 보는 데까지 2주일 정도 소요되고 비용도 많이 들 뿐만 아니라 검사결과의 신뢰성도 나빠서 주로 연구용이나 특별한 경우에만 시행된다.

수산화칼륨 도말검사는 무좀 부위의 가장자리에서 피부 각질을 채취하여 슬라이드 위에 올려놓고 10-20% KOH 용액 2-3방울을 떨어뜨리고 알콜 램프로 끓지 않을 정도로 가열한 다음 식힌 후 즉석에서 현미경으로 관찰하는 간단한 방법이다. 사람의 각질세포는 수산화칼륨 용액으로 변성되어 현미경 시야에서 보이지 않지만 무좀의 병원균들은 그대로 있으므로 현미경으로 쉽게 관찰할 수 있다(그림 56-1). 이 검사는 병원균을 확인할 수 있기 때문에 무좀과 증상이 비슷한 질환들(예: 습진, 건선)과의 감별진단에도 유용하게 이용된다. 무좀에서는 피부사상균, 효모균, 진균 등 병원균이 발견되지만 습진이나 건선에서는 이 병원균이 발견되지 않는다. 조직생검(biopsy)은 수산화칼륨 도말검사나 진균배양검사로도 확진이 안 되는 애매한 경우에 한하여 실시한다.

표 56-1 무좀의 증상	
병원균이 분비하는 효소의 작용	▪ 피부 각질이 벗겨짐 ▪ 피부 각질이 진무름
병원균에 대한 면역반응의 결과	▪ 가려움증 ▪ 피부 발적 ▪ 물집 ▪ 염증
이차감염증의 결과	▪ 물집이 농포(고름집)로 변함

그림 56-1 수산화칼륨 도말검사 결과 현미경 사진(배율: ×400)
피부사상균의 균사가 하얀색으로 실같이 보임

2 무좀의 약물치료법

무좀 약물치료 포인트
1.매일 2회 이상 비누로 발을 씻고 씻은 다음에는 발가락 사이를 잘 말려 건조하게 유지해야 한다.
2. 환부가 가려워도 긁거나 비비지 말고 냉찜질을 하면서 참아야 한다.
3. 치료 도중 증상이 완화되어도 적어도 2주 이상 치료를 계속해야 한다.
4. 먹는 약은 간독성이 있고 복용중인 다른 약의 치료효과에 큰 영향을 미치므로 가급적 피해야 한다.
5. 먹는 약을 사용해야 할 경우에는 치료를 시작하기 전에 간기능검사를 받아야 한다.

무좀은 피부사상균, 효모균, 진균 등이 피부 각질층에 기생하여 발생하는 감염성 질환이다. 따라서 약물치료법은 이들 병원균을 사멸시키는 imidazole, triazole 또는 allylamine 계열의 약물을 사용하는 것이 원칙이다(표 56-2).

무좀은 무더운 여름철에 잘 발생하지만 위생관리를 철저히 하고 건강관리를 잘 하면 증상이 그다지 심하지 않고 저절로도 잘 낫는 병이다. 매일 비누로 발을 씻고 발가락 사이를 잘 말리면 굳이 약물치료를 하지 않아도 된다. 환부가 짓무르고 가려운 증상이 있을 때 냉찜질을 하면 가려움증이 줄어든다. 가렵다고 심하게 긁거나 비비면 증상이 도리어 악화될 뿐만 아니라 2차감염증까지 발생하여 치료를 더욱 어렵게 한다.

무좀에 사용되는 약물치료법은 크게 나누어 외용제와 내복약으로 구분할 수 있다. 증상이 비교적 심하지 않은 경우는 terbinafine 등의 외용제를 하루에 1-2회 2-6주간 환부에 바르면 잘 낫는다. 대부분의 무좀치료용 외용제는 크림 형태로 제제화되어 있는데 이는 크림 제형이 흡수가 빠르며, 바르고 난 다음에 피부가 번질거리지 않는 장점이 있기 때문이다. 표 56-3에 열거된 약물들은 사용하기 시작하고 3-4일이 지나면 증상이 거의 사라지는데 증상이 소실되었다고 치료를 중지하면 안 된다. 병원균을 완전히 사멸시키는 데는 적어도 2주 이상의 약물치료가 필요하다. 병원균이 사멸되지 않은 상태에서 치료를 중지하면 사용했던 약물에 대해 내성을 갖게 되어 치료가 더욱 어려워진다.

증상이 심한 편이면 외용제와 내복약을 병용하기도 한다. 내복약으로 사용되는 무좀치료제는 fluconazole, itraconazole, terbinafine 등이 있다. 무좀치료에 사용되는 약물은 경구로 복용시간에 대한 부작용이 있을 뿐만 아니라 복용중인 다른 약의 치료효과에도 큰 영향을 미치므로 가급적 사용을 자제하도록 한다. 복용이 불가피한 상황이라면 복용기간을 2주 정도로 제한하고 만일 2주일 이상 복용해야 한다면 간기능검사를 수시로 실시해야 한다. 무좀치료에 사용되는 각각의 약물에 대한 용법과 용량, 작용기전은 표 56-3, 표 56-4에 요약되어 있다.

표 56-2 무좀에 사용되는 약물의 분류

분류	약물명
imidazole 계열	bifonazole, clotrimazole, econazole, fenticonazole, ketoconazole, miconazole, oxiconazole, sertaconazole, sulconazole, tioconazole
triazole 계열	fluconazole, itraconazole
allylamine 계열	amorolfine, butenafine, naftifine, terbinafine

표 56-3 무좀에 사용되는 약물치료법

구분	약물명	용법, 용량	치료기간
외용제	amorolfine 0.25% 크림(로세릴®)	1일 1회 환부에 적당량 바름	2-6주
	bifonazole 1% 액(바리토나®)	1일 1회 환부에 적당량 바름	
	butenafine 1% 크림(엔나핀®)	1일 1회 환부에 적당량 바름	
	clotrimazole 1% 크림(카네스텐®)	1일 2-3회 환부에 적당량 바름	
	econazole 1% 크림(에코론®)	1일 1-2회 환부에 적당량 바름	
	fenticonazole 2% 연고(펜타졸®)	1일 1-2회 환부에 적당량 바름	
	ketoconazole 2% 크림(니조랄®)	1일 1-2회 환부에 적당량 바름	
	miconazole 1% 크림(기가훌빈®)	1일 1회 환부에 적당량 바름	
	naftifine 1% 크림(엑소데릴®)	1일 1회 환부에 적당량 바름	
	oxiconazole 1% 산제(실로스®)	1일 1-2회 환부에 적당량 바름	
	sertaconazole 2% 크림(더모픽스®)	1일 1-2회 환부에 적당량 바름	
	sulconazole 1% 크림(엑셀덤®)	1일 1-3회 환부에 적당량 바름	
	tioconazole 1% 크림(티오졸®)	1일 2회 환부에 적당량 바름	
	terbinafine 1%(라미실®)	1일 2회 환부에 적당량 바름	

내복약	fluconazole (디푸루칸®)	50mg을 1일 1회 복용 (또는 150mg을 1주 2–4회 복용)	2–4주
	itraconazole (스포라녹스®)	100mg을 1일 1회 복용	1–2주
	terbinafine (라미실®)	125mg을 1일 2회 복용	2–6주

표 56-4 무좀 치료제의 작용기전

구분	작용기전
azole 계열의 항진균제(imidazole 및 triazole 계열)	■ imidazole 계열(clotrimazole, ketoconazole 등)과 triazole 계열(fluconazole, itraconzaole 등): – lanosterol 14–알파–demethylase에 결합하여 lanosterol이 ergosterol로 전환되는 것을 방해함(그림 56–2) – ergosterol 합성이 방해되면 세포막 구조가 불완전해지면 세포가 쉽게 터지거나 세포 내 필수물질들이 새어나가게 되어 죽게 됨
allylamine 계열 항진균제	■ terbinafine 등: – squalene epoxidase에 결합하여 squalene이 lanosterol로 전환되는 것을 방해함 – lanosterol 합성이 방해되면 ergosterol 합성이 안 되기 때문에 imidazole 계열 및 triazole 계열 항진균제의 경우와 같은 작용이 나타남

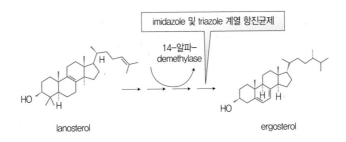

그림 56-2 Imidazole 및 triazole 계열 항진균제의 작용기전
14-알파-demethylase의 작용을 차단하여 진균의 세포막 안정화에 필수성분인 ergosterol 합성을 저해함

57 Chapter

체부백선
(Tinea corporis)

1 개요

1) 정의

체부백선은 목, 팔, 다리, 몸통에 피부사상균, 효모균, 진균 등이 감염되어 나타나는 피부질환의 일종이다. 체부백선과 관련된 질환에는 두부백선, 고부백선, 음부백선 등이 있는데 이들은 병변이 나타나는 부위만 다를 뿐 같은 질환이다.

2) 원인

체부백선을 일으키는 병원균은 무좀의 경우와 마찬가지로 피부사상균, 효모균, 진균 등 매우 다양하다. 땀을 많이 흘리고 목욕을 하지 않거나 세제가 함유된 물과 오랫동안 접촉하면 피부보호막이 벗겨져 이들 병원균에 잘 감염된다.

3) 증상

체부백선의 증상은 보통 도장 찍은 것 같은 모양의 부스럼이 목, 팔, 다리, 몸통 등

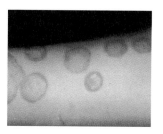

그림 57-1 팔뚝에 생긴 체부백선(경계가 뚜렷한 도장 모양의 부스럼)

427

어디에나 나타난다. 부스럼의 직경은 대개 1–5cm 정도이며 병변이 나타나는 초기 모양은 원형 또는 타원형이다. 그러나 시간이 지나면서 인접한 병변들이 합쳐지면서 특징적인 모양을 잃는다. 또한 체부백선의 병변은 경계가 뚜렷한 특징이 있는데 이는 중앙부위는 치유되었거나 치유되는 과정인데 비하여 경계부위는 병원균이 활발하게 증식하면서 작은 발진과 수포를 만들면서 퍼져나가기 때문이다(그림 57–1).

4) 진단

체부백선은 육안으로도 진단할 수 있지만 정확한 진단을 위해서는 무좀의 경우와 같이 수산화칼륨 도말검사(진균 도말검사)와 진균 배양검사를 실시한다(56장 무좀 참조).

2 체부백선의 약물치료법

체부백선, 두부백선, 고부백선, 음부백선의 약물치료법은 무좀의 경우와 큰 차이가 없다. 만일 체부백선이 재발성이고 환부가 광범위하거나 환자의 면역기능이 억제된 경우에는 외용제와 내복약을 병용한다(표 57–1, 그림 57–2).

표 57–1 체부백선에 사용되는 약물치료법

구분	약물명	용법, 용량	약물치료기간
외용제		무좀의 경우와 동일(표 56–3)	
내복약		무좀의 경우와 동일(표 56–3)	

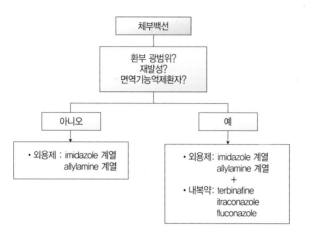

그림 57-2 체부백선의 약물치료법

58 Chapter

단순포진
(Herpes simplex)

1 개요

1) 정의

단순포진은 헤르페스 바이러스 감염에 의한 피부질환의 일종으로 주로 입술 주변에 물집이 생기는 병을 가리킨다. 단순포진은 입술 외에 코, 눈, 성기나 항문 주변에 나타나기도 한다.

2) 원인

단순포진은 헤르페스 바이러스(herpes simplex virus, HSV)가 감염되어 발생한다 (표 58-1). 단순포진을 일으키는 헤르페스 바이러스는 제1형과 제2형의 두 가지가 있다. 제1형 헤르페스 바이러스(HSV-1)는 주로 입술, 코, 눈 주변에 잘 침범하며 제2형 헤르페스 바이러스(HSV-2)는 성기나 항문 주변에 잘 침범한다. 그러나 제1형 헤르페스 바이러스가 성기 주변에 병변을 일으킬 수도 있고 반대로 제2형 헤르페스 바이러스가 입술 주변에 병변을 일으킬 수도 있다.

HSV는 인체에 침범하게 되면 신경세포 속으로 들어가서 증식하는데 이 바이러스는 일단 감염되면 제거되지 않고 평생 동안 증상소멸과 재발을 반복한다. 면역기능이 약화된 사람은 자주 재발되지만 면역기능이 강한 사람은 평생 동안 재발되지 않는 경우도 있다. 증상이 소멸된 기간 동안에도 이 바이러스는 잠복되어 있는 상태로 있을 뿐 완치되지는 않는다. HSV-1은 삼차신경절(trigeminal ganglion)에서, HSV-2는 척수의 후근신경절(dorsal root ganglion)에서 각각 잠복한다.

표 58-1 단순포진의 원인균	
HSV-1	주로 입술, 코, 눈 주변에 잘 침범함
HSV-2	주로 성기, 항문 주변에 잘 침범함

HSV: herpes simplex virus

3) 분류

단순포진은 구순포진과 성기포진으로 분류한다(표 58-2).

표 58-2 단순포진의 분류 및 증상

분류	원인균	증상
구순포진 (oral herpes)	HSV-1	■ 입술, 코, 눈 주변에 물집이 생겨 가렵고 따끔거림 ■ 노출되는 부위이므로 쉽게 진단할 수 있음
성기포진 (genital herpes)	HSV-2	■ 성기, 항문 주변에 물집이 생겨 가렵고 따끔거림 ■ 노출을 꺼리는 부위이므로 진단이 어려울 수 있음

HSV: herpes simplex virus

4) 증상

재발성 단순포진의 특징적인 증상은 점막과 피부의 경계영역 주변에서 발생하는 물집이다(표 58-2). 일생에서 처음으로 HSV에 감염되었을 때는 감기 몸살 같은 증상만 나타나고 피부 증상은 나타나지 않는 경우가 많다. 그러나 재발의 경우에는 감염부위 피부에 가렵고 따끔거리는 물집이 나타난다. 물집은 긁히거나 자연히 터져 진물이 나오게 되며 2주일 정도 지나면 딱지가 떨어지면서 저절로 낫게 된다. 단순포진은 피곤하거나 스트레스를 받을 때마다 재발하는 경향이 있어 귀찮은 질환이지만 대개 증상이 가벼워 며칠 정도 쉬면 저절로 좋아지고 흉터를 남기지 않는다. 이차적으로 세균이 감염되면 흉터가 남을 수도 있다.

5) 진단

구순포진은 노출되는 부위에 증상이 나타나며 특징적인 병변을 나타내기 때문에 특별한 검사 없이도 쉽게 진단할 수 있다. 그러나 성기포진은 환자가 노출을 꺼리는 부위에 병변이 나타나기 때문에 진단이 어려울 수 있다. 특히 여성의 경우 질 내부 깊숙한 곳이나 자궁경부에 발병하면 진단하기가 어렵다. 항체검사를 실시하는 경우도 있지만 단순포진 진단에 유용성은 없다. 어린이를 제외한 거의 모든 성인은 적어도 한 번은 이미 단순포진 바이러스에 노출된 적이 있기 때문에 항체검사에서 양성으로 나타난다.

② 단순포진의 약물치료법

단순포진 약물치료 포인트

1. 포진은 단순한 피부질환이 아니라 바이러스 감염증이다.
2. 외용제로 치료할 때는 4시간 간격으로 하루에도 여러 차례 바르고 이미 물집이 커진 경우에는 손톱으로부터 감염의 우려가 있으므로 사용하지 말아야 한다.
3. 재발성 성기포진은 병변이 나타날 것이라는 것을 느낄 수 있으므로 물집이 생기기 전에 항바이러스제로 치료한다.
4. 성기포진은 감염될 수 있으므로 치료기간 동안 성관계를 피해야 한다.

단순포진은 헤르페스 바이러스에 감염되어 발생하는 질환이므로 약물치료법은 항바이러스제를 투여하는 것이 원칙이다. 그러나 헤르페스 바이러스는 약물이 도달하기 어려운 삼차신경절이나 척수의 후근신경절에 잠복하는 특성이 있기 때문에 항바이러스를 투여하여도 완치를 기대할 수는 없다. 항바이러스제의 용량과 투여기간은 입술 주변에 발생한 구순포진인지 성기 주변에 발생한 성기포진인지에 따라 약간 다르다.

구순포진의 경우 증상이 그다지 심하지 않으면 acyclovir 5% 크림이나 ribavirin 3% 크림을 4시간 간격으로 3-5일 동안 환부와 환부 주변에 바른다(그림 58-1). 외용제는 물집이 나타나지 않고 따끔거리는 증상만 있는 정도의 초기에 사용하면 효과적이다. 그러나 이미 물집이 생긴 경우에는 약물이 피부를 투과하여 바이러스까지 도달할 수 없기 때문에 외용제로는 약효를 기대하기가 어렵다. 물집이 생기기 전에

valaciclovir 2,000mg을 1일 2회 하루 동안 복용하면 물집이 나타나지 않고 그대로 가라앉는 경우가 많다. 물집이 잡히지는 않고 입술이 얼얼하거나 화끈거리는 느낌이 있을 때 얼음 찜질을 30분 정도 하면 증상이 진행되지 않고 그대로 가라앉는 경우도 있고, 증상이 진행되어도 경과가 훨씬 단축된다.

성기포진의 약물치료법도 구순포진의 경우와 마찬가지이지만, 치료치간을 좀 더 길게 하여 7-10일간 치료한다. 성기포진의 경우에는 외용제보다 acyclovir, valaciclovir, famciclovir 등 내복약을 사용하는 것이 권장된다. 특히 빈번하게 재발되는 성기포진의 경우에 환자는 스스로 느끼는 초기증상만으로도 병변이 곧 나타날 것이라는 예측이 가능하므로 물집이 생기기 전에 미리 치료를 받아야 한다. 초기에 약물치료나 얼음 찜질을 실시하면 증상을 완화시킬 수 있을 뿐만 아니라 진행과정도 훨씬 단축된다. 단순포진의 약물치료에 사용되는 약물의 용법, 용량 및 특징적 부작용과 작용기전은 표 58-3, 표 58-4, 표 58-5에 요약되어 있다.

표 58-3 단순포진에 사용되는 약물의 용법 및 용량

구분	약물명	성인기준 용량	치료기간
구순포진	acyclovir 5% 크림(조비락스®)	4시간 간격으로 환부와 환부 주변에 바름	3-5일
	ribavirin 3% 크림(바이라미드®)	4시간 간격으로 환부와 환부 주변에 바름	3-5일
	acyclovir (조비락스®)	400mg을 1일 3회 복용	3-5일
	valaciclovir (발트렉스®)	2,000mg을 1일 2회 복용	1일
성기포진	acyclovir 5% 크림(조비락스®)	4시간 간격으로 환부와 환부 주변에 바름	7-10일
	ribavirin 3% 크림(바이라미드®)	4시간 간격으로 환부와 환부 주변에 바름	7-10일
	acyclovir (조비락스®)	400mg을 1일 3회 복용	7-10일
	valaciclovir (발트렉스®)	1,000mg을 1일 2회 복용	7-10일
	famciclovir (팜비어®)	250mg을 1일 3회 복용	7-10일

표 58-4 단순포진 치료제의 특징적 부작용

약물명	특징적 부작용	주의사항
acyclovir, valaciclovir, famciclovir, ribavirin	피로감, 메스꺼움, 피부건조감	■ 입술이나 성기주변이 간지럽거나 따끔거리는 증상이 나타나면 가능한 한 빨리 치료를 시작할 것 ■ 이미 물집이 생기면 외용제로는 치료효과가 거의 없음 ■ 증상이 호전되어도 지시에 따라 치료를 계속할 것 ■ 성기포진은 전염될 수 있으므로 치료기간 동안은 성관계를 피할 것

표 58-5 단순포진 치료제의 작용기전

구분	작용기전
acyclovir (acyclo-guanosine)	− 핵산 성분인 nucleoside와 구조가 비슷하기 때문에 바이러스의 DNA 합성에 사용되는데 3'-말단이 없으므로 DNA polymerization이 중단됨 − 바이러스의 인산화효소에 의해 acyclo-guanosine triphosphate (acyclo-GTP)로 전환되면 DNA polymerase와 친화력이 강해져 DNA 합성저해능력이 더욱 증강됨
ribavirin	− 핵산 성분인 nucleoside와 화학구조가 비슷하기 때문에 바이러스의 DNA 및 RNA 합성에 사용되어 결함을 일으킴
valaciclovir, famciclovir	− valaciclovir는 흡수되어 acyclovir (guanosine 유도체)로 대사되어 약리작용을 나타냄 − famciclovir는 흡수되어 penciclovir (guanosine 유도체)로 대사되어 약리작용을 나타냄

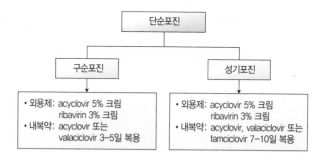

그림 58-1 단순포진의 약물치료법

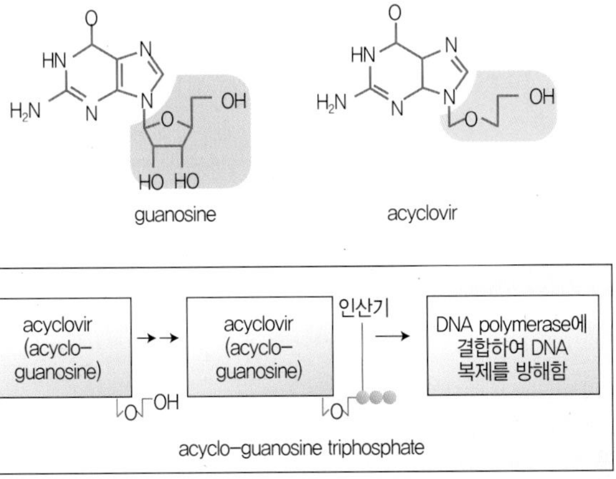

그림 58-2 acyclovir와 guanosine의 화학구조 및 작용기전

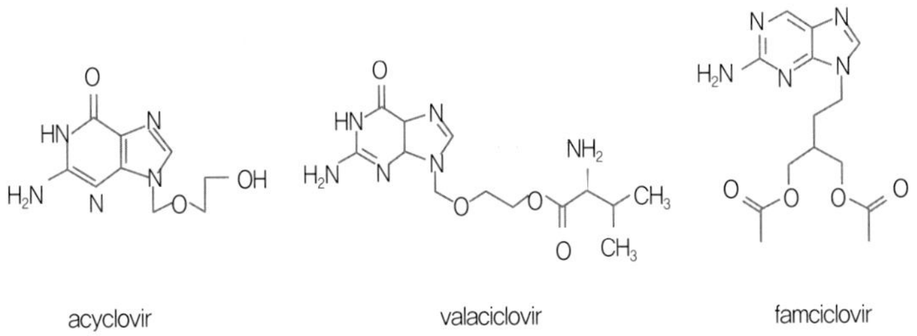

그림 58-3 acyclovir, valaciclovir, famciclovir의 화학구조 비교

valaciclor와 famciclovir는 흡수되어 각각 acyclovir 및 penciclovir로 전환되는 일종의 prodrug임

대상포진
(Herpes zoster, shingles)

1 개요

1) 정의

대상포진은 헤르페스 바이러스 감염에 의한 피부질환의 일종으로 주로 몸통이나 엉덩이에 작은 물집이 띠 모양으로 생기면서 물집 주변에 신경통이 수반되는 병을 가리킨다. 대상포진은 얼굴에 생기는 경우도 있는데 안면 부위 중에서는 코끝, 눈 주변에 잘 발생한다.

2) 원인

대상포진의 원인이 되는 병원균은 대상포진 바이러스(varicella zoster virus, VZV)로서 유년기에 수두를 일으키는 바이러스와 동일한 바이러스이다. 수두 바이러스는

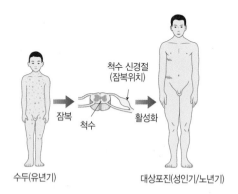

그림 59-1 대상포진의 발병경로 및 병병위치

유년기 수두가 나은 다음 잠복되어 있다가 성인기 이후에 면역기능이 저하되면 다시 활성화되어 대상포진으로 발병함

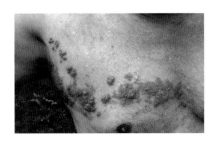

그림 59-2 늑간신경을 따라서 발생한 대상포진
늑간신경을 따라 발생한 대상포진은 좌측 또는 우측의 갈비뼈와 같은 방향으로 발생함

일단 우리 몸에 침범하면 평생동안 없어지지 않고 삼차신경절이나 척수의 후근신경절에 잠복해 있다가 성인기 이후에 면역기능이 떨어지면 다시 병을 일으키는데 이 경우가 대상포진이다.

대상포진 바이러스는 면역기능이 건강한 사람의 경우에는 잠복된 채로 있기 때문에 질병을 일으키지 않는다. 그러나 과로나 질병으로 인한 면역기능저하 또는 면역억제제를 복용하는 경우에는 신경절에 잠복해 있던 바이러스가 활성화되어 신경을 따라 이동하면서 피부 밑에 있는 신경말단에 염증과 통증을 동반하는 물집을 유발한다(그림 59-1, 그림 59-2).

3) 증상

대상포진의 증상은 신경통이 먼저 오고 뒤이어 신체의 정중선을 기준으로 한쪽에만 작은 물집이 띠 모양으로 나타나는 것이 특징이다. 물집은 처음에는 단일성이고 투명하지만 점차 확대 융합되면서 고름집으로 변하기도 한다. 물집은 1주일 정도가 지나면 흑갈색 딱지로 변한 다음 저절로 떨어지는데 전체 경과는 약 2-3주일 정도 걸린다. 신경통은 물집이 딱지로 변하면 소실되는 것이 일반적이지만 때로는 딱지가 떨어져 나간 다음에도 장기간 지속되기도 한다.

대상포진의 신경통은 진통제를 복용해야 할 정도로 심한 경우가 많으며 물집이 삼차신경(제5뇌신경, trigeminal nerve)이 분포되어 있는 머리와 안면부위 또는 늑간신경(intercostal nerve)이 있는 가슴과 등 부위에 생기면 특히 심하게 나타난다. 물집이 눈 주변에 생기면 바이러스가 삼차신경의 3개 분지 중 첫 번째 분지인 안신경(ophthalmic nerve)에 침범했음을 의미하는데 이 경우에는 심한 안구통이 나타난다. 대상포진은 과로나 질병으로 인하여 체력이 몹시 저하될 때마다 재발하는 경향이 있지만, 대부분의 경우는 무리하지 않고 약 2-3주일 정도 충분한 휴식을 취하면 저절로 낫는다.

4) 진단

대상포진은 신체의 정중선을 기준으로 한쪽에만 작은 물집이 띠 모양으로 모여서 나타나며 신경통이 선행되는 특징이 있으므로 특별한 검사 없이 육안으로도 진단할 수 있다. 그러나 정확한 진단을 위해서 물집 안에 있는 내용물을 채취하여 현미경을 이용한 미생물학적 검사와 세포학적 검사를 실시하기도 한다. 대상포진 바이러스는 배양이 어려워 현미경을 이용한 미생물학적 검사가 불가능한 경우가 많다. 따라서 정확한 진단이 반드시 필요한 상황이라면 PCR 검사 또는 항체검사를 실시한다.

2 대상포진의 약물치료법

대상포진 약물치료 포인트

1. 대상포진은 단순한 피부질환이 아니라 바이러스 감염증이다.
2. 외용제는 물집이 나타나지 않고 따끔거리는 정도의 초기증상이 있을 때 사용하고 물집이 커진 경우에는 손톱으로부터 감염의 우려가 있으므로 사용하지 말아야 한다.
3. 재발성 대상포진환자는 평소 무리한 체력소모를 피해야 한다.
4. 재발성 대상포진은 전조증상을 스스로 느낄 수 있으므로 물집이 생기기 전에 미리 항바이러스제로 치료한다.
5. Prednisolone은 주차별 용량이 다르므로 지시된 용량을 잘 지켜야 한다.

대상포진은 헤르페스 바이러스에 감염되어 발생하는 질환이므로 약물치료법은 항바이러스제를 투여하는 것이 원칙이다. 그러나 대상포진 바이러스는 약물이 도달하기 어려운 삼차신경절이나 척수의 후근신경절에 잠복하는 특성이 있기 때문에 항바이러스를 투여하여도 완치를 기대할 수는 없다.

대상포진은 신경통이 심하지 않은 경우에는 acyclovir 5% 크림이나 ribavirin 3% 크림 등 외용제로 치료한다(그림 59-3). 물집이 나타나지 않고 따끔거리는 증상만 있는 정도의 초기에 사용하면 효과적이다. 그러나 이미 물집이 생긴 경우에는 약물이 피부를 투과하여 병원균인 바이러스까지 도달할 수 없기 때문에 약효를 기대하기 어렵다. 신경통이 비교적 심한 대상포진의 경우에는 항바이러스제와 prednisolone의 병용요법으로 치료한다. Prednisolone은 염증매개인자의 분비를 억제하여 신경통 완화뿐만 아니라 대상포진의 경과를 단축하는 효과도 있다. 특히 물집이 눈 주변에 생기고 안구통이 심한 경우 prednisolone은 안신경 합병증을 예방하는 효과가 있다. 신경통이 acetaminophen 같은 진통제로 가라앉지 않으면 마약성 진통제를 사용하는 경우도 있다(그림 59-3).

면역기능이 억제되어 있는 환자에게 대상포진이 발생한 경우에는 항바이러스제를 정맥주사로 사용하는 것이 유리하다. 특히 acyclovir는 생체이용률이 20% 미만으로 매우 낮기 때문에 면역기능이 저하된 환자에게 사용하고자 할 경우에는 내복약보다는 정맥주사로 투여하는 것이 좋다. Famciclovir는 경구로 복용 시 생체이용률이 80% 정도로 우수한 편이고 복용법도 1일 1회로 간편하기 때문에 선호되는 약물이다. 대상포진 치료에 사용되는 약물의 용법, 용량은 표 59-1에 요약되어 있다.

표 59-1 대상포진에 사용되는 약물의 용법, 용량[a]			
외용제	acyclovir 5% 크림(조비락스®)	4시간 간격으로 환부와 환부 주변에 바름	7–10일
	ribavirin 3% 크림 (바이라미드®)	4시간 간격으로 환부와 환부 주변에 바름	7–10일
내복약	acyclovir(조비락스®)	800mg을 1일 5회 4시간 간격으로 복용	7–10일
	valaciclovir(발트렉스®)	1,000mg을 1일 3회 복용	7–10일
	famciclovir(팜비어®)	750mg을 1일 1회 복용 (또는 250mg을 1일 3회 복용)	7–10일

내복약	prednisolone[b]	30mg을 1일 2회 복용(1주 차) 15mg을 1일 2회 복용(2주 차) 7.5mg을 1일 2회 복용(3주 차)	3주일 (점감요법)
정맥주사	acyclovir (조비락스®)	또는 5~10mg/kg를 8시간 간격으로 정맥주사	7~10일

[a]특징적 부작용은 단순포진 참조(표 58-4). [b]prednisolone은 염증매개인자의 분비를 억제하여 신경통 완화 및 대상포진의 경과를 단축하는 효과가 있음

표 59-2 대상포진 치료제의 작용기전

구분	작용기전
acyclovir, ribavirin, valaciclovir, famciclovir: 단순포진 참조(표 58-5)	
prednisolone	– 염증 및 통증유발물질인 프로스타글란딘이 만들어지지 않도록 함으로서 항염증작용 및 진통작용을 나타냄 – 세포막에 있는 glucocorticoid 수용체와 결합하여 염증을 일으키는 데 관여하는 여러 가지 염증매개물질의 합성을 방해함 – 따라서 염증의 진행과 염증반응으로 인한 통증이 억제됨

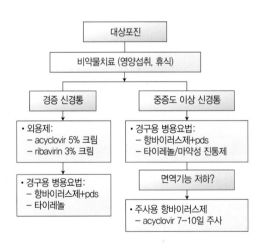

그림 59-3 대상포진의 약물치료법

pds=prednisolone

약·물·치·료·핸·드·북

Part 10
신경계 질환

편두통
(Migraine)

1 개요

1) 정의

편두통이란 편측 혹은 양측에 반복적으로 발생하는 심한 두통으로서 오심, 구토, 빛과 소리에 예민해짐 등 신경학적 증상이 수반되는 경우를 가리킨다.

2) 원인

편두통의 원인은 아직까지 정확하게 밝혀지지 않았지만 뇌혈관에 갑자기 수축이 일어나고 이어서 확장되기 때문인 것으로 여겨지고 있다. 뇌혈관을 확장시키는 물질은 calcitonin gene–related peptide (CGRP), neurokinin A, substance P 등이 알려져 있다. 뇌혈관이 확장되면 뇌조직이 압박될 뿐만 아니라 혈관내부물질 유출로 인하여 뇌조직에 염증반응이 일어나 욱신거리는 박동성 두통이 나타나게 된다. 이처럼 편두통은 뇌혈관에서 갑자기 일어나는 수축 후 확장 때문에 발생하는데 이 현상은 불안, 걱정, 스트레스와 피로, 배고픔 등에 의하여 촉진된다(표 60-1).

표 60-1 편두통 발생을 유발하는 인자
불안, 걱정, 스트레스
피로, 배고픔
수면부족 또는 수면과다
빛에 노출(photosensitivity)
소리에 노출(phonosensitivity)
호르몬 변화(여성의 경우 생리, 임신 등)

3) 증상

편두통의 증상은 편측 혹은 양측에 발생하는 격심한 두통이다. 편두통은 보통의 두통과는 달리 오심, 구토, 귀울림이 동반되며 조용하고 어두운 곳에 혼자 누워있으면 덜해지는 것이 특징이다. 편두통이 오기 전에 전조증상이 나타나는 경우도 있고 그렇지 않은 경우도 있지만 두통의 양상은 서로 비슷하다. 전조증상은 대개의 경우 일시적 눈부심, 암점(시야의 일부가 검게 나타남), 반맹(시야의 절반이 전혀 보이지 않음) 등 시각변화로 나타난다. 전조증상으로 이상한 냄새를 느끼거나 소리가 들린다고 하는 경우도 있다(표 60-2). 편두통과 함께 안구운동장애 또는 몸의 반쪽에 감각이상이나 운동장애가 나타나는 경우도 있다. 이 경우를 각각 안신경마비성 편두통(ophthalmoplegic migraine), 반신마비성 편두통(hemiplegic migraine)이라고 한다.

	표 60-2 편두통 시 흔히 나타나는 전조증상
시각	▪ 눈부심 ▪ 암점(시야의 일부가 검게 나타남) ▪ 반맹(시야의 절반이 전혀 보이지 않음)
청각	▪ 환청(이상한 소리가 들림)
후각	▪ 환후(이상한 냄새를 느낌)

4) 진단

편두통의 진단에는 환자의 병력을 자세히 청취하는 것이 중요하다. 편두통은 축농증, 턱관절장애(측두하악관절장애, temporal mandibular joint disorder)나 기타 뇌질환 등 다른 질환 때문에 이차적으로 발생할 수도 있으므로 X-ray와 뇌파검사 등 여러 가지 검사를 실시한다. CT와 MRI 검사 등 고가 장비를 이용하는 경우도 있지만 이러한 검사는 편두통 자체를 진단하기보다는 편두통을 일으킬 수 있는 다른 원인질환을 찾아내기 위하여 실시된다

5) 분류

편두통은 국제두통학회(International Headache Society)의 기준에 따라 전조증상

있는 편두통과 전조증상 없는 편두통으로 구분한다(표 60-3). 이 두 가지 형태의 편두통에 대한 진단기준은 표 60-4에 요약되어 있다.

표 60-3 편두통의 분류 및 특징

분류	특징
전조증상 있는 편두통	■ 전형적 편두통(classic migraine)이라고 함 ■ 두통이 오기 전에 전조증상이 나타남 ■ 보통 양측 관자놀이에 두통이 잘 발생함(편측에 오기도 함) ■ 격심한 박동성 두통과 함께 오심, 구토가 동반됨 ■ 빛과 소리에 예민해짐 ■ 조용하고 어두운 곳에 혼자 누워있으면 덜 함
전조증상 없는 편두통	■ 통상적 편두통(common migraine)이라고 함 ■ 가장 흔한 편두통임 ■ 두통의 양상은 전형적 편두통과 비슷하지만 더 오래 지속되는 편임

표 60-4 편두통의 진단기준

전조증상 있는 편두통	A	발작성 두통이 2회 이상 있었음	A, B, C 항목에 모두 해당되면 전조증상 있는 편두통으로 진단됨
	B	발작성 두통이 오기 전에 시각, 청각 또는 후각에 전조증상이 나타남 전조증상은 5분 이상 지속되지만 1시간 이내에 사라짐	
	C	두통이 다른 질환에 기인하지 않음	
전조증상 없는 편두통	A	발작성 두통이 5회 이상 있었음	A, B, C, D 항목에 모두 해당되면 전조증상 없는 편두통으로 진단됨
	B	두통약을 복용해도 발작성 두통이 4~72시간 지속됨	

	C	■ 아래의 4개 항목 중 2개 이상 해당됨
		  – 편측성 두통임
		  – 박동성 두통임(맥박과 같은 리듬으로 욱신거림)
		  – 두통이 격심함
		  – 움직이면 두통이 더 심해짐	

	D	■ 발작성 두통 중 아래의 3개 항목 중 1개 이상 해당됨
		  – 오심이나 구토가 동반됨
		  – 빛과 소리에 과민해짐
		  – 두통이 다른 질환에 기인하지 않음	

2 편두통의 약물치료법

편두통 약물치료 포인트

1. 편두통 환자는 금연 및 카페인 음료를 절제하고 무리한 체력소모를 피하면서 규칙적인 생활을 실천해야 한다.
2. 편두통 특이성 진통제는 자주 복용하면 점차로 약용량을 늘려야 하는 경우가 많으므로 가급적 일반진통제를 사용해야 한다.
3. 고혈압이나 협심증 환자는 편두동 특이성 진통제를 복용하지 말아야 한다.
4. 예방치료는 실시여부 판단기준에 적합한 환자에 한하여 3-6개월 정도 치료받는다.

편두통은 두통이 심하기 때문에 약물요법으로 치료할 수 밖에 없지만 얼음팩으로 냉찜질을 하거나 조용하고 어두운 곳에서 휴식과 수면을 취하는 비약물요법도 함께 병행해야 한다. 규칙적인 일상생활을 실천하고 금연 및 카페인 함유음료 절제, 이완치료, 바이오 피드백 치료, 인지치료 등은 편두통 발작을 줄여주는 효과가 있다. 편두통 발작이 오기 전에 전조증상이 나타나면 즉시 진토제를 복용하는 것이 좋다. 편두통약을 복용하기 15-30분 전에 진토제를 투여하면 진통제 복용 후 토할 가능성을 줄여주는 효과도 있다. 진토제로 사용되는 약물에는 metoclopramide, domperidone 등 도파민 길항제와 chlorpromazine 등이 있다.

편두통 약은 편두통 증상의 중증도에 따라서 약물선택이 다르다(그림 60-1). 경증 또는 중등도의 편두통에는 일반적 진통제를 일차적으로 사용한다. 편두통 특이성 진통제는 편두통을 완화시키는 효과가 우수하지만 자주 사용하게 되면 편두통이 자주 발생되고 약의 용량을 늘려야 하는 경우가 있으므로 가급적이면 일반적 진통제를 사용한다. 중증의 편두통에는 편두통 특이성 진통제를 사용한다. 편두통의 약물치료에 사용되는 각각의 약물에 대한 용법과 용량은 표 60-5에 요약되어 있다.

편두통은 앞서 설명한 것처럼 원인이 아직까지도 정확하게 밝혀지지 않았을 뿐만 아니라 반복적으로, 발작적으로 나타나는 심한 두통이므로 예방치료를 실시하는 경우도 있다. 그러나 예방치료는 모든 편두통 환자에게 적용되는 치료법이 아니다. 편두통 발작이 주 2회 이상 나타나거나, 편두통 특이성 진통제를 복용해도 두통이 효과적으로 완화되지 않아 일상생활에 심각한 지장을 주는 경우 또는 고혈압이나 협심증 등 동반질환 때문에 편두통 특이성 진통제를 복용해서는 안 되는 경우 등에 한하여 예방치료를 실시한다(표 60-6).

편두통 예방치료에 사용되는 약물은 동반질환 없는 환자에게는 일반적으로 propranolol 등 베타차단제가 권장된다(그림 60-2). 심한 생리통, 불면증, 우울증, 양극성 장애 등 동반질환이 있는 환자는 각각의 경우에 적절한 약물을 선택하여 약 3-6개월 정도 치료를 받는다. 편두통 치료에 사용되는 약물의 특징적 부작용과 작용기전은 표 60-7, 표 60-8에 요약되어 있다.

표 60-5 편두통에 사용되는 약물의 용법, 용량[a]

구분	약물명	용법
예방 치료제	propranolol (프라놀®)[a]	40mg을 1일 2회 복용(1일 최대용량: 240mg)
	atenolol (테놀민®)[a]	25mg을 1일 1회 복용(1일 최대용량: 100mg)
	metoprolol (베타록®)[a]	25mg을 1일 2회 복용(1일 최대용량: 300mg)
	nadolol (코가드®)[a]	80mg을 1일 1회 복용(1일 최대용량: 240mg)
	timolol (국내제품 없음)[a]	10mg을 1일 2회 복용(1일 최대용량: 30mg)
	TCA	우울증 참조(표 32-5)
	valproic acid	양극성 장애 참조(표 33-6)
일반 진통제	acetaminophen (타이레놀®)	500-1,000mg을 통증이 있을 때 복용(하루에 4,000mg을 초과하여 2주 이상 복용하면 간독성이 있음)
	NSAID	류마티스 관절염 참조(표 39-3)
편두통 특이성 진통제	sumatriptan (이미그란®)	25, 50 또는 100mg을 편두통 발작 즉시 복용하고 필요시 2시간 후 추가복용(1일 최대용량: 200mg)
	zolmitriptan (조믹®)	2.5 또는 5mg을 편두통 발작 즉시 복용하고 필요시 2시간 후 추가복용(1일 최대용량: 10mg)

편두통 특이성 진통제	naratriptan (나라믹®)	2.5mg을 편두통 발작 즉시 복용하고 필요시 4시간 후 추가복용(1일 최대용량: 5mg)
	rizatriptan (멕살트®)	5 또는 10mg을 편두통 발작 즉시 복용하고 필요시 2시간 후 추가복용(1일 최대용량: 20mg)
	almotriptan (알모그란®)	12.5mg을 편두통 발작 즉시 복용하고 필요시 2시간 후 추가복용(1일 최대용량: 25mg)
	frovatriptan (미가드®)	2.5mg을 편두통 발작 즉시 복용하고 필요시 2시간 후 추가복용(1일 최대용량: 5mg)
	ergotamine tartrate	2mg을 편두통 발작 즉시 복용하고 필요시 30분마다 1–2mg씩 추가복용
진토제	metoclopramide (맥페란®)	10mg을 편두통 발작 즉시 정맥주사
	prochlorperazine	10mg을 편두통 발작 즉시 정맥주사

NSAID=non–steroidal antiinflammatory drug, TCA=tricyclic antidepressant. [a]베타차단제는 두통 발작 예방효과에 따라서 최대용량으로 증량할 수 있음. 편두통 예방효과가 나타나기 시작하면 서서히 감량하여 최저용량으로 줄이고 3–6개월 후 복용을 중단함. 복용시작 후 6–8주가 지나도 발작 예방효과가 나타나지 않으면 복용을 중단함

표 60–6 편두통의 예방치료 실시 여부 판단기준

편두통 발작이 주 2회 이상 있는 환자
편두통 특이성 진통제에 반응이 없는 환자
동반질환 때문에 편두통 특이성 진통제를 복용해서는 안 되는 경우
편두통 특이성 진통제로 인하여 rebound headache가 예상되는 경우
편두통 발작이 예상할 수 있는 형태로 나타나는 경우(운동, 생리 등)

위 항목 중 하나라도 해당되면 예방치료 실시를 고려함

표 60–7 편두통 치료제의 특징적 부작용

구분	약물명	특징적 부작용	주의사항
예방 치료제	propranolol 등 베타차단제	서맥, 기관지 좁아짐, 우울증, 성욕감퇴	■ 호흡곤란이 심하면 복용을 중단하고 의료인에게 알릴 것 ■ 과음 또는 발기부전치료제 복용 시 저혈압이 나타날 수 있음
	TCA	구갈, 졸림, 부정맥, 기립성저혈압, 빈맥	■ 운전이나 정밀한 기계조작 시 특별한 주의가 필요함 ■ 이 약은 부정맥을 유발 또는 악화시킬 수 있음

예방 치료제	valproic acid	졸림, 전신무력감, 언어장애, 복시(사물이 두 개로 보임)	■ 운전이나 정밀한 기계조작 시 특별한 주의가 필요함 ■ 심한 복통이 나타나면 췌장염일 수 있으므로 의료인에게 알릴 것
일반진통제: acetaminophen, NSAID			■ acetaminophen은 하루에 4,000mg을 초과하여 2주 이상 복용하면 간독성이 나타날 수 있음 ■ NSAID는 소화성궤양 유발, 신부전 악화, 심부전 악화를 일으킬 수 있음
편두통 특이성 진통제	sumatriptan 등	협압상승, 협심증 악화	■ 고혈압, 협심증이 있는 사람은 의료인에게 미리 말할 것 ■ 복용 중 흉통이 발생하거나 일시적으로 정신이 깜빡하면 즉시 의료인에게 알릴 것 ■ 반드시 지시된 대로 복용할 것
	ergotamine tartrate	협압상승, 협심증 악화	
진토제	metoclopramide	안절부절해짐, 운동장애, 우울증	■ 불안해지거나 우울한 느낌이 들면 복용을 중단하고 의료인에게 알릴 것 ■ 이 약은 장기복용 시 파킨슨병을 일으킬 수 있음

표 60-8 편두통 치료제의 작용기전

구분	약물명	작용기전
예방 치료제	propranolol 등 베타차단제, TCA, valproic acid	– propranolol 등 베타차단제: 고혈압(표 1-4) 참조 – TCA: 우울증(표 32-7) 참조 – valproic acid: 양극성 장애(표 33-8) 참조
편두통 특이성 진통제	sumatriptan 등	– serotonin 수용체(5-HT1B, 5-HT1D)에 효능적으로 작용하여 두개골 내의 확장된 혈관을 수축시킴 – 따라서 뇌조직에 대한 압박이 감소되고 욱신거리는 박동성 두통이 완화됨 – 혈관수축은 뇌혈관의 tight junction을 복원하여 염증유발물질이 혈관 밖으로 유출되는 것을 막아주는 효과도 나타냄 – 삼차신경에 억제적으로 작용하여 cluster headache를 완화하는 작용도 있음

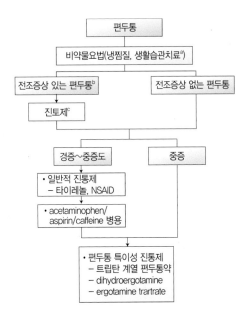

그림 60-1 편두통의 약물치료법

NSAID=non-steroidal antiinflammatory drug. [a]생활습관치료는 규칙적인 일상생활을 실천하고 금연 및 카페인 함유음료 절제, 이완치료, 바이오 피드백 치료, 인지치료 등이 있음. [b]전조증상은 일반적으로 메스꺼움이 가장 흔하며 전조증상은 1시간 이내에 사라지고 발작성 두통이 나타남. [c]진토제는 metoclopramide, domperidone 등 도파민 길항제와 chlorpromazine 등을 진통제를 복용하기 약 15~30분 전에 복용함(메스꺼움을 방지하여 진통제 복용 후 토하는 가능성을 줄여주는 효과도 있음)

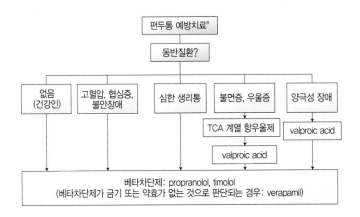

그림 60-2 편두통의 예방치료법

TCA=tricyclic antidepressant. [a]예방치료 실시 여부는 표 60-6의 기준에 따라서 판단함

파킨슨병
(Parkinson's disease)

1 개요

1) 정의

파킨슨병이란 대뇌에서 도파민이라는 물질이 부족하여 진전(떨림), 서동(徐動, 몸 동작이 느림), 보행장애 등 골격근장애를 특징으로 하는 신경질환이다(그림 61-1). 도파민은 대뇌피질에 작용하여 골격근 운동을 조절하는 신경전달물질이다..

2) 원인

파킨슨병의 원인은 아직 자세히 밝혀지지 않았지만 중간뇌의 흑질(substantia nigra) 신경세포가 변성되어 여기에서 생산되는 도파민이 부족하기 때문인 것으로 알려져 있다. 흑질신경세포는 농약, 살충제, 중금속 등 독성물질에 장기간 노출되거나 다발성 뇌신경계위축, 진행성 핵상신경마비 등 뇌질환에 의하여 변성된다. 그러나 파킨슨병은 대부분의 경우 특별한 원인 없이 발생한다(표 61-1).

표 61-1 파킨슨병의 원인[a]	
독성물질 노출	농약, 살충제, 중금속 등 독성물질에 노출
퇴행성 뇌질환	다발성 뇌신경계위축, 진행성 핵상신경마비
기타	뇌의 외상, 뇌졸중, 뇌종양

[a]대부분의 파킨슨병은 특별한 원인 없이 발생하므로 특발성이라고 함

흑질

그림 61-1 뇌에서 흑질의 위치
골격근운동에 필요한 도파민이라는 신경전달 물질을 만들어 내는 곳

3) 증상

파킨슨병의 초기 증상은 전신 피로감과 권태감 정도로 시작하여 점차로 손떨림, 서동(徐動), 보행장애 등 운동기능장애가 나타난다. 운동기능장애는 얼굴표정과 언어(혀의 운동)에도 영향을 미쳐 얼굴이 무표정해지고 발음이 부정확해진다. 파킨슨병은 증상이 심해지면 골격근운동과 관련이 없는 인지기능장애 및 배뇨장애, 배변장애까지 일으킨다(표 61-2).

표 61-2 파킨슨병의 증상

구분	증상
운동기능과 관련된 증상	■ 진전(손 떨림이 가장 흔함)[a] ■ 서동(몸동작이 느려짐)[a] ■ 보행장애(보폭이 작아지고 발을 질질 끌게 됨)[a] ■ 얼굴표정장애(안면근육이 굳어져 감정이 표정으로 연계되지 못함) ■ 언어장애(발음이 부정확하고 웅얼거림)
운동기능과 관련되지 않은 증상	■ 배뇨장애, 변비 및 성기능 장애 ■ 감각이상 ■ 정신집중장애, 우울증, 치매

[a]진전, 서동, 보행장애가 파킨슨병의 3대 증상임

4) 진단

파킨슨병은 환자 및 보호자로부터 병력청취를 통해서도 진단할 수 있지만 정확한 진단을 위하여 신경근전도 검사, 유발전위검사 등 신경학적 검사를 실시한다. CT와 MRI가 사용되기도 하는데 이들 장비는 파킨슨병 자체를 진단하는 목적보다는 이차성 파킨슨병의 경우 그 원인을 찾아내기 위하여 사용된다.

2 파킨슨병의 약물치료법

파킨슨병 약물치료 포인트

1. 파킨슨병은 만성적으로 진행되는 퇴행성 질환이므로 증상이 악화되지 않도록 하는 것이 목적이다.
2. 규칙적인 운동과 항산화제가 풍부한 식이요법을 실천하여 질병의 진행을 억제해야 한다.

3. 약물치료는 증상평가에 기초하여 단계별로 적합한 약물로 치료받아야 한다.
4. 파킨슨병 치료제는 부작용이 많은 편이므로 이상반응이 발생하면 즉시 의료인에게 알려야 한다.

파킨슨병은 만성적으로 진행되는 퇴행성 질병이므로 더 이상 흑질 신경세포가 변성되지 않도록 적절한 운동과 영양요법을 실시해야 한다. 코엔자임큐텐과 vitamin C 및 E와 커큐민은 항산화작용이 있어 파킨슨병이 진행속도를 어느 정도 늦추는 효과가 있는 것으로 알려졌다.

파킨슨병의 약물치료는 증상평가를 실시하여 치료방침을 정한다. 경증인 경우에는 흑질에서 생산된 도파민의 분해를 억제함으로써 파킨슨병의 증상을 완화시켜주는 작용이 있는 monoamine oxidase type B (MAO-B) 저해제를 사용한다. Selegiline은 MAO-B 저해제이면서 동시에 항산화작용이 있으므로 경증 파킨슨병의 치료에 일차적으로 권장되는 약물이다.

Selegiline을 사용해도 증상이 개선되지 않거나 악화되는 경우에는 carbidopa와 L-dopa 복합제(시네메트®), 도파민 효능약, 또는 amantadine 중에서 한 가지를 선정하는 단독요법으로 치료한다(그림 61-2). 시네메트®는 도파민의 전구체로서 경구로 투여하면 중추신경계로 들어간 다음 도파민으로 변환되어 약리작용을 나타낸다. 도파민은 경구투여는 물론 주사로 투여해도 혈액뇌관문(blood brain barrier)을 통과하여 중추신경계로 들어가지 못하기 때문에 L-dopa를 사용한다(그림 61-3). 단독요법으로 만족할만한 효과가 없으면 중등도 이상의 약물치료법에 따른다.

중등도 이상의 파킨슨병의 경우에는 도파민 효능약 또는 시네메트® 중에서 한 가지를 사용한다. 한 가지 약물로 증상이 개선되지 않으면 제2, 제3, 제4의 약물을 추가하는 병용요법을 실시한다. 병용요법에 사용되는 약물의 종류에는 carboxy-O-methyl transferase, amantadine, 항콜린제 등이 있다. 약물요법으로도 증상이 악화되고 배뇨장애, 배변장애 등 운동기능과 관련 없는 증상까지 나타나면 수술요법을 실시한다. 파킨슨병의 치료에 사용되는 약물의 용법, 용량 및 특징적 부작용과 작용기전은 표 61-3, 표 61-4, 표 61-5에 요약되어 있다.

표 61-3 파킨슨병 치료제의 용법 및 용량

구분	약물명	용법 및 용량
MAO-B 저해제	selegiline (마오비®)	5-10mg을 1일 1회 복용
도파민 효능약	bromocriptine (팔로델®)	■ 첫날: 1.25mg을 취침 시 복용 ■ 2, 3일째: 1.25mg을 1일 2회 복용 ■ 4일째 이후: 점차로 증량하여 2.5mg을 1일 2회 복용
	pramipexole (미라펙스®)	■ 개시용량: 0.125mg을 1일 3회 복용 ■ 5-7일 이후: 0.25mg을 1일 3회 복용으로 증량 ■ 10-14일 이후: 0.5mg을 1일 3회 복용으로 증량 ■ 15-21일 이후: 1mg을 1일 3회 복용으로 증량
	ropinirole (리큅피디®)[a]	■ 개시용량: 2mg을 1일 1회 복용 ■ 2주째 이후: 4mg을 1일 1회 복용 ■ 유지용량: 증상이 조절되는 최소용량으로 조절하되 1일 24mg을 초과하지 말 것
도파민 전구체	levodopa (씨네메트 씨알®)[a,b]	levodopa로서 1일 용량 400-1,600mg을 수면시간 제외하고 4-8시간마다 분할 복용함
COMT 저해제	entacapone[c] (콤탄®)	200mg을 levodopa 복용 스케줄에 맞추어 levodopa와 함께 복용(최근에는 levodopa와 복합제가 있으므로 편리함)
항콜린제	benztropine (벤즈트로핀®)	■ 개시용량: 1일 용량 0.5-1mg을 분할 복용 ■ 유지용량: 5-6일 간격으로 하루에 0.5mg씩 증량하되 1일 6mg을 초과하지 말 것
	trihexyphenidyl (트리헥신®)	1일 용량 2-10mg을 3-4회로 분할 복용
기타	amantadine (아만타®)	100mg을 1일 2회 복용

COMT=carboxy-O-methyl transferase. MAO-B=monoamine oxidase type B. [a]서방출형 제제이므로 일반정제 복용시에는 이 용법, 용량을 따르지 말 것. [b]levodopa 200mg과 carbidopa 50mg 복합제임. [c]스타레보®는 levodopa, carbidopa, entacapone이 모두 복합되어 있는 제제임

표 61-4 파킨슨병 치료제의 특징적 부작용

약물명	특징적 부작용	주의사항
selegiline	시야혼탁, 불안감	■ 여러 가지 약물과 상호작용하여 약효에 영향을 주므로 복용 중인 약의 이름을 의료인사에게 알릴 것
bromocriptine 등 도파민 효능약	졸음, 저혈압, 실신, 구역	■ 복용 초기에 부작용이 심하게 나타나므로 지시된 대로 서서히 증량할 것 ■ 운전이나 정밀한 기계조작 시 특별한 주의가 필요함
levodopa	빈맥, 부정맥, 녹내장 악화	■ 협심증, 부정맥 등 심장질환을 악화시킬 수 있음 ■ 정기적으로 안과검진을 받을 것
entacapone	설사, 소변색이 암적색으로 변함	■ 소변색이 암적색으로 변하는 것은 혈뇨가 아니라 이 약이 소변으로 배설되기 때문임
benztropine, trihexyphenidyl amantadine	빈맥, 구갈, 변비, 시야몽롱, 어지럼증, 불면증	■ 부작용이 심하게 나타나면 의료인에게 알릴 것

표 61-5 파킨슨병 치료제의 작용기전

구분	작용기전
MAO-B 저해제	■ selegiline: – MAO-B의 작용을 저해하여 dopamine이 분해되지 않게 함(그림 61-4) – MAO-B는 brain에서 dopamine의 아민기를 oxidative deamination 반응으로 불활성화 시키는 효소임
도파민 효능약	■ bromocriptine 등: – 중추신경계의 도파민 수용체(D_2)에 결합하여 효능적으로 작용함 – 뇌하수체 전엽에서 prolactin 분비를 줄여 유즙분비 감소를 일으킴 – 난소의 도파민 수용체에 작용하면 배란과 생리를 유발하는 작용도 있음
도파민 전구체	■ levodopa: – 중추신경계에 들어간 다음 도파민으로 변하여 여러 가지 생리작용을 나타냄(도파민은 혈액뇌관문을 통과하지 않기 때문에 levodopa가 치료제로 사용됨) – 도파민은 뇌에서 사고기능, 학습기능 및 인지기능 등 정신활동 전반 및 voluntary movement에 필수적인 신경전달물질임 – 시상하부와 뇌하수체에 작용하여 각종 호르몬 분비에도 영향을 미침
COMT 저해제	■ entacapone: – COMT의 작용을 저해하여 dopamine이 분해되지 않게 함(그림 61-5) – COMT는 brain에서 dopamine의 카테콜 링에 있는 OH기에 메칠기를 도입하여 불활성화 시키는 효소임

항콜린제	■ benztropine 등: – 중추신경계의 muscarinic acetylcholine 수용체(M₁)에 결합하여 길항적으로 작용하므로 도파민의 작용을 증강시킴(뇌에서 actylcholine과 도파민은 서로 반대적으로 작용함) – 절전섬유에 있는 도파민 재흡수 transporter를 저해하여 도파민의 작용을 증강시킴
기타	■ amantadine: – 중추신경계에서 도파민의 분비를 증강시키며 도파민 재흡수 transporter를 억제함

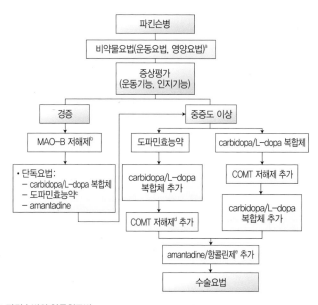

그림 61-2 파킨슨병의 약물치료법

COMT=carboxy-O-methyl transferase. MAO-B=monoamine oxidase type B. [a]코엔자임큐텐과 vitamin E 등 항산화제를 고용량으로 복용(코엔자임큐텐: 1일 1,200mg 이상, vitamin E: 1일 2,000IU 이상). [b]MAO-B 저해제는 selegiline을 사용함. [c]도파민효능약은 bromocriptine, pramipexole, ropinirole 중에서 한 가지를 사용함. [d]COMT 저해제는 entacapone을 사용함. [e]항콜린제는 benztropine, diphenhydramine, trihexyphenidyl 중에서 한 가지를 사용함

carbidopa

levo-dopa

그림 61-3 Carbidopa와 levodopa의 화학구조

carbidopa는 levodopa와 화학구조가 비슷하여 levo-dopa가 decarboxylase에 의하여 dopamine으로 대사되지 않도록 보호하는 역할을 함(dopamine으로 대사되면 혈액뇌관문을 통과할 수 없으므로 파킨슨병 치료효과가 없음)

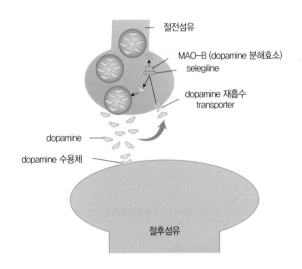

그림 61-4 MAO-B 저해제의 작용기전

selegiline은 MAO-B에 결합하여 효소기능을 방해하므로 dopamine이 분해되지 않게 됨

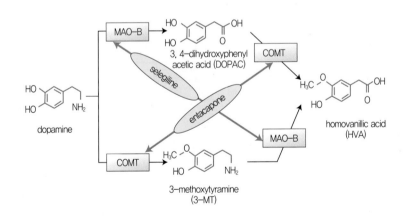

그림 61-5 MAO-B 저해제와 COMT 저해제의 작용기전

selegiline은 MAO-B에 결합하고 entacapone은 COMT에 결합하여 효소의 기능을 방해함. dopamine은 MAO-B와 COMT에 의하여 활성이 없는 물질로 대사됨

다발성 경화증
(Multiple sclerosis)

1 개요

1) 정의

다발성 경화증은 뇌와 척수 등 중추신경계의 신경세포가 다발성으로 손상되어 여러 가지 형태의 신경증상을 나타내는 질환을 가리킨다(그림 62-1).

2) 원인

다발성 경화증은 뇌와 척수 신경세포의 축삭(axon)을 감싸고 있는 수초(myelin sheath)가 벗겨지는 것이 원인이다. 수초가 벗겨지게 되는 이유는 자가면역, 환경적 요인, 미생물 감염에 의하여 발병하는 것으로 추정되지만 아직 자세한 원인은 밝혀지지 않았다(표 62-1).

표 62-1 다발성 경화증의 원인	
자가면역	myelin을 공격하는 자가항체
환경	태양광선이 부족한 환경(북극, 남극에 가까운 지역)
미생물 감염	박테리아, 바이러스가 수초를 직접 공격하거나 자가면역을 유발

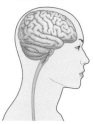

중수신경계(뇌, 척수)

수초
(myelin sheath)

축삭
(axon)

다발성 경화증은 축삭을 감싸고 있는 수초가 벗겨지면서 염증과 반흔으로 신경기능이 손상되는 질환임

그림 62-1 중추신경계의 축삭과 수초

3) 증상

다발성 경화증의 증상은 손상된 중추신경계의 부위에 따라 다양하게 나타난다. 뇌신경세포가 손상되면 손상된 뇌의 위치와 정도에 따라 근육무력증, 근육경련, 운동마비, 언어장애, 연하장애(음식이나 물을 삼키는 운동장애) 등이 발생할 수 있고 척수신경세포가 손상되면 사지의 운동마비나 감각이상, 배뇨장애, 배변장애 등이 나타난다. 시신경이 손상되면 시각장애와 안구통을 동반하는 시신경염이 나타난다. 다발성 경화증은 이러한 증상이 악화와 완화가 반복되면서 점차로 심해진다. 증상이 완화되는 기간은 보통 1개월 이상이지만 완화 기간 없이 지속적으로 증상이 악화되는 경우도 있다.

2 다발성 경화증의 진단 및 분류

1) 진단

다발성 경화증의 초기에는 막연한 증상으로 나타나기 때문에 진단이 어렵다. 다발성 경화증의 진단은 환자로부터 병력청취와 신경학적 진찰을 바탕으로 하며 필요한 경우 혈액검사, CT, MRI, 뇌척수액 검사 등을 실시한다. 정확한 진단을 위해서는 자세한 병력청취가 가장 중요하다.

다발성 경화증을 객관적으로 진단하기 위해서는 McDonald 진단기준이 사용된다. 이 기준에 의하면 (1) 24시간 이상 지속되는 신경계 증상발생(attack) 횟수가 2회 이상이고, (2) 중추신경계 병변이 두 군데 이상에서 확인되고, (3) 다른 질병으로 설명할 수 없는 경우에 다발성 경화증으로 확진한다. 신경계 증상발생(attack) 횟수가 2회 미만이거나 중추신경계 병변이 두 군데 미만이면 다발성 경화증 의심환자로 규정하고 혈액검사, CT, MRI, 뇌척수액 검사 등을 실시하여 확진하도록 하고 있다.

2) 분류

다발성골수종은 재발완화형, 진행재발형, 원발성진행형, 이차성진행형 등 4가지로 구분된다(그림 62-2). 재발완화형은 증상의 재발과 완화가 뚜렷하게 구분되면서 재발과 완화가 반복되는 경우이고, 진행재발형은 완화기에도 증상이 점차로 심해지는 경우이다. 원발성진행형은 완화기 없이 지속적으로 증상이 악화되는 경우이고 이차성 진행형은 처음에는 재발완화형으로 시작하여 일정 기간이 지난 다음부터 완화기 없이 지속적으로 증상이 악화되는 형태를 가리킨다.

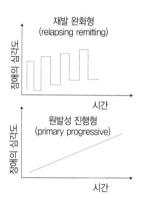
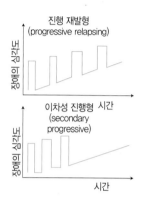

그림 62-2 다발성 경화증의 분류

3 다발성 경화증의 약물치료법

다발성 경화증 약물치료 포인트

1. 다발성 경화증은 주로 근육에 병변이 나타나지만 사실은 뇌와 척수신경이 손상되어 발생하는 중추신경계질환이다.

2. 약물요법은 급성증상 완화치료와 질환변경치료로 구분된다.

3. 인터페론으로 치료받는 환자는 정기적으로 항체생성 여부를 검사하고 만일 항체가 생성되면 즉시 치료를 중단하고 다른 질환변경제로 치료를 받아야 한다.

4. 인터페론은 우울증 유발 및 악화작용이 있으므로 평소 우울증이 있는 환자는 치료 전에 의사에게 알려야 한다.

5. 면역증강제가 함유된 건강기능식품은 오히려 질병을 악화시키므로 피하도록 하고 항산화제가 풍부한 식이요법을 실천해야 한다.

다발성 경화증은 자가면역질환이므로 완치되는 질병이 아니다. 약물치료는 급성증상을 완화시켜주는 증상완화치료와 질환변경제 치료로 대별된다. 급성증상이 나타날 경우에는 증상완화를 위하여 methylprednisolone을 정맥주사로 투여한다. 용량은 보통 200mg을 1일 1회 7일간 투여하고 이후로는 80mg으로 감량하여 약 1개월간 투여한다. 질환변경제는 급성 신경증상의 발생 횟수를 줄여주며 증상의 정도를 개선해주는 효과가 있지만 질환을 근본적으로 치료하는 작용은 없다. 다발성 경화증의 치료에 사용되는 질환변경제는 인터페론 베타-1a, glatiramer, mitoxantrone 등이 있다. 인터페론은 우울증 유발 및 악화시키는 부작용이 있으므로 사용 시 환자의 정신건강상태를 잘 관찰해야 한다. 만일 우울증이 이미 합병되어 있는 환자의 경우에는 인터페론은 항우울제와 함께 투여해야 하며 우울증이 매우 심하다고 판단되면 인터페론을 사용하지 말고 glatiramer를 사용해야 한다.

다발성 경화증에 도움이 되는 비약물요법으로는 오메가-3 지방산 등 불포화지방산이나 비타민 A, C 또는 E, 알파-lipoic acid, 코엔자임큐텐, 커큐민 등 항산화제를 들 수 있다. 이들 건강기능식품은 질병의 진행억제에 도움을 주는 것으로 알려졌다. 그러나 인삼, 마늘 등 면역증강제가 함유되어 있는 건강기능식품은 오히려 질병을 악화시키기 때문에 제품선택에 주의를 기울여야 한다.

다발성 경화증의 질환변경제 치료법은 질병이 어떤 형태로 진행되는가에 따라서 치료법이 약간 다르다. 질병의 진행이 느린 재발완화형이나 진행재발형의 경우에는 인터페론 베타-1a 또는 glatiramer 중에서 한 가지를 선택한다(그림 62-3). 한편, 진행이 비교적 빠른 원발성 진행형 또는 이차성 진행형의 경우에는 항암제의 일종인 mitoxantrone을 사용하기도 한다. 인터페론은 체내에서 이에 대한 항체가 생성되면 약효를 기대할 수 없으므로 치료 도중 정기적으로 항체생성 여부를 측정하여 만일 항체가 생성되었으면 glatiramer로 변경하도록 한다. 또한 질환변경제 치료 도중에 급성증상이 발생하면 즉시 중단하고 methylprednisolone을 이용한 증상완화치료를 실시해야 한다. Methylprednisolone은 부신피질호르몬제의 일종이므로 중추신경의 탈수초화된 부위에서 발생한 염증성 부종을 신속히 가라앉혀 주는 작용이 있다. 다발성 경화증의 치료에 사용되는 약물의 용법, 용량 및 특징적 부작용과 작용기전은 표

62-2, 표 62-3, 표 62-4에 요약되어 있다.

표 62-2 다발성 경화증 치료제의 용법 및 용량[a]

구분	약물명	용법
급성증상완화 치료제	methylprednisolone (솔루-메드롤®)	200mg을 1일 1회 약 7일간 정맥주사 후 80mg을 격일로 약 1개월간 정맥주사
질환변경제	interferon 베타-1a (아보넥스®)[b]	30μg을 매주 1회 근육주사
	interferon 베타-1a (레비프®)[b]	처음 2주 동안 8.8μg을 주 3회 근육주사 3, 4주 차는 22μg을 주 3회 근육주사 5주 차부터는 44μg을 주 3회 근육주사
	glatiramer (코팍손®)	20mg을 주사용 증류수 1ml에 녹여 1일 1회 피하주사
	mitoxantrone (미트론®)	12mg/m²를 3개월마다 점적정맥주사(평생최대용량: 140mg/m²), 3년 이상 투여하지 말 것
우울증치료제[a]	우울증 참조(표 32-5)	

[a]우울증이 병발되어 있는 다발성 경화증 환자에게는 우울증 치료와 함께 질환변경제를 사용해야 함.
[b]인터페론은 우울증 유발 및 악화시키는 부작용이 있으므로 우울증 치료제와 함께 투여하고 우울증이 심한 환자에게는 glatiramer로 처방을 변경해야 함

표 62-3 다발성 경화증 치료제의 특징적 부작용

구분	약물명	특징적 부작용	주의사항
급성증 상완화 치료제	methylprednisolone	부종, 체중증가, 고혈압	■ 부종과 호흡곤란이 나타나면 심부전 증상의 악화 때문일 수 있으므로 의료인에게 알릴 것 ■ 두통, 시야몽롱, 이명이 나타나면 혈압상승 때문일 수 있으므로 의료인에게 알릴 것
질환 변경제	interferon	감기몸살 증상(발열, 오한, 근육통), 우울증	■ 우울증이 있는 환자는 우울증 치료를 병행할 것 ■ 감기몸살증상이 심하게 나타나면 의료인의 지시에 따라서 비스테로이성 소염진통제를 복용할 것 ■ 이 약에 대하여 항체가 생성되면 사용하지 말 것(약효가 없게 됨). 따라서 항체검사를 받을 것 ■ 증상경감효과가 없지만 급성신경증상의 발작 횟수를 줄이고 질병의 진행을 억제해 주는 효과가 있으므로 약물치료를 꾸준히 받을 것

질환 변경제	glatiramer	주사부위 발적, 빈맥, 두드러기, 흉통	■ 일회용 주사기는 재사용하지 말 것 ■ 실온에서 30일 이상 지나면 사용하지 말 것 ■ 두드러기, 흉통이 나타나면 즉시 의료인에게 알릴 　것(항체에 의한 증상일 수 있음) ■ 증상경감효과가 없지만 급성신경증상의 발작 　횟수를 줄이고 질병의 진행을 억제해 주는 효과가 　있으므로 약물치료를 꾸준히 받을 것
	mitoxantrone	구역, 탈모, 소변색이 청녹색으로 변함	■ 소변색이 청녹색으로 변하는 것은 혈뇨가 아니라 　이 약이 소변으로 배설되기 때문임 ■ 눈의 흰자위가 청색으로 변할 수 있음 ■ 이 약은 면역억제작용이 있으므로 전염성질환에 　감염된 사람과 접촉하지 말 것 ■ 증상경감효과가 없지만 급성신경증상의 발작 　횟수를 줄이고 질병의 진행을 억제해 주는 효과가 　있으므로 약물치료를 꾸준히 받을 것

표 62-4 다발성 경화증 치료제의 작용기전

구분	약물명	작용기전
증상 완화제	methylprednisolone	– glucocorticoid 수용체와 결합하여 염증반응 및 면역반응에 　필요한 각종 물질의 합성을 방해함으로서 중추신경 축삭을 　감싸고 있는 수초에서 발생하는 급성염증반응과 이로 인한 　증상을 일시적으로 완화시켜줌 – 다발성 경화증을 치료하는 작용은 없음
질환 변경제	interferon 베타-1a	– 항바이러스작용보다 면역조절작용이 두드러진 cytokine의 일종임 – 세포막에 있는 수용체에 결합하여 여러 가지 생리활성 단백질의 　합성을 유도하여 면역조절작용을 나타내는 것으로 추정됨 – 뇌척수액 중 interleukin-10의 농도를 증가시킴
	glatiramer	– T-림프구의 비율에 변화를 일으켜 자가면역반응을 조절함 – type 1 helper T-cell (염증유발성 T-림프구)의 비율을 줄이고 　type 2 helper T-cell의 비율을 증가시킴
	mitoxantrone	– type II topoisomerase를 저해하여 DNA 합성 방해 – 면역세포도 파괴하여 면역반응을 전반적으로 억제하므로 　신경세포 수초에서 나타나는 자가면역반응과 이로 인한 수초 　박리현상을 억제함

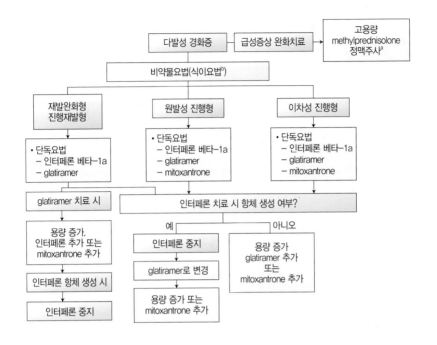

그림 62-3 다발성 경화증의 약물치료법

[a]고용량 methylprednisolone 정맥주사는 급성증상을 완화시키기 위하여 200mg을 1일 1회 7일간 투여하고 이후로는 80mg 으로 감량하여 보통 약 1개월간 투여함. [b]오메가-3 지방산 등 불포화지방산이나 비타민 A, C 또는 E, 알파-lipoic acid, 코엔자 임큐텐 등 항산화제가 질병의 진행억제에 도움이 됨. 그러나 인삼, 마늘 등 면역증강제는 오히려 질병을 악화시키는 것으로 알려 졌음.

간질
(Epilepsy)

1 개요

1) 정의

간질이란 뇌기능 장애로 순간적 의식상실 혹은 발작성 경련이 반복적으로 나타나는 질환을 가리킨다.

2) 원인

간질의 원인은 뇌에서 전기적 신호가 과도하게 방사되기 때문이다. 뇌에서 과도한 전기가 방사되는 까닭은 뇌의 외상이나 뇌종양처럼 명백한 원인이 있는 경우도 있지만 특별한 원인이 없는 경우가 더 많다. 이처럼 어떤 원인 질환 때문에 나타나는 경우를 이차성 간질이라고 하며 특별한 원인이 없이 나타나는 경우는 특발성 간질이라고 한다(표 63-1).

표 63-1 간질의 원인	
특발성 간질 (idiopathic)	▪ 원인을 알 수 없음 ▪ 간질 환자의 60–70%가 여기에 해당됨
이차성 간질 (secondary)	▪ 선천성 질환 ▪ 뇌의 외상, 뇌종양 ▪ 감염성질환의 후유증(뇌염, 뇌수막염)

3) 증상

일반적으로 간질은 쓰러져서 온 몸에 경련이 생기는 질병이라고 생각하지만 실제로 발작의 양상은 매우 다양하다. 부분발작의 경우에는 온 몸이 아니라 신체의 일부

분에만 발작 발작이 나타나며 전신발작이라고 해도 결신발작의 경우에는 경련 증상
이 전혀 없다.

간질 중에서 가장 심한 형태인 강직-간대 발작(tonic-clonic seizure)은 환자가 의식
을 잃고 쓰러지면서 몸이 뻣뻣하게 굳어졌다가 곧이어 팔 다리를 포함하여 온몸이
떨리는 대형 경련이 일어난다. 발작은 대개 2-3분 정도 지속되며 끝나면 의식을 회복
하게 되고 깊은 잠에 빠진다. 발작 중에는 호흡이 안 되므로 얼굴과 입술이 파랗게 보
이고 또 심한 강직과 경련 때문에 발작 후에 심한 두통이 오고 피부에 점상 출혈이
나타나기도 한다. 쓰러질 때와 경련할 때 상처를 입을 수도 있다.

결신발작의 증상은 "잠시 필름이 끊겼다"고 할 정도로 짧은 기간 동안(보통 수초
내지 2-3분) 의식이 상실되기 때문에 하던 행동을 멈추고 멍하니 있는 것처럼 보인
다. 이런 경우를 소발작이라고 하며 초등학교 저학년 어린이에게 주로 나타난다. 초
등학교 선생님에 의하여 처음 발견되는 경우가 많다.

2 간질의 진단 및 분류

1) 진단

간질의 진단은 환자와 가족으로부터 병력을 청취하는 것이 가장 중요하다. 특히
발작의 양상을 관찰한 가족이나 친지로부터 발작 중 의식소실 여부, 발작의 지속시
간 등에 대한 정보를 얻으면 진단에 큰 도움이 된다. 환자의 과거병력과 가족력도 중
요한 지표가 된다.

결신발작의 경우, 발작은 심호흡에 의해서 잘 유발되므로 이 병이 의심되는 환자
에게 심호흡을 계속적으로 하도록 시키면 어느 순간 더 이상 심호흡을 하지 않으며
멍하니 있는 것을 볼 수 있다. 이 때 "오렌지", "바나나" 등의 물건 이름을 말해 준 다
음 환자가 정상으로 돌아온 후에 물어 보면 환자는 기억하지 못한다. 결신발작은 이
런 방법을 이용하여 간단하게 진단할 수도 있다. 간질을 정확히 진단하기 위해서는
뇌파검사가 실시된다. 뇌파검사는 뇌기능 상태를 알아보는 중요한 검사로서 발작의
유형과 발생 부위를 예측하는 데 있어서 도움이 된다. 특히 장시간 비디오 뇌파 감시

기를 이용하면 보다 정확하게 진단할 수 있다. 그 밖에도 뇌척수액 검사, CT, MRI 검사 등이 사용되는데 이 검사는 간질의 원인을 찾아내는 데 도움이 된다.

2) 분류

간질은 발작의 원인, 발작의 양상, 발작을 일으키는 뇌의 부위 등 여러 가지 기준에 따라 분류할 수 있지만 일반적으로 발작의 양상을 기준으로 표 63-2와 같이 분류한다. 이 분류법은 발작이 신체의 일부분에만 생기면 부분발작, 전신에 생기면 전신발작으로 구분한다. 부분발작은 다시 단순부분발작, 복합부분발잘, 이차적 전신발작으로 세분되고 전신발작은 결신발작, 근간대발작, 강직-간대발작, 탈력발작으로 세분된다.

강직-간대발작은 전신근육이 굳고 대형 경련을 일으키기 때문에 대발작(grand mal epilepsy)이라고도 하는데 일반인들에게 알려진 간질이 여기에 속한다. 결신발작은 근육이 굳는 현상은 경미하고 순간적 의식상실만 일어나기 때문에 소발작(petit mal epilepsy)이라고도 한다. 결신발작은 소아에서 나타나는데 마치 잠깐 조는 것처럼 보여 함께 사는 가족도 모르고 지나는 경우가 드물지 않다.

표 63-2 간질의 분류 및 증상

분류		특징 및 증상
부분발작 (partial)	단순 부분발작 (simple partial)	■ 신체의 일부분에 발작이 생기지만 의식 상실이 없음
	복합 부분발작 (complex partial)	■ 신체의 일부분에 발작이 생기지만 의식이 상실됨
	이차적 전신발작 (secondarily general)	■ 신체의 일부분에 발작이 시작하여 전신으로 퍼지고 의식이 상실됨
전신 발작 (general)	결신발작 (absence)	■ 잠시 동안(수초 내지 2-3분) 의식이 상실되어 행동이 중단됨 ■ 소발작(petit mal)이라고도 함
	근간대 발작 (myoclonic)	■ 안면, 사지 등 근육에 경련이 발생됨 ■ 발작 후 졸림 없음

전신 발작
(general)
	강직–간대 발작
	(tonic–clonic)
		■ 전신이 뻣뻣하게 굳어졌다가(강직기, tonic phase) 대형
		  경련(간대기, clonic phase)으로 이어지는 발작이 연속적으로
		  반복됨
		■ 횡격막 근육까지 굳어져 호흡이 정지됨
		■ 발작 후 깊은 잠에 빠짐
		■ 대발작(grand mal)이라고도 함

	탈력발작(general)	■ 몸을 지탱하는 근육이 갑자기 힘을 잃고 쓰러짐

3 간질의 약물치료법

간질 약물치료 포인트

1. 간질은 뇌에서 발생하는 신경계질환일 뿐이므로 대인관계에서 부끄러워하지 말아야
   한다.

2. 식이요법으로 ketogenic diet를 실시하려면 반드시 영양치료사의 지도를 받아야
   한다.

3. 항경련제는 태아에 신체기형을 유발할 수 있으므로 치료 중에는 피임을 해야 한다.

4. 항경련제는 부작용이 많으므로 이상반응이 나타나면 의료인에게 알려야 한다.

5. 약물치료를 중단하려면 반드시 치료중단기준에 충족되는지 검사를 한 다음에
   결정해야 한다.

간질의 치료목표는 (1) 발작이 나타나지 않도록 하고 (2) 약물로 인한 부작용을 최소화하고 (3) 삶의 질을 높이는 것이다. 간질 환자는 삶의 질이 떨어져 있는 경우가 많은데 이는 자신의 미래에 대한 걱정 때문에 우울증, 불안감, 수면장애 등 정신질환으로 이어지는 경우가 많고 이로 인하여 대인관계가 원만하지 않은 것이 큰 원인이다. 따라서 약물치료를 실시할 때는 이 점을 신중하게 고려하여 삶의 질을 저하시키지 않도록 하는 것이 매우 중요하다.

간질에 도움이 되는 비약물요법으로는 식이요법, 수술요법, 미주신경자극치료 등이 있다. 식이요법은 고지방, 저탄수화물, 저단백식품을 섭취하는 것으로서 ketogenic diet라고 한다. 이 식이요법은 크림과 버터 등 지방질이 많이 들어 있는 음식을 먹는 것으로서 무리하게 실시하면 체액이 산성화되고(acidosis) 혈액 중에 케톤체가 증가되어(ketosis) 케토산혈증이라는 위급한 상태를 일으킬 수 있다. 따라서 ketogenic diet는 반드시 영양치료사의 지도하에 실시해야 한다. 고지방 음식은 건강에 해롭기 때문에 medium chain triglyceride로 대체하기도 한다. 수술요법과 미주신경자극치료는 약물치료를 실시하는데도 불구하고 발작 횟수가 줄어들지 않는 경우에 실시하는 보조요법으로서 간질의 분류로 부분발작에 해당되는 환자에게 적용된다. 미주신경자극치료는 미주신경을 전기적으로 자극하는 작은 장치를 쇄골 밑으로 이식하는 치료법으로 이 장치는 건전지로 작동된다.

간질의 약물치료는 한 가지 약물로 단독요법을 실시하는 것이 원칙이지만 발작이 잘 조절되지 않는 경우에는 두 가지 이상의 약물을 병용하기도 한다(그림 63-1). 부분발작의 경우에는 phenytoin, valproate, carbamazepine, oxcarbazepine, lamotrigine 또는 levetiracetam을 단독요법으로 사용하는 것이 권장된다. 이 중에서 특히 carbamazepine과 oxcarbazepine은 부분발작의 치료에 효과가 우수한 것으로 알려졌다. 결신발작에는 valproate나 ethosiximide가 권장되는 약물이다.

여러 가지 약물 중에서 어떤 약물을 선택할 것인지는 각 약물의 작용기전, 특성 및 부작용 등을 참고하여 결정된다. 간질치료제 중 phenytoin, valproate, carbamazepine 등 고전적 약물은 임신 중에 복용 시 태아의 발육에 영향을 끼쳐 최기형성(신체기형 유발 가능성)을 유발하는 것으로 알려졌다. 간질치료제로 유발되는 신체기형은 구개기형(입천정 형성장애), 입술기형(토끼처럼 입술이 쪼개지는 현상), 양쪽 눈 사이가 비정상적으로 멀어지는 현상 등이 대표적이다. 대부분의 간질치료제는 졸음, 어지럼증, 시야몽롱, 복시(사물이 두 개로 보이는 증상), 안구진탕증(안구가 자신도 모르게 흔들리는 증상), 집중력 저하 등의 부작용이 있다. 부작용이 환자의 삶의 질에 큰 영향을 미칠 정도이면 용량을 감량조절하든지 또는 다른 약물로 변경하여 삶의 질을 떨어뜨리지 않도록 해야 한다.

약물치료로 간질발작이 성공적으로 억제되어 약물치료를 중단하려면 표 63-3의 치료중단기준에 모두 충족되는지 검사를 받은 다음에 결정해야 한다. 이 표에 제시된 기준은 최소한의 기준이므로 이 기준에 충족된다고 해서 치료를 중단해도 안전하다는 것은 아니다. 부분발작은 전신발작의 경우에 비하여 재발되는 경우가 많으므로 마지막 발작 후 적어도 4년 이상 경과한 다음에 약물치료 중단을 고려하도록 한다. 특히 결신발작과 강직-간대발작이 복합적으로 나타나는 간질 발작의 경우는 예후가 좋지 않으므로 치료중단여부를 결정하는 데 매우 신중한 판단이 요구된다. 간질치료에 사용되는 약물의 용법, 용량 및 특징적 부작용과 작용기전은 표 63-4, 표 63-5, 표 63-6에 요약되어 있다.

표 63-3 간질치료 중단 기준

A	마지막 발작 후 경과기간이 2년 이상일 것
B	발작유형이 부분발작이거나 전신발작 중 한 가지에 속할 것
C	신경학적 검사 결과가 정상일 것
D	뇌파검사 결과가 정상일 것
E	뇌파가 정상일 것

A–E 항목이 모두 충족되면 간질치료 중단을 고려해도 됨

표 63-4 간질 치료제의 용법 및 용량

구분	약물명	용법 및 용량
항경련제	phenytoin (페니토인®)	100mg을 1일 3회 복용
	valproate (데파킨크로노®)ᵃ	500mg을 1일 1–2회 복용
	carbamazepine (테그레톨®)ᵃ	200mg을 1일 1–2회 복용
	oxcarbazepine (트리렙탈®)	300mg을 1일 2–3회 복용
	topiramate (토파맥스®)	100–200mg을 1일 2회 복용 (최대용량: 400mg을 1일 2회 복용)
	lamotrigine (라믹탈®)	처음 2주 차: 50mg을 1일 1회 복용, 3–4주 차: 50mg을 1일 2회 복용, 5주차 이후: 100mg을 1일 2회 복용
	ethosuximideᵇ (자론틴®)	6세 미만: 250mg을 1일 1회 복용, 6세 이상: 250mg을 1일 2회 복용
	levetiracetam (케프라®)	250mg을 1일 2회 복용으로 시작하여 2주 간격으로 증량 (최대용량: 1,500mg을 1일 2회 복용)
신경안정제	clonazepam (리보트릴®)	0.5–1mg을 1일 1–3회 복용

ᵃ서방출형 제제이므로 일반 정제 복용 시에는 이 용법, 용량을 따르지 말 것. ᵇ생산중단

표 63-5 간질 치료제의 특징적 부작용

약물명	특징적 부작용	주의사항
phenytoin	어지럼증, 안구진탕, 집중력 장애	▪ 운전이나 정밀한 기계조작 시 특별한 주의가 필요함 ▪ 우울증 등 정신질환으로 여겨지는 증상이 나타나면 의료인에게 알릴 것 ▪ 이 약은 치료역이 좁으므로 의사와 상의하여 약물의 혈중농도를 모니터 할 것
valproate	졸림, 전신무력감, 언어장애, 복시(사물이 두 개로 보임)	▪ 심한 복통이 나타나면 췌장염일 수 있으므로 의료인에게 알릴 것 ▪ 이 약은 우울증을 유발할 수 있음 ▪ 이 약은 치료역이 좁으므로 의사와 상의하여 약물의 혈중농도를 모니터 할 것
carbamazepine, oxcarbazepine	괴사성피부염, 백혈구감소증, 재생불량성빈혈, 전신무력감, 언어장애	▪ 골수기능장애 경력이 있는 사람은 이 약을 복용하지 말 것 ▪ 이 약은 다른 약의 대사를 촉진하여 약효를 떨어뜨릴 수 있으므로 병용중인 다른 약의 이름을 의료인에게 말할 것 ▪ 이 약은 치료역이 좁으므로 의사와 상의하여 약물의 혈중농도를 모니터 할 것
lamotrigine	괴사성피부염, 졸림, 두통, 전신무력감, 복시, 언어장애	▪ valproate와 병용 시 괴사성피부염 발생률이 증가됨 ▪ 이 약은 신체의 조화로운 기능을 방해하므로 운전은 물론 보행 및 기계조작 시 특별한 주의가 필요함
ethosuximide	골수억제, 간독성	▪ 골수장애로 적혈구, 백혈구, 혈소판 등이 감소할 수 있으므로 정기적으로 혈구검사를 받을 것 ▪ 목감기에 잘 걸리거나 원인 모를 발열이 나타나면 이 약의 골수장애 부작용일 수 있으므로 의료인에게 알릴 것 ▪ 식욕저하, 황달이 나타나면 의료인에게 알릴 것
clonazepam	졸림, 건망증, 기억력감퇴, 우울증	▪ 이 약은 습관성이 강한 약물이므로 장기연용하지 말 것 ▪ 복용 중 술을 먹으면 호흡곤란 등 심각한 부작용이 발생할 수 있음 ▪ 이 약은 향정신성약물로써 마약의 일종임

표 63-6 간질 치료제의 작용기전

구분	작용기전
항경련제	▪ phenytoin, valproate, carbamazepine, oxcarbazepine, topiramate, lamotrigine 등: – 대뇌 신경세포막에 있는 Na–channel을 차단하여 뇌신경의 지나친 흥분을 억제함 – 칼슘통로를 억제하는 작용도 있음 – valproate는 GABA transaminase의 작용도 억제하여 GABA의 분해를 억제함 ▪ levetiracetam: – 뇌신경의 절전섬유에 있는 synaptic vesicle glycoprotein (SV2A)에 결합하여 칼슘통로를 억제함 – 절전섬유에서 신경전달물질의 분비가 억제되어 뇌신경의 과도한 흥분을 억제함
신경안정제	▪ clonazepam: – GABA 수용체에 결합하여 구조를 변형시켜 GABA의 생리작용이 증강되어 나타나게 함 – GABA는 뇌신경의 지나친 흥분을 억제하는 작용이 있음

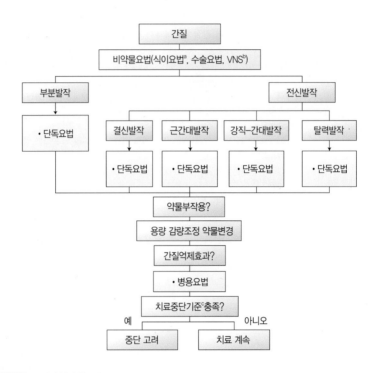

그림 63-1 간질의 약물치료법

a고지방식이. bVNS는 vagal nerve stimulator (미주신경자극기)의 약자임. c치료중단 기준은 표 63-3 참조.

약·물·치·료·핸·드·북

Part 11
안과 질환

녹내장
(Glaucoma)

1 개요

1) 정의

녹내장이란 시신경이 손상되어 시야결손 및 시력장애를 일으키는 시신경질환의 총칭이다. 과거에는 안압상승으로 인한 시신경질환만을 녹내장으로 불러왔지만 현재는 안압상승뿐만 아니라 다른 원인에 의한 시신경질환까지도 포함하여 녹내장이라고 한다(그림 64-1).

2) 원인

녹내장은 시신경 손상이 직접적인 원인이다. 시신경이 손상되는 원인은 안압상승 때문인 경우가 대부분이지만 그 밖에도 고혈압, 고지혈증, 동맥경화증, 당뇨병 등 대사성질환 때문인 경우도 있다(표 64-1). 대사성질환은 안압과 관련 없이 시신경의 신진대사에 영향을 미쳐 기능을 손상시킨다.

안압상승은 모양체에서 분비되는 방수(보통 2-3$\mu\ell$/min의 속도로 분비됨)가 안구

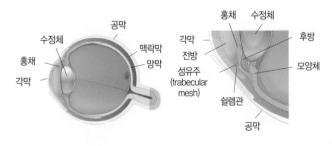

그림 64-1 안구의 구조(우측 그림은 각막과 수정체 사이를 확대한 것임)

밖으로 원활하게 빠져나가지 못하기 때문에 발생한다. 방수는 각막과 수정체의 영양 공급과 신진대사를 위하여 분비되는 림프액의 일종으로 수정체와 홍채 사이의 틈새를 지나서 전방(홍채와 각막 사이의 공간)에 온 다음 쉴렘관을 통하여 안구 밖으로 빠져나간다(그림 64-2). 홍채염이나 안내 출혈로 쉴렘관이 폐쇄되면 방수가 빠져나가지 못하여 안압이 상승하고 그 압력으로 시신경이 손상된다.

표 64-1 녹내장의 원인(시신경 손상의 원인)ᵃ	
안압상승	■ 안압이 정상범위(10–22mmHg)보다 높아 시신경 및 시신경유두가 손상됨 ■ 홍채염 등으로 방수유출로가 좁아지거나 막힘
대사성질환	■ 대사이상으로 시신경 및 시신경유두가 손상됨 ■ 고혈압, 고지혈증, 동맥경화증, 당뇨병 등이 원인임 ■ 안압은 정상인 경우가 많음

ᵃ시신경은 일단 손상되면 복구되지 않으므로 영구적 장애를 일으킴

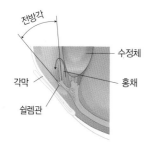

그림 64-2 방수의 흐름과 쉴렘관
전방각의 각도가 좁아지거나 쉴렘관이 막히면 방수가 안구 밖으로 빠져나가지 못해 안압이 상승함

3) 증상

녹내장은 유형에 따라서 증상이 다르게 나타난다. 개방각 녹내장과 정상안압 녹내장의 경우에는 안압이 서서히 상승되기 때문에 초기에는 눈이 무겁고 피곤하거나 머리가 무거운 정도의 느낌이다. 병이 어느 정도 진행되면 시야가 점점 좁아지는 증상이 나타난다.

폐쇄각 녹내장의 경우에는 안압이 빠르게 상승하기 때문에 안구통이 나타나며 심하면 두통, 메스꺼움, 구토 증상이 발생하기도 한다. 엎드려 있으면 증상이 더 심해진다. 응급치료를 하지 않으면 시야가 급속히 좁아지고 실명에 이를 수도 있다. 동양

인은 눈의 구조가 서양인에 비하여 전방이 좁은 편이기 때문에 폐쇄각 녹내장이 잘
발생된다.

2 녹내장의 진단 및 분류

1) 진단

폐쇄각 녹내장의 경우에는 심한 안구통과 시야 감소, 구토, 두통이 동반되는 것만
으로도 어느 정도 진단이 가능하다. 개방각 녹내장과 정상안압 녹내장의 경우는 증
상이 뚜렷하지 않으므로 여러 가지 검사를 실시해야 한다. 녹내장을 정확히 진단하
기 위해서는 안압검사, 전방각경검사, 안저검사, 시야검사 등이 실시된다.

안압검사는 안압이 정상범위(10-22mmHg) 안에 있는지를 검사한다. 그러나 안
압은 개인 차이가 커서 정상인데도 시신경 장애가 오는 경우도 있고, 높은 데도 시신
경에 아무 변화가 없는 경우도 있으므로 안압만으로는 녹내장을 확진하기가 곤란하
다. 전방각경검사(gonioscopy)는 특수렌즈를 눈에 대고 전방각의 상태를 관찰함으로
써 방수유출에 문제가 있는지를 검사하는 방법이다. 각막과 홍채가 만나는 각도(전
방각)가 20도 이상이면 폐쇄가 올 염려가 없지만 20도 미만이면 폐쇄가 올 우려가 커
진다(그림 64-2). 안저검사는 녹내장의 진행에 따라 시신경의 손상정도를 측정하는
검사로 전방각경 검사와 더불어 녹내장 진단에 중요한 검사이다. 시야검사(perime-
try)는 눈을 한 곳에 고정시킨 채 관찰할 수 있는 범위를 검사한다. 자동식 컴퓨터 시
야검사를 실시하면 더욱 정확하게 검사할 수 있다.

표 64-2 녹내장의 분류 및 특징

분류	특징
정상안압 녹내장	■ 안압이 정상인데도 시신경이 점진적으로 손상됨 ■ 원인질환의 예: 비만, 당뇨병, 고혈압, 고지혈증 등 대사성질환
개방각 녹내장 (open-angle)	■ 방수유출로의 미세구조 이상으로 방수의 배출이 원활치 않아 안압이 상승함 ■ 시신경이 점진적으로 손상됨 ■ 가장 흔한 형태의 녹내장임

폐쇄각 녹내장 (closed-angle)	■ 방수유출로가 막혀 안압이 급속도로 상승함 ■ 원인질환의 예: 홍채염, 모양체염 ■ 시신경이 급속히 파괴되는 응급질환임 ■ 급속한 시력저하와 함께 오심, 구토, 안통, 두통 등이 나타남

2) 분류

녹내장은 방수유출구의 폐쇄 정도에 따라서 개방각 녹내장(open-angle glaucoma), 폐쇄각 녹내장(closed angle glaucoma), 정상안압 녹내장으로 나눈다(표 64-2).

개방각 녹내장은 방수유출로가 열려있는 상태이지만 유출로의 미세구조 이상으로 배출이 원활하지 못하여 안압이 상승되고 이로 인하여 시신경이 점진적으로 손상되는 질환이다. 폐쇄각 녹내장은 방수유출로가 막혀 안압이 급속도로 상승하는 응급질환이다. 정상안압 녹내장은 안압이 정상인데도 시신경이 손상되는 질환으로 최근들어 발생 사례가 증가하고 있다.

3 녹내장의 약물치료법

녹내장 약물치료 포인트

1. 녹내장은 정상안압인지 개방각인지 폐쇄각인지에 따라 치료법이 다르다.

2. 정상안압 녹내장은 안압을 정상범위의 하한치로 유지해야 한다.

3. 개방각 녹내장은 안압을 정상범위에 근접하게 유지해야 한다.

4. 폐쇄각녹내장은 응급질환이므로 일단 안압을 정상범위까지 내리는 응급치료를 한 다음 환자가 안정되면 개방각의 경우와 같이 안압을 정상범위에 근접하게 유지해야 한다.

5. 고혈압, 당뇨병 등 대사성질환이 합병된 환자는 녹내장 치료는 물론 이 대사성질환에 대해서도 철저히 관리해야 한다.

녹내장의 기본적 치료목표는 시야결손 및 시력장애를 막아 실명을 예방하는 것이지만 녹내장의 형태에 따라 구체적 치료목표는 약간씩 다르다.

정상안압 녹내장은 안압이 정상범위(10-22mmHg)인데도 녹내장이 발생하는 경우이므로 안압을 정상범위 중에서도 낮은 쪽 즉, 10-12mmHg 정도로 유지되도록 해야 한다. 이 때 사용되는 약물은 대개 베타차단제 중에서 timolol (리스몬®) 또는 프로스타글란딘 효능약 중에서 latanoprost (잘라탄®) 등의 점안액이 제1 선택약으로 고려된다. 점안액은 여러 가지 농도로 시판되고 있으므로 처음에는 낮은 농도를 선택하여 치료한다. 약 4-6주 정도 치료를 계속한 다음에는 안압을 측정하여 목표 안압에 도달하였는지 관찰하면서 점안액의 농도를 변경하거나 다른 약물로 바꾸어 치료한다.

개방각 녹내장은 안압이 정상보다 높은 것이 원인이므로 안압을 치료 전에 비해서 약 30% 정도 내려서 정상 안압에 근접하도록 하는 것이 목표이다. 예를 들어 개방각 녹내장으로 안압이 40mmHg인 경우라면 30%에 해당하는 12를 내려 28mmHg로 내리는 것이 목표이다. 개방각 녹내장의 치료에 사용되는 약물은 베타차단제, 알파-2 효능약, 프로스타글란딘 효능약 또는 탄산탈수소효소 저해제 중에서 한 가지가 선택된다(그림 64-3). 최근에는 프로스타글란딘 효능약이 약효가 뛰어나고 부작용이 적어 널리 사용된다.

한 가지 약물로 약 4-6주 정도 치료를 했는데도 안압이 목표치에 도달되지 않으면 두 가지 약물을 병용하여 치료한다. 최근에는 두 가지 약물이 복합된 제제가 시판되기 때문에 편리하다. 축동제인 pilocarpine 점안액은 부작용이 많아 최근에는 거의 사용되지 않고 앞에서 열거한 점안액으로 치료가 되지 않는 경우에만 드물게 사용된다. 약물요법으로 치료되지 않는 심한 개방각 녹내장은 레이저를 이용하여 섬유주대성형술을 하거나 섬유주망을 수술로 절제하는 수술을 실시한다.

폐쇄각 녹내장은 안압이 급속도로 상승하여 심한 안구통을 일으키고 실명 위험이 높은 질환이기 때문에 응급치료가 요구되는 질병이다. 폐쇄각 녹내장의 약물치료 목표는 안압을 신속하게 정상범위로 떨어뜨려 실명을 예방하고 수술이 필요한 상황으로 진행되지 않도록 예방하는 것이다. 폐쇄각 녹내장의 치료는 개방각 녹내장의 경우처럼 점안액을 사용하지만 응급상황에서는 고장액 삼투압제를 경구로 복용하거나 정맥주사로 투여하여 안압을 신속히 내려야 한다. 경구복용제로 사용되는 글리세린은 체중 kg당 1-2g 사용하지만 흡수가 잘 되지 않을 뿐만 아니라 설사를 일으키기 때문에 잘 사용되지 않는다. 정맥주시제로 사용되는 만니톨은 체중 kg 당 1-2g 사용한다. 고장액 삼투압제는 안구 안에 있는 방수를 혈관 속으로 끌어들여 안압을 떨어뜨리는 효과가 있다. 염증이 동반되어 있는 경우에는 덱사메타손 점안액을 사용한다. 약물요법으로 치료가 되지 않는 폐쇄각 녹내장의 경우에는 레이저 홍채절제술 또는 외과적 홍채절제술을 실시한다. 녹내장 치료에 사용되는 약물의 각각에 대한 용법, 용량 및 특징적 부작용과 작용기전은 표 64-3, 표 64-4, 표 64-5에 나타내었다.

표 64-3 녹내장 치료제의 용법 및 용량

분류	약물명	용법 및 용량*
베타차단제	carteolol 1%, 2% 점안액(미케란®)	1방울을 1일 1회 점안
	betaxolol 2.5% 점안액(베톱틱®)	1방울을 1일 2회 점안
	levobunolol 0.5% 점안액(베타간®)	1방울을 1일 2회 점안
	timolol 0.25%, 0.5% 점안액(리스몬®)a,b,c,d	1방울을 1일 1회 점안
알파-2 효능약	apraclonidine 0.5% 점안액(아이오피딘®)	1방울을 1일 3회 점안
	brimonidine 1.5% 점안액(알파간피®)	1방울을 1일 3회 점안
탄산탈수소 효소 저해제	dorzolamide (트루솝)a	1방울을 1일 3회 점안
	brinzolamide (아좁트®)b	1방울을 1일 2회 점안
프로스타 글란딘 효능약	bimatoprost 0.03% 점안액c(루미간®)	1방울을 1일 1회 점안
	latanoprost 0.005% 점안액(잘라탄®)	1방울을 1일 1회 점안
	travoprost 0.004% 점안액d(트라바탄®)	1방울을 1일 1회 점안
	unoprostone 0.1% 점안액(레스큘라®)	1방울을 1일 2회 점안
축동제	pilocarpine 1%, 2%, 4% 점안액 (오큐카르핀®)	1-2방울을 1일 3-5회 점안
부신피질 호르몬제	dexamethasone (맥시덱스®) 0.1% 점안액	1-2방울을 1일 3-4회 점안 (중증에는 1-2방울을 1시간 마다 점안)
삼투압제	mannitol	1회 3-5g/kg을 15%, 20%, 25%액으로 점적정주(1일 최대량: 200g)

*다른 약제와 병용할 경우 10분 이상 간격을 두고 점안해야 함. a코솝®은 timolol과 dorzolamide 복합제임. b엘라좁®은 timolol과 brinzolamide 복합제임. c간포트®는 timolol과 bimatoprost 복합제임. d듀오트라브®는 timolol과 travoprost 복합제임.

표 64-4 **녹내장 치료제의 특징적 부작용**

분류	약물명	특징적 부작용	주의사항*
베타차단제	timolol 등	안구건조감, 서맥, 숨가쁨(기관지 수축)	전신 부작용이 나타날 수 있으므로 서맥, 저혈압, 천식, 만성 폐색성 폐질환이 있는 사람은 부작용에 유의할 것
알파-2 효능약	brimonidine 등	눈꺼풀 부종 및 가려움증	부작용 발생 시 점안액 사용을 중지할 것
탄산탈수소효소 저해제	dorzolamide 등	눈 따끔거림	대개 부작용은 일시적임
프로스타글란딘 효능약	latanoprost 등	홍채에 갈색 색소침착, 포도막염	한국인의 홍채는 갈색이므로 문제가 되지 않음
축동제	pilocarpine	동공이 좁아짐, 두통, 메스꺼움, 설사	전신부작용으로 두통, 메스꺼움, 설사가 나타날 수 있으므로 다른 약물로 치료가 되지 않을 경우에만 제한적으로 사용함 전방각을 더 좁게 하여 동공차단(pupillary block)을 악화시킬 수 있음

*점안액은 눈에만 적용하는 제형이지만 전신적 부작용이 나타날 수도 있음

표 64-5 **녹내장 치료제의 작용기전**

분류	약물명	작용기전
베타차단제	timolol 등	– 점안약으로 사용 시 홍채와 모양체의 베타수용체에 길항적으로 작용하여 방수 분비를 감소시킴
알파-2 효능약	brimonidine 등	– 점안약으로 사용 시 홍채와 모양체의 알파-2 수용체에 효능적으로 작용하여 방수 분비를 감소시킴
탄산탈수소효소 저해제	dorzolamide 등	– 점안약으로 사용 시 홍채와 모양체의 탄산탈수소효소를 저해하여 방수 분비를 감소시킴(그림 64-4)
프로스타글란딘 효능약	latanoprost 등	– 점안약으로 사용 시 홍채와 모양체의 프로스타글란딘 F2-알파 수용체에 효능적으로 작용하여 모양체와 맥락막을 통한 방수 배출을 도와줌 – 방수 분비량의 약 20%는 모양체와 맥락막을 통하여 흡수되어 배출됨
축동제	pilocarpine	– 점안약으로 사용 시 홍채 괄약근과 모양체 근육을 수축시킴 – 이들 근육이 수축되면 동공이 작아지면서 홍채와 섬유주망 사이의 공간이 넓어져 섬유주망을 통한 방수 배출이 용이해짐 – 방수 분비량의 약 80%는 섬유주망을 통하여 여과되어 배출됨

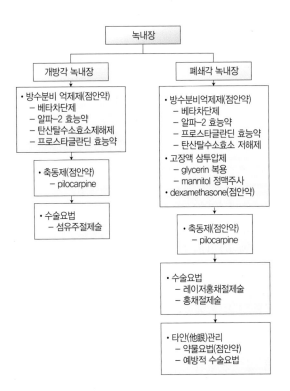

그림 64-3 녹내장의 약물치료법

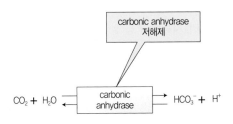

그림 64-4 탄산탈수소효소 저해제의 작용기전

백내장
(Cataract)

1 개요

1) 정의

백내장이란 눈의 수정체가 혼탁되어 빛이 잘 통과되지 못하고 이로 인해 시력장애가 초래되는 것을 가리킨다.

2) 원인

백내장의 원인은 선천성과 후천성으로 나눌 수 있다(표 65-1). 선천성 원인은 galactosidase 결핍, 임신 중 풍진 감염 등이 있다. 영유아는 우유를 주식으로 하는데 우유 속에는 유당(포도당과 갈락토스가 결합된 2당류)이 많기 때문에 galactosidase 가 결핍되면 갈락토스가 축적된다. 갈락토스는 물에 잘 녹는 단당류로서 쉽게 청소되는 물질이지만 수정체는 혈액이 흐름이 없는 곳이므로 일단 수정체에 스며들면 청소되지 않고 축적되어 백내장이 된다. 임신 중 산모의 풍진 감염은 태아에게 선천성 심장질환, 백내장, 귀머거리, 지능박약 등 선천성 풍진증후군을 일으킨다.

후천성 원인은 노화현상, 자외선 노출, 녹내장, 홍채염, 고혈압 및 당뇨병 등 대사성 질환의 합병증 등이 있다. 당뇨병의 경우, 혈당이 높기 때문에 수정체에 영양을 공급하는 방수에도 포도당 함량이 높다. 포도당은 aldose reductase에 의하여 sorbitol로 변하는데 이 sorbitol이 수정체에 스며들면 수정체 내부에서 침전되어 백내장을 일으킨다.

표 65-1 백내장의 원인	
선천성	▪ galactosidase 결핍(수정체에 갈락토스 축적을 일으킴) ▪ 태내 감염(산모가 임신 3개월 이내에 풍진에 감염)

후천성	■ 노화현상, 자외선 노출, 수정체 외상 ■ 녹내장, 홍채염, 모양체염 ■ 고혈압, 고지혈증, 당뇨병(수정체에 sorbitol 축적을 일으킴) 등 대사성질환의 합병증 ■ 약물유발성(부신피질호르몬, 나프탈렌, quetiapine 등) ■ 노화현상과 당뇨병의 합병증으로 인한 경우가 대부분임

3) 증상

백내장은 어느 정도 진행되면 물체가 선명하지 않고 뿌옇게 보이는 시력저하가 나타난다. 그러나 초기에는 시력이 약간 저하된 듯하거나 눈에 이물질이 끼어 있는 것 같은 느낌이 들 뿐 다른 증상은 없어 모르고 지나는 경우가 많다. 그밖에 다른 증상으로는 야맹증과는 반대로 낮에 시력이 더 떨어지는 주맹증(晝盲症), 사물이 이중으로 겹쳐 보이는 복시(複視), 하얀 색깔이 누렇게 변색되어 보이고 빛이 퍼져 보이거나 눈이 부셔 눈뜨기가 힘든 증상 등이 있다. 백내장이 오래된 환자의 경우에는 동공에 하얀 백태가 낀 것을 육안으로도 쉽게 관찰할 수 있다.

2 백내장의 진단 및 분류

1) 진단

백내장은 검안경 또는 세극등 현미경(slit lamp microscope)을 이용하여 진단한다. 세극등 현미경은 결막, 각막, 수정체 등 눈의 각 부분을 자세히 관찰할 수 있는 기구이다. 최근에는 수정체 컴퓨터 촬영기를 이용하여 수정체와 주변 조직을 정밀하게 진단할 수 있게 되었다. 특히 수정체 컴퓨터 촬영기는 백내장의 진행정도를 정량적으로 분석할 수 있고, 약물치료의 효과판정과 수술시기를 결정하는 데도 도움이 된다.

2) 분류

백내장은 여러 가지 방법으로 분류할 수 있지만 원인에 따라서 galactosemia 백내장, 풍진 백내장, 노인성 백내장, 당뇨병성 백내장 등으로 구분된다(표 65-2).

표 65-2 백내장의 분류

분류		특징
선천성 백내장	galactosemia 백내장	■ 수정체에 galactose 축적
	풍진 백내장	■ 임신 3개월 이내에 풍진 감염
후천성 백내장	노인성 백내장	■ 노화로 수정체 단백질이 변성됨
	당뇨병성 백내장	■ 수정체에 sorbitol 축적
	외상성 백내장	■ 수정체 파열 또는 손상 ■ 자외선에 장시간 노출, 방사선, 고압전기
	기타	■ 각막염, 홍채염, 모양체염, 녹내장 등의 합병증 ■ 부신피질호르몬, 나프탈렌 등 약물유발성

3 백내장의 약물치료법

백내장 약물치료 포인트

1. 백내장은 선천성과 후천성으로 구분된다.

2. 당뇨병, 고혈압 등 대사성질환이 있는 환자는 대사산물이 수정체에 스며들어 수정체를 혼탁하게 할 수 있다(특히 당뇨병의 경우 sorbitol).

3. 대사성질환이 있는 환자는 생활습관개선과 약물요법을 잘 실천하고 야외활동 시 썬그라스를 착용하여 수정체를 보호해야 한다.

4. 근거 없이 유통되는 백내장 치료용품에 현혹되지 말고 수술요법이 유일한 치료법이라는 것을 이해해야 한다.

백내장은 초기에 약물요법을 실시하면 진행속도를 어느 정도 지연시키는 효과를 기대할 수 있다. 그러나 이미 수정체가 혼탁해진 상태가 되면 약물요법만으로는 효과가 없으므로 반드시 수술요법으로 치료해야 한다.

백내장은 당뇨병, 고혈압 등 대사성질환과 노화로 인한 경우가 많으므로 이들 원인질환을 잘 관리하면 수정체 혼탁의 진행속도를 늦추는 데 도움이 된다. 그 밖에도 백내장의 진행을 억제하기 위한 비약물요법으로는 금연, 금주, 영양관리, 적당한 운동 등이 있다. 과도한 자외선(햇빛)이나 적외선(사우나실에 있는 빨간 전등)에 노출되지 않도록 하는 것도 중요하다. 항산화작용이 있는 비타민-C, 신선한 야채와 과일 등을 충분히 섭취하여 영양관리를 잘 실천하는 것이 수정체 혼탁의 진행속도를 늦추는 데 큰 도움이 된다.

백내장의 진행속도를 억제하는 작용이 인정되어 전문의약품으로 허가받은 의약품은 pirenoxine (catalin과 동일 물질)이 유일하다(표 65-3). 일반의약품 중에는 비타민-C와 아연, 구리, 망간 등 미네랄이 함유된 종합비타민제, 항산화제, 비스테로이드성 소염진통제 등이 수정체 혼탁의 진행을 어느 정도 늦추는 작용이 있는 것으로 알려졌다. 그러나, 약물요법은 수술을 실시하기 전에 보조적으로 사용하는 치료법에 불과할 뿐, 선천성 및 후천성 등 모든 형태의 백내장은 수술요법이 표준치료법이다.

표 65-3 백내장 치료제의 용법, 용량, 특징적 부작용

약물명	용법, 용량	특징적 부작용	주의사항
pirenoxine	1~2방울을 하루에 3~5회 점안	눈 가려움증 및 자극감	■ 동봉된 pirenoxine을 용제에 잘 녹여 사용함 ■ 녹인 다음에는 냉장고에 보관하고 3주 이내에 사용할 것

66 Chapter

황반변성
(Macular degeneration)

1 개요

1) 정의

황반변성이란 황반의 변성으로 인해 시야의 주변은 잘 보이지만 중심부분이 잘 보이지 않는 질환을 가리킨다(그림 66-1). 황반은 빛이 수정체를 지나 초점이 맺히는 망막의 중심부이다.

2) 원인

황반변성의 원인은 아직 확실히 밝혀지지 않았지만 나이와 고혈압, 당뇨병 등 대사성 질환과 관련이 있는 것으로 여겨진다(표 66-1).

A   B

그림 66-1 황반변성 환자의 시야

A: 정상인에게 보이는 것, B: 심한 황반변성 환자에게 보이는 것

표 66-1 황반변성의 원인	
노화	■ 65–75세 노인의 약 10%에서 나타남 ■ 75–85세 노인의 약 30%에서 나타남 ■ 황반변성의 대부분을 차지함
대사성질환	■ 비만, 당뇨병, 고혈압, 고지혈증
기타	■ 고지방식 ■ 흡연 ■ 강한 청색광 노출

3) 증상

황반변성의 증상은 시야의 중심부가 흐려지는 것으로 시작한다. 황반변성이 진행되면 중심시야가 더욱 흐려져 창틀이나 건물의 외곽선 등 직선이 굽어져 보이고 신문이나 책을 읽기가 불편해진다. 노화로 인한 건성 황반변성은 진행속도가 더디게 나타나지만 당뇨병 등 질병으로 인한 경우는 진행속도가 매우 빠르게 나타난다. 황반변성은 시야의 중심부는 잘 안 보이지만 시야의 주변부는 영향을 받지 않으므로 시력이 완전히 상실되는 경우는 드물다.

2 황반변성의 진단 및 분류

1) 진단

황반변성은 안저촬영, 안구 단층촬영, 형광 안저 혈관조영술, indocyanin green 혈관조영술 등을 통하여 망막, 특히 황반의 상태를 자세하게 검사하여 진단한다. 안저촬영은 망막 부위에 발생하는 이상증상이나 변화를 살피기 위해 하는 기본적 검사이다. 안구 단층촬영은 CT를 이용하여 망막 부위에 대하여 단층촬영을 하는 검사로서 망막 및 망막 밑에 있는 얇은 막에 출혈이나 부종, 변성이 있는지를 확인하기 위해 시행하는 검사이다.

형광 안저 혈관조영술은 형광물질 조영제(fluorescein)를 정맥주사한 다음 이 형광물질 조영제가 망막혈관을 순환하는 상황을 관찰함으로서 망막, 특히 황반 주변 혈관의 상태를 자세히 알아낼 수 있는 검사이다. Indocyanin green 혈관조영술은 형광 안저 혈관조영술과 같지만 indocyanin green을 조영제로 사용하기 때문에 황반변성을 보다 자세하고 정확하게 진단할 수 있다.

2) 분류

황반변성은 건성 황반변성과 습성 황반변성으로 분류된다(표 66-2). 건성 황반변성은 주로 노인에서 발생하기 때문에 노인성 황반변성(age-related macular degeneration, AMD)이라고도 불린다. 안구가 노화되면 망막과 맥락막에 drugen이라는 미세 구조물이 형성되는데 이 drugen이 황반 주변에 많이 생기면 황반에 있는 시신경 세포를 손상시켜 시력이 저하된다. 이 경우, drugen은 대개 건조하고 단단한 형태이기 때문에 건성 황반변성(dry macular degeneration)이라고 한다.

습성 황반변성(wet macular degeneration)은 황반에 염증성 삼출물이 축적되어 황반이 변성되는 경우를 가리킨다. 염증성 삼출물이 황반에 축적되기 때문에 습성 황반변성이라고 한다. 염증은 망막 밑에 있는 맥락막의 비정상적 신생혈관에서 새어나오는 단백질을 비롯하여 여러 가지 혈관유래성 염증유발물질 때문에 발생한다.

표 66-2 황반변성의 분류

분류	특징
건성 황반변성 (dry macular degeneration)	■ 망막과 맥락막 사이에 drugen이라는 미세 구조물이 형성됨 ■ drugen 때문에 망막에 있는 시신경에 변성이 초래됨 ■ 병의 진행이 비교적 느림 ■ drugen 때문에 망막이 떨어져 나올 수도 있음(망막박리증)
습성 황반변성 (wet macular degeneration)	■ 망막 밑에 있는 맥락막에서 신생혈관이 비정상적으로 증식됨 ■ 신생혈관에서 혈관내부의 염증유발물질이 밖으로 새어 나옴(때로는 출혈) ■ 혈관삼출물(때로는 출혈)과 염증으로 시신경이 손상됨 ■ 병의 진행이 빠름 ■ 출혈 발생 후 1년 이내에 실명될 수 있음

3 황반변성의 약물치료법

황반변성 약물치료 포인트

1. 황반변성은 건성인지 습성인지에 따라 치료법이 다르다.
2. 건성은 적극적 약물치료를 하지 않고 당뇨병, 고혈압, 고지혈증 등 위험인자를 통제하는 치료를 받아야 한다.
3. 습성은 위험인자 통제는 물론 적극적 약물치료를 받아야 한다.
4. 대사성질환이 있는 환자는 생활습관개선을 실천하고 야외에 나갈 때는 선글라스를 착용하여 망막을 보호해야 한다.

황반변성은 건성인지 습성인지에 따라서 치료법이 다르다. 따라서 황반변성으로 진단되면 우선적으로 건성인지 습성인지를 구분하는 검사를 받은 다음 치료방침을 정해야 한다. 건성 황반변성인데 습성 황방변성에 사용되는 치료법을 사용할 경우 도리어 시력저하가 촉진되고 심각한 경우 실명에 이를 수도 있다.

건성 황반변성은 노화가 주요 원인이고 진행속도가 빠르지 않기 때문에 적극적 약물치료는 실시하지 않고 당뇨병, 고혈압, 고지혈증 등 대사성질환 위험인자를 통제하는 방법으로 치료를 실시한다. 보조요법으로는 아직 치료효과가 과학적으로 입증되지는 않았지만 lutein과 커큐민 또는 항산화제로 잘 알려진 비타민-A, C, E가 사용된다(그림 66-2). 아연과 구리 등 미네랄 성분 및 오메가-3 지방산도 건성 황반변성의 진행억제에 도움이 되는 것으로 알려져 있다. 금연과 선글라스 착용도 건성 황반변성의 진행억제를 위해 필수사항이다.

습성 황반변성은 시력저하의 속도가 빠르고 심한 경우 실명이 될 수도 있으므로 건성 황반변성의 경우와 마찬가지로 대사성질환 위험인자 통제 및 항산화제 등 보조요법은 물론 적극적인 약물치료를 받아야 한다. 습성 황반변성으로 진단된 환자의 망막 주변 혈관은 빠른 속도로 증식되기 때문에 혈관벽의 구조가 엉성하게 되는 특징이 있다. 혈관벽이 엉성해지면 혈관 내부 물질이 밖으로 새어 나가게 되어 망막에 염증을 일으킬 뿐만 아니라 출혈까지 발생하여 실명을 일으킬 수도 있다. Ranibizumab 등의 혈관신생 억제제는 망막주변 혈관신생을 억제하므로 습성 황반변성의 치료에 사용된다. 그러나 이 약물은 부작용이 많고 안구에 직접 주사해야 하는 불편이 있다. 습성 황반변성의 치료에 사용되는 약물의 용법, 용량 및 특징적 부작용과 작용 기전은 표 66-3, 표 66-4, 표 66-5에 요약되어 있다.

표 66-3 습성 황반변성 치료제의 용법 및 용량

분류	약물명	용법 및 용량
혈관신생 억제제	ranibizumab (루센티스®)	0.5mg (0.05ml)을 1개월마다 한 번씩 안구에 직접 주사함 (4회 주사 이후에는 3개월마다 한 번씩으로 용량을 줄일 수 있음)
	bevacizumab (아바스틴®)	1.25–2.5mg을 1개월마다 한 번씩 안구에 직접 주사함
	pegaptanib (Macugen®)	0.3mg을 6개월마다 한 번씩 안구에 직접 주사함 (국내 제품 없음)

표 66-4 습성 황반변성 치료제의 특징적 부작용

약물명	특징적 부작용	주의사항
ranibizumab, bevacizumab, pegaptanib	안구통증, 안구충혈 또는 출혈, 안압상승, 시야가 번쩍거리는 현상	■ 녹내장 환자는 의료인에게 미리 말할 것 ■ 안구통증, 안구충혈 등 부작용이 나타나면 의료인에게 알릴 것 ■ 부작용으로 결막염 등 감염성 안과질환이 발생할 수 있으므로 이상증상이 나타나면 의료인에게 알릴 것 ■ 이 약을 갑자기 중단하면 시야손상이 가속화될 수 있으므로 중단하고자 하면 반드시 의료인과 상의할 것

표 66-5 황반변성 치료제의 작용기전

약물명	작용기전
항산화제	■ lutein, vitamin A, C, E: – 활성산소 및 자유기 생성 억제 – 염증반응 억제 – 황반변성의 진행 억제

| 혈관신생 억제제 | ■ ranibizumab, bevacizumab, pegaptanib:
– VEGF와 수용체의 결합 방해
– 망막과 맥락막의 혈관신생 방해
– 습성 황반변성의 진행 예방 |

VEGF=vascular endothelial growth factor(혈관내피성숙인자)

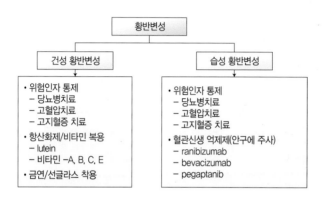

그림 66-2 황반변성의 약물치료법

67 Chapter

포도막염
(Uveitis)

1 개요

1) 정의

포도막염이란 포도막(홍채, 모양체, 맥락막)에 발생하는 염증성질환을 가리킨다 (그림 67-1). 염증이 포도막 중 특정한 부위에만 발생한 경우는 위치에 따라 홍채염, 모양체염, 맥락막염이라고 구분하여 부르기도 하지만, 일반적으로는 구분 없이 포도 막염이라고 한다.

2) 원인

포도막염은 자기 자신의 면역계가 포도막(홍채, 모양체, 맥락막)을 공격하여 염증 을 일으키기 때문인 것으로 알려져 있다. 면역계가 왜 포도막을 공격하는지는 아직 까지 밝혀지지 않았지만 과로, 스트레스, 유전적 요인 등이 면역기능에 이상을 초래

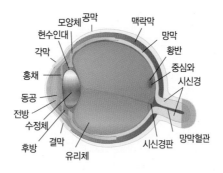

그림 67-1 안구의 구조

가장 바깥 층은 공막, 중간 층은 포도막, 안쪽 층은 망막이라고 하며 포도막에는 홍채, 모양체, 맥락막이 있음

하기 때문인 것으로 여겨지고 있다. 포도막은 안구에 영양분과 산소를 공급하기 위하여 혈관이 잘 발달되어 있고 결합조직이 풍부하기 때문에 염증이 발생하기 쉽다. Herpes virus, cytomegalovirus, 풍진 바이러스, 결핵균 등 미생물 감염이 원인인 경우도 있다. 포도막에 침입한 이들 미생물에 대항하기 위해 면역계가 활성화되어 각종 염증매개물질이 분비되면 자가면역과 유사한 염증이 발생한다.

3) 증상

포도막염은 염증이 발생한 위치에 따라 증상이 다르게 나타난다(표 67-1). 전포도막염과 중간포도막염의 경우에는 홍채 또는 모양체에 염증이 생긴 경우이므로 시력장애보다는 충혈, 눈물, 안구통, 눈부심이 심하다. 후포도막염의 경우에는 맥락막에 염증이 생긴 경우이므로 시력저하, 비문증(날파리가 날아다니는 것 같은 증상), 변시증(사물이 찌그러져 보이는 현상) 등 망막 관련 증상이 주로 나타나고 눈부심이 동반될 수 있다. 포도막염은 염증의 정도에 따라서도 증상이 다르게 나타난다. 염증이 심한 급성기에는 안구통과 두통이 동반되지만, 염증이 어느 정도 가라앉은 시기나 만성적 포도막염의 경우에는 안구통은 없고 눈이 뻐근하고 답답한 정도의 증상이 나타난다.

표 67-1 포도막염의 주요 증상

분류	주요 증상
전포도막염, 중간포도막염	▪ 충혈, 눈물 ▪ 안구통 ▪ 두통
후포도막염	▪ 시야 혼탁, 눈부심, 비문증 ▪ 변시증(metamorphopsia), 섬광증(flashing lights) ▪ 시력장애

2 포도막염의 진단 및 분류

1) 진단

포도막염은 환자의 병력청취, 시력검사, 안압검사, 세극등 현미경 검사, 안저검사 등을 통하여 진단한다. 세극등 현미경은 결막과 각막은 물론 홍채, 모양체, 수정체 등 눈의 각 부분을 자세히 관찰할 수 있는 기구이다. 전포도막염의 경우 세극등 현미경으로 홍채에 염증이 있는지, 전방(각막과 홍채 사이의 공간)에 염증세포가 떠다니는지를 볼 수 있다. 중간포도막염의 경우에는 모양체가 홍채에 가려져 있어 진단이 어렵다. 후포도막염은 동공을 확대시키고 세극등 현미경을 이용한 안저검사를 실시하여 진단한다. 망막과 맥락막에 염증소견이 관찰되면 후포도막염으로 진단한다. 홍채부터 맥락막까지 염증이 전체적으로 퍼져 있으면 전체 포도막염이다.

2) 분류

포도막염은 일반적으로 염증이 생긴 부위에 따라서 전포도막염, 중간포도막염, 후포도막염, 전체 포도막염으로 구분된다(표 67-2, 그림 67-2).

표 67-2 포도막염의 분류

분류	특징
전포도막염	■ 포도막의 앞부분에 해당하는 홍채에 염증이 발생한 경우 ■ 홍채염이라고도 함 ■ 가장 흔한 형태임
중간포도막염	■ 포도막의 중간 부위인 모양체에 염증이 발생한 경우 ■ 모양체염이라고도 함
후포도막염	■ 포도막의 뒷부분에 해당하는 맥락막에 염증이 발생한 경우 ■ 맥락막염이라고도 함 ■ 염증이 망막까지 퍼지면 맥락망막염 또는 망막맥락막염이라고 함
전체 포도막염	■ 홍채부터 맥락막까지 포도막 전체에 염증이 발생한 경우 ■ 염증이 망막까지 확산될 수 있음

전포도막염　　중간포도막염　　후포도막염

그림 67-2 포도막염의 분류

③ 포도막염의 약물치료법

포도막염 약물치료 포인트

1. 포도막염은 염증이 발생한 위치에 따라 치료법이 약간 다르다.

2. 전포도막염이나 중간포도막염은 일차적으로 산동제나 부신피질호르몬제를 점안약으로 투여하고 이차적으로 경구용이나 주사제로 치료받는다.

3. 후포도막염은 일차적으로 부신피질호르몬제를 경구용으로 투여하고 이차적으로 면역억제제로 치료받는다.

4. 면역억제 치료 중에는 감염성질환에 취약하게 되므로 사람들이 많이 모이는 곳에는 가급적 가지 말고 외출 시에는 항상 마스크를 착용해야 한다.

포도막염 치료는 염증을 억제하여 증상을 완화시키고 백내장, 녹내장, 망막 손상 등 합병증을 예방하는 것이다. 포도막염의 약물치료방법은 포도막염이 발생한 위치에 따라 약간 다르다.

전포도막염이나 중간포도막염의 경우에는 atropine이나 homatoropine 등 산동제를 점안약으로 투여하여 안구의 긴장을 완화시키는 것만으로도 치료효과를 기대할 수 있는 경우가 많다(그림 67-3). 산동제 점안약으로 만족할 만한 치료효과가 없을 경우에는 prednisolone 등 부신피질호르몬제를 점안약으로 투여한다. 부신피질호르몬제의 면역억제작용은 포도막염의 증상을 완화하는 데 신속한 효과가 있다. 만일 부신피질피질 호르몬제 점안약으로도 만족할 만한 치료효과가 나타나지 않으면 부신피질호르몬제를 경구용 또는 주사제로 투여한다.

후포도막염으로 진단된 환자의 경우에는 염증이 발생한 장소가 안구의 뒤쪽에 있는 맥락막이므로 점안약으로는 약이 염증장소에 다다를 수 없다. 따라서 이 경우에는 경구용이나 주사제로 약물을 투여해야 한다. 부신피질호르몬제를 사용해도 만족할 만한 치료효과가 나타나지 않으면 infliximab, etanercept 등의 강력한 면역억제제가 고려된다. 그러나 이들 면역억제제는 포도막염에 대한 치료효과가 아직까지 확립되지 않았을 뿐만 아니라 부작용이 많기 때문에 주의를 기해야 한다. 최근에는 안구이식용 dexamethasone implant가 개발되어 약물투여 횟수를 줄이고 부신피질호르몬으로 인한 전신 부작용을 줄일 수 있게 되었다. 이 제제는 약물을 고분자물질에 봉입하여 만든 것으로 안구 안쪽에 주사로 주입하도록 제품화되어 있다.

표 67-3 포도막염 치료제의 작용기전

약물명	작용기전
산동제	■ atropine, homatropine 등: – 모양체 근육을 마비시켜 동공 확대
부신피질호르몬제	■ methylprednisolone 등: – 염증매개물질인 프로스타글란딘 생합성 방해로 항염증작용 – 염증의 진행 및 염증반응으로 인한 통증 억제
면역억제제	■ infliximab, etanercept 등: – TNF-알파와 결합하여 불활성화 – 자가면역반응을 억제

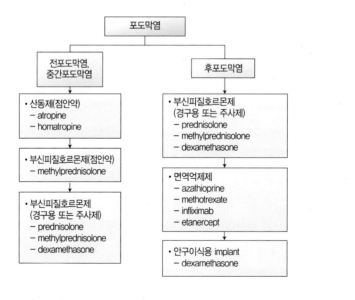

그림 67-3 포도막염의 약물치료법

Part 12
비뇨기과 질환

전립선비대증
(Benign prostate hyperplasia)

1 개요

1) 정의

전립선비대증이란 전립선이 비대되어 그 가운데를 통과하는 요도가 눌려 소변이 잘 나오지 않는 증상을 가리킨다. 이 질환은 남성에게만 발병된다.

2) 원인

전립선비대증은 dihydrotestosterone (DHT)라는 남성호르몬과 관련이 있는 것으로 알려져 있다. DHT는 testosterone이 5-알파 환원효소에 의하여 생성되는 물질인데 testosterone보다 생리활성이 강력한 물질로서 전립선조직에 증식을 일으킨다(표 68-1). DHT는 또한 남성이 나이가 들면서 나타나는 남성형 탈모증(대머리)의 원인 물질이기도 하다.

표 68-1 전립선비대증의 원인	
나이	▪ 나이가 50세 이상
남성 호르몬	▪ DHT (전립선조직에 증식을 일으킴) ▪ 사춘기 이전에 거세되었거나 여성호르몬제를 투여 중인 남성에게는 발병되지 않음

3) 증상

전립선비대증의 증상은 전립선 가운데를 통과하는 요도가 압박되어 소변이 시원하게 나오지 않는 것이다. 초기에는 소변을 자주 보고, 소변기에 서서 소변이 나오기까지 시간이 오래 걸리고, 소변을 보는 시간이 오래 걸린다(표 68-2). 전립선비대증이 어느 정도 진행되면 잔뇨감이 나타나는데 이는 방광 아랫부분이 눌려 소변을 다 본 후에도 일부가 남기 때문이다. 전립선이 더욱 비대해지면 소변이 신장으로 역류하거나 소변이 신장에 고이는 현상(수신증, hydronephrosis)까지 발생할 수 있다.

표 68-2 전립선비대증의 증상	
1단계	■ 빈뇨(소변이 자주 마려움) ■ 지연뇨(소변이 나오기까지 시간이 오래 걸림) ■ 세뇨(소변 줄기가 가늚)
2단계	■ 잔뇨(소변을 본 뒤에도 개운하지 않음)
3단계	■ 방광게실(bladder diverticula) ■ 소변 역류(소변이 신장으로 역류함) ■ 수신증(신장에 소변이 고임)

4) 진단

전립선비대증의 진단은 기본검사와 2차 검사로 실시한다(표 68-3). 기본검사는 병력청취와 증상점수측정, 전립선특이항원검사 및 직장수지검사(digital rectal exam, DRE) 등이 있다. 기본검사 결과, 전립선비대증이 의심되면 보다 자세하게 검사하기 위하여 2차 검사를 실시한다. 2차 검사에는 요류속도와 잔뇨량 측정, 초음파 검사, 방광경 검사, X-ray 검사 등이 있다.

증상점수(symptom index)는 환자가 스스로 작성할 수 있는 간단한 진단도구로서 질병의 경과를 판단하는 데 도움이 된다(표 68-4). 증상점수가 20점 이상이면 치료를 받아야 한다. 전립선특이항원 검사(prostate specific antigen test, PSA 검사)는 전립선비대증이 전립선암 때문일 수 있으므로 실시한다. 실제로 PSA 검사는 전립선암을 조기 진단하는 데 있어서 유용한 지표이다. 직장수지검사(digital rectal exam)는 의사가 손가락을 직장에 넣어 전립선을 직접 만져보는 검사이다.

표 68-3 전립선비대증의 진단을 위한 검사	
기본검사	■ 병력청취 ■ 증상점수 측정 ■ 전립선특이항원 검사 ■ 직장수지검사

2차 검사	▪ 요류속도 및 잔뇨량 측정 ▪ 초음파 검사 ▪ 방광경 검사 ▪ X-ray 검사 ▪ 전립선 조직검사

표 68-4 전립선비대증의 자가진단 증상점수표

번호	문항	전혀 아님	5회중 한번	5회중 두번	5회중 세번	5회중 네번	항상
1	소변 후 시원하지 않다	0	1	2	3	4	5
2	2시간 이내에 다시 소변을 본다	0	1	2	3	4	5
3	소변줄기가 끊어져 다시 힘을 준다	0	1	2	3	4	5
4	소변을 참기 어려운 경우가 있다	0	1	2	3	4	5
5	소변줄기가 약하거나 가늘다	0	1	2	3	4	5
6	소변이 나오지 않아 아랫배에 힘을 준다	0	1	2	3	4	5
7	자다가 일어나 소변을 본다	0	1	2	3	4	5
점수 합계		35점 중 ( )점					

7점 이하는 경증(치료 불필요), 8~19점은 중등도(치료 불필요, 정기적 검사 필요), 20점 이상은 중증(치료 필요)

2 전립선비대증의 약물치료법

전립선비대증 약물치료법 포인트

1. 전립선비대증은 증상평가 결과 경증이면 약물치료 없이 생활습관개선을 잘 실천하면 된다.

2. 증상평가가 중등도 이상이면 2차 검사를 받고 약물요법 여부를 결정해야 한다.

3. 약물치료는 일차약으로 알파차단제를 사용하고 이때 저용량으로 시작하여 1-2개월에 걸쳐 서서히 목표용량으로 증량한다.

4. 알파 환원효소차단제는 남성기능을 약화시키는 부작용이 있으므로 일차약을
   최대용량으로 투여해도 약효가 미흡할 경우에 한하여 사용한다.

전립선비대증 치료는 수술요법이 기본이지만 수술해야 할 정도로 심하게 비대해
지기 전까지는 자가진단 증상점수를 참고하여 약물요법으로 치료한다. 전립선비대
증의 치료에 있어서 약물요법의 목적은 수술시점을 가능한 한 늦추는 것이다.

자가진단 증상점수가 7점 이하인 경증이면 약물치료를 실시하지 않고 지속적으
로 증상을 관찰해 나가면서(watchful waiting) 더 이상 악화되지 않도록 한다(그림
68-1). 커피와 술을 자제하면 소변량이 줄어 전립선비대증으로 인한 불편을 줄이는
데 도움이 된다. 잠자리에 들기 약 2시간 전부터 물을 마시지 않으면 소변 때문에 잠
에서 깨는 불편을 줄이는 데 도움이 된다.

자가진단 증상점수가 8점 이상이면 기본검사와 전립선특이성 항원(prostate specific
antigen) 검사를 실시하여 약물요법을 선정한다. 정상범위(4ng/ml 이하)이면 알파차단
제 단독요법이 권장되지만, 정상범위보다 높게 나오면 5-알파 환원효소 차단제(5α
-reductase inhibitor)를 단독요법으로 하거나 알파차단제와 병용하여 투여한다.

알파차단제는 비대된 전립선을 축소시키는 효과는 없지만 방광경부와 전립선 주
변에 있는 요도 괄약근을 이완시키는 작용이 있으므로 환자의 불편한 증상을 신속
하게 줄여주는 이점이 있다. 알파차단제는 복용 초기에는 기립성저혈압으로 인해 어
지럼증이 나타나는 부작용이 있으므로 저용량으로 시작하여 1-2개월에 걸쳐 서서
히 증량해야 한다. 카두라 엑스엘 서방정®을 비롯하여 자트랄® 등은 고용량이 함유
된 제제를 지속방출형 제제로 만든 제제이기 때문에 용량조절이 곤란하므로 복용하
기 시작하고 처음 1-2주 동안은 어지럼증에 대한 특별한 주의가 필요하다. 5-알파환
원효소 차단제는 비대된 전립선을 축소시키는 작용은 뛰어나지만 요도 괄약근을 이
완시키는 작용이 없기 때문에 배뇨관련 불편을 신속하게 해소해 주지는 못한다. 5-
알파환원효소 차단제의 전립선 크기 축소효과는 복용개시 후 약 6개월 정도가 걸리
며 전립선의 크기를 25% 정도 축소시키는 것으로 알려졌다. 전립선비대증의 약물치

료에 사용되는 약물의 용법, 용량 및 특징적 부작용과 작용기전은 표 68-5, 표 68-6, 표 68-7에 요약되어 있다.

약물요법을 통하여 전립선비대증 증상이 효과적으로 개선되지 않거나 전립선비대가 심한 경우에는 수술요법을 실시한다. 최근에는 여러 가지 비침습적 수술요법이 개발되어 널리 시행되고 있다. 비침습적 수술요법은 전신마취 없이 간단한 도구를 요도를 통하여 삽입한 다음 전립선에 극초단파나 고주파를 가하여 증식된 전립선 조직을 제거하는 수술법이 대표적인 방법이다. 극초단파를 이용하는 수술법에는 경요도극초단파 온열요법(transurethral microwave thermotherapy, TUMP), 고주파를 이용하는 수술법에는 경요도고주파침 박리술(transurethral needle ablation, TUNA)이 있다.

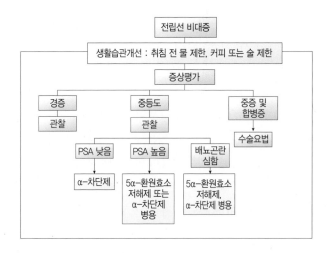

그림 68-1 전립선비대증의 약물치료법

PSA=prostate specific antigen (전립선특이성 항원, 정상범위: 4ng/ml 이하)

표 68-5 전립선 비대증 치료제의 용법 및 용량[a]

구분	약물명	용법
알파차단제	alfuzosin (잘트린엑스엘®)	1일 1회 10mg, 저녁식사 직후 복용
	terazosin (하이트린®)	1일 1회 1mg 취침 전 투여 후, 유지량으로 1일 1회 5-10mg 투여
	doxazosin (카두라엑스엘®)	1일 1회 1mg 투여 후, 1-2주 간격으로 1일 1회 2mg으로 증량, 점진적으로 4, 8mg까지 투여
	tamsulosin (타미날®)	1일 1회 0.2mg을 1일 1회 식후 투여
	silodosin (트루패스®)	1회 4mg, 1일 2회 아침, 저녁 식후 또는 1일 1회 8mg 식사와 함께 투여
	naftopidil (플리바스®)	1일 1회 25mg 투여 후, 1-2주 간격으로 50-75mg까지 증량
5-알파환원 효소 차단제	finasteride	1일 1회 5mg 경구투여
	dutasteride	1일 1회 0.5mg 경구투여

표 68-6 전립선비대증 치료제의 특징적 부작용

구분	약물명	특징적 부작용	주의사항
알파 차단제	terazosin 등	기립성 저혈압, 어지럼증, 잘 넘어짐	■ 어지럼증이 나타나면 즉시 의료인에게 알릴 것 ■ 저용량으로 시작하여 1-2개월에 걸쳐 서서히 증량할 것
5-알파 환원효소 차단제	finasteride 등	성욕부진, 발기부전, 지연사정	■ 배뇨관련 불편을 즉시 해소하는 효과는 없음 ■ 약효가 나타나기까지 약 6개월 정도가 걸림 ■ 성욕장애 부작용이 있음

표 68-7 전립선비대증 치료제의 작용기전

구분	작용기전
알파차단제	■ terazosin 등: – 요도 괄약근에 있는 알파-1 수용체와 결합하여 괄약근의 수축을 억제함 – 따라서 요도가 넓어져 소변의 배출이 용이해짐 – 혈관 평활근에서 작용하여 혈관을 확장시키므로 혈압을 내리는 작용이 있음

5-알파
환원효소
차단제
	■ finasteride, dutasteride:
	– testosterone을 dihydroxytestosterone (DHT)으로 환원시키는
	  5-알파환원효소(5α-reductase)에 결합하여 DHT 생합성을 억제함
	– DHT는 androgen 수용체에 대한 친화력이 testosterone보다 3배 이상, 다른
	  androgen에 비해서는 10배 이상 친화력이 강함
	– DHT 생합성 억제되면 전립선조직의 증식도 억제됨
	– Finasteride는 5-알파환원효소 중 type II에 대한 선택성이 높음
	– Dutasteride는 type I과 type II 양쪽에 모두 친화력이 있음

과민성 방광질환
(Overactive bladder)

1 개요

1) 정의

과민성 방광질환이란 소변검사에서 세균이 없고 배뇨 시 통증은 없지만 소변을 참지 못하고 화장실에 자주 가게 되는 질환을 가리킨다. 이 질환은 하루에 8회 이상 화장실에 가고 일단 소변이 마렵다는 생각이 들면 참지 못하는 것이 특징으로서 보통 여성에서 발병된다.

2) 원인

과민성 방광질환은 방광의 소변배출기능을 조절하는 신경에 장애가 있거나, 방광을 지탱하는 골반저근이 약해진 경우, 방광 안에 결석이 있는 경우, 전립선 비대증, 방광 근육의 과민반응 등이 있다(표 69-1). 그러나 알 수 없는 이유로 방광의 근육이 지나치게 민감해져 이 질환이 발생하는 경우가 환자의 대부분을 차지한다.

표 69-1 과민성방광질환의 원인	
신경계 장애	■ 뇌혈관 장애(뇌졸중, 뇌경색), 뇌 장애(파킨슨병), 척수 장애(다발성경화증), 출산 등의 후유증으로 뇌와 방광 근육 사이의 신경회로에 장애가 발생한 경우
골반저근 장애	■ 출산이나 노령으로 인하여 자궁, 방광, 요도를 지탱하고 있는 골반저근이 약해진 경우
기타 원인	■ 방광 안에 결석이 있는 경우 ■ 전립선 비대증(남성) ■ 방광의 근육이 지나치게 민감해진 경우(대부분의 환자가 여기에 속함)

3) 증상

과민성 방광질환의 증상은 소변이 자주 마렵지만 양은 많지도 않다. 특히 일단 소변이 마렵다는 생각이 들면 참지 못하는 것이 특징이다. 심한 경우는 화장실에 도착하기 전에 속옷을 적시기도 한다(절박성 요실금). 방광염은 배뇨 시 통증이 심하지만 이 경우는 통증이 심하지 않다.

2 과민성 방광질환의 진단

과민성 방광질환의 진단은 기본검사와 2차 검사로 실시한다(표 69-2). 기본검사는 병력청취와 자가진단표 작성(표 69-3), 소변검사, 혈액검사 등이 있다. 소변 1ml 당 세균수가 100,000 이상이거나 배뇨 시 요도작열감이 있으면 방광염을 의심해야 한다. 기본검사 결과 과민성 방광질환으로 판단되면 원인을 알아내기 위하여 2차 검사를 실시한다. 2차 검사에는 요류속도와 잔뇨량 측정, 방광내압 검사, 방광 요도 내시경 검사, X-ray 검사 등이 있다. X-ray 검사는 조영제를 정맥에 주사한 후 신장, 요관, 방광 등 요로의 상태를 X-ray로 촬영하여 조영제가 소변으로 배설되는 상태를 알 수 있다.

표 69-2 과민성 방광질환의 진단을 위한 검사	
기본검사	■ 병력청취 ■ 자가진단표 작성 ■ 소변검사 ■ 혈액검사
2차 검사	■ 요류속도 및 잔뇨량 측정 ■ 방광내압 검사 ■ 방광 요도 내시경 검사 ■ X-ray 검사(요로조영술)

표 69-3 과민성 방광질환의 자가진단표		
1	하루에 8번 이상 소변을 본다	▢예 ▢아니오
2	잠을 자다가 소변을 보기 위해 일어나는 경우가 자주 있다	▢예 ▢아니오

3	소변이 마려우면 참지 못하고 소변이 흘러 속옷을 적신다	□예 □아니오
4	외출했을 때 화장실 찾는 것이 걱정되어, 물이나 음료수 마시는 것을 삼간다	□예 □아니오
5	낯선 장소에 가게 되면 먼저 화장실 있는 곳을 확인한다	□예 □아니오
6	근처에 화장실이 없을 것 같은 곳에는 가지 않는다	□예 □아니오
7	갑자기 소변이 마려워지는 경우가 자주 있다	□예 □아니오
8	소변이 자주 마려워 일에 방해를 받는 경우가 자주 있다	□예 □아니오
9	소변이 흘러 속옷이 젖는 것을 대비해 패드를 사용한다	□예 □아니오

※ 위 9개 질문에 하나라도 해당되면 과민성 방광증상이라고 할 수 있음

3 과민성 방광질환의 약물치료법

과민성 방광질환 약물치료법 포인트

1. 과민성 방광광질환은 감염성질환이 아니라 말초신경장애이다.
2. 과민성 방광질환은 약물요법과 함께 행동요법을 병행하고 증상이 완화되면 의사와 상의하여 약물요법을 끊고 행동요법만 꾸준히 실천해야 한다.
3. 흡연은 방광의 신경을 예민하게 하는 작용이 있으므로 반드시 금연해야 한다.

과민성 방광질환을 약물요법과 함께 행동요법을 병행하는 것이 효과적이다. 약물요법은 방광의 비정상적인 수축을 억제하여 방광의 압력을 낮추어 절박성 요실금을 완화시킨다. 두 가지 요법을 병행하여 3-6개월 정도 치료하면 소변을 참는 능력이 개선되고 한 번에 보는 소변의 양도 증가된다.

행동요법은 방광훈련, 골반저근운동, 생활습관개선 등으로 실시한다. 방광훈련은 소변이 마려워도 참아내는 훈련이다. 처음에는 소변이 마렵다는 생각이 드는 시간부터 5분 정도를 참게 하고 차츰 시간을 늘려나간다. 낮에 소변보는 간격이 3시간 정도가 되도록 참을 수 있으면 일상생활에 큰 지장이 없다.

골반저근운동은 요도 수축력을 강화시키는 훈련이다. 이 훈련은 등을 마루나 방바닥에 대고 누워 다리를 위로 벌리고 무릎을 굽힌 자세에서 질과 항문을 조이거나 이완시키는 동작을 되풀이한다. 생활습관개선은 특별한 훈련이나 운동을 실시하는 것이 아니라 평소 생활습관을 교정해 나가는 것이다. 자극적인 음식, 커피, 탄산음료의 섭취는 피하는 것이 좋고 흡연은 담배연기 속에 있는 니코틴이 방광근육을 자극시킬 수 있으므로 금연해야 한다. 비만과 변비도 방광내압을 증가시킬 수 있으므로 체중감량과 변비를 조절하는 것이 중요하다.

약물요법은 항콜린제 또는 항콜린 항경련 복합효능제 중에서 한 가지를 선택해서 사용한다(그림 69-1). 이들 약물은 자율신경계의 신호전달을 방해하는 물질이기 때문에 대부분의 환자에게 처음에는 입이 마르고, 변비, 어지럼증이 나타나지만, 복용하고 2주일 정도가 지나면 저절로 가라앉는다. 약물요법을 행동요법과 함께 3-6개월 정도 실시하면 대부분의 경우 소변을 참는 능력이 개선되고 일상생활에 큰 불편이 없게 된다. 이 경우 약물요법을 계속할 것인지 중단할 것인지에 대한 판단은 환자의 직업, 생활습관, 건강상태 등을 종합적으로 고려하여 신중히 결정한다. 과민성 방광질환의 약물치료에 사용되는 각 약물의 용법, 용량 및 특징적 부작용과 작용기전은 표 69-4, 표 69-5, 표 69-6에 요약되어 있다.

만일 두 가지 요법으로 치료를 계속하는데도 호전되지 않는 경우에는 신경조정술을 고려한다. 과민성 방광질환의 치료에 도움이 되는 신경조정술에는 말초신경자극과 천수신경자극이 있다. 말초신경자극은 방광배뇨근의 비정상적인 수축을 억제하도록 전기 및 자기장으로 말초신경을 자극하는 치료법이다. 천수신경자극은 천골(sacral bone)에서 나오는 천수신경(S3)에 전기자극발생기를 삽입하여 신경을 자극하는 방법이다. 신경조정술로도 개선되지 않는 난치성의 경우에는 방광신경파괴술, 배뇨근 절제술, 방광확대술 등의 수술요법을 실시한다.

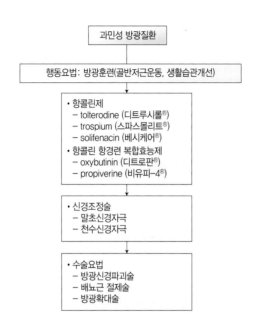

그림 69-1 과민성 방광질환의 약물치료법

표 69-4 과민성 방광질환 치료제의 용법 및 용량

분류	약물명	용법 및 용량
항콜린제	tolterodine (디트루시톨®)	4mg을 1일 1회 복용함
	trospium (스파스몰리트®)	20mg을 1일 2회 복용함
	solifenacin (베시케어®)	5mg을 1일 1회 복용함(1일 최대용량: 10mg)
항콜린 항경련 복합효능제 항콜린제	oxybutinin (디트로판®)	5mg을 1일 2–3회 복용함(1일 최대용량: 20mg)
	propiverine (비유피-4®)	20mg을 1일 1회 복용함(1일 최대용량: 40mg)
	darifenacin (에나블렉스®)	7.5mg을 1일 1회 복용함
	fesoterodine (토비애즈®)	4mg을 1일 1회 복용함

표 68-5 　과민성 방광질환 치료제의 특징적 부작용

구분	약물명	특징적 부작용	주의사항
항콜린제	tolterodine, trospium, solifenacin	구갈, 변비, 어지럼증	▪ 복용 중 초기에 입이 마르거나, 변비, 어지럼증이 나타나지만 2주 정도 지나면 가라앉음 ▪ 만일 이 부작용이 참을 수 없을 만큼 심하면 복용을 중지하고 의료인에게 알릴 것
항콜린 항경련 복합효능제	oxybutinin, propiverine, darifenacin, fesoterodine	구갈, 변비, 어지럼증	▪ 위에 있는 항콜린제의 경우와 같음 ▪ 입술, 혀 또는 얼굴에 반점이 나타나면 복용을 중지하고 즉시 의료인에게 알릴 것

표 68-6 　과민성 방광질환 치료제의 작용기전

분류	작용기전
항콜린제	▪ tolterodine, trospium, solifenacin: – 콜린 수용체에 결합하여 억제적으로 작용함 – 요상피 하층과 배뇨근에 있는 구심신경의 활성이 억제되므로 소변하고자 하는 욕구가 억제됨 – solifenacin은 방광의 콜린 수용체에 대한 선택성이 좋아 입마름 등의 부작용이 적음
항콜린 항경련 복합효능제	▪ oxybutinin, propiverine, darifenacin, fesoterodine: – 콜린 수용체에 대한 작용 이외에도 직접적인 근이완작용과 국소마취작용이 있음 – 근이완작용과 국소마취작용은 절박뇨 증상을 가라앉게 하는 효과가 있음

약·물·치·료·핸·드·북

INDEX

찾아보기

INDEX

한국어

ㄱ

ㅈ

영문

A

O

P